FACTO school

5-2

초등 수학 팩토

단원별 계산력 수학

1 단원

수의 범위와 어림하기

매스티안

5. 50까지의 수

· 50까지 수
· 수의 크기 비교

1. 세 자리 수

· 세 자리 수
· 수의 크기 비교

1-1

1. 9까지의 수

· 0~9까지 수
· 1 큰 수와 1 작은 수
· 수의 크기 비교

1-2

1. 100까지의 수

· 100까지 수
· 수의 크기 비교
· 짝수와 홀수

1 수의 범위와 어림하기

Teaching Guide

- 학생이 반올림할 때 왜 5부터 올림을 하는지 궁금해 할 수 있습니다. 일의 자리 수가 0, 1, 2, 3, 4, 5, 6, 7, 8, 9이고, 4와 5 사이가 가운데이므로 5는 엄격히 말하여 수직선 상 가운데의 수가 아니고 오른쪽으로 조금 더 치우쳐 있습니다. 따라서 5부터 반올림을 하여 10으로 생각하는 것이 자연스럽다고 지도합니다.
- '반올림하여 소수 둘째 자리까지 나타내시오.'와 같은 문제는 자주 실수하는 문제입니다. 이때에는 소수 셋째 자리에 동그라미를 하고 반올림하도록 지도하여 실수를 방지하도록 합니다.

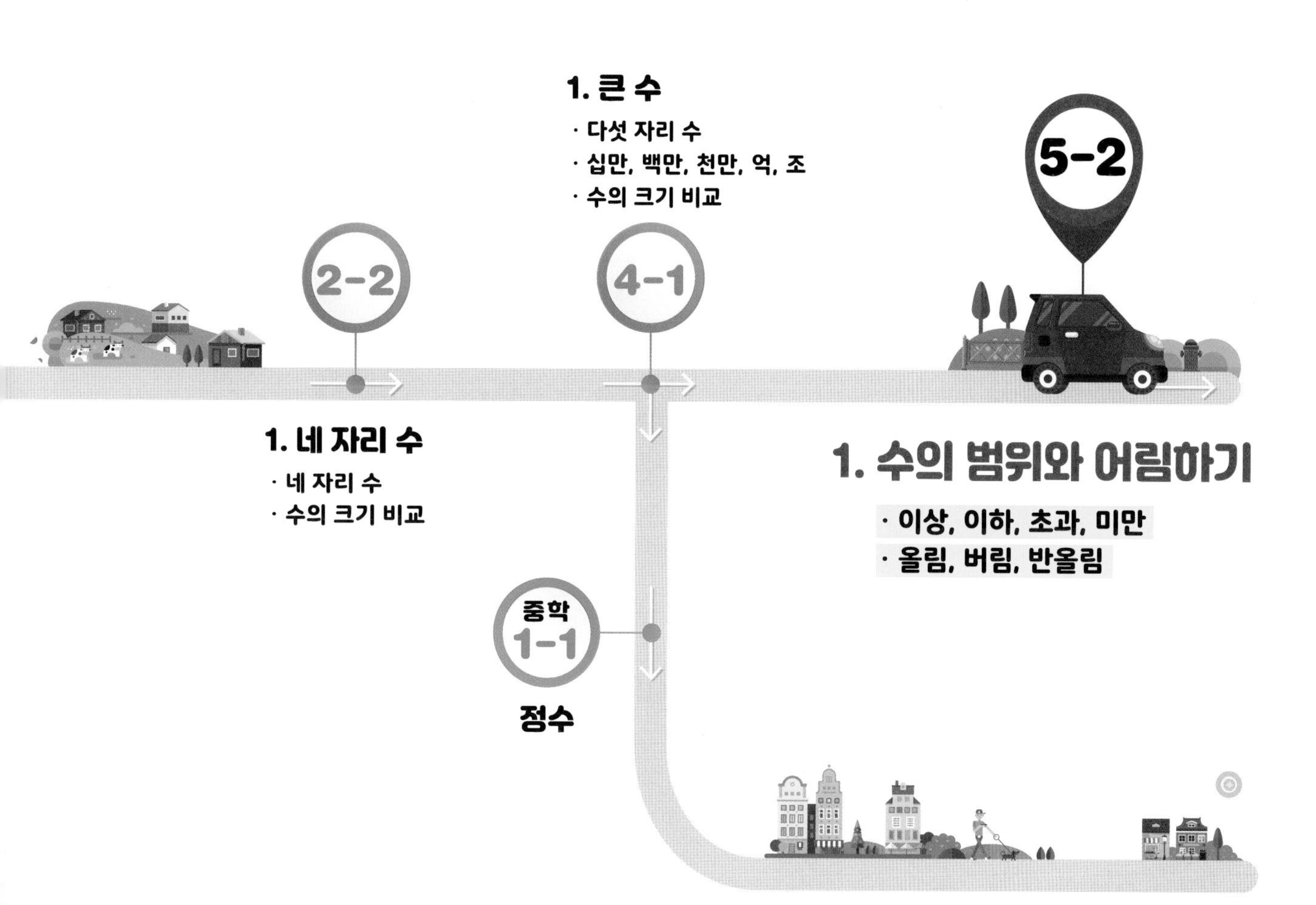
1. 큰 수
· 다섯 자리 수
· 십만, 백만, 천만, 억, 조
· 수의 크기 비교
5-2
2-2
4-1
1. 네 자리 수
· 네 자리 수
· 수의 크기 비교
1. 수의 범위와 어림하기
· 이상, 이하, 초과, 미만
· 올림, 버림, 반올림
중학 1-1
정수

공부한 날짜

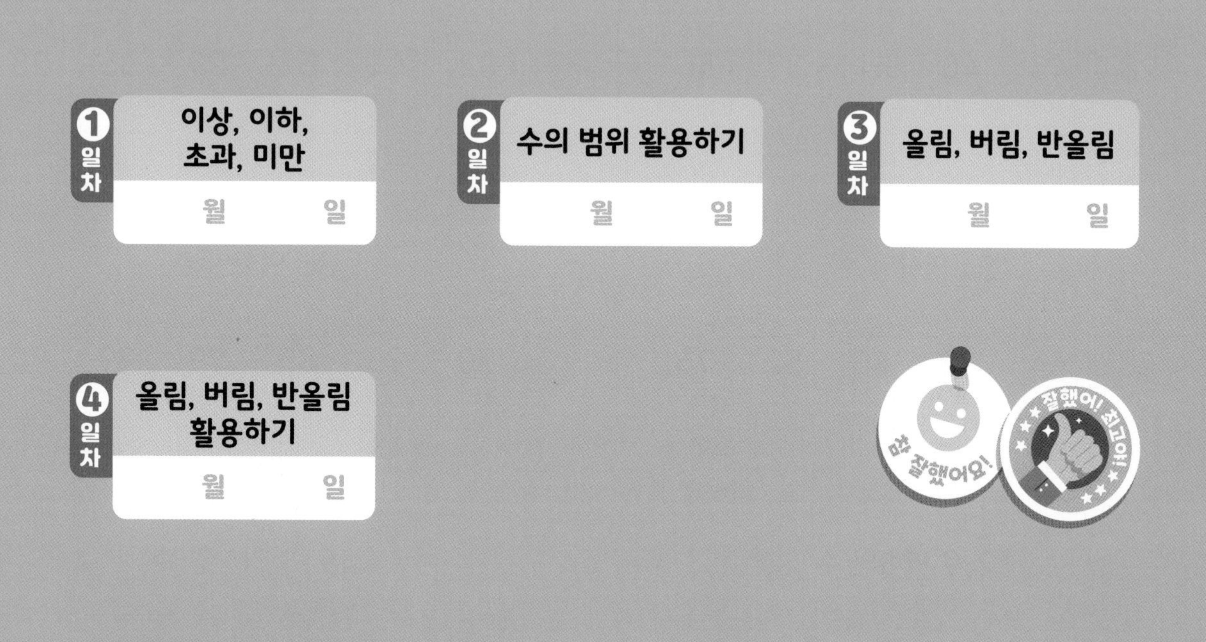
1 일차 이상, 이하, 초과, 미만 월 일
2 일차 수의 범위 활용하기 월 일
3 일차 올림, 버림, 반올림 월 일
4 일차 올림, 버림, 반올림 활용하기 월 일
참 잘했어요!
잘했어! 최고야!
5 일차 응용 문제 월 일
6 일차 형성 평가 월 일
7 일차 단원 평가 월 일

01 이상, 이하, 초과, 미만

정답 02쪽

30, 31, 33, 35 등과 같이 30과 **같거나 큰 수**를 30 **이상**인 수라고 합니다.

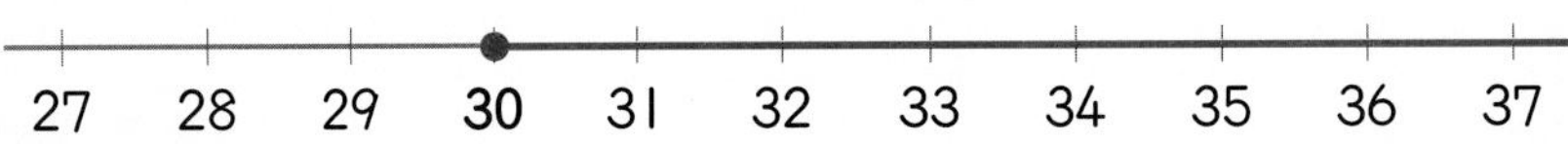

70, 69, 67, 65 등과 같이 70과 **같거나 작은 수**를 70 **이하**인 수라고 합니다.

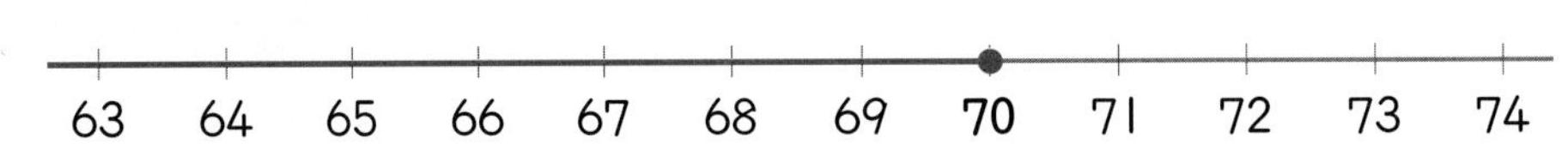

1 주어진 수의 범위에 속하는 수를 모두 찾아 ○표 하시오.

20 이상인 수 (같거나 큰 수)

9 (20) 17 24 15 41

13 이하인 수 (같거나 작은 수)

12 31 18 13 22 10

40 이하인 수

28 45 40 51 37 66

35 이상인 수

32 44 51 29 35 28

54 이상인 수

58 64 32 45 52 76

86 이하인 수

80 96 85 79 99 90

12.9 이하인 수

10 14.4 12.9 13 11.5 13.8

49.3 이상인 수

38.9 57 50.2 49 52.8 46.1

2 수의 범위를 수직선에 나타내어 보시오.

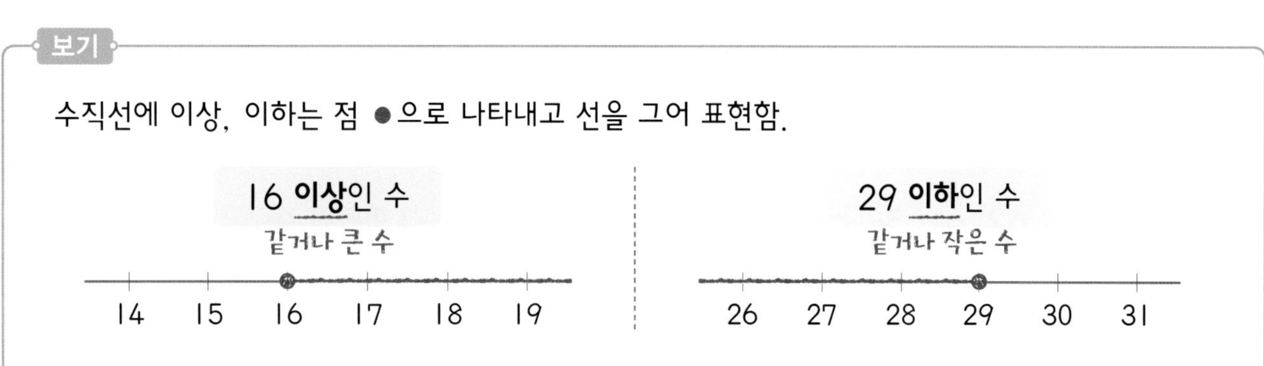
보기
수직선에 이상, 이하는 점 ●으로 나타내고 선을 그어 표현함.
16 이상인 수
같거나 큰 수
14 15 16 17 18 19
29 이하인 수
같거나 작은 수
26 27 28 29 30 31

25 이상인 수
같거나 큰 수
23 24 25 26 27 28 29
12 이하인 수
같거나 작은 수
9 10 11 12 13 14 15
37 이상인 수
33 34 35 36 37 38 39
59 이하인 수
58 59 60 61 62 63 64
63 이상인 수
62 63 64 65 66 67 68
88 이하인 수
83 84 85 86 87 88 89

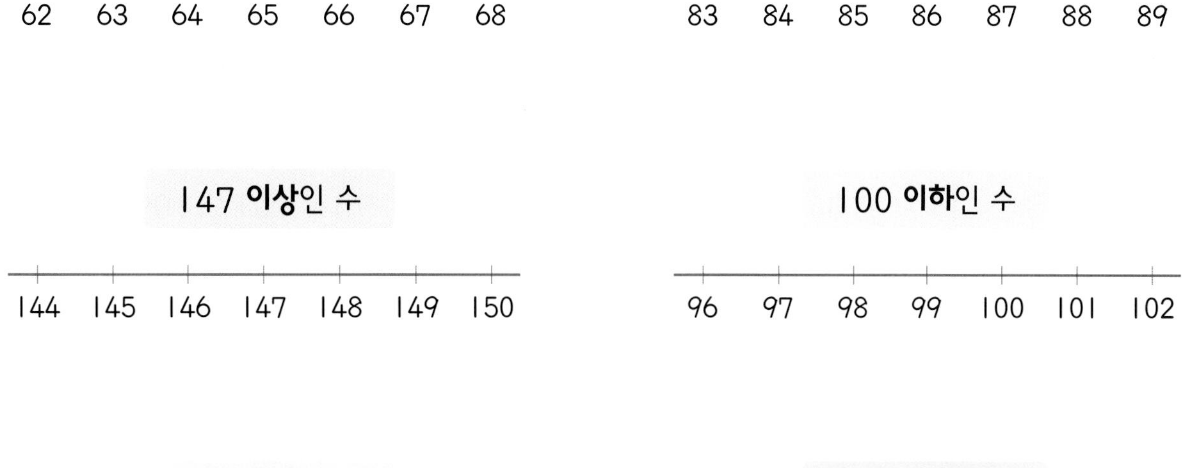
147 이상인 수
144 145 146 147 148 149 150
100 이하인 수
96 97 98 99 100 101 102

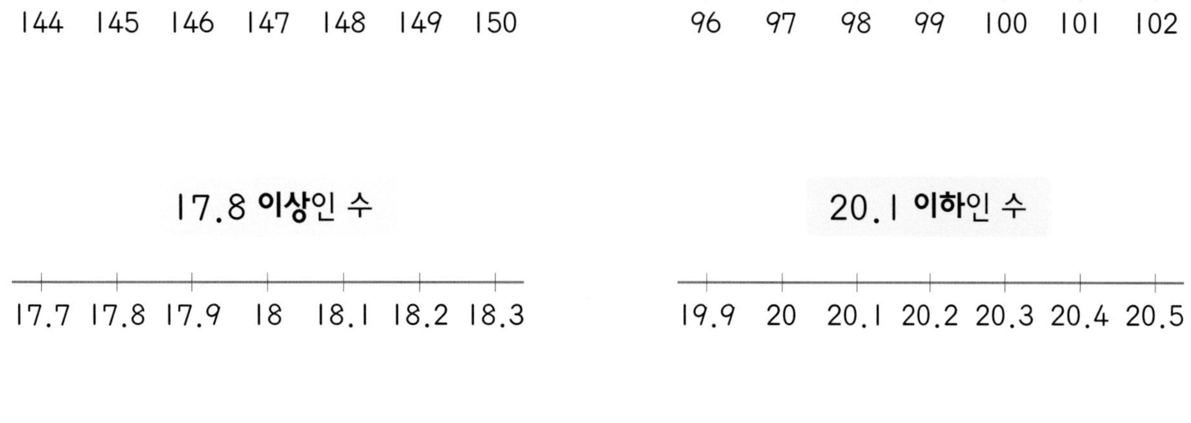
17.8 이상인 수
17.7 17.8 17.9 18 18.1 18.2 18.3
20.1 이하인 수
19.9 20 20.1 20.2 20.3 20.4 20.5

46, 47, 48, 49 등과 같이 **45보다 큰 수**를 45 **초과**인 수라고 합니다.

42 43 44 **45** 46 47 48 49 50 51 52

62, 61, 58, 56 등과 같이 **63보다 작은 수**를 63 **미만**인 수라고 합니다.

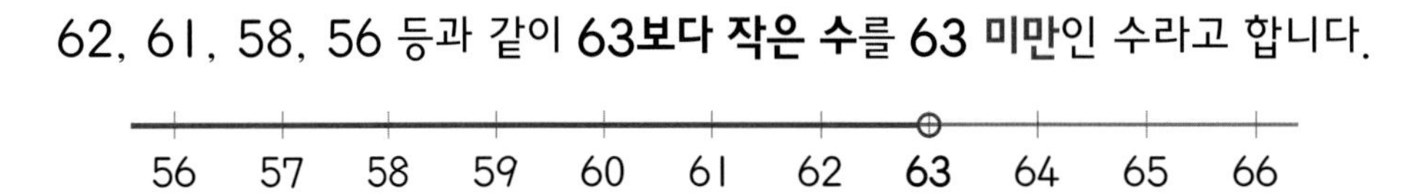

3 주어진 수의 범위에 속하는 수를 모두 찾아 ◯표 하시오.

30 초과인 수 (~보다 큰 수)

30 (36) 23 25 40 49

55 미만인 수 (~보다 작은 수)

52 59 47 55 50 61

67 미만인 수

72 63 45 94 67 50

81 초과인 수

100 81 79 94 80 89

99 초과인 수

91 86 117 104 100 96

104 미만인 수

114 95 101 109 98 121

17.2 미만인 수

16.9 18 14 17.6 16.2 18

50.8 초과인 수

52.4 50.4 49 51 57.9 50.2

4 수의 범위를 수직선에 나타내어 보시오.

수직선에 초과, 미만은 점 ○으로 나타내고 선을 그어 표현함.

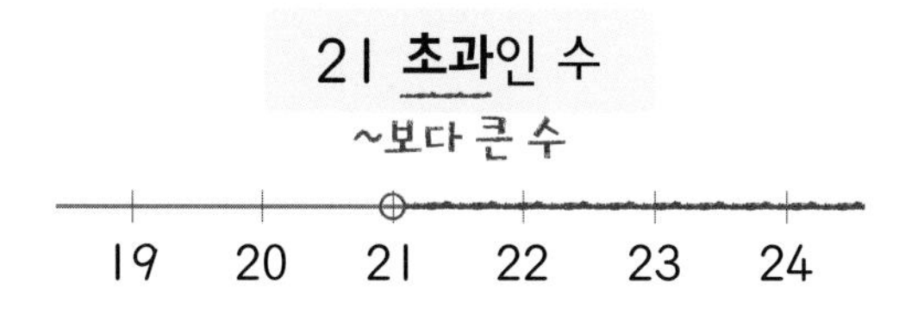

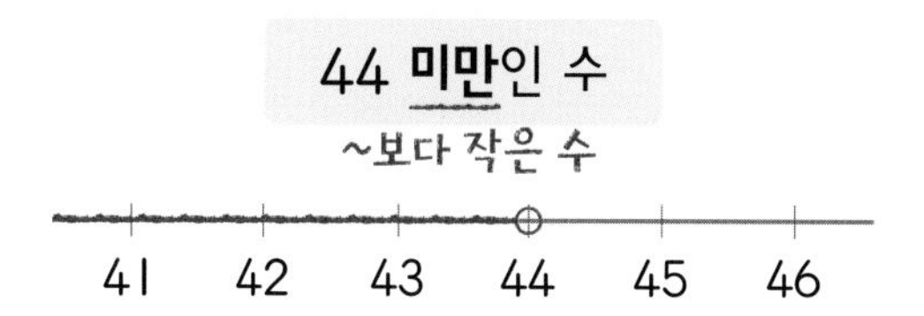

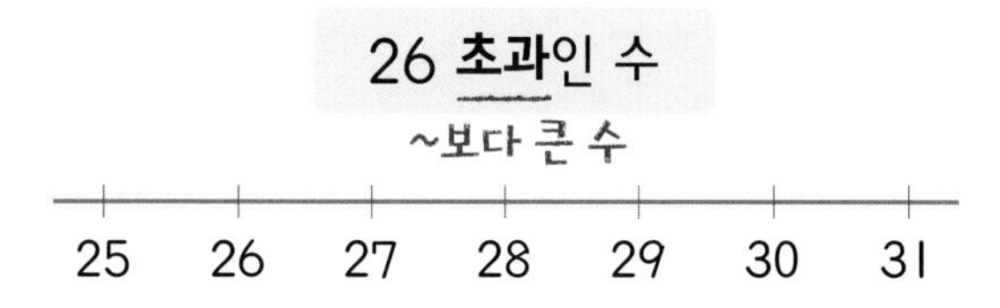

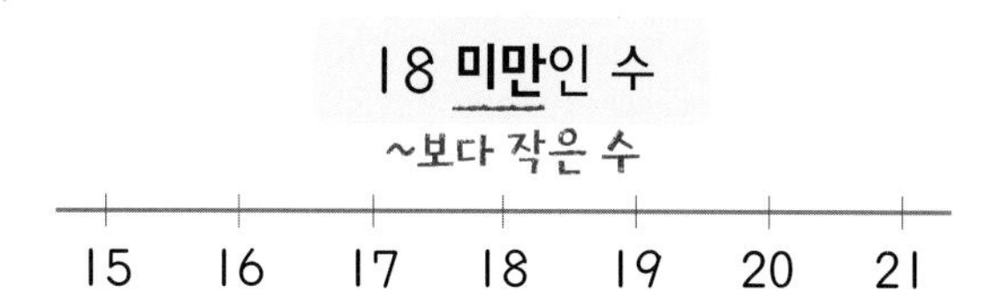

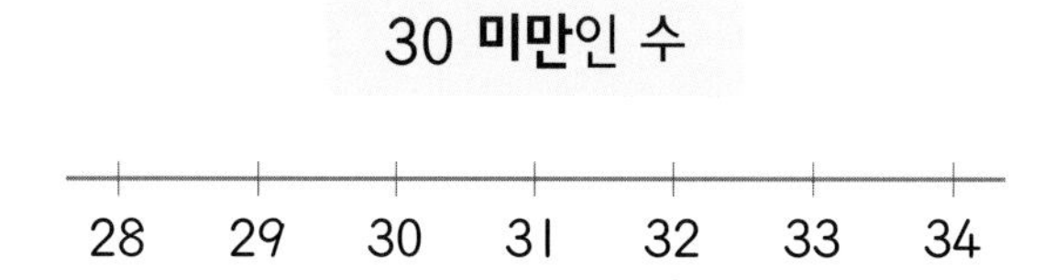

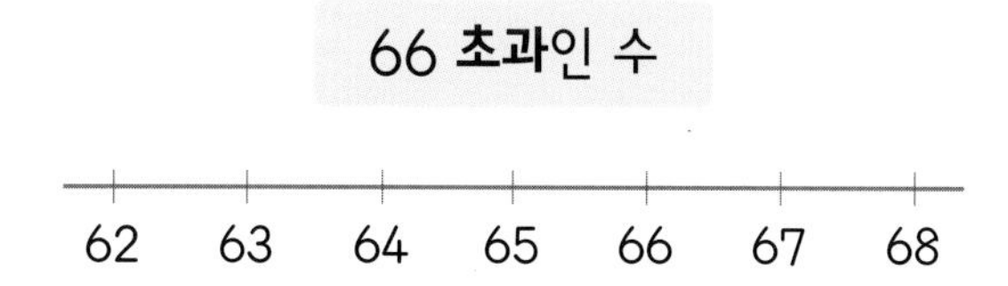

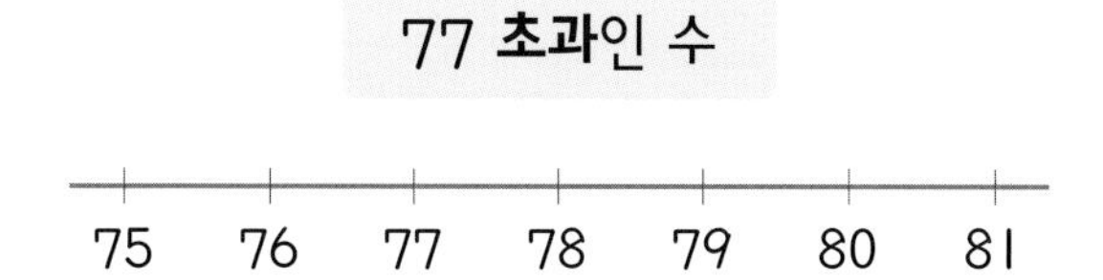

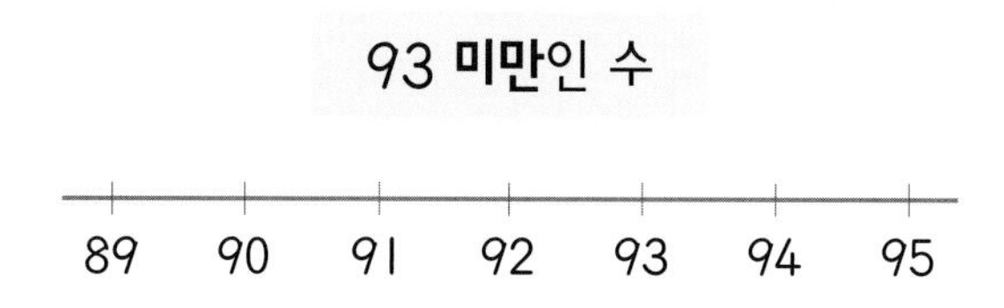

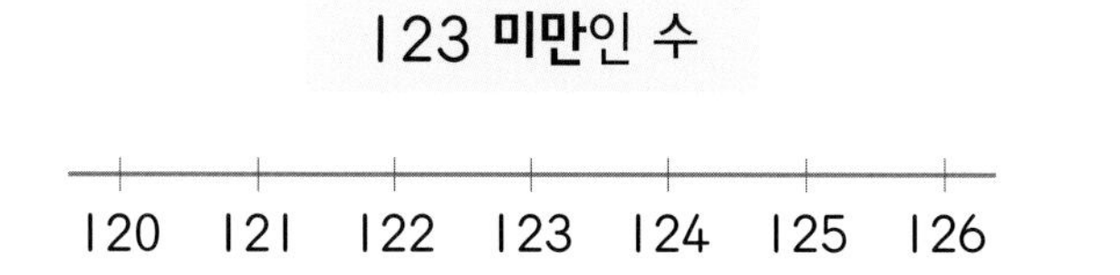

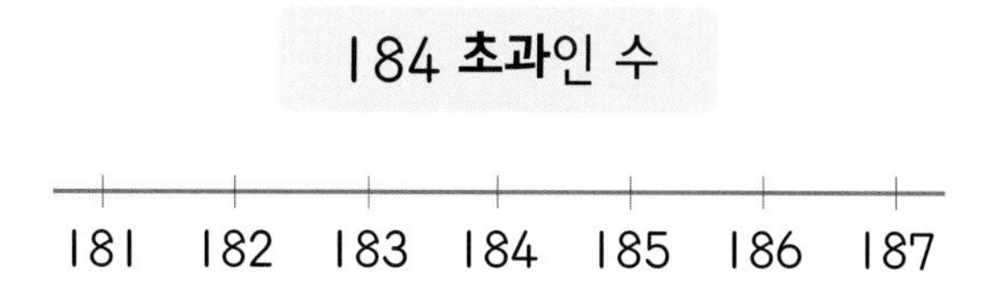

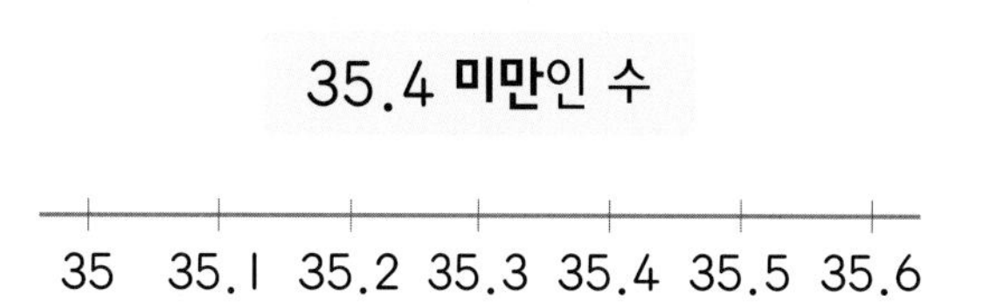

02 수의 범위 활용

정답 03쪽

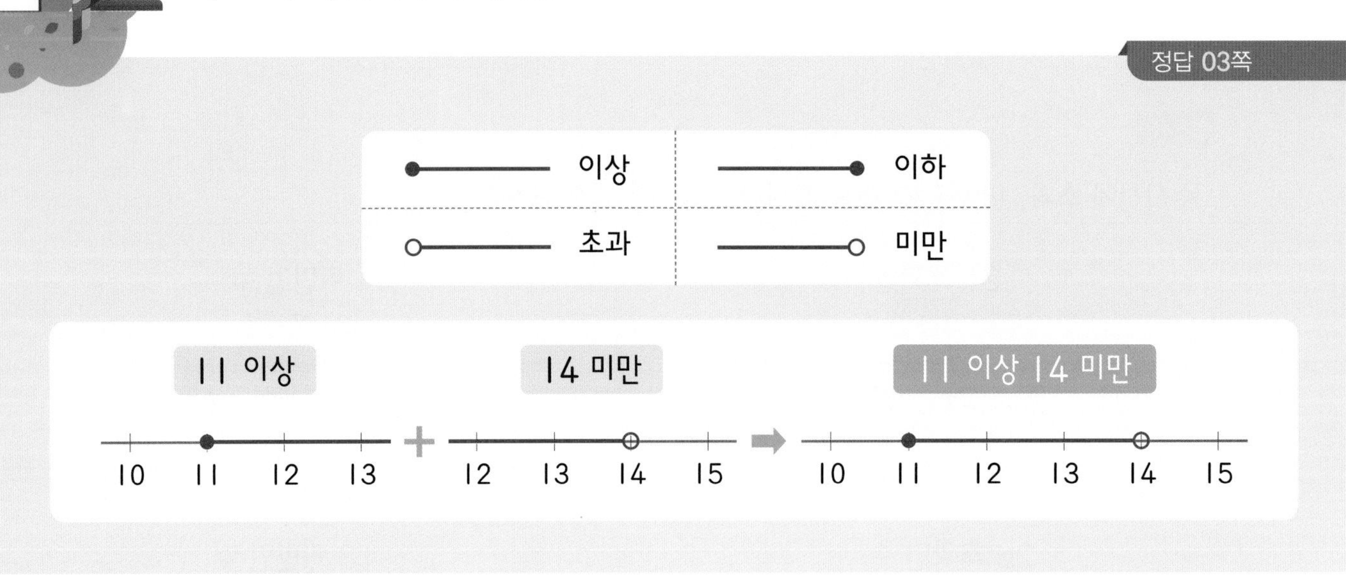

1 수의 범위를 수직선에 나타내어 보시오.

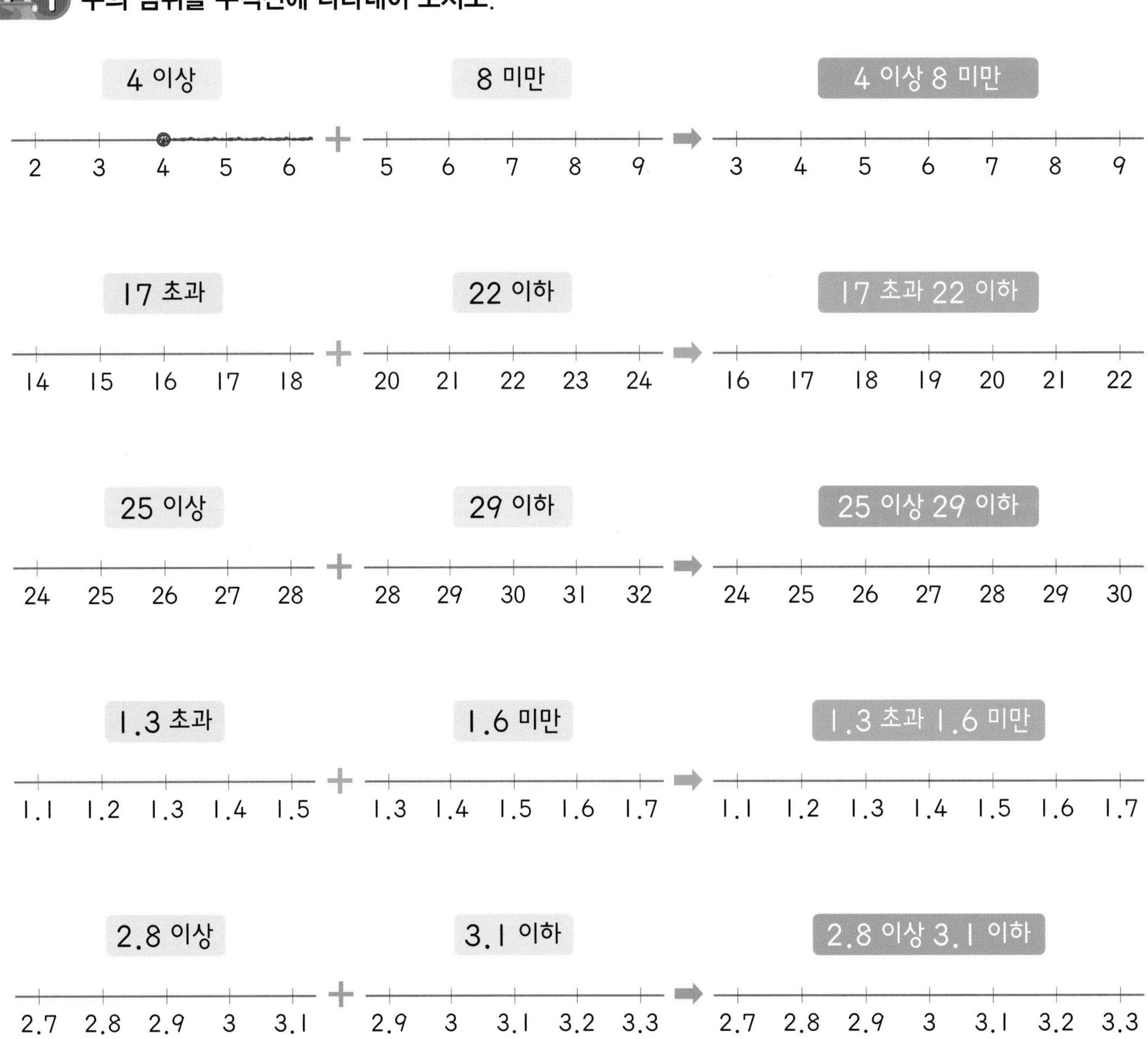

2 수직선에 나타낸 수의 범위를 보고, ☐ 안에 들어갈 알맞은 말을 보기 에서 찾아 써넣으시오.

보기

이상 이하 초과 미만

22 23 24 25 26 27 28

➡ 23 초과 27 ☐ 인 수

44 45 46 47 48 49 50

➡ 44 ☐ 49 ☐ 인 수

3.7 3.8 3.9 4 4.1 4.2 4.3

➡ 3.9 ☐ 4.1 ☐ 인 수

61 62 63 64 65 66 67

➡ 62 ☐ 66 ☐ 인 수

107 108 109 110 111 112 113

➡ 107 ☐ 110 ☐ 인 수

82 83 84 85 86 87 88

➡ 84 ☐ 87 ☐ 인 수

116 117 118 119 120 121 122

➡ 119 ☐ 121 ☐ 인 수

7.1 7.2 7.3 7.4 7.5 7.6 7.7

➡ 7.2 ☐ 7.6 ☐ 인 수

15.7 15.8 15.9 16 16.1 16.2 16.3

➡ 15.8 ☐ 16.1 ☐ 인 수

295 296 297 298 299 300 301

➡ 296 ☐ 299 ☐ 인 수

3 주어진 표를 보고 ▢ 안에 알맞게 써넣으시오.

태권도부 몸무게

이름	몸무게(kg)
동윤	40.0
준수	32.0
민혁	37.5
정훈	33.8
지욱	36.0

몸무게별 체급

몸무게(kg)	체급
32 이하	핀급
32 초과 34 이하	플라이급
34 초과 36 이하	밴텀급
36 초과 39 이하	페더급
39 초과 42 이하	라이트급

체급

- 동윤 ➡ 라이트급
- 준수 ➡ ▢
- 민혁 ➡ ▢
- 정훈 ➡ ▢
- 지욱 ➡ ▢

줄넘기 기록

이름	횟수(회)
수아	84
하은	125
지안	130
유나	169
아린	100

기록별 급수

횟수(회)	급수
150 이상	1급
130 이상 150 미만	2급
110 이상 130 미만	3급
90 이상 110 미만	4급
70 이상 90 미만	5급

급수

- 수아 ➡ ▢
- 하은 ➡ ▢
- 지안 ➡ ▢
- 유나 ➡ ▢
- 아린 ➡ ▢

지역별 자외선 지수

지역	자외선 지수
서울	5.2
대전	7.9
광주	11.5
부산	10.8
대구	11.6

자외선 단계

자외선 지수	경보 단계
11 이상	위험
8 이상 11 미만	매우 높음
6 이상 8 미만	높음
3 이상 6 미만	보통
3 미만	낮음

자외선 단계

- 서울 ➡ ▢
- 대전 ➡ ▢
- 광주 ➡ ▢
- 부산 ➡ ▢
- 대구 ➡ ▢

4 주어진 수의 범위에 속하는 자연수의 개수와 같은 칸을 찾아 해당 글자를 써넣어 수수께끼를 해결해 보시오.

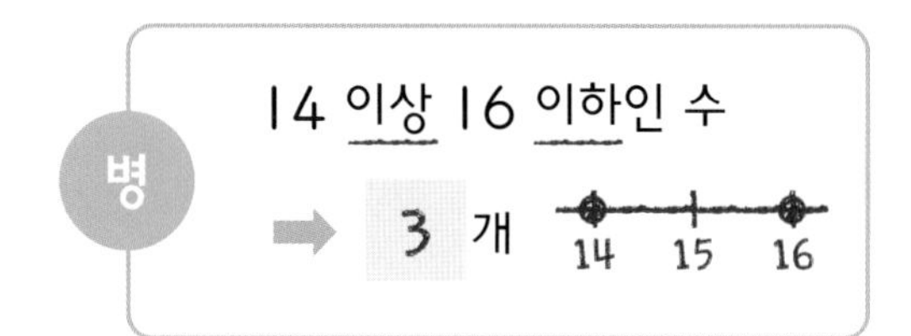

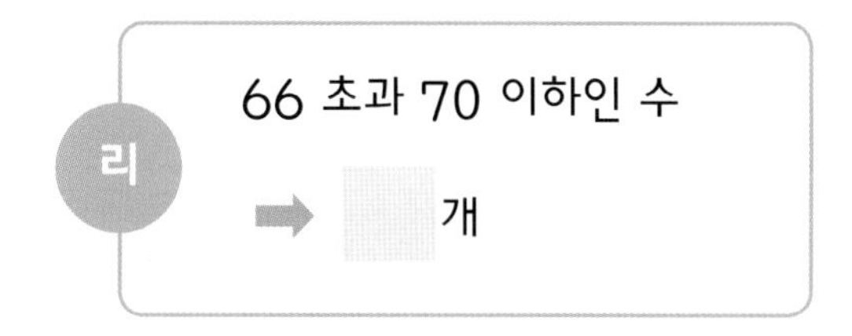

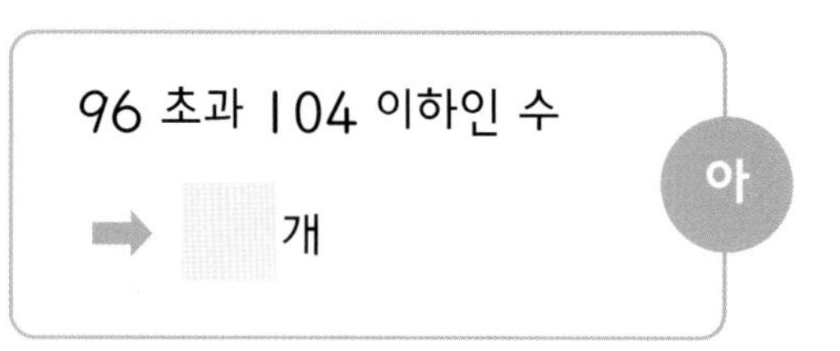

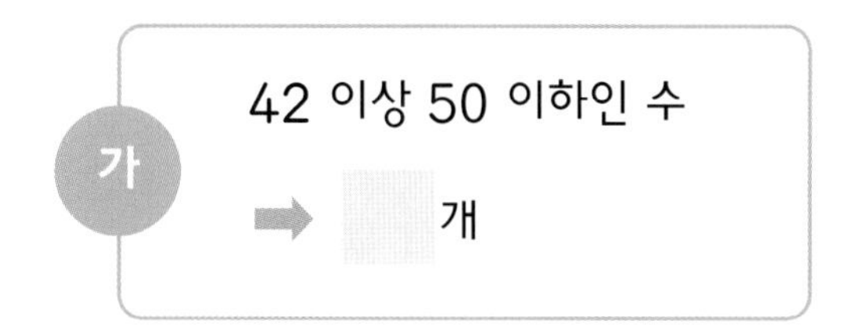

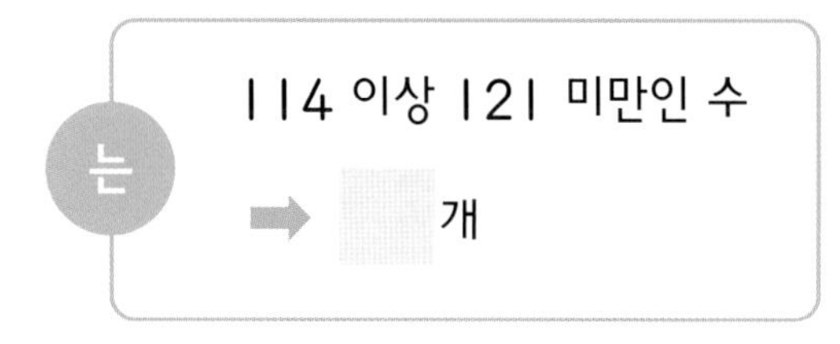

3	8	4	9	5	6	7	2	1	
병									?

수수께끼 답 ➡

03 올림, 버림, 반올림

정답 04쪽

- **올림**: 구하려는 자리의 아래 수를 **올려서** 나타내는 방법

올림하여 십의 자리까지 나타내기

481 ➡ 490　　130 ➡ 130

올림하여 백의 자리까지 나타내기

481 ➡ 500

- **버림**: 구하려는 자리의 아래 수를 **버려서** 나타내는 방법

버림하여 십의 자리까지 나타내기

269 ➡ 260

버림하여 백의 자리까지 나타내기

269 ➡ 200　　500 ➡ 500

1 안에 알맞은 수를 써넣으시오.

보기

올림하여 **십의 자리까지** 나타내기

3 1 7 ➡ 3 1 7 ➡ 3 1 7 ➡ 320

버림하여 **백의 자리까지** 나타내기

3 6 9 ➡ 3 6 9 ➡ 3 6 9 ➡ ☐

올림하여 **백의 자리까지** 나타내기

4 1 8 ➡ 4 1 8 ➡ 4 1 8 ➡ ☐

버림하여 **십의 자리까지** 나타내기

1 2 6 ➡ 1 2 6 ➡ 1 2 6 ➡ ☐

올림하여 **천의 자리까지** 나타내기

5 2 8 7 ➡ 5 2 8 7 ➡ 5 2 8 7 ➡ ☐

 안에 알맞은 수를 써넣으시오.

보기

버림하여 **백의 자리까지** 나타내기

2 9 1 (버림) → 200

올림하여 **십의 자리까지** 나타내기

5 3 2 (1 0) →

올림하여 **천의 자리까지** 나타내기

7183 →

버림하여 **십의 자리까지** 나타내기

984 →

올림하여 **백의 자리까지** 나타내기

627 →

버림하여 **천의 자리까지** 나타내기

1469 →

버림하여 **십의 자리까지** 나타내기

8625 →

올림하여 **백의 자리까지** 나타내기

2094 →

버림하여 **천의 자리까지** 나타내기

3178 →

올림하여 **십의 자리까지** 나타내기

4456 →

올림하여 **천의 자리까지** 나타내기

6702 →

버림하여 **백의 자리까지** 나타내기

1994 →

- **반올림**: 구하려는 자리 바로 아래 자리의 숫자가 0, 1, 2, 3, **4이면 버리고**, 5, 6, 7, 8, **9이면 올려서 나타내는** 방법

반올림하여 십의 자리까지 나타내기

3이므로 버림

6193 ➡ 6190

반올림하여 백의 자리까지 나타내기

9이므로 올림

6193 ➡ 6200

3 ☐ 안에 알맞은 수를 써넣으시오.

보기

반올림하여 **십의 자리까지** 나타내기

608 ➡ 608 (8이므로 올림) ➡ 608 ➡ 610

반올림하여 **백의 자리까지** 나타내기

237 ➡ 237 (3이므로 버림) ➡ 237 ➡ ☐

반올림하여 **천의 자리까지** 나타내기

4192 ➡ 4192 (1이므로 버림) ➡ 4192 ➡ ☐

반올림하여 **백의 자리까지** 나타내기

5658 ➡ 5658 (5이므로 올림) ➡ 5658 ➡ ☐

반올림하여 **천의 자리까지** 나타내기

8901 ➡ 8901 (9이므로 올림) ➡ 8901 ➡ ☐

반올림하여 **만의 자리까지** 나타내기

14375 ➡ 14375 (4이므로 버림) ➡ 14375 ➡ ☐

 안에 알맞은 수를 써넣으시오.

보기

반올림하여 **소수 둘째 자리까지** 나타내기

1.471 ➡ 1.47

반올림하여 **소수 첫째 자리까지** 나타내기

2.59 ➡

반올림하여 **소수 첫째 자리까지** 나타내기

10.632 ➡

반올림하여 **소수 둘째 자리까지** 나타내기

13.425 ➡

반올림하여 **소수 둘째 자리까지** 나타내기

8.157 ➡

반올림하여 **소수 첫째 자리까지** 나타내기

0.639 ➡

반올림하여 **소수 둘째 자리까지** 나타내기

5.149 ➡

반올림하여 **소수 첫째 자리까지** 나타내기

12.48 ➡

반올림하여 **소수 둘째 자리까지** 나타내기

7.652 ➡

반올림하여 **소수 첫째 자리까지** 나타내기

4.683 ➡

반올림하여 **소수 둘째 자리까지** 나타내기

19.114 ➡

반올림하여 **소수 첫째 자리까지** 나타내기

3.75 ➡

올림, 버림, 반올림 활용

정답 05쪽

● 올림하여 수의 범위를 초과, 이하로 나타내기

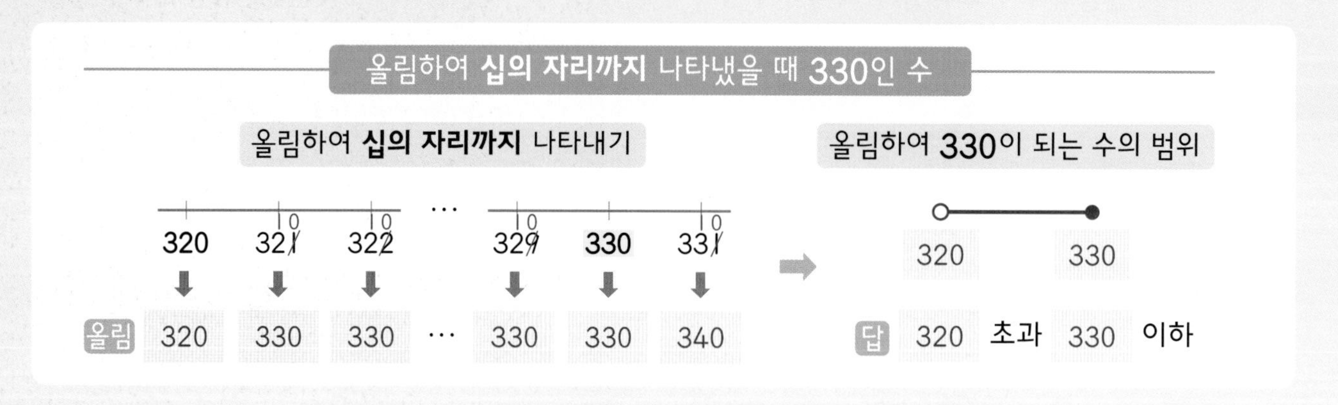

1 수의 범위를 초과, 이하로 나타내려고 할 때, ☐ 안에 알맞은 수를 써넣으시오.

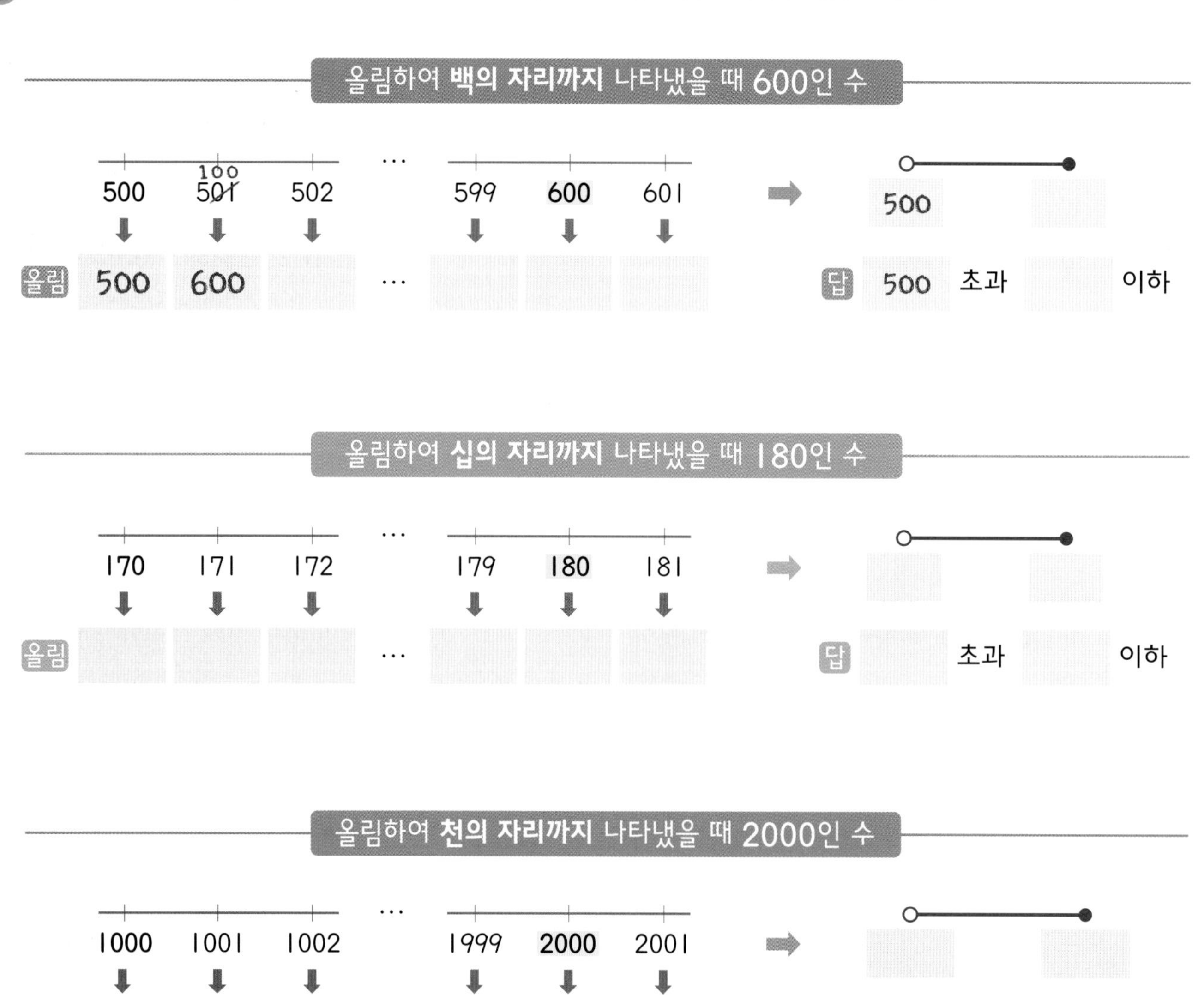

● **버림하여 수의 범위를 이상, 미만으로 나타내기**

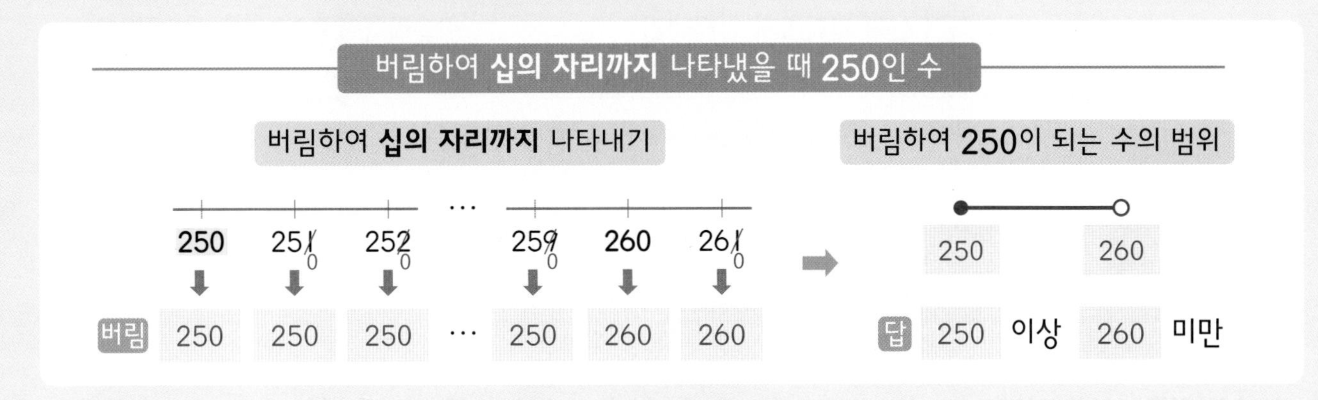

2 수의 범위를 이상, 미만으로 나타내려고 할 때, ☐ 안에 알맞은 수를 써넣으시오.

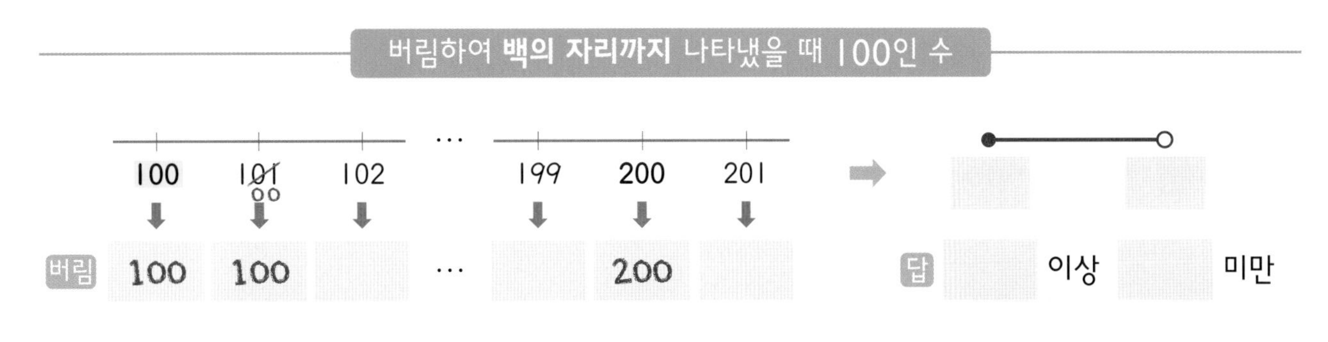

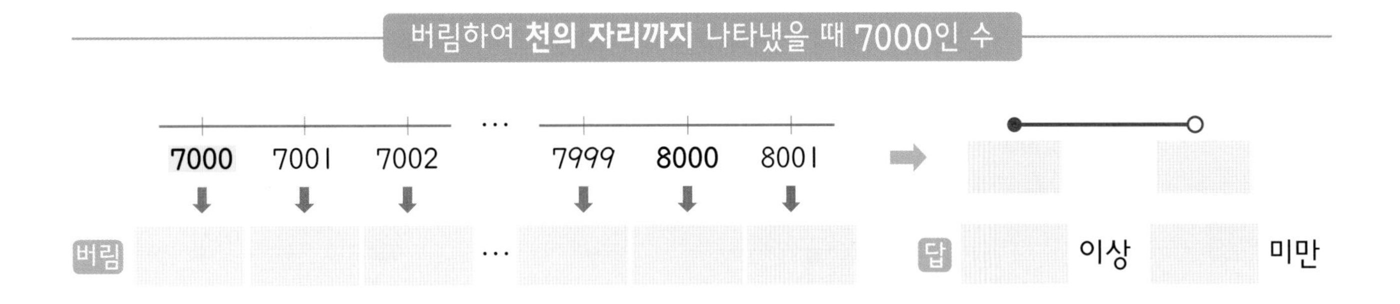

● 반올림하여 수의 범위를 이상, 미만으로 나타내기

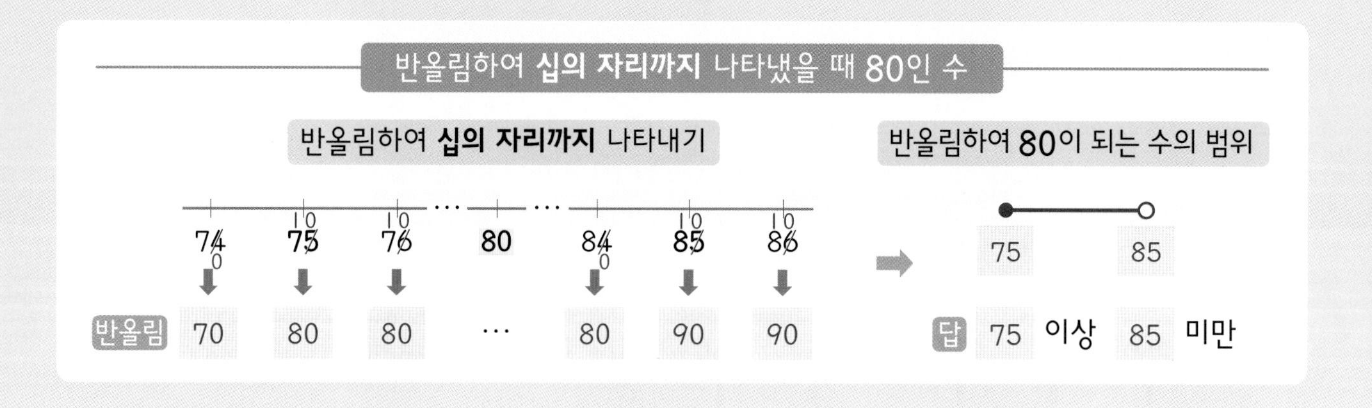

3 수의 범위를 이상, 미만으로 나타내려고 할 때, ☐ 안에 알맞은 수를 써넣으시오.

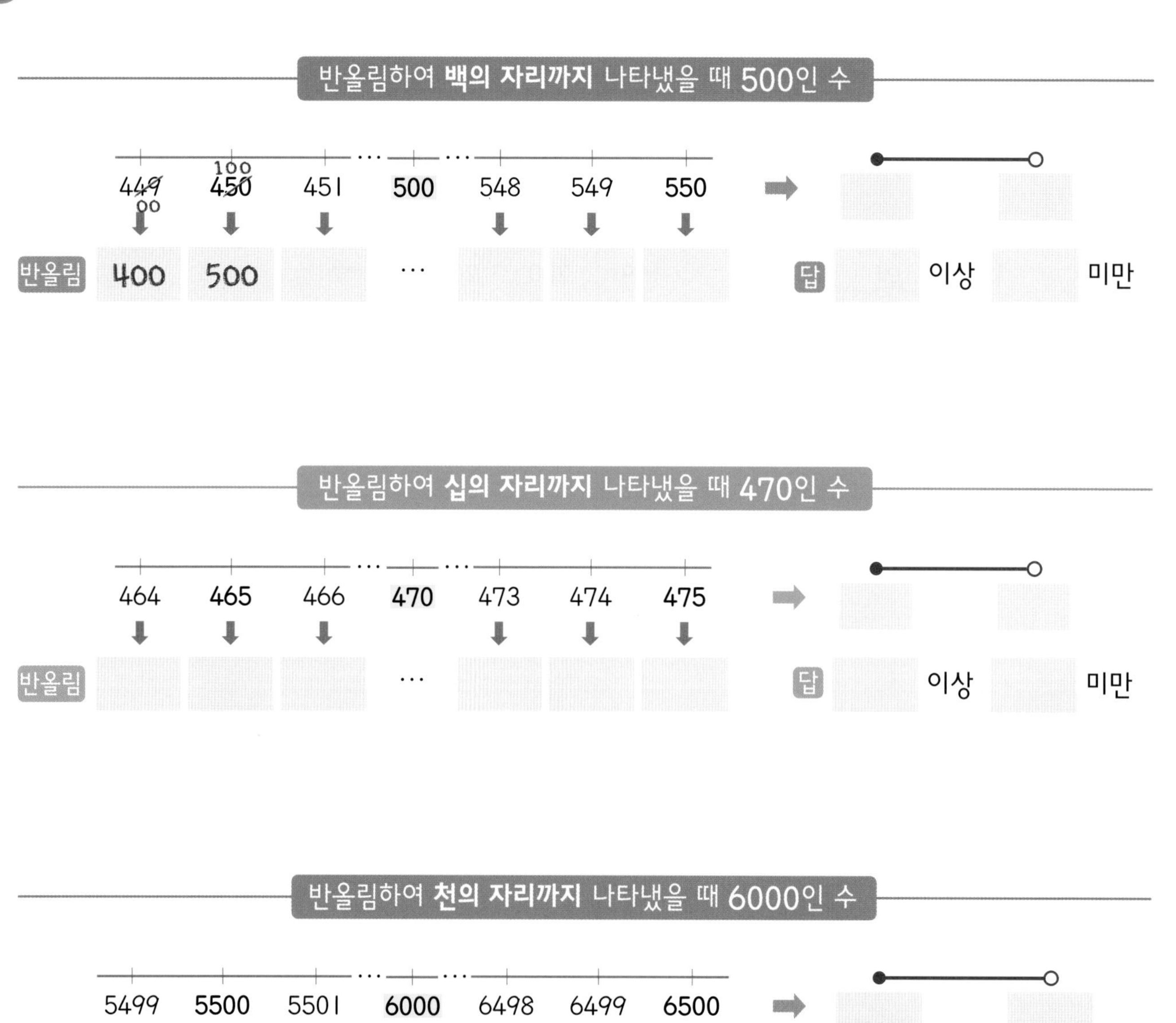

4 ▒ 안에 알맞은 수를 써넣으시오.

올림하여 **십의 자리까지** 나타냈을 때 20인 수 ➡ ▒ 초과 ▒ 이하
20
올림하여 **백의 자리까지** 나타냈을 때 900인 수 ➡ ▒ 초과 ▒ 이하
올림하여 **천의 자리까지** 나타냈을 때 8000인 수 ➡ ▒ 초과 ▒ 이하
버림하여 **십의 자리까지** 나타냈을 때 140인 수 ➡ ▒ 이상 ▒ 미만
140
버림하여 **백의 자리까지** 나타냈을 때 700인 수 ➡ ▒ 이상 ▒ 미만
버림하여 **천의 자리까지** 나타냈을 때 3000인 수 ➡ ▒ 이상 ▒ 미만
반올림하여 **십의 자리까지** 나타냈을 때 320인 수 ➡ ▒ 이상 ▒ 미만
320
반올림하여 **백의 자리까지** 나타냈을 때 6200인 수 ➡ ▒ 이상 ▒ 미만
반올림하여 **천의 자리까지** 나타냈을 때 4000인 수 ➡ ▒ 이상 ▒ 미만

도전! 응용문제

정답 06쪽

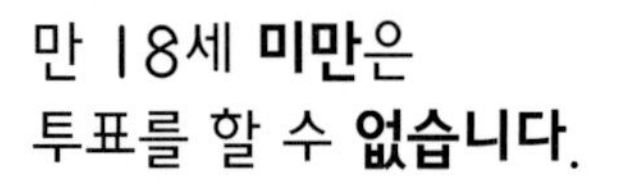

만 18세 **미만**은 투표를 할 수 **없습니다.** →  18

↓ 같은 뜻

만 18세 **이상**은 투표를 할 수 **있습니다.** → 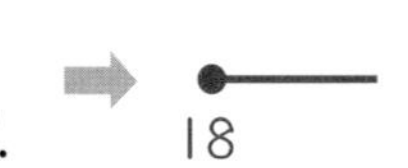 18

만 15세 **이하**는 영화를 볼 수 **없습니다.** → 15

↓ 같은 뜻

만 15세 **초과**는 영화를 볼 수 **있습니다.** → 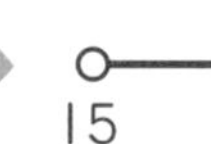 15

응용 1 글을 보고 맞으면 ○표, 틀리면 ×표 하시오.

영화 '드라큘라'를 볼 수 있는 나이는 15세 **이상**입니다. (15, 16, 17, ······)
15세인 승규는 영화 '드라큘라'를 볼 수 있습니다. ( )

바이킹을 탈 수 있는 키는 110 cm **초과**입니다.
키가 110 cm인 소미는 바이킹을 탈 수 있습니다. ( )

시내버스 이용 시 만 13세 **이상** 만 19세 **미만**은 청소년 요금을 냅니다. 만 19세인 준서는 청소년 요금을 내고 시내버스를 타야 합니다. ( )

우편물을 보낼 때 우편물 무게가 25 g **초과** 50 g **이하**는 우편 요금으로 450원을 냅니다. 혜미는 50 g인 우편물을 보내기 위해 450원을 내야 합니다. ( )

씨름 대회에서 한라급의 몸무게는 40 kg **초과** 45 kg **이하**입니다. 몸무게가 40 kg인 현서는 한라급에 출전할 수 있습니다. ( )

응용 ② 글을 보고 ☐ 안에 들어갈 말을 보기 에서 찾아 써넣으시오.

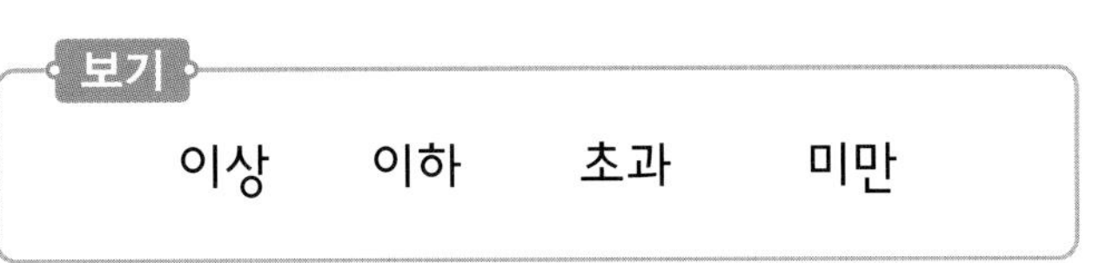

높이가 3m **초과**인 차량은 지나갈 수 없습니다.

같은 뜻 높이가 3m ☐ 인 차량은 지나갈 수 있습니다.

11세 **이하**인 사람은 부모님 없이 박물관에 입장할 수 없습니다.

같은 뜻 11세 ☐ 인 사람은 부모님 없이 박물관에 입장할 수 있습니다.

만 16세 **미만**인 사람은 헌혈을 할 수 없습니다.

같은 뜻 만 16세 ☐ 인 사람은 헌혈을 할 수 있습니다.

이 놀이기구는 몸무게가 110kg **이상**인 사람은 탑승할 수 없습니다.

같은 뜻 이 놀이기구는 몸무게가 110kg ☐ 인 사람은 탑승할 수 있습니다.

자동차는 어린이보호구역에서 시속 30km **초과**로 운전할 수 없습니다.

같은 뜻 자동차는 어린이보호구역에서 시속 30km ☐ 로 운전할 수 있습니다.

● ☐ 안에 알맞은 수나 말을 써넣으시오.

구슬 346개를 한 상자에 10개씩 담아서 팔려고 합니다.
팔 수 있는 구슬은 최대 몇 개입니까?

Step 1 구슬 346개를 10개씩 ☐ 상자에 담으면, 구슬은 6개가 남습니다.

Step 2 남은 구슬 6개는 팔 수 없으므로 346개를 ☐ 개로 생각합니다.

Step 3 Step 2는 올림, 버림, 반올림 중 ☐ 의 방법으로 어림한 것입니다.

Step 4 따라서 팔 수 있는 구슬은 최대 ☐ 개입니다.

학생 184명이 버스 1대에 10명씩 타려고 합니다.
학생들이 모두 버스에 타려면 버스는 최소 몇 대 필요합니까?

Step 1 학생 184명이 10명씩 버스 ☐ 대에 타면, 학생은 4명이 남습니다.

Step 2 남은 학생 4명도 버스에 타야 하므로 184명을 ☐ 명으로 생각합니다.

Step 3 Step 2는 올림, 버림, 반올림 중 ☐ 의 방법으로 어림한 것입니다.

Step 4 따라서 버스는 최소 ☐ 대가 필요합니다.

● 알맞은 것에 ○표 하고 ☐ 안에 알맞은 수를 써넣으시오.

1 Drill

동전 16840원을 1000원짜리 지폐로 바꾸었습니다.

바꾼 금액을 알아보려면 (올림 , 버림 , 반올림)하여 나타내야 하며,

이때 1000원짜리로 바꾼 금액은 최대 ☐ 원입니다.

2 Drill

끈 928 cm를 1 m씩 잘라서 포장했습니다.

포장한 끈의 전체 길이를 알아보려면 (올림 , 버림 , 반올림)하여 나타내야 하며,

이때 잘라서 포장한 끈의 길이는 최대 ☐ cm입니다.

3 Drill

색종이 226장이 필요한데 10장씩 팔고 있습니다.

사야 할 색종이의 수를 알아보려면 (올림 , 버림 , 반올림)하여 나타내야 하며,

이때 사야 할 색종이는 최소 ☐ 장입니다.

4 Drill

금붕어 1988마리를 100마리씩 어항에 남김없이 담았습니다.

금붕어를 담은 어항의 수를 알아보려면 (올림 , 버림 , 반올림)하여 나타내야 하며,

이때 금붕어를 담을 어항은 최소 ☐ 개가 필요합니다.

형성평가

정답 07쪽 점 수: 점 걸린 시간: 분

01 수의 범위에 속하는 수를 모두 찾아 ○표 하시오.

35 이상인 수

29 37 34 35 27 36

02 수의 범위에 속하는 수를 모두 찾아 ○표 하시오.

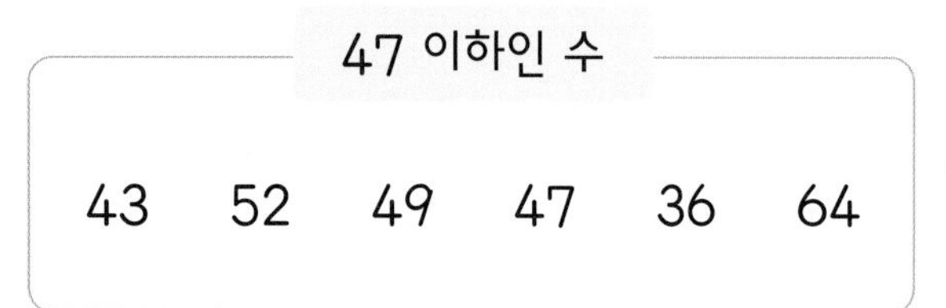

47 이하인 수

43 52 49 47 36 64

03 수의 범위를 수직선에 나타내어 보시오.

04 수의 범위에 속하는 수를 모두 찾아 ○표 하시오.

40 초과인 수

40 42 38 46 52 37

05 수의 범위에 속하는 수를 모두 찾아 ○표 하시오.

18.7 미만인 수

18.5 18.7 19.3

19.1 18.6 19.8

06 수의 범위를 수직선에 나타내어 보시오.

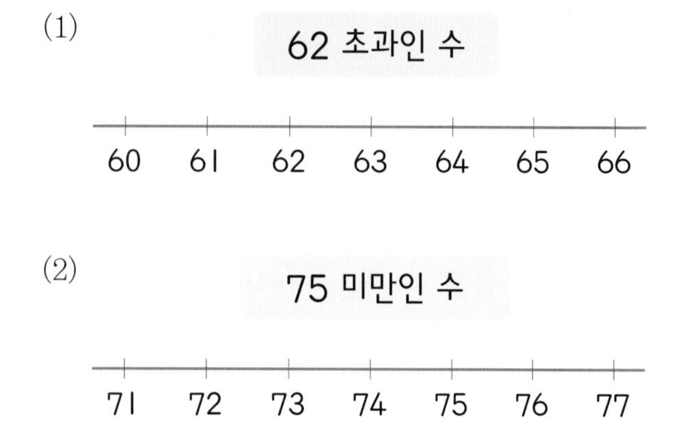

07 수의 범위를 수직선에 나타내어 보시오.

(1)

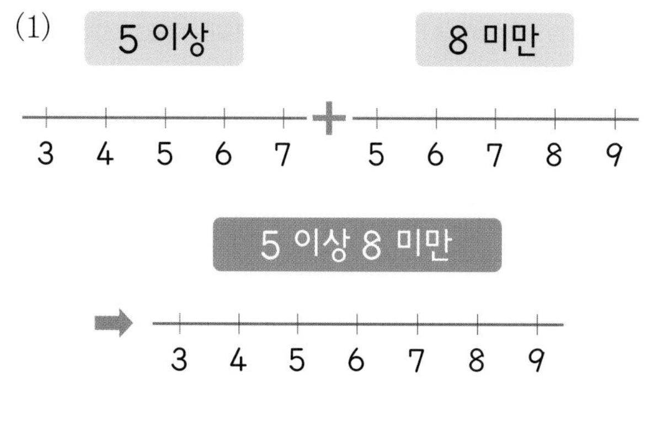

(2)

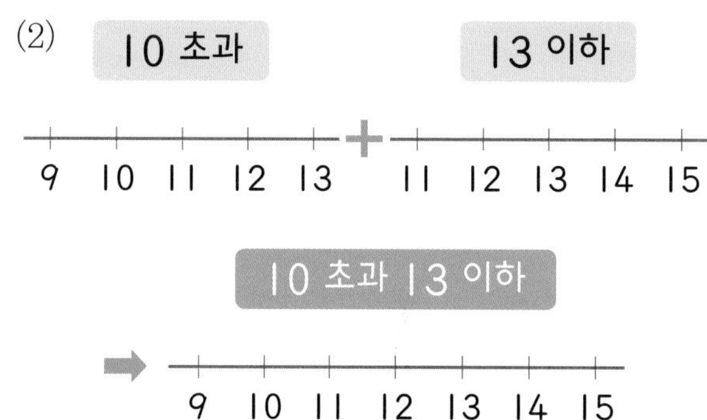

08 수직선에 나타낸 수의 범위를 보고, ▢ 안에 들어갈 알맞은 말을 보기에서 찾아 써넣으시오.

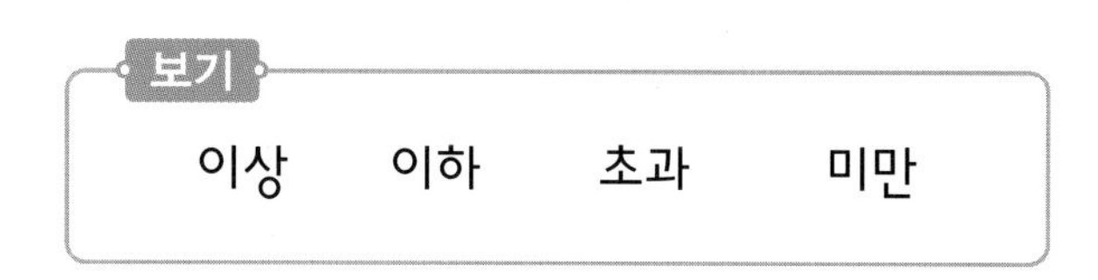

(1)

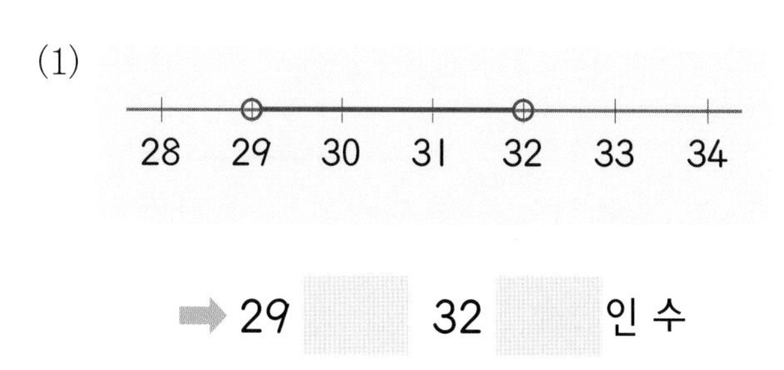

➡ 29 ▢ 32 ▢ 인 수

(2)

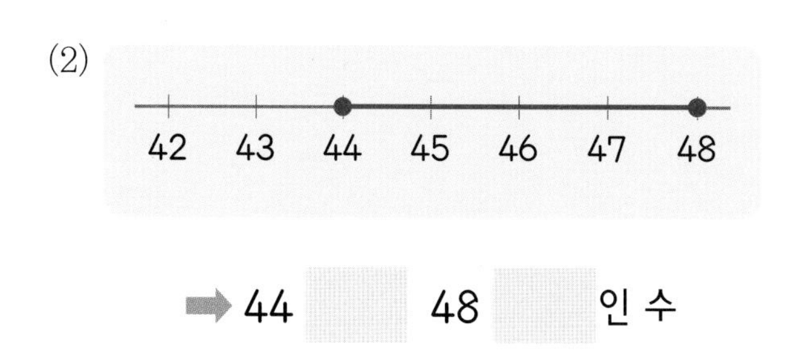

➡ 44 ▢ 48 ▢ 인 수

09 주어진 표를 보고 ▢ 안에 알맞은 급수를 써넣으시오.

줄넘기 기록

이름	정태	은지	진수	유희	지나
횟수(회)	115	70	92	152	130

기록별 급수

횟수(회)	급수
150 이상	1급
130 이상 150 미만	2급
110 이상 130 미만	3급
90 이상 110 미만	4급
70 이상 90 미만	5급

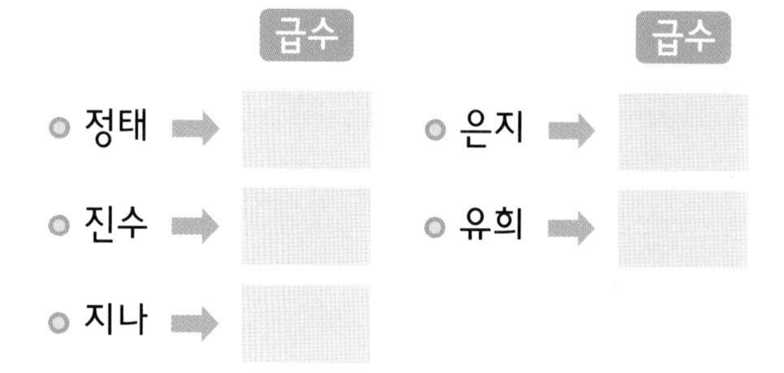

10 주어진 수의 범위에 속하는 자연수의 개수를 구하시오.

17 이상 23 미만인 수

(　　　　　　)개

11 ☐ 안에 알맞은 수를 써넣으시오.

(1) 올림하여 **십의 자리까지** 나타내기

549 ➡ 549 (올림) ➡ 549 (10) ➡ ☐

(2) 버림하여 **백의 자리까지** 나타내기

734 ➡ 734 (버림) ➡ 734 (00) ➡ ☐

12 ☐ 안에 알맞은 수를 써넣으시오.

(1) 올림하여 **천의 자리까지** 나타내기

4567 ➡ ☐

(2) 버림하여 **백의 자리까지** 나타내기

3964 ➡ ☐

13 ☐ 안에 알맞은 수를 써넣으시오.

(1) 반올림하여 **십의 자리까지** 나타내기

284 ➡ 284 (4이므로 버림) ➡ 284 (0) ➡ ☐

(2) 반올림하여 **백의 자리까지** 나타내기

652 ➡ 652 (5이므로 올림) ➡ 652 (100) ➡ ☐

14 ☐ 안에 알맞은 수를 써넣으시오.

(1) 반올림하여 **소수 첫째 자리까지** 나타내기

14.374 ➡ ☐

(2) 반올림하여 **소수 둘째 자리까지** 나타내기

27.572 ➡ ☐

15 수의 범위를 초과, 이하로 나타내려고 할 때, ☐ 안에 알맞은 수를 써넣으시오.

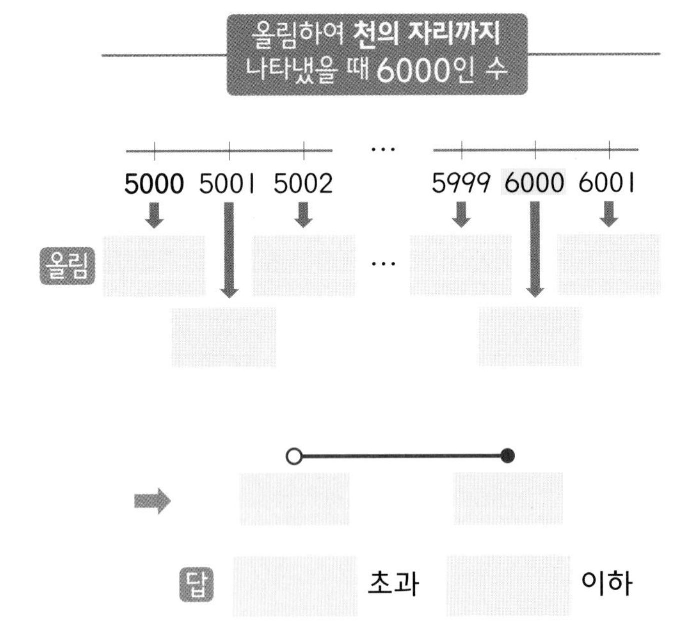

답 ☐ 초과 ☐ 이하

16 수의 범위를 이상, 미만으로 나타내려고 할 때, ☐ 안에 알맞은 수를 써넣으시오.

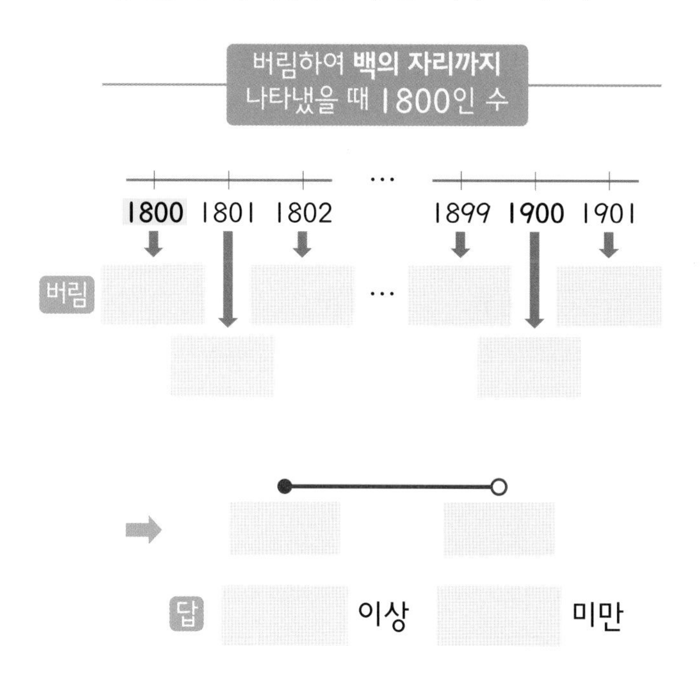

➡ ☐ ☐

답 ☐ 이상 ☐ 미만

17 수의 범위를 이상, 미만으로 나타내려고 할 때, ☐ 안에 알맞은 수를 써넣으시오.

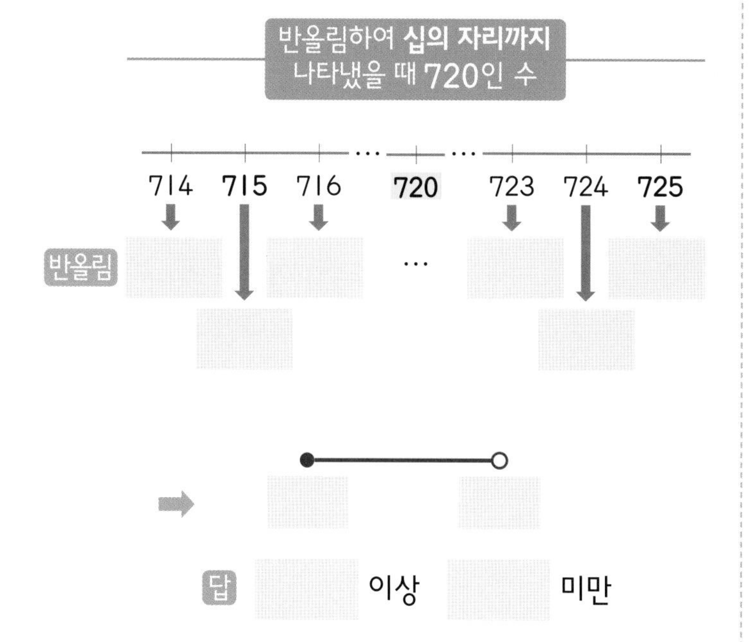

➡ ☐ ☐

답 ☐ 이상 ☐ 미만

18 ☐ 안에 알맞은 수를 써넣으시오.

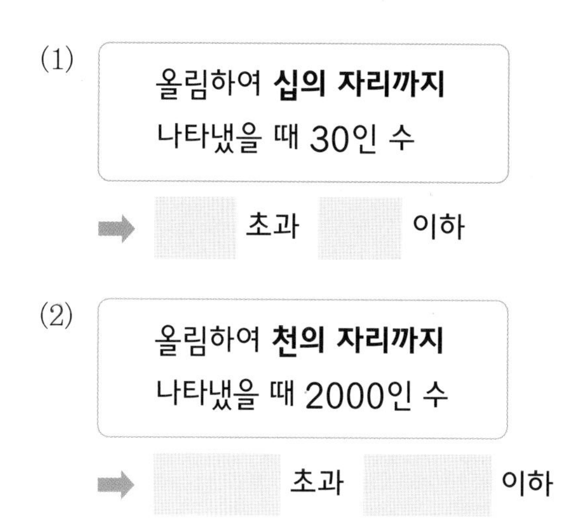

(1) 올림하여 **십의 자리까지** 나타냈을 때 30인 수

➡ ☐ 초과 ☐ 이하

(2) 올림하여 **천의 자리까지** 나타냈을 때 2000인 수

➡ ☐ 초과 ☐ 이하

19 ☐ 안에 알맞은 수를 써넣으시오.

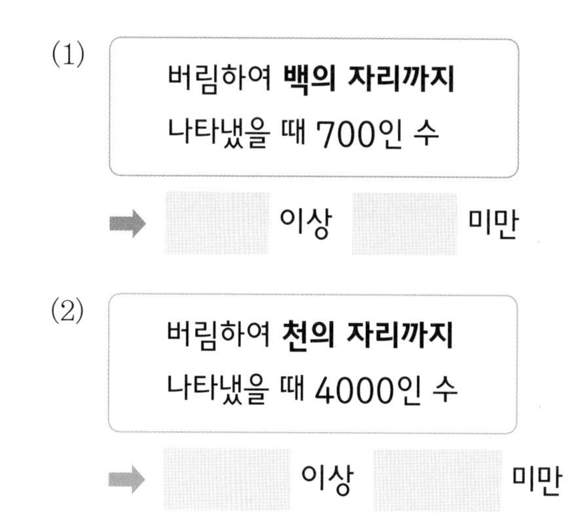

(1) 버림하여 **백의 자리까지** 나타냈을 때 700인 수

➡ ☐ 이상 ☐ 미만

(2) 버림하여 **천의 자리까지** 나타냈을 때 4000인 수

➡ ☐ 이상 ☐ 미만

20 ☐ 안에 알맞은 수를 써넣으시오.

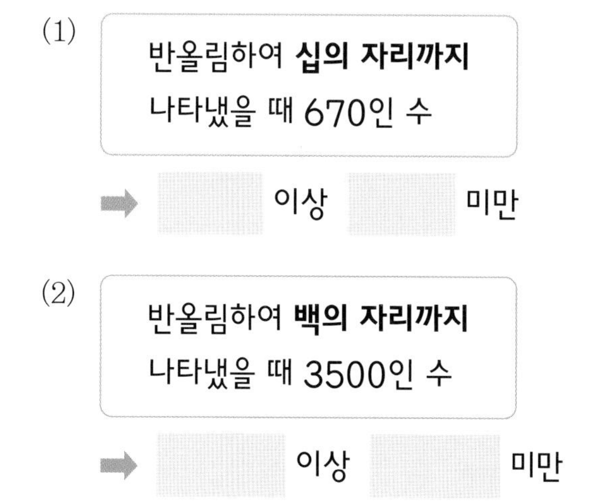

(1) 반올림하여 **십의 자리까지** 나타냈을 때 670인 수

➡ ☐ 이상 ☐ 미만

(2) 반올림하여 **백의 자리까지** 나타냈을 때 3500인 수

➡ ☐ 이상 ☐ 미만

정답 08쪽

1 38 이상인 수를 모두 고르시오.

( )

① 29 ② 37.5 ③ 38

④ $36\frac{1}{2}$ ⑤ $39\frac{1}{7}$

2 수를 보고 물음에 답하시오.

42 32 43.5 37 35

(1) 42 초과인 수를 찾아 쓰시오.

( )

(2) 37 미만인 수를 모두 찾아 쓰시오.

( )

3 수직선에 나타낸 수의 범위를 쓰시오.

26 27 28 29 30 31 32 33 34

( )

4 수학 시험을 본 후에 점수가 60점 미만인 학생은 남아서 더 공부를 하기로 했습니다. 남아서 공부를 더 해야 하는 학생은 모두 몇 명입니까?

이름	점수(점)	이름	점수(점)
정태	76	명수	58
현석	60	지혜	92
미정	80	은지	59

( )명

5 수의 범위에 속하는 자연수의 개수가 가장 많은 것을 찾아 기호를 쓰시오.

㉠ 10 이상 20 이하인 수
㉡ 10 이상 20 미만인 수
㉢ 10 초과 20 이하인 수
㉣ 10 초과 20 미만인 수

( )

[6~8] 재석이네 학교 씨름부의 몸무게와 몸무게에 따른 선수들의 체급을 나타낸 표입니다. 물음에 답하시오.

씨름부의 몸무게

이름	몸무게(kg)	이름	몸무게(kg)
재석	45	명수	42
형돈	52	홍철	47
준하	65	성진	56
한수	71	영철	41

몸무게별 체급

몸무게(kg)	체급
40 이하	경장급
40 초과 45 이하	소장급
45 초과 50 이하	청장급
50 초과 55 이하	용장급
55 초과 60 이하	용사급
60 초과 70 이하	역사급
70 초과	장사급

6 재석이가 속한 체급의 몸무게 범위를 써 보시오.

( )

7 준하가 속한 체급은 무엇입니까?

( )

8 재석이네 학교 씨름부에서 없는 체급은 무엇입니까?

( )

9 어느 백화점에서는 18.0℃ 이하일 때 난방기가 자동으로 작동됩니다. 어느 날 하루의 기온을 1시간 간격으로 조사한 것이 다음과 같을 때 난방기가 작동한 시각을 모두 쓰시오.

시각	1시	2시	3시	4시	5시
기온(℃)	19.8	18.5	17.9	20.0	18.0

( )

10 18 초과 30 미만인 자연수 중에서 짝수는 모두 몇 개인지 풀이 과정을 쓰고 답을 구하시오.

풀이

답

11 올림, 버림, 반올림하여 천의 자리까지 나타내시오.

46275 ➡ 올림 (　　　　　　)
버림 (　　　　　　)
반올림 (　　　　　　)

12 올림하여 십의 자리까지 나타낸 수가 80이 되는 자연수는 모두 몇 개입니까?

(　　　　　　)개

13 60780을 버림하여 주어진 자리까지 나타내려고 합니다. 버림하여 나타낸 수가 가장 큰 것을 찾아 기호를 쓰시오.

㉠ 십의 자리까지　㉡ 백의 자리까지
㉢ 천의 자리까지　㉣ 만의 자리까지

(　　　　　　)

14 십의 자리에서 반올림하여 500이 되는 수의 범위를 수직선에 나타내고, 수의 범위에 속하는 가장 큰 자연수와 가장 작은 자연수를 각각 구하시오.

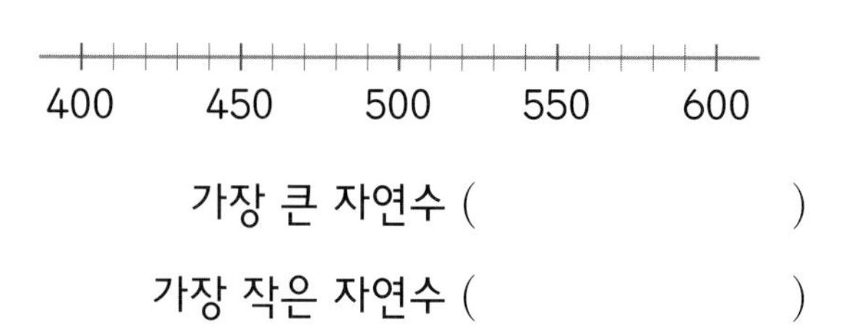

가장 큰 자연수 (　　　　　　)

가장 작은 자연수 (　　　　　　)

15 어느 학교의 학년별 학생 수를 조사하여 나타낸 표입니다. 학생 수가 가장 적은 학년의 학생 수를 반올림하여 십의 자리까지 나타내시오.

학년별 학생 수

학년	학생 수(명)	학년	학생 수(명)
1학년	215	4학년	186
2학년	197	5학년	212
3학년	201	6학년	188

(　　　　　　)명

[16~18] 어느 터미널의 고속버스 요금을 나타낸 표입니다. 물음에 답하시오.

고속버스 요금

출발	도착	요금(원)
서울	대전	14500
서울	대구	24200
서울	부산	32800
서울	목포	29500

16 서울에서 목포까지 고속버스를 이용할 때 필요한 요금을 반올림하여 천의 자리까지 나타내시오.

( )원

17 서울에서 대구까지의 요금을 반올림하여 만의 자리까지 나타내면 약 몇만 원입니까?

약 ( )원

18 서울에서 출발할 때 요금이 가장 많은 지역과 가장 적은 지역의 요금의 차를 버림하여 천의 자리까지 나타내시오.

( )원

19 코끼리 열차는 한 번에 10명씩 탈 수 있습니다. 민주네 학교 학생 132명이 모두 타려면 코끼리 열차는 최소 몇 번 운행해야 합니까?

( )번

20 주어진 수를 반올림하여 천의 자리까지 나타낸 수와 반올림하여 백의 자리까지 나타낸 수의 차는 얼마인지 풀이 과정을 쓰고 답을 구하시오.

18725

풀이

답

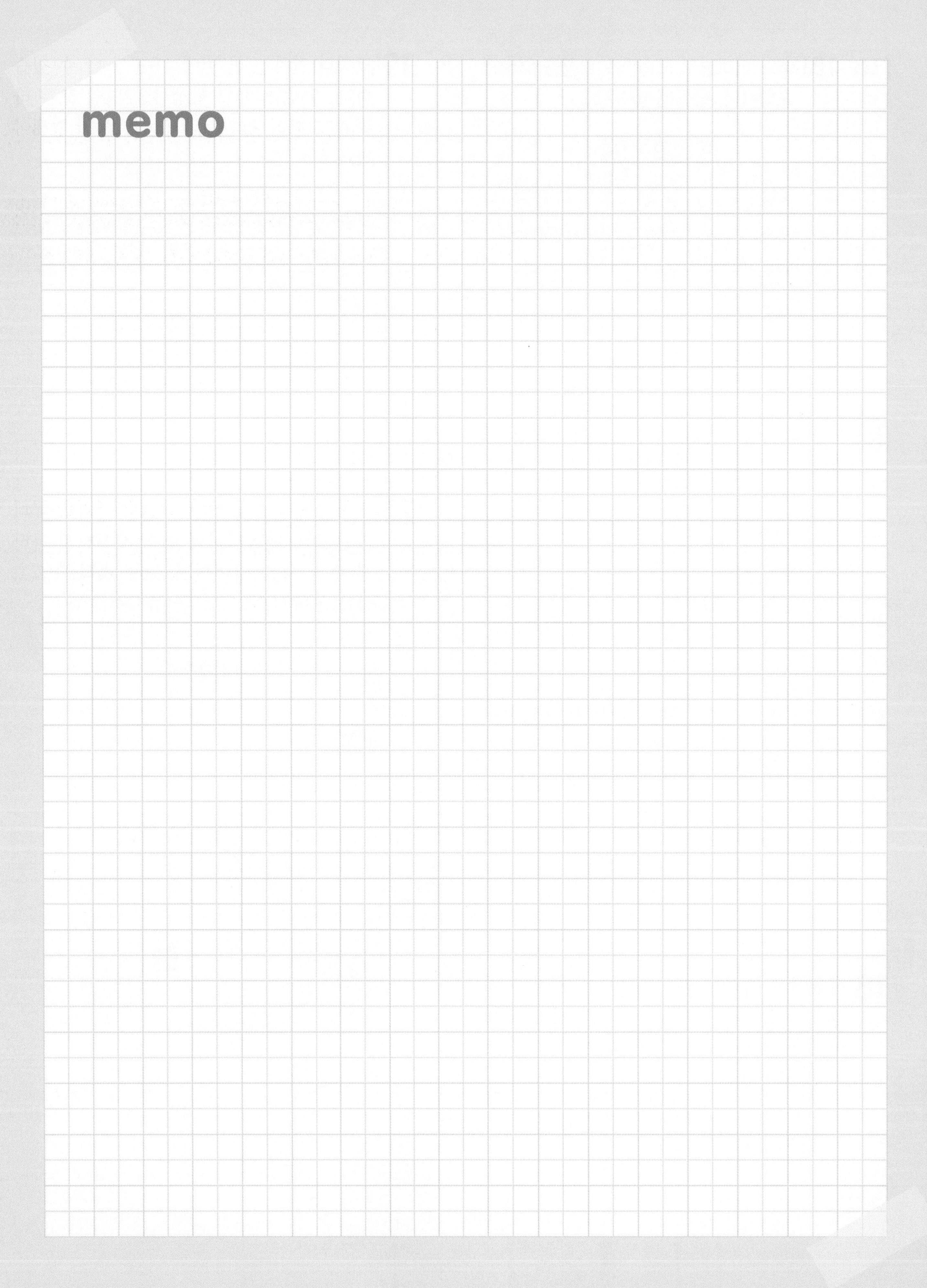
memo

2 보기 와 같은 방법으로 계산해 보시오.

보기

$$\frac{3}{4}\times 6=\frac{3\times 6}{4}=\frac{\overset{9}{\cancel{18}}}{\underset{2}{\cancel{4}}}=\frac{9}{2}=4\frac{1}{2}$$ (2로 약분)

$\frac{1}{9}\times 3=\frac{1\times 3}{9}=\frac{\cancel{3}}{\cancel{9}}=\frac{\square}{\square}$ (3으로 약분)

$\frac{1}{8}\times 4=\frac{1\times 4}{8}=\frac{\cancel{4}}{\cancel{8}}=\frac{\square}{\square}$ (4로 약분)

$\frac{4}{9}\times 6=\frac{24}{9}=\frac{\square}{3}=\square\frac{\square}{3}$ (4×6)

$\frac{5}{6}\times 4=\frac{\square}{6}=\frac{\square}{3}=\square\frac{\square}{3}$ (5×4)

$\frac{7}{12}\times 8=\frac{\square}{12}=\frac{\square}{3}=\square\frac{\square}{3}$

$\frac{1}{10}\times 5=\frac{\overset{1}{\cancel{5}}}{\underset{2}{\cancel{10}}}=$

$\frac{1}{6}\times 2$

$\frac{1}{14}\times 2$

$\frac{2}{5}\times 10$

$\frac{3}{4}\times 12$

$\frac{4}{7}\times 14$

$\frac{5}{14}\times 7$

$\frac{13}{18}\times 2$

$\frac{3}{10}\times 15$

$\frac{2}{15}\times 9$

$\frac{8}{21}\times 6$

$\frac{9}{32}\times 8$

3 보기 와 같은 방법으로 계산해 보시오.

보기

(4로 약분) ↓ 5×1

$\frac{5}{\cancel{8}_{2}} \times \cancel{4}^{1} = \frac{5}{2} = 2\frac{1}{2}$

(2로 약분) ↓ 3×5

$\frac{3}{\cancel{4}_{2}} \times \cancel{10}^{5} = \frac{\square}{2} = \square\frac{\square}{2}$

(3으로 약분) ↓ 2×2

$\frac{2}{\cancel{9}_{3}} \times \cancel{6}^{2} = \frac{\square}{\square} = \square\frac{\square}{\square}$

$\frac{5}{\cancel{6}_{\square}} \times \cancel{8}^{\square} = \frac{\square}{\square} = \square\frac{\square}{\square}$

$\frac{3}{\cancel{5}_{\square}} \times \cancel{25}^{\square} = 3 \times \square = \square$

$\frac{4}{\cancel{7}_{\square}} \times \cancel{28}^{\square} = 4 \times \square = \square$

$\frac{1}{\cancel{6}_{3}} \times \cancel{4}^{2} =$

$\frac{2}{9} \times 3$

$\frac{3}{8} \times 2$

$\frac{3}{4} \times 8$

$\frac{7}{9} \times 9$

$\frac{5}{6} \times 12$

$\frac{11}{12} \times 9$

$\frac{5}{16} \times 14$

$\frac{7}{18} \times 12$

$\frac{8}{21} \times 28$

$\frac{13}{20} \times 8$

$\frac{11}{27} \times 15$

4 빈칸에 두 수의 곱을 써넣으시오.

$\frac{1}{6}$	5

$\frac{1}{6}\times 5$

$\frac{1}{2}$	7

$\frac{1}{5}$	20

$\frac{1}{4}$	10

$\frac{1}{9}$	12

$\frac{3}{11}$	2

$\frac{4}{13}$	3

$\frac{2}{7}$	3

$\frac{2}{3}$	4

$\frac{4}{5}$	6

$\frac{5}{6}$	5

$\frac{3}{8}$	6

$\frac{7}{10}$	25

$\frac{3}{4}$	16

$\frac{4}{15}$	12

02 (대분수)×(자연수)

정답 10쪽

● 대분수를 자연수와 진분수로 나누어 계산하기

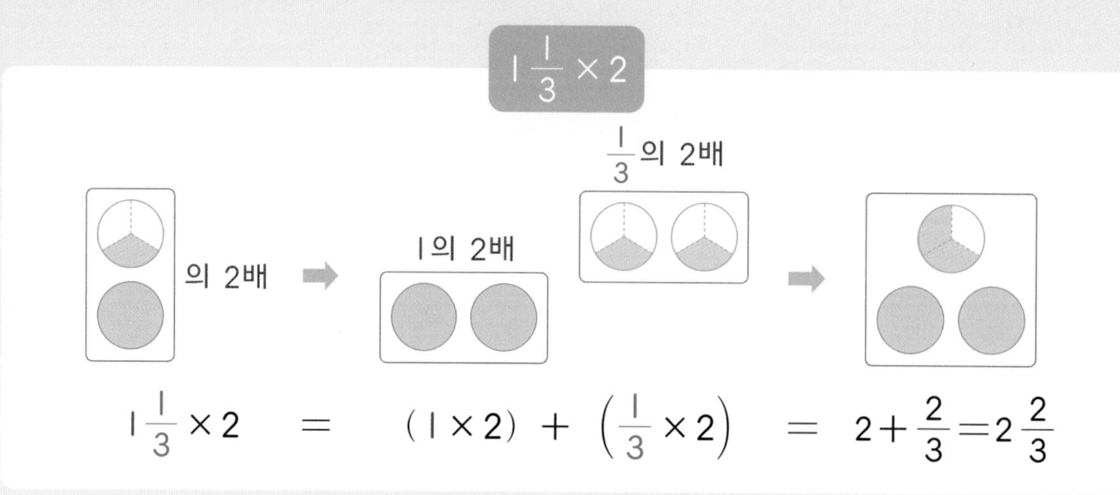

$$1\frac{1}{3}\times 2 = (1\times 2)+\left(\frac{1}{3}\times 2\right) = 2+\frac{2}{3}=2\frac{2}{3}$$

1 □ 안에 알맞은 수를 써넣으시오.

$1\frac{1}{4}$의 3배 ➡ 1의 3배 ＋ $\frac{1}{4}$의 3배

$$1\frac{1}{4}\times 3=(1\times 3)+\left(\frac{1}{4}\times 3\right)=3+\frac{3}{4}=\square\frac{\square}{4}$$

$1\frac{2}{7}$의 2배 ➡ 1의 2배 ＋ $\frac{2}{7}$의 2배

$$1\frac{2}{7}\times 2=(\square\times 2)+\left(\frac{\square}{7}\times 2\right)=\square+\frac{\square}{7}=\square\frac{\square}{7}$$

$1\frac{1}{6}$의 7배 ➡ 1의 7배 ＋ $\frac{1}{6}$의 7배

$$1\frac{1}{6}\times 7=(\square\times 7)+\left(\frac{\square}{6}\times 7\right)=\square+\frac{\square}{6}=\square+\square\frac{\square}{6}=\square\frac{\square}{6}$$

$2\frac{3}{5}$의 4배 ➡ 2의 4배 ＋ $\frac{3}{5}$의 4배

$$2\frac{3}{5}\times 4=(\square\times 4)+\left(\frac{\square}{5}\times 4\right)=\square+\frac{\square}{5}=\square+\square\frac{\square}{5}=\square\frac{\square}{5}$$

2 보기 와 같은 방법으로 계산해 보시오.

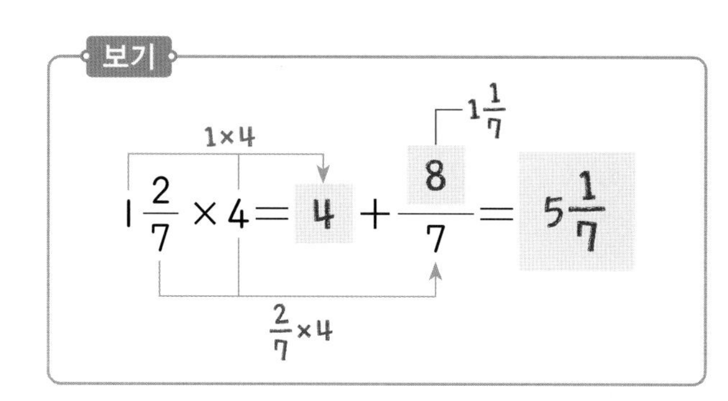

$1\frac{2}{5} \times 2 = \square + \frac{\square}{5} = \square$

$2\frac{1}{3} \times 2 = \square + \frac{\square}{3} = \square$

$3\frac{1}{4} \times 3 = \square + \frac{\square}{4} = \square$

$1\frac{1}{4} \times 5 = \square + \frac{\square}{4} = \square$

$2\frac{1}{3} \times 4 = \square + \frac{\square}{3} = \square$

$2\frac{2}{5} \times 3 = \square + \frac{\square}{5} = \square$

$3\frac{3}{7} \times 3 = \square + \frac{\square}{7} = \square$

$1\frac{2}{9} \times 7 = \square + \frac{\square}{9} = \square$

$2\frac{4}{5} \times 3 = \square + \frac{\square}{5} = \square$

$3\frac{1}{6} \times 5 = \square + \frac{\square}{6} = \square$

$2\frac{3}{8} \times 5 = \square + \frac{\square}{8} = \square$

$4\frac{5}{7} \times 4 = \square + \frac{\square}{7} = \square$

$5\frac{2}{9} \times 5 = \square + \frac{\square}{9} = \square$

● 대분수를 가분수로 바꾸어 계산하기

$$2\frac{3}{4}\times 2=\frac{11}{4}\times 2=\frac{11\times \overset{1}{\cancel{2}}}{\underset{2}{\cancel{4}}}=\frac{11}{2}=5\frac{1}{2}$$

(2로 약분)

대분수 → 가분수

3 대분수를 가분수로 바꾸어 계산해 보시오.

보기

대분수 → 가분수

$$2\frac{1}{6}\times 4=\frac{13}{\underset{3}{\cancel{6}}}\times \overset{2}{\cancel{4}}=\frac{26}{3}=8\frac{2}{3}$$

대분수 → 가분수

$$1\frac{1}{4}\times 2=\frac{\square}{\cancel{4}}\times \cancel{2}=\frac{\square}{2}=\square$$

대분수 → 가분수

$$3\frac{1}{8}\times 4=\frac{\square}{\cancel{8}}\times \cancel{4}=\frac{\square}{2}=\square$$

$$2\frac{2}{9}\times 3=\frac{\square}{\cancel{9}}\times \cancel{3}=\frac{\square}{3}=\square$$

$$1\frac{5}{12}\times 8=\frac{\square}{12}\times 8=\frac{\square}{3}=\square$$

$$3\frac{9}{10}\times 5=\frac{\square}{10}\times 5=\frac{\square}{2}=\square$$

$$4\frac{5}{6}\times 2=\frac{\square}{6}\times 2=\frac{\square}{3}=\square$$

$$2\frac{1}{12}\times 8=\frac{\square}{12}\times 8=\frac{\square}{3}=\square$$

$$1\frac{4}{9}\times 6=\frac{\square}{9}\times 6=\frac{\square}{3}=\square$$

$$3\frac{1}{6}\times 8=\frac{\square}{6}\times 8=\frac{\square}{3}=\square$$

$$2\frac{3}{8}\times 12=\frac{\square}{8}\times 12=\frac{\square}{2}=\square$$

$$2\frac{3}{10}\times 15=\frac{\square}{10}\times 15=\frac{\square}{2}=\square$$

4 분수의 곱셈 실력을 점검해 보시오.

실력평가

맞힌 개수: 개 | 제한 시간: 10 분

1. $1\frac{1}{3} \times 2$

2. $2\frac{1}{6} \times 5$

3. $3\frac{1}{8} \times 3$

4. $5\frac{1}{4} \times 3$

5. $8\frac{1}{3} \times 2$

6. $3\frac{1}{2} \times 5$

7. $2\frac{4}{5} \times 3$

8. $1\frac{2}{7} \times 4$

9. $4\frac{3}{5} \times 2$

10. $1\frac{3}{4} \times 3$

11. $1\frac{3}{5} \times 10$

12. $2\frac{2}{3} \times 6$

13. $2\frac{5}{6} \times 8$

14. $3\frac{1}{4} \times 2$

15. $4\frac{3}{8} \times 12$

16. $5\frac{7}{10} \times 5$

17. $2\frac{5}{9} \times 6$

18. $1\frac{8}{21} \times 7$

19. $1\frac{1}{14} \times 4$

20. $2\frac{1}{12} \times 8$

수고하셨습니다!

03 (자연수)×(진분수)

정답 11쪽

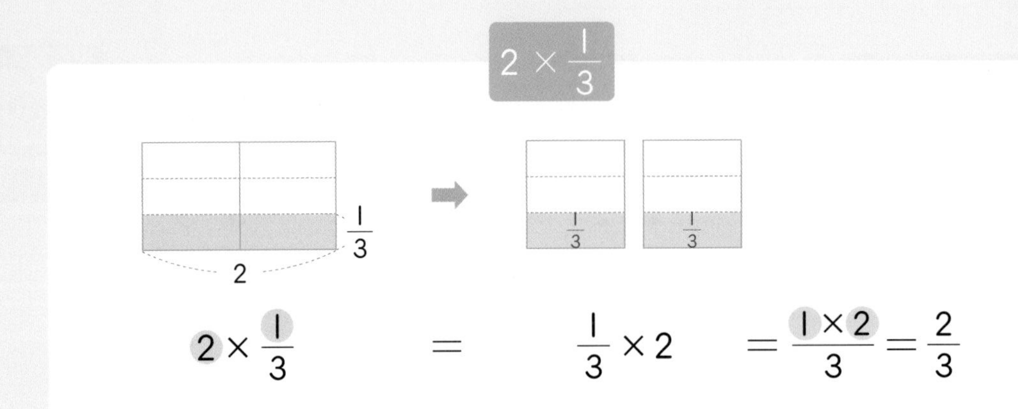

1 □ 안에 알맞은 수를 써넣고, 계산해 보시오.

$4 \times \frac{1}{5} = \frac{4 \times 1}{5} = \frac{\square}{5}$

$3 \times \frac{2}{7} = \frac{\square \times 2}{7} = \frac{\square}{7}$

$5 \times \frac{1}{6} = \frac{\square \times 1}{6} = \frac{\square}{6}$

$2 \times \frac{2}{5} = \frac{\square \times \square}{5} = \frac{\square}{5}$

$8 \times \frac{1}{9}$

$7 \times \frac{1}{10}$

$6 \times \frac{1}{11}$

$2 \times \frac{3}{7}$

$2 \times \frac{4}{9}$

$4 \times \frac{3}{13}$

$3 \times \frac{1}{2}$

$9 \times \frac{1}{4}$

$10 \times \frac{1}{3}$

$5 \times \frac{5}{6}$

$7 \times \frac{3}{8}$

$11 \times \frac{2}{5}$

2 보기 와 같은 방법으로 계산해 보시오.

보기

(2로 약분)

$$6 \times \frac{3}{4} = \frac{6 \times 3}{4} = \frac{\overset{9}{\cancel{18}}}{\underset{2}{\cancel{4}}} = \frac{9}{2} = 4\frac{1}{2}$$

(3으로 약분)

$$3 \times \frac{1}{6} = \frac{3 \times \square}{6} = \frac{\cancel{3}}{\cancel{6}} = \frac{\square}{\square}$$

(5로 약분)

$$5 \times \frac{3}{10} = \frac{5 \times \square}{10} = \frac{\cancel{15}}{\cancel{10}} = \frac{\square}{2} = \square\frac{\square}{2}$$

6×2

$$6 \times \frac{2}{9} = \frac{12}{9} = \frac{\square}{3} = \square\frac{\square}{3}$$

8×5

$$8 \times \frac{5}{6} = \frac{\square}{6} = \frac{\square}{3} = \square\frac{\square}{3}$$

$$4 \times \frac{3}{8} = \frac{\square}{8} = \frac{\square}{2} = \square\frac{\square}{2}$$

$2 \times \frac{1}{6} = \frac{\overset{1}{\cancel{2}}}{\underset{3}{\cancel{6}}} =$

$4 \times \frac{1}{8}$

$3 \times \frac{2}{9}$

$6 \times \frac{2}{3}$

$10 \times \frac{3}{5}$

$20 \times \frac{3}{4}$

$9 \times \frac{5}{6}$

$5 \times \frac{7}{10}$

$7 \times \frac{4}{21}$

$4 \times \frac{7}{20}$

$9 \times \frac{5}{36}$

$15 \times \frac{2}{25}$

3 보기 와 같은 방법으로 계산해 보시오.

보기

(2로 약분) 2×5

$\overset{2}{\cancel{4}} \times \dfrac{5}{\underset{3}{\cancel{6}}} = \dfrac{10}{3} = 3\dfrac{1}{3}$

(2로 약분) 3×3

$\overset{3}{\cancel{6}} \times \dfrac{3}{\underset{4}{\cancel{8}}} = \dfrac{\square}{\square} = \square\dfrac{\square}{\square}$

(3으로 약분) 1×7

$\overset{1}{\cancel{3}} \times \dfrac{7}{\underset{3}{\cancel{9}}} = \dfrac{\square}{\square} = \square\dfrac{\square}{\square}$

$\cancel{10} \times \dfrac{2}{\cancel{15}} = \dfrac{\square}{\square} = \square\dfrac{\square}{\square}$

$\cancel{21} \times \dfrac{9}{\cancel{14}} = \dfrac{\square}{\square} = \square\dfrac{\square}{\square}$

$\cancel{18} \times \dfrac{5}{\cancel{24}} = \dfrac{\square}{\square} = \square\dfrac{\square}{\square}$

$\overset{4}{\cancel{8}} \times \dfrac{1}{\underset{5}{\cancel{10}}} =$

$9 \times \dfrac{1}{12}$

$10 \times \dfrac{2}{25}$

$8 \times \dfrac{3}{4}$

$14 \times \dfrac{3}{7}$

$20 \times \dfrac{4}{5}$

$9 \times \dfrac{11}{18}$

$12 \times \dfrac{7}{10}$

$15 \times \dfrac{9}{25}$

$16 \times \dfrac{7}{24}$

$24 \times \dfrac{4}{27}$

$28 \times \dfrac{3}{49}$

4 갈림길에서 계산한 값이 맞는 길을 따라가시오.

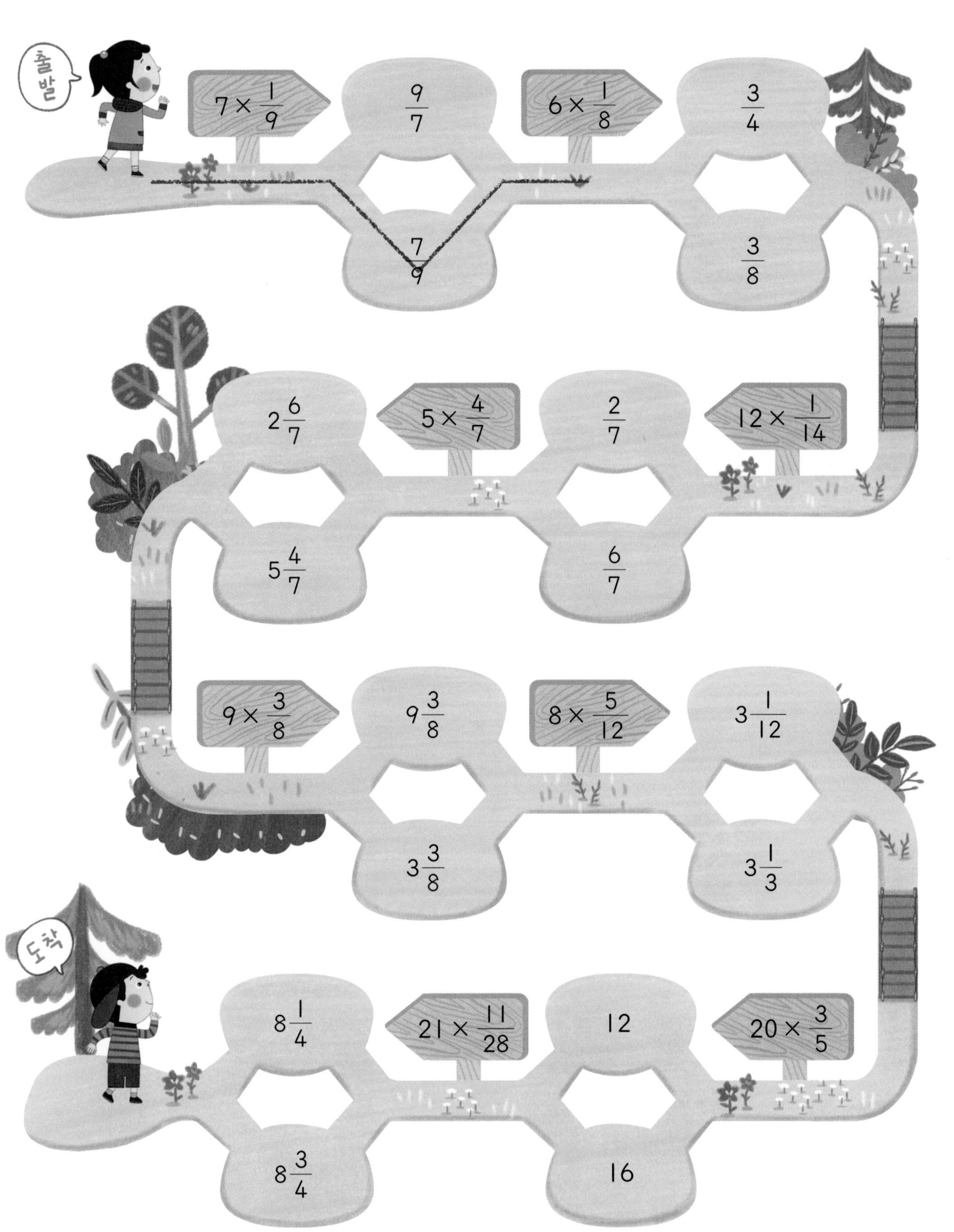

04 (자연수)×(대분수)

정답 12쪽

● 대분수를 자연수와 진분수로 나누어 계산하기

$2\times1\frac{1}{3}$

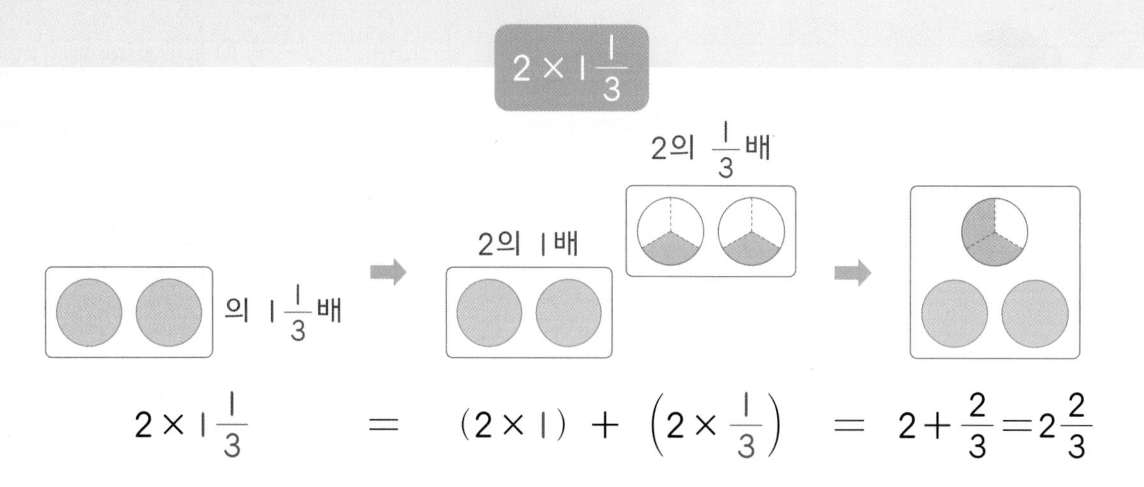

$$2\times1\frac{1}{3}=(2\times1)+\left(2\times\frac{1}{3}\right)=2+\frac{2}{3}=2\frac{2}{3}$$

1 □ 안에 알맞은 수를 써넣으시오.

4의 $1\frac{1}{5}$배 ➡ 4의 1배 ＋ 4의 $\frac{1}{5}$배

$4\times1\frac{1}{5}=(4\times1)+\left(4\times\frac{1}{5}\right)=4+\frac{4}{5}=\square\frac{\square}{5}$

3의 $2\frac{1}{4}$배 ➡ 3의 2배 ＋ 3의 $\frac{1}{4}$배

$3\times2\frac{1}{4}=(3\times\square)+\left(3\times\frac{\square}{4}\right)=\square+\frac{\square}{4}=\square\frac{\square}{4}$

6의 $1\frac{1}{2}$배 ➡ 6의 1배 ＋ 6의 $\frac{1}{2}$배

$6\times1\frac{1}{2}=(6\times\square)+\left(6\times\frac{\square}{2}\right)=\square+\square=\square$

8의 $1\frac{5}{9}$배 ➡ 8의 1배 ＋ 8의 $\frac{5}{9}$배

$8\times1\frac{5}{9}=(8\times\square)+\left(8\times\frac{\square}{9}\right)=\square+\frac{\square}{9}=\square+\square\frac{\square}{9}=\square\frac{\square}{9}$

2 보기 와 같은 방법으로 계산해 보시오.

보기

$4 \times 1\frac{3}{5} = 4 + \frac{12}{5} = 6\frac{2}{5}$

(4×1, $4 \times \frac{3}{5}$, $2\frac{2}{5}$)

$3 \times 1\frac{2}{7} = \square + \frac{\square}{7} = \square$

$2 \times 1\frac{3}{11} = \square + \frac{\square}{11} = \square$

$5 \times 2\frac{1}{4} = \square + \frac{\square}{4} = \square$

$6 \times 2\frac{1}{7} = \square + \frac{\square}{7} = \square$

$7 \times 1\frac{2}{5} = \square + \frac{\square}{5} = \square$

$4 \times 2\frac{1}{3} = \square + \frac{\square}{3} = \square$

$9 \times 3\frac{1}{2} = \square + \frac{\square}{2} = \square$

$8 \times 1\frac{2}{7} = \square + \frac{\square}{7} = \square$

$3 \times 2\frac{4}{5} = \square + \frac{\square}{5} = \square$

$7 \times 3\frac{1}{4} = \square + \frac{\square}{4} = \square$

$10 \times 1\frac{2}{9} = \square + \frac{\square}{9} = \square$

$6 \times 4\frac{3}{5} = \square + \frac{\square}{5} = \square$

$5 \times 2\frac{4}{7} = \square + \frac{\square}{7} = \square$

● **대분수를 가분수로 바꾸어 계산하기**

(3으로 약분)

$$3 \times 1\frac{1}{6} = 3 \times \frac{7}{6} = \frac{\overset{1}{\cancel{3}} \times 7}{\underset{2}{\cancel{6}}} = \frac{7}{2} = 3\frac{1}{2}$$

대분수 → 가분수

3 대분수를 가분수로 바꾸어 계산해 보시오.

보기

대분수 → 가분수

$$6 \times 1\frac{3}{4} = \overset{3}{\cancel{6}} \times \frac{7}{\underset{2}{\cancel{4}}} = \frac{21}{2} = 10\frac{1}{2}$$

대분수 → 가분수

$$4 \times 2\frac{3}{8} = \overset{□}{\cancel{4}} \times \frac{□}{\underset{□}{\cancel{8}}} = \frac{□}{2} = □$$

대분수 → 가분수

$$3 \times 1\frac{5}{9} = \overset{□}{\cancel{3}} \times \frac{□}{\underset{□}{\cancel{9}}} = \frac{□}{3} = □$$

$$10 \times 1\frac{2}{15} = \overset{□}{\cancel{10}} \times \frac{□}{\underset{□}{\cancel{15}}} = \frac{□}{3} = □$$

$$7 \times 2\frac{5}{14} = 7 \times \frac{□}{14} = \frac{□}{2} = □$$

$$9 \times 1\frac{1}{12} = 9 \times \frac{□}{12} = \frac{□}{4} = □$$

$$2 \times 4\frac{7}{8} = 2 \times \frac{□}{8} = \frac{□}{4} = □$$

$$18 \times 3\frac{7}{9} = 18 \times \frac{□}{9} = □$$

$$5 \times 2\frac{1}{10} = 5 \times \frac{□}{10} = \frac{□}{2} = □$$

$$8 \times 3\frac{1}{12} = 8 \times \frac{□}{12} = \frac{□}{3} = □$$

$$14 \times 1\frac{4}{21} = 14 \times \frac{□}{21} = \frac{□}{3} = □$$

$$12 \times 1\frac{11}{18} = 12 \times \frac{□}{18} = \frac{□}{3} = □$$

4 분수의 곱셈을 하시오.

×		
3	$1\frac{2}{5}$	

$3 \times 1\frac{2}{5}$

×		
4	$2\frac{1}{2}$	

×		
2	$3\frac{3}{4}$	

×		
6	$2\frac{1}{5}$	

×		
8	$1\frac{5}{6}$	

×		
10	$1\frac{1}{2}$	

×		
5	$3\frac{2}{3}$	

×		
7	$1\frac{4}{21}$	

×		
14	$1\frac{5}{6}$	

×		
12	$1\frac{5}{8}$	

×		
9	$2\frac{2}{5}$	

×		
20	$2\frac{1}{15}$	

×		
18	$3\frac{7}{9}$	

×		
15	$2\frac{3}{5}$	

×		
11	$1\frac{2}{7}$	

×		
32	$2\frac{7}{12}$	

×		
21	$4\frac{2}{3}$	

×		
45	$1\frac{4}{27}$	

05 진분수의 곱셈

정답 13쪽

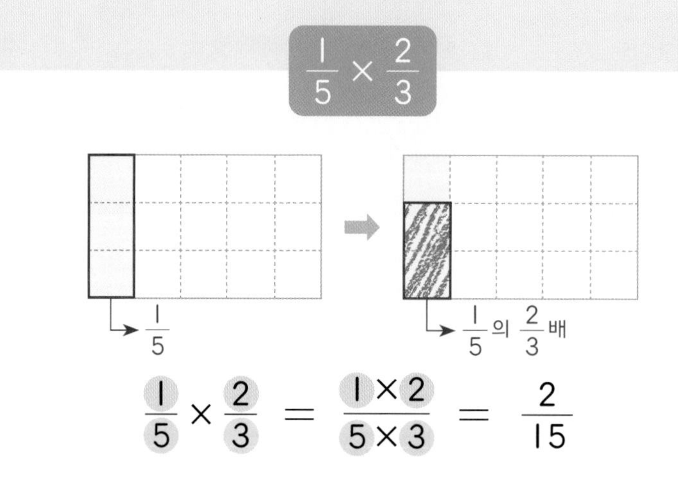

$$\frac{1}{5} \times \frac{2}{3} = \frac{1 \times 2}{5 \times 3} = \frac{2}{15}$$

1 ☐ 안에 알맞은 수를 써넣으시오.

$\frac{1}{4} \times \frac{1}{2} = \frac{1 \times 1}{4 \times 2} = \frac{☐}{☐}$

$\frac{2}{3} \times \frac{5}{7} = \frac{2 \times 5}{3 \times 7} = \frac{☐}{☐}$

$\frac{1}{6} \times \frac{5}{8} = \frac{1 \times 5}{6 \times 8} = \frac{☐}{☐}$

$\frac{4}{9} \times \frac{1}{3} = \frac{☐}{☐}$ (4×1, 9×3)

$\frac{3}{4} \times \frac{3}{7} = \frac{☐}{☐}$

$\frac{5}{11} \times \frac{4}{9} = \frac{☐}{☐}$

$\frac{3}{8} \times \frac{3}{5} = \frac{☐}{☐}$

$\frac{5}{6} \times \frac{7}{9} = \frac{☐}{☐}$

$\frac{2}{9} \times \frac{4}{7} = \frac{☐}{☐}$

$\frac{4}{5} \times \frac{6}{13} = \frac{☐}{☐}$

2 보기 와 같은 방법으로 계산해 보시오.

보기

$$\frac{3}{4}\times\frac{5}{6} \Rightarrow \frac{\overset{1}{\cancel{3}}}{4}\times\frac{5}{\underset{2}{\cancel{6}}} \Rightarrow \frac{\cancel{3}}{4}\times\frac{5}{\cancel{6}}=\frac{5}{8}$$

(3으로 약분)

1 × 5 → 5

4 × 2 → 8

$$\frac{1}{\underset{1}{\cancel{7}}}\times\frac{\overset{1}{\cancel{7}}}{9}=\frac{\square}{\square}$$

1×1

1×9

$$\frac{\cancel{15}}{16}\times\frac{1}{\cancel{3}}=\frac{\square}{\square}$$

$$\frac{\cancel{2}}{5}\times\frac{3}{\cancel{8}}=\frac{\square}{\square}$$

$$\frac{2}{3}\times\frac{1}{16}=\frac{\square}{\square}$$

$$\frac{1}{24}\times\frac{16}{21}=\frac{\square}{\square}$$

$$\frac{5}{6}\times\frac{4}{9}=\frac{\square}{\square}$$

$$\frac{1}{4}\times\frac{8}{15}=\frac{\square}{\square}$$

$$\frac{4}{17}\times\frac{1}{16}=\frac{\square}{\square}$$

$$\frac{7}{10}\times\frac{5}{8}=\frac{\square}{\square}$$

$$\frac{21}{22}\times\frac{1}{7}=\frac{\square}{\square}$$

$$\frac{1}{12}\times\frac{9}{11}=\frac{\square}{\square}$$

$$\frac{7}{9}\times\frac{3}{4}=\frac{\square}{\square}$$

$$\frac{8}{15}\times\frac{20}{21}=\frac{\square}{\square}$$

$$\frac{7}{8}\times\frac{31}{42}=\frac{\square}{\square}$$

$$\frac{3}{4}\times\frac{5}{18}=\frac{\square}{\square}$$

3 보기 와 같은 방법으로 계산해 보시오.

보기

(4로 약분) $\frac{\overset{1}{\cancel{4}}}{9} \times \frac{3}{\underset{2}{\cancel{8}}}$ ➡ (3으로 약분) $\frac{\overset{1}{\cancel{4}}}{\underset{3}{\cancel{9}}} \times \frac{\overset{1}{\cancel{3}}}{\underset{2}{\cancel{8}}}$ ➡ $\frac{\cancel{4}}{\cancel{9}} \times \frac{\cancel{3}}{\cancel{8}} = \frac{1}{6}$

1 × 1, 3 × 2

$\frac{\overset{1}{\cancel{2}}}{\underset{1}{\cancel{5}}} \times \frac{\overset{1}{\cancel{5}}}{\underset{3}{\cancel{6}}} = \frac{\square}{\square}$

$\frac{\cancel{7}}{\cancel{8}} \times \frac{\cancel{4}}{\cancel{21}} = \frac{\square}{\square}$

$\frac{\cancel{9}}{\cancel{16}} \times \frac{\cancel{4}}{\cancel{27}} = \frac{\square}{\square}$

$\frac{3}{17} \times \frac{17}{18} = \frac{\square}{\square}$

$\frac{8}{9} \times \frac{3}{4} = \frac{\square}{\square}$

$\frac{5}{6} \times \frac{3}{10} = \frac{\square}{\square}$

$\frac{7}{18} \times \frac{6}{7} = \frac{\square}{\square}$

$\frac{5}{7} \times \frac{14}{25} = \frac{\square}{\square}$

$\frac{8}{15} \times \frac{3}{4} = \frac{\square}{\square}$

$\frac{27}{49} \times \frac{7}{9} = \frac{\square}{\square}$

$\frac{7}{12} \times \frac{9}{14} = \frac{\square}{\square}$

$\frac{16}{27} \times \frac{15}{32} = \frac{\square}{\square}$

$\frac{28}{33} \times \frac{3}{8} = \frac{\square}{\square}$

$\frac{21}{50} \times \frac{45}{56} = \frac{\square}{\square}$

$\frac{12}{65} \times \frac{25}{36} = \frac{\square}{\square}$

4 세 분수의 곱셈을 하시오.

보기

(3으로 약분) $\frac{\overset{1}{\cancel{3}}}{8} \times \frac{5}{\underset{3}{\cancel{9}}} \times \frac{4}{5}$ ➡ (5로 약분) $\frac{\overset{1}{\cancel{3}}}{8} \times \frac{\overset{1}{\cancel{5}}}{\underset{3}{\cancel{9}}} \times \frac{4}{\underset{1}{\cancel{5}}}$ ➡ (4로 약분) $\frac{\overset{1}{\cancel{3}}}{\underset{2}{\cancel{8}}} \times \frac{\overset{1}{\cancel{5}}}{\underset{3}{\cancel{9}}} \times \frac{\overset{1}{\cancel{4}}}{\underset{1}{\cancel{5}}}$ ➡ $\frac{\cancel{3}}{\cancel{8}} \times \frac{\cancel{5}}{\cancel{9}} \times \frac{\cancel{4}}{\cancel{5}} = \frac{1}{6}$

1 × 1 × 1 → 1

2 × 3 × 1 → 6

$\frac{2}{\underset{1}{\cancel{3}}} \times \frac{1}{5} \times \frac{\overset{2}{\cancel{6}}}{7} = \frac{\quad}{\quad}$

$\frac{3}{\cancel{4}} \times \frac{\cancel{2}}{5} \times \frac{7}{8} = \frac{\quad}{\quad}$

$\frac{3}{5} \times \frac{1}{6} \times \frac{3}{4} = \frac{\quad}{\quad}$

$\frac{1}{\underset{1}{\cancel{2}}} \times \frac{\overset{1}{\cancel{3}}}{5} \times \frac{\overset{1}{\cancel{2}}}{\underset{3}{\cancel{9}}} = \frac{\quad}{\quad}$

$\frac{\cancel{2}}{\cancel{5}} \times \frac{1}{7} \times \frac{\cancel{5}}{\cancel{6}} = \frac{\quad}{\quad}$

$\frac{3}{10} \times \frac{2}{5} \times \frac{1}{6} = \frac{\quad}{\quad}$

$\frac{5}{6} \times \frac{7}{9} \times \frac{3}{5} = \frac{\quad}{\quad}$

$\frac{17}{18} \times \frac{6}{11} \times \frac{5}{17} = \frac{\quad}{\quad}$

$\frac{7}{9} \times \frac{5}{8} \times \frac{27}{49} = \frac{\quad}{\quad}$

$\frac{\overset{1}{\cancel{2}}}{\underset{3}{\cancel{9}}} \times \frac{\overset{1}{\cancel{5}}}{\underset{3}{\cancel{6}}} \times \frac{\overset{1}{\cancel{3}}}{\underset{1}{\cancel{5}}} = \frac{\quad}{\quad}$

$\frac{\cancel{2}}{\cancel{3}} \times \frac{\cancel{5}}{\cancel{8}} \times \frac{\cancel{9}}{\cancel{10}} = \frac{\quad}{\quad}$

$\frac{4}{7} \times \frac{3}{8} \times \frac{7}{9} = \frac{\quad}{\quad}$

$\frac{5}{7} \times \frac{11}{20} \times \frac{21}{22} = \frac{\quad}{\quad}$

$\frac{7}{12} \times \frac{5}{7} \times \frac{6}{15} = \frac{\quad}{\quad}$

$\frac{11}{20} \times \frac{15}{16} \times \frac{8}{11} = \frac{\quad}{\quad}$

06 대분수의 곱셈

정답 14쪽

● 대분수를 가분수로 바꾸어 계산하기

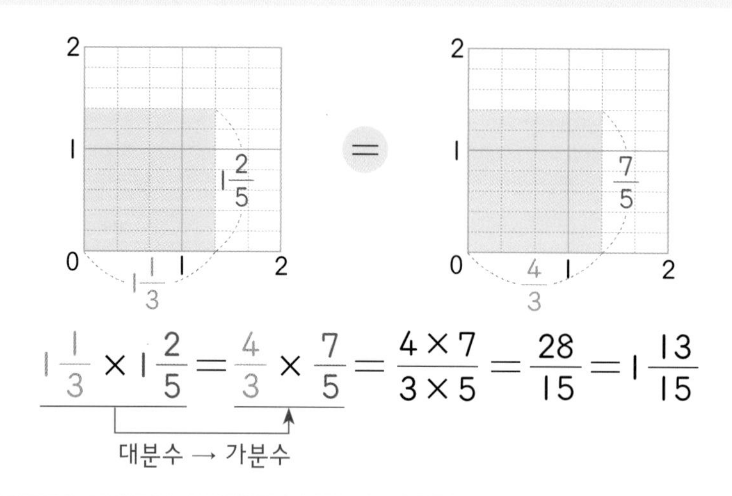

$$1\frac{1}{3}\times1\frac{2}{5}=\frac{4}{3}\times\frac{7}{5}=\frac{4\times7}{3\times5}=\frac{28}{15}=1\frac{13}{15}$$

1 $\square$ 안에 알맞은 수를 써넣으시오.

대분수 → 가분수 (8×2, 5×7)

$$1\frac{3}{5}\times\frac{2}{7}=\frac{8}{5}\times\frac{2}{7}=\frac{\square}{\square}$$

대분수 → 가분수 (3×3, 4×2)

$$\frac{3}{4}\times1\frac{1}{2}=\frac{3}{4}\times\frac{3}{2}=\frac{\square}{\square}=\square\frac{\square}{\square}$$

$$4\frac{1}{3}\times\frac{1}{8}=\frac{\square}{3}\times\frac{1}{8}=\frac{\square}{\square}$$

$$\frac{5}{6}\times2\frac{1}{3}=\frac{5}{6}\times\frac{\square}{3}=\frac{\square}{\square}=\square\frac{\square}{\square}$$

$$\frac{4}{7}\times1\frac{4}{9}=\frac{4}{7}\times\frac{\square}{9}=\frac{\square}{\square}$$

$$5\frac{3}{7}\times\frac{2}{9}=\frac{\square}{7}\times\frac{2}{9}=\frac{\square}{\square}=\square\frac{\square}{\square}$$

$$2\frac{1}{4}\times\frac{3}{11}=\frac{\square}{4}\times\frac{3}{11}=\frac{\square}{\square}$$

$$\frac{3}{5}\times2\frac{1}{10}=\frac{3}{5}\times\frac{\square}{10}=\frac{\square}{\square}=\square\frac{\square}{\square}$$

2 보기 와 같은 방법으로 계산해 보시오.

보기

대분수 → 가분수

$2\frac{2}{3} \times 1\frac{3}{4} = \frac{\overset{2}{\cancel{8}}}{3} \times \frac{7}{\underset{1}{\cancel{4}}} = \frac{14}{3} = 4\frac{2}{3}$

2×7, 3×1

$1\frac{2}{5} \times \frac{2}{7} = \frac{\overset{1}{\cancel{7}}}{5} \times \frac{2}{\underset{1}{\cancel{7}}} = \frac{\square}{\square}$

1×2, 5×1

$\frac{3}{4} \times 2\frac{2}{5} = \frac{3}{\underset{1}{\cancel{4}}} \times \frac{\overset{3}{\cancel{12}}}{5} = \frac{\square}{\square} = \square\frac{\square}{\square}$

3×3, 1×5

$3\frac{1}{3} \times 1\frac{2}{5} = \frac{\square}{3} \times \frac{7}{5} = \frac{\square}{3} = \square\frac{\square}{\square}$

$2\frac{6}{7} \times \frac{4}{5} = \frac{\square}{7} \times \frac{4}{5} = \frac{\square}{\square} = \square\frac{\square}{\square}$

$1\frac{1}{2} \times 3\frac{2}{9} = \frac{\square}{2} \times \frac{\square}{9} = \frac{\square}{\square} = \square\frac{\square}{\square}$

$\frac{5}{7} \times 3\frac{1}{2} = \frac{5}{\underset{1}{\cancel{7}}} \times \frac{\overset{1}{\cancel{7}}}{2} =$

$1\frac{2}{5} \times \frac{10}{11}$

$3\frac{2}{7} \times 2\frac{1}{10}$

$\frac{7}{8} \times 2\frac{4}{5}$

$4\frac{2}{9} \times \frac{18}{19}$

$1\frac{4}{5} \times 11\frac{1}{4}$

$\frac{12}{13} \times 1\frac{1}{4}$

$3\frac{1}{6} \times \frac{3}{17}$

$4\frac{5}{8} \times 3\frac{1}{5}$

3 계산이 잘못된 이유를 쓰고, 바르게 고쳐 보시오.

잘못된 계산

$\frac{\overset{1}{\cancel{2}}}{5} \times 1\frac{1}{\underset{2}{\cancel{4}}} = \frac{1}{5} \times \frac{3}{2} = \frac{3}{10}$

➡

바른 계산

$\frac{2}{5} \times 1\frac{1}{4} =$

틀린 이유 약분을 하기 전에 대분수인

$1\frac{1}{4}$을 가분수로 고치지 않았습니다.

잘못된 계산

$1\frac{3}{5} \times 2\frac{2}{3} = 2\frac{6}{15}$

➡

바른 계산

$1\frac{3}{5} \times 2\frac{2}{3} =$

틀린 이유 대분수끼리의 곱셈은 대분수를

가분수로 고친 후 계산해야 합니다.

잘못된 계산

$4\frac{1}{\underset{2}{\cancel{6}}} \times \frac{\overset{1}{\cancel{3}}}{7} = \frac{9}{2} \times \frac{1}{7} = \frac{9}{14}$

➡

바른 계산

$4\frac{1}{6} \times \frac{3}{7} =$

틀린 이유

잘못된 계산

$2\frac{1}{4} \times 1\frac{5}{9} = 2\frac{5}{36}$

➡

바른 계산

$2\frac{1}{4} \times 1\frac{5}{9} =$

틀린 이유

4 분수의 곱셈 실력을 점검해 보시오.

실력 평가

맞힌 개수 개 | 제한 시간 10 분

1. $1\frac{1}{6} \times \frac{7}{9}$

2. $2\frac{3}{5} \times \frac{3}{4}$

3. $3\frac{1}{2} \times \frac{3}{5}$

4. $2\frac{2}{3} \times 1\frac{2}{5}$

5. $3\frac{1}{4} \times 2\frac{1}{2}$

6. $4\frac{5}{6} \times 1\frac{5}{7}$

7. $\frac{4}{9} \times 1\frac{2}{7}$

8. $\frac{3}{7} \times 2\frac{4}{5}$

9. $\frac{8}{11} \times 3\frac{1}{4}$

10. $2\frac{2}{5} \times \frac{5}{13}$

11. $1\frac{8}{9} \times \frac{3}{4}$

12. $3\frac{1}{8} \times \frac{3}{5}$

13. $1\frac{1}{6} \times 5\frac{1}{4}$

14. $2\frac{8}{11} \times 2\frac{3}{4}$

15. $4\frac{2}{7} \times 3\frac{1}{6}$

16. $2\frac{4}{5} \times 3\frac{4}{7}$

17. $7\frac{1}{2} \times 2\frac{4}{5}$

수고하셨습니다!

정답 15쪽

한 명이 피자 한 판의 $\frac{1}{8}$씩을 먹으려고 합니다. 16명이 먹으려면 피자는 모두 몇 판이 필요합니까?

주어진 수에 ○표 하고, 구하는 것에 밑줄 치기

한 명이 먹는 피자의 양: 피자 한 판의 $\frac{1}{8}$, 먹는 사람의 수: ☐ 명

문제 해결하기

한 명이 먹는 피자의 양에 먹는 사람의 수를 (더합니다 , 곱합니다).

문제 풀기

(필요한 피자의 양)$=\frac{1}{8}\times16=$ ☐ (판)

답 쓰기

피자는 모두 ☐ 판이 필요합니다.

우영이는 미술 시간에 길이가 3 m인 색 테이프의 $\frac{4}{5}$를 사용했습니다. 사용한 색 테이프의 길이는 몇 m입니까?

주어진 수에 ○표 하고, 구하는 것에 밑줄 치기

전체 색 테이프의 길이: ☐ m, 사용한 색 테이프의 양: 전체의 $\frac{☐}{☐}$

문제 해결하기

전체 색 테이프의 길이에 사용한 색 테이프의 양을 (뺍니다 , 곱합니다).

문제 풀기

(사용한 색 테이프의 길이)$=3\times\frac{4}{5}=\frac{☐}{☐}=☐\frac{☐}{☐}$(m)

답 쓰기

사용한 색 테이프의 길이는 ☐ m입니다.

정호네 밭에서 어제 옥수수를 전체의 $\frac{2}{5}$만큼 수확하였고, 오늘은 어제 수확한 양의 $\frac{5}{6}$만큼 수확하였습니다. 오늘 수확한 옥수수의 양은 전체의 얼마입니까?

▸ 주어진 수에 ○표 하고, 구하는 것에 밑줄 치기

어제 수확한 옥수수의 양: 전체의 $\frac{\square}{\square}$, 오늘 수확한 옥수수의 양: 어제 수확한 양의 $\frac{\square}{\square}$

▸ 문제 해결하기

어제 수확한 옥수수의 양에 $\frac{5}{6}$를 (더합니다 , 곱합니다).

▸ 문제 풀기

(오늘 수확한 옥수수의 양)$=\frac{2}{5}\times\frac{5}{6}=\frac{\square}{\square}$

▸ 답 쓰기

오늘 수확한 옥수수의 양은 전체의 $\frac{\square}{\square}$ 입니다.

1L의 휘발유로 $6\frac{2}{5}$ km를 가는 자동차가 있습니다. 이 자동차에 휘발유가 $12\frac{1}{2}$ L 있다면 몇 km를 갈 수 있습니까?

▸ 주어진 수에 ○표 하고, 구하는 것에 밑줄 치기

1L의 휘발유로 갈 수 있는 거리: □ km, 자동차에 있는 휘발유의 양: □ L

▸ 문제 해결하기

1L의 휘발유로 갈 수 있는 거리에 자동차에 있는 휘발유의 양을 (뺍니다 , 곱합니다).

▸ 문제 풀기

(휘발유 $12\frac{1}{2}$ L로 갈 수 있는 거리)$=6\frac{2}{5}\times12\frac{1}{2}=\frac{\square}{5}\times\frac{\square}{2}=\square$ (km)

▸ 답 쓰기

휘발유 $12\frac{1}{2}$ L로 갈 수 있는 거리는 □ km입니다.

● □ 안에 알맞은 수를 써넣고, 답을 구하시오.

1 Drill

태민이네 반 학생들에게 철사를 $\frac{4}{5}$ m씩 나누어 주려고 합니다. 25명에게 나누어 주려면 필요한 철사는 모두 몇 m입니까?

주어진 수에 ○표 하고, 구하는 것에 밑줄 쫙!

풀이 (필요한 철사의 길이)$=$ □ $\times$ □ $=$ □ (m)

답 m

2 Drill

윤지의 몸무게는 42 kg입니다. 윤지의 언니는 윤지 몸무게의 $1\frac{1}{7}$배라면 언니의 몸무게는 몇 kg입니까?

풀이 (윤지 언니의 몸무게)$=$ □ $\times$ □ $=$ □ (kg)

답 kg

3 Drill

학교 도서관에 있는 책의 $\frac{3}{5}$은 아동 도서이고, 그중에서 $\frac{5}{9}$는 동화책입니다. 동화책은 학교 도서관에 있는 전체 책의 얼마입니까?

풀이 (학교 도서관에 있는 동화책의 양)$=$ □ $\times$ □ $=$ □

답

4 Drill

한 변의 길이가 $4\frac{1}{2}$ cm인 정사각형이 있습니다. 이 정사각형의 넓이는 몇 cm^2입니까?

풀이 (정사각형의 넓이)$=$ □ $\times$ □ $=$ □ (cm^2)

답 cm^2

● 서술형 문제를 읽고 풀이 과정과 답을 쓰시오.

도전 1

과일 가게에 한 상자에 $5\frac{3}{4}$ kg씩 담은 포도가 20상자 있습니다. 과일 가게에 있는 포도는 모두 몇 kg입니까?

풀이

답 ______

도전 2

주호는 구슬을 36개 가지고 있습니다. 그중에서 $\frac{5}{6}$를 동생에게 주었습니다. 동생에게 준 구슬은 몇 개입니까?

풀이

답 ______

도전 3

수아네 반 학생의 $\frac{3}{5}$은 여학생이고, 이 중 $\frac{1}{6}$은 안경을 썼습니다. 수아네 반에서 안경을 쓴 여학생은 전체의 얼마입니까?

풀이

답 ______

도전 4

직사각형의 가로는 $3\frac{2}{13}$ cm이고, 세로는 $2\frac{3}{5}$ cm입니다. 이 직사각형의 넓이는 몇 cm^2입니까?

풀이

답 ______

01 □ 안에 알맞은 수를 써넣으시오.

(1) $\frac{2}{7}\times2=\frac{2\times\square}{7}=\frac{\square}{7}$

(2) $\frac{3}{13}\times4=\frac{3\times\square}{13}=\frac{\square}{13}$

02 □ 안에 알맞은 수를 써넣으시오.

(1) $\frac{5}{6}\times2=\frac{\square}{6}=\frac{\square}{3}=\square\frac{\square}{3}$

(2) $\frac{3}{\cancel{10}_{\square}}\times\cancel{4}^{\square}=\frac{\square}{\square}=\square\frac{\square}{\square}$

03 빈칸에 두 수의 곱을 써넣으시오.

(1)

$\frac{1}{3}$	7

(2)

$\frac{7}{12}$	8

04 □ 안에 알맞은 수를 써넣으시오.

(1) $2\frac{2}{7}\times2=(\square\times2)+\left(\frac{\square}{7}\times2\right)$

$=\square+\frac{\square}{7}=\square\frac{\square}{7}$

(2) $1\frac{2}{5}\times3=(\square\times3)+\left(\frac{\square}{5}\times3\right)$

$=\square+\frac{\square}{5}=\square\frac{\square}{5}$

05 □ 안에 알맞은 수를 써넣으시오.

(1) $2\frac{1}{4}\times3=\square+\frac{\square}{4}=\square$

(2) $1\frac{3}{8}\times5=\square+\frac{\square}{8}=\square$

06 대분수를 가분수로 바꾸어 계산해 보시오.

(1) $2\frac{3}{7}\times 3=\frac{\square}{7}\times 3=\frac{\square}{7}=\square$

(2) $1\frac{5}{9}\times 6=\frac{\square}{\underset{\square}{\cancel{9}}}\times \overset{\square}{\cancel{6}}=\frac{\square}{3}=\square$

07 분수의 곱셈을 하시오.

(1) $5\frac{2}{3}\times 3$

(2) $4\frac{3}{5}\times 6$

(3) $3\frac{4}{7}\times 4$

(4) $2\frac{3}{10}\times 2$

(5) $3\frac{2}{11}\times 3$

08 $\square$ 안에 알맞은 수를 써넣으시오.

(1) $5\times\frac{1}{7}=\frac{\square\times 1}{7}=\frac{\square}{7}$

(2) $2\times\frac{4}{5}=\frac{\square\times 4}{5}=\frac{\square}{5}=\square\frac{\square}{5}$

09 보기 와 같은 방법으로 계산해 보시오.

보기

$4\times\frac{5}{6}=\frac{4\times 5}{6}=\frac{\overset{10}{\cancel{20}}}{\underset{3}{\cancel{6}}}=\frac{10}{3}=3\frac{1}{3}$

(1) $6\times\frac{4}{9}$

(2) $8\times\frac{3}{10}$

10 보기 와 같은 방법으로 계산해 보시오.

보기

$\overset{1}{\cancel{2}}\times\frac{3}{\underset{2}{\cancel{4}}}=\frac{3}{2}=1\frac{1}{2}$

(1) $9\times\frac{5}{6}$

(2) $14\times\frac{4}{7}$

11 □ 안에 알맞은 수를 써넣으시오.

$$4\times2\frac{1}{5}=(4\times\square)+\left(4\times\frac{\square}{5}\right)$$

$$=\square+\frac{\square}{5}=\square\frac{\square}{5}$$

12 □ 안에 알맞은 수를 써넣으시오.

(1) $3\times1\frac{4}{5}=\square+\frac{\square}{5}=\square$

(2) $7\times2\frac{2}{3}=\square+\frac{\square}{3}=\square$

13 대분수를 가분수로 바꾸어 계산해 보시오.

(1) $2\times1\frac{1}{8}=\overset{\square}{\cancel{2}}\times\frac{\square}{\underset{\square}{\cancel{8}}}=\frac{\square}{\square}=\square$

(2) $6\times2\frac{1}{4}=\overset{\square}{\cancel{6}}\times\frac{\square}{\underset{\square}{\cancel{4}}}=\frac{\square}{\square}=\square$

14 분수의 곱셈을 하시오.

(1) ×

4	$1\frac{2}{7}$	

(2) ×

5	$2\frac{3}{10}$	

15 □ 안에 알맞은 수를 써넣으시오.

(1) $\frac{3}{4}\times\frac{3}{5}=\frac{\square}{\square}$

(2) $\frac{4}{5}\times\frac{1}{7}=\frac{\square}{\square}$

(3) $\frac{2}{3}\times\frac{2}{9}=\frac{\square}{\square}$

(4) $\frac{7}{10}\times\frac{7}{8}=\frac{\square}{\square}$

(5) $\frac{4}{9}\times\frac{2}{5}=\frac{\square}{\square}$

16 계산해 보시오.

(1) $\frac{7}{10} \times \frac{2}{3} = \frac{\square}{\square}$

(2) $\frac{15}{16} \times \frac{8}{9} = \frac{\square}{\square}$

17 세 분수의 곱셈을 하시오.

(1) $\frac{3}{4} \times \frac{2}{5} \times \frac{3}{7} = \frac{\square}{\square}$

(2) $\frac{5}{6} \times \frac{4}{5} \times \frac{7}{9} = \frac{\square}{\square}$

18 $\square$ 안에 알맞은 수를 써넣으시오.

(1) $3\frac{2}{5} \times \frac{1}{4} = \frac{\square}{5} \times \frac{1}{4} = \frac{\square}{\square}$

(2) $\frac{3}{5} \times 1\frac{2}{7} = \frac{3}{5} \times \frac{\square}{7} = \frac{\square}{\square}$

19 $\square$ 안에 알맞은 수를 써넣으시오.

(1) $1\frac{2}{3} \times 1\frac{1}{5} = \frac{\square}{3} \times \frac{\square}{5} = \square$

(2) $2\frac{5}{6} \times 2\frac{2}{5} = \frac{\square}{6} \times \frac{\square}{5}$

$= \frac{\square}{\square} = \square\frac{\square}{\square}$

20 분수의 곱셈을 하시오.

(1) $2\frac{3}{4} \times 1\frac{2}{5}$

(2) $1\frac{3}{4} \times 2\frac{1}{3}$

(3) $1\frac{8}{9} \times 2\frac{1}{4}$

(4) $4\frac{3}{8} \times 1\frac{3}{5}$

(5) $5\frac{1}{2} \times 2\frac{7}{11}$

단원 평가

2. 분수의 곱셈

정답 17쪽

1 그림을 보고 ▒ 안에 알맞은 수를 써넣으시오.

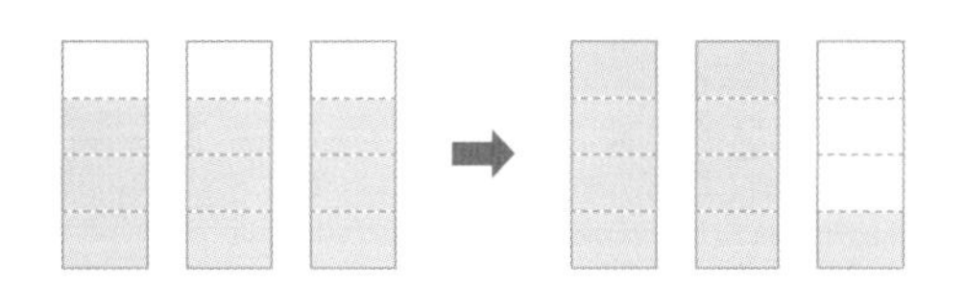

$$\frac{3}{4} \times 3 = \square \frac{\square}{\square}$$

2 ▒ 안에 알맞은 수를 써넣으시오.

$$24 \times \frac{5}{6} = \frac{\overset{\square}{\cancel{24}} \times \square}{\underset{\square}{\cancel{6}}} = \square$$

3 계산해 보시오.

(1) $1\frac{3}{5} \times 2$

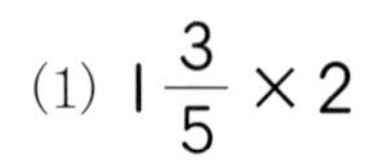

(2) $4 \times 2\frac{1}{6}$

4 빈칸에 두 수의 곱을 써넣으시오.

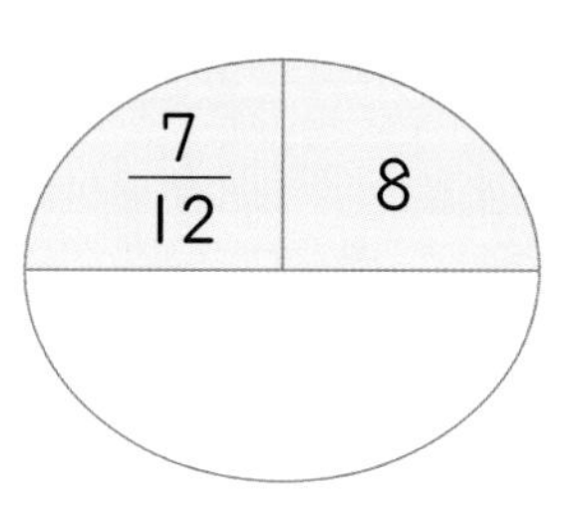

5 ▒ 안에 알맞은 수를 써넣으시오.

(1)

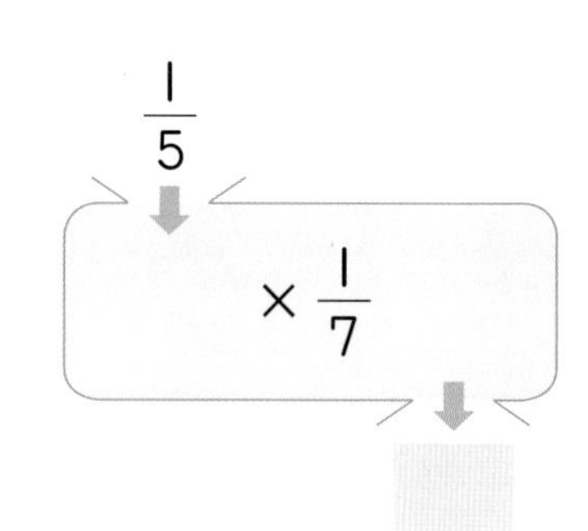

(2)

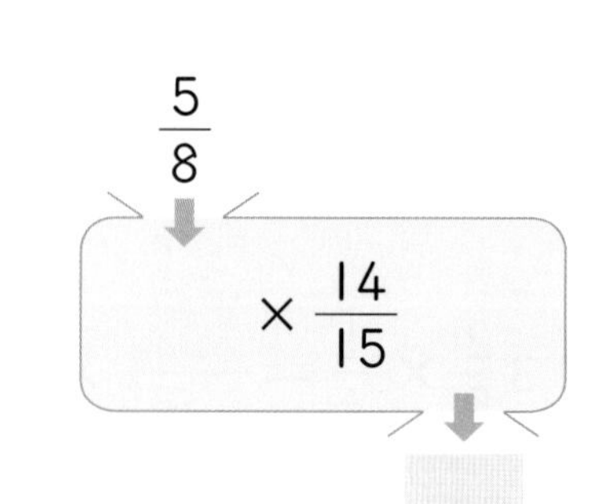

6 관계있는 것끼리 선으로 이어 보시오.

$4\frac{1}{6} \times 1\frac{4}{5}$ •	• $3\frac{11}{15}$
$2\frac{2}{3} \times 1\frac{2}{5}$ •	• $4\frac{2}{5}$
$3\frac{3}{5} \times 1\frac{2}{9}$ •	• $7\frac{1}{2}$

7 세 분수의 곱을 구해 보시오.

$$\frac{3}{4} \times \frac{2}{5} \times \frac{5}{6}$$

( )

8 빈 곳에 알맞은 수를 써넣으시오.

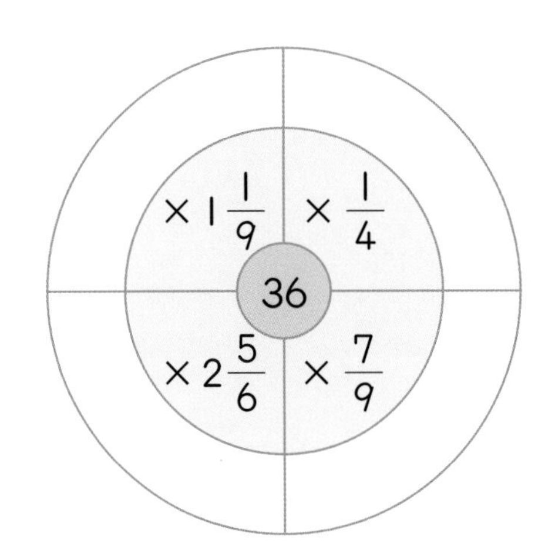

9 계산이 잘못된 것을 찾아 기호를 쓰시오.

㉠ $\frac{3}{10} \times 6 = 1\frac{4}{5}$

㉡ $2\frac{1}{5} \times 3 = 6\frac{3}{5}$

㉢ $6 \times \frac{2}{9} = 1\frac{2}{3}$

㉣ $4 \times 3\frac{1}{16} = 12\frac{1}{4}$

( )

10 정오각형의 한 변의 길이는 $3\frac{1}{4}$ cm입니다. 이 정오각형의 둘레는 몇 cm입니까?

( ) cm

11 ㉠과 ㉡의 차를 구하시오.

$\frac{1}{8} \times \frac{1}{9} =$ ㉠

$\frac{5}{6} \times \frac{1}{12} =$ ㉡

(　　　　　)

12 계산 결과가 더 큰 것에 ○표 하시오.

(1) $18 \times \frac{5}{6}$ (　　　) $28 \times \frac{4}{7}$ (　　　)

(2) $8 \times 1\frac{3}{10}$ (　　　) $3 \times 3\frac{2}{5}$ (　　　)

13 계산 결과가 가장 큰 것을 찾아 기호를 쓰시오.

㉠ $\frac{1}{4} \times \frac{1}{11}$　㉡ $\frac{1}{5} \times \frac{1}{9}$

㉢ $\frac{1}{10} \times \frac{1}{3}$　㉣ $\frac{1}{6} \times \frac{1}{7}$

(　　　　　)

14 ㉠과 ㉡의 합을 구하시오.

㉠ $\frac{9}{10} \times \frac{2}{3}$　㉡ $\frac{11}{20} \times \frac{8}{11}$

(　　　　　)

15 계산 결과가 가장 큰 것부터 차례로 기호를 쓰시오.

㉠ $2\frac{2}{3} \times 1\frac{7}{8}$

㉡ $2\frac{8}{11} \times 2\frac{1}{5}$

㉢ $2\frac{1}{3} \times 1\frac{2}{7}$

(　　　　　　　)

16 가장 큰 수와 가장 작은 수의 곱을 구하시오.

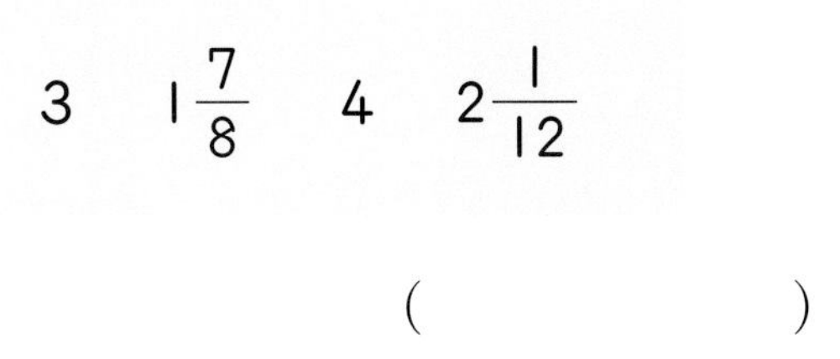

$3 \quad 1\frac{7}{8} \quad 4 \quad 2\frac{1}{12}$

(　　　　　　　)

17 다음 3장의 숫자 카드를 사용하여 만들 수 있는 가장 큰 대분수와 가장 작은 대분수의 곱을 구하시오.

2　3　4

(　　　　　　　)

18 종이 테이프를 똑같이 8등분 하였습니다. 색칠한 부분의 길이는 몇 m입니까?

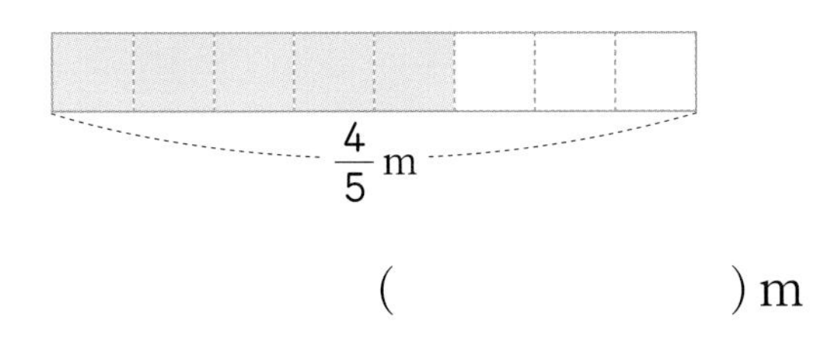

(　　　　　　　) m

19 물통에 물이 $2\frac{2}{5}$ L 들어 있습니다. 이 물통의 물을 $\frac{3}{4}$만큼 사용했다면 남은 물의 양은 몇 L인지 풀이 과정을 쓰고 답을 구하시오.

풀이

답

20 바닥에 한 변이 $5\frac{1}{4}$ cm인 정사각형 모양의 타일 32장을 겹치지 않게 이어 붙였습니다. 타일이 붙어 있는 바닥의 넓이는 몇 cm^2인지 풀이 과정을 쓰고 답을 구하시오.

풀이

답

memo

FACTO school

5-2

초등 수학

팩토

단원별 계산력 수학

3단원

합동과 대칭

매스티안

4. 평면도형의 이동

- 평면도형 밀기, 뒤집기, 돌리기
- 평면도형 뒤집고 돌리기
- 규칙적인 무늬 만들기

2. 평면도형

- 선분, 반직선, 직선
- 각, 직각
- 직각삼각형, 직사각형, 정사각형

2. 삼각형

- 이등변삼각형, 정삼각형
- 예각삼각형, 둔각삼각형

4. 사각형

- 수직과 수선, 평행과 평행선
- 사각형의 종류

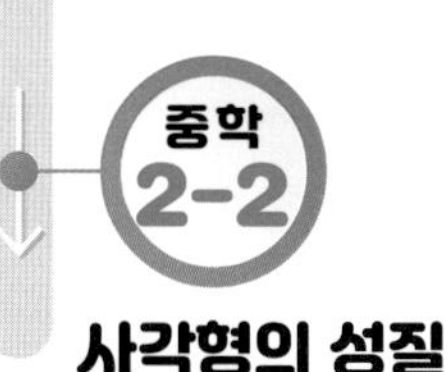

사각형의 성질

6. 다각형

- 다각형, 정다각형, 대각선
- 모양 만들기와 채우기

다각형

3 합동과 대칭

Teaching Guide

아이들 대부분은 평행사변형을 선대칭도형인지 점대칭도형인지 구분을 잘 하지 못하는 경우가 많습니다. 이때에는 평행사변형을 가위로 오려서 i) 먼저 한 직선을 따라 접었을 때 완전히 겹쳐지는지 알아봅니다. 평행사변형이 완전히 겹쳐지지 않기 때문에 평행사변형은 선대칭도형이 아님을 알 수 있습니다. ii) 다시 평행사변형의 두 대각선이 만나는 점에 핀을 꽂은 다음 180° 돌리게 합니다. 이때 평행사변형은 돌리기 전 모양과 돌린 후의 모양이 완전히 겹쳐지므로 점대칭도형임을 알 수 있습니다.

6. 다각형의 둘레와 넓이
- 평면도형의 둘레
- $1cm^2$, $1m^2$, $1km^2$
- 삼각형과 사각형의 넓이

5. 원의 넓이
- 원주와 지름의 관계
- 원주율
- 원주와 지름, 원의 넓이

원과 부채꼴

원의 성질

3. 합동과 대칭
- 합동
- 선대칭도형, 점대칭도형

작도와 합동

삼각형의 성질
도형의 닮음
피타고라스의 정리

삼각비

공부한 날짜

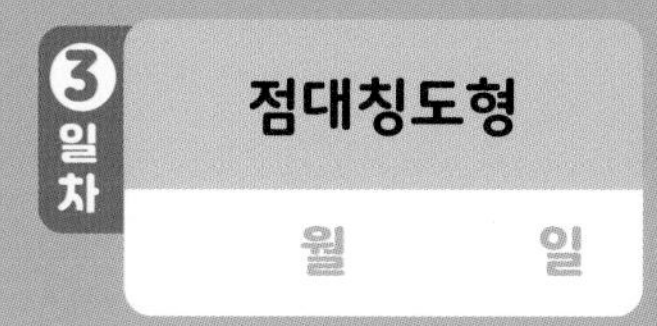

일차	내용	날짜
1일차	도형의 합동	월 일
2일차	선대칭도형	월 일
3일차	점대칭도형	월 일
4일차	응용 문제	월 일
5일차	형성 평가	월 일
6일차	단원 평가	월 일

01 도형의 합동

정답 18쪽

● **합동:** 모양과 크기가 같아서 포개었을 때 완전히 겹치는 두 도형

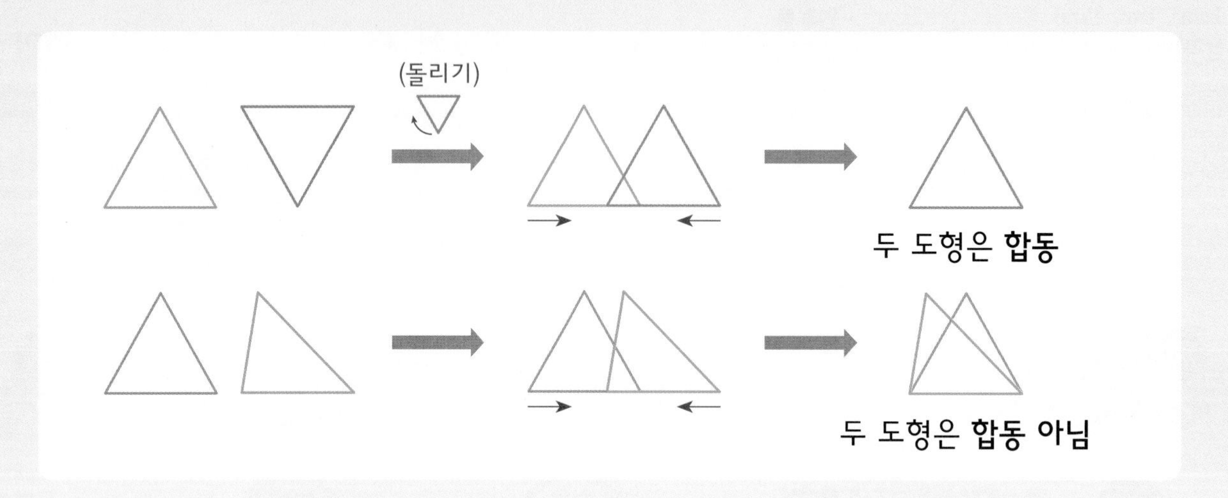

1 주어진 도형과 합동인 도형을 찾아 ○표 하시오.

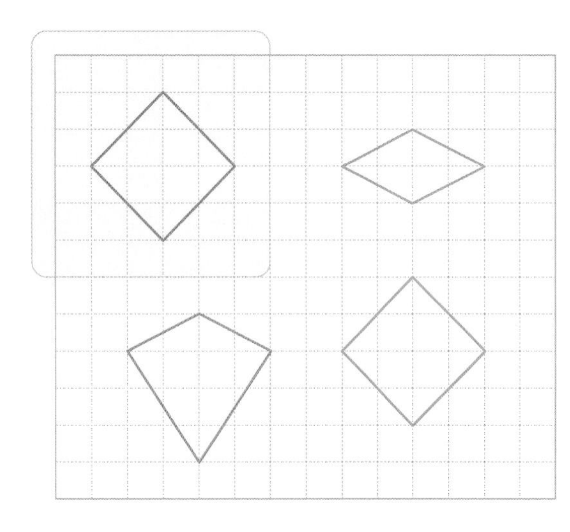

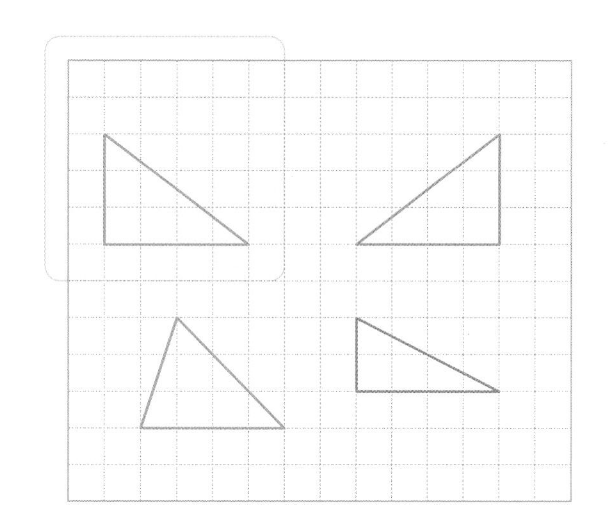

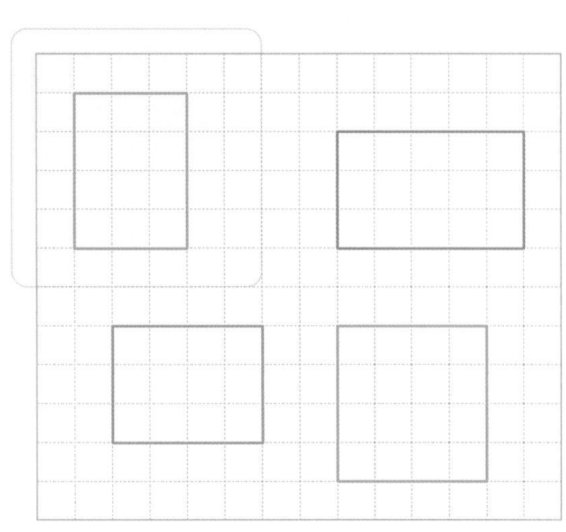

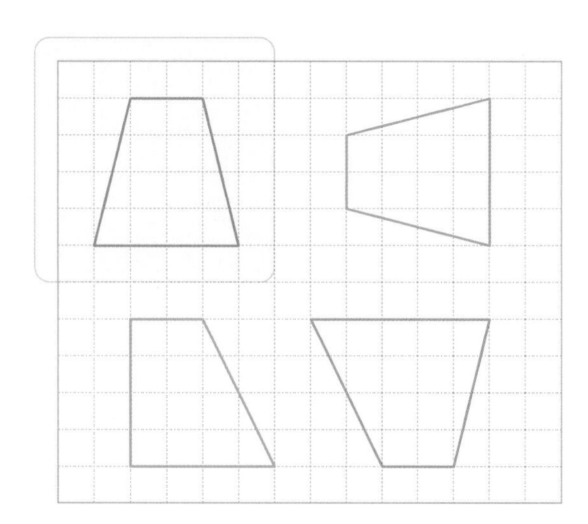

● 합동인 도형의 대응점, 대응변, 대응각 알아보기

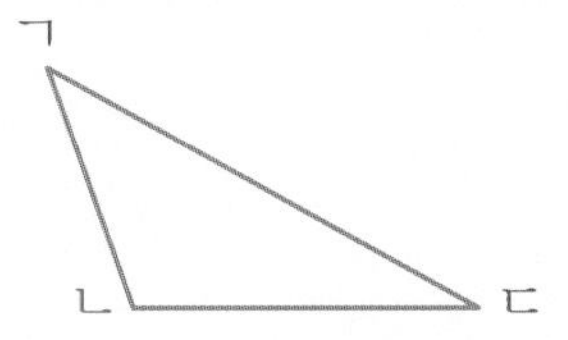

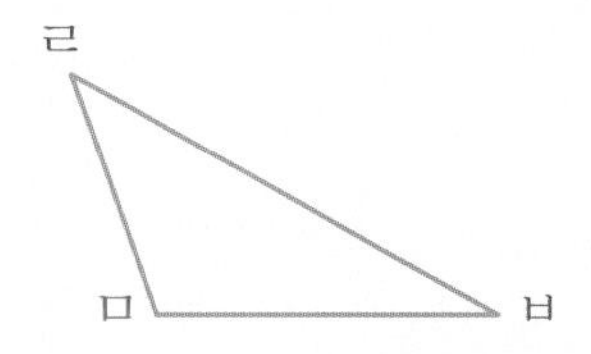

대응점 겹치는 점
예 점 ㄱ과 점 ㄹ
점 ㄴ과 점 ㅁ
점 ㄷ과 점 ㅂ

대응변 겹치는 변
예 변 ㄱㄴ과 변 ㄹㅁ
변 ㄴㄷ과 변 ㅁㅂ
변 ㄱㄷ과 변 ㄹㅂ

대응각 겹치는 각
예 각 ㄴㄱㄷ과 각 ㅁㄹㅂ
각 ㄱㄴㄷ과 각 ㄹㅁㅂ
각 ㄴㄷㄱ과 각 ㅁㅂㄹ

2 주어진 두 도형은 서로 합동입니다. ☐ 안에 알맞게 써넣으시오.

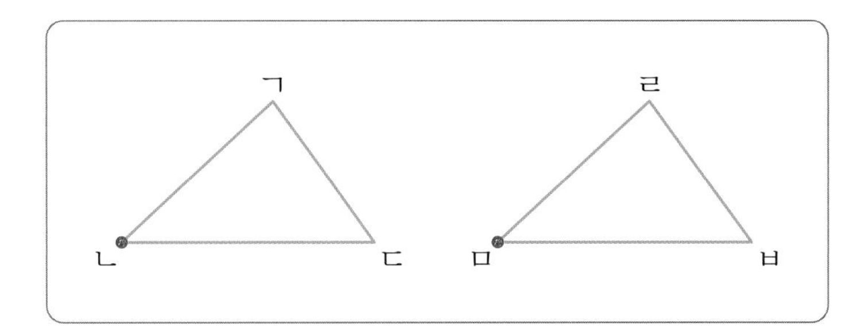

대응점 점 ㄴ과 점 ㅁ
대응변 변 ㄱㄷ과 변 ☐
대응각 각 ㄴㄱㄷ과 각 ☐

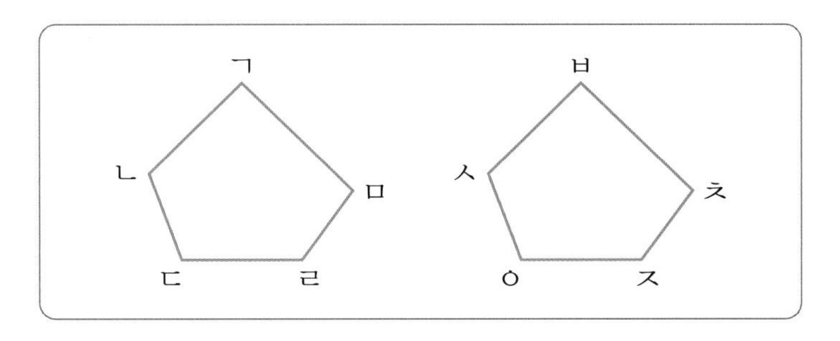

대응점 점 ㄱ과 점 ☐
대응변 변 ㄷㄹ과 변 ☐
대응각 각 ㄱㅁㄹ과 각 ☐

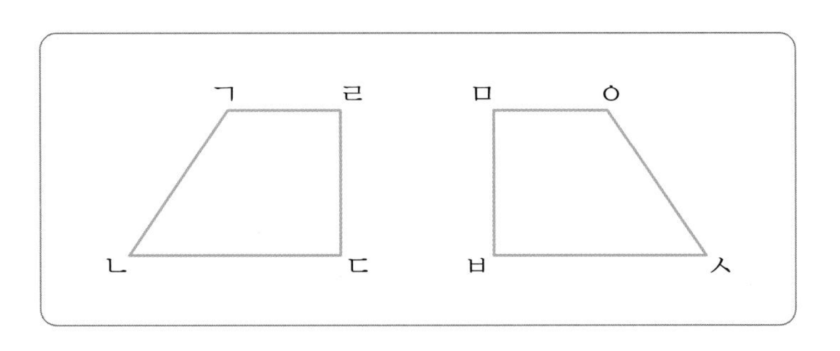

대응점 점 ㄹ과 점 ☐
대응변 변 ㄱㄴ과 변 ☐
대응각 각 ㄹㄷㄴ과 각 ☐

3 주어진 두 도형은 서로 합동입니다. ☐ 안에 알맞은 수를 써넣으시오.

보기

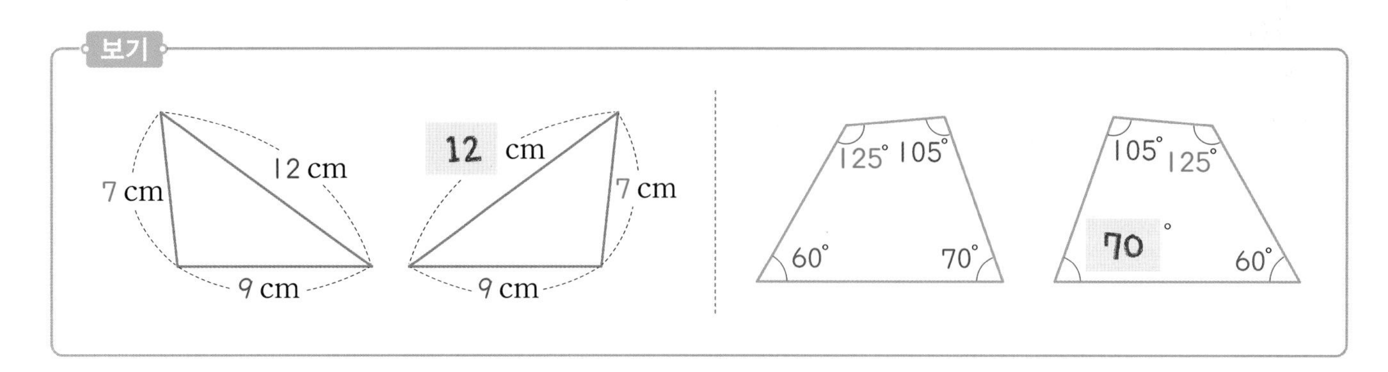

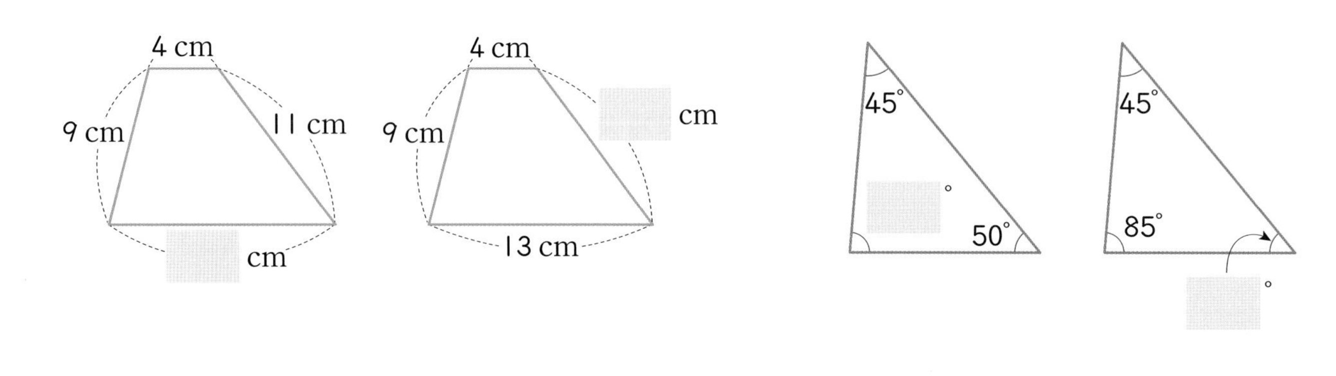

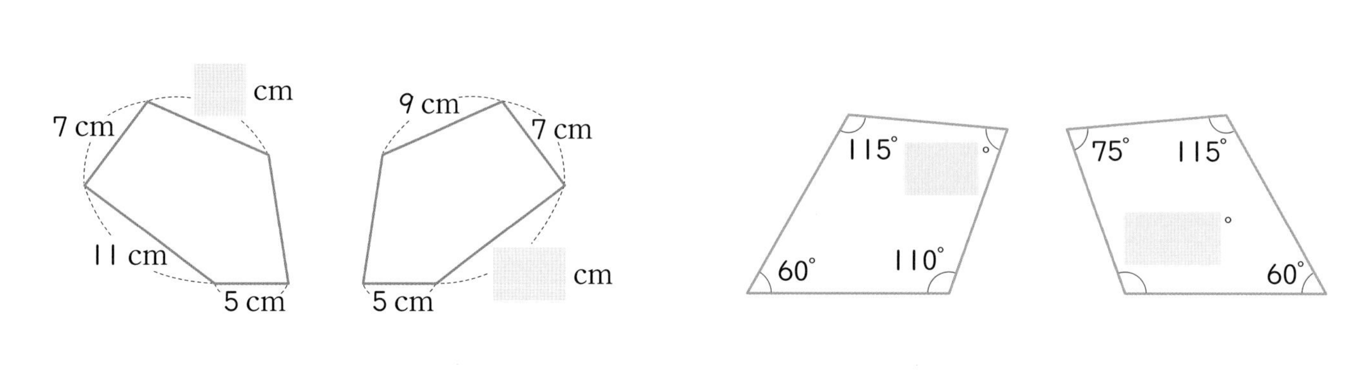

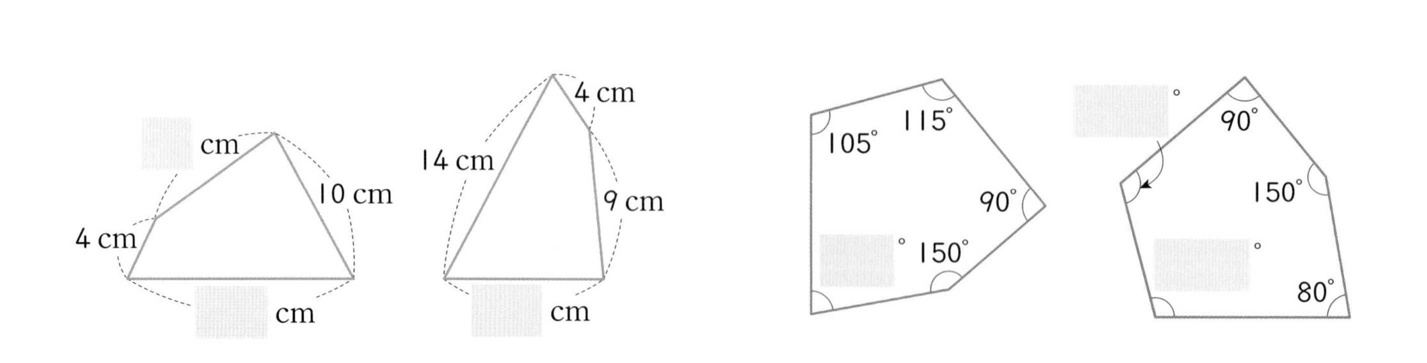

4 주어진 두 도형은 서로 합동입니다. ☐ 안에 알맞은 수를 써넣으시오.

보기

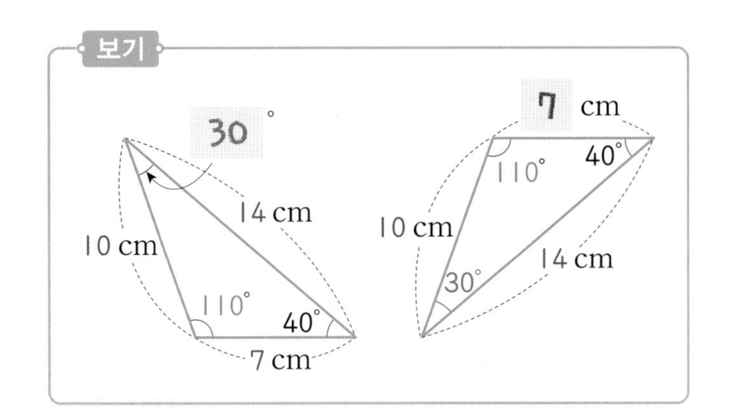

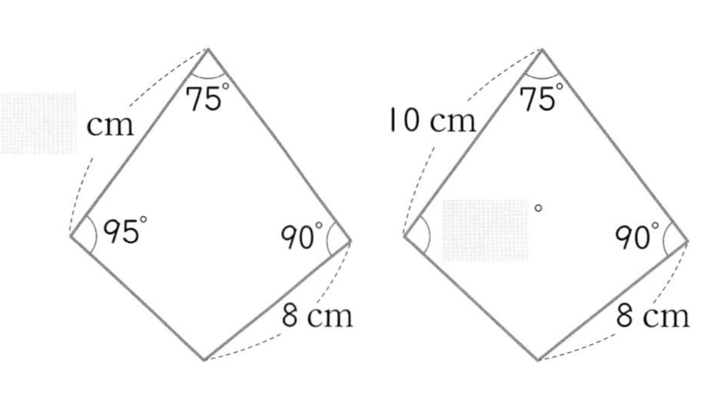

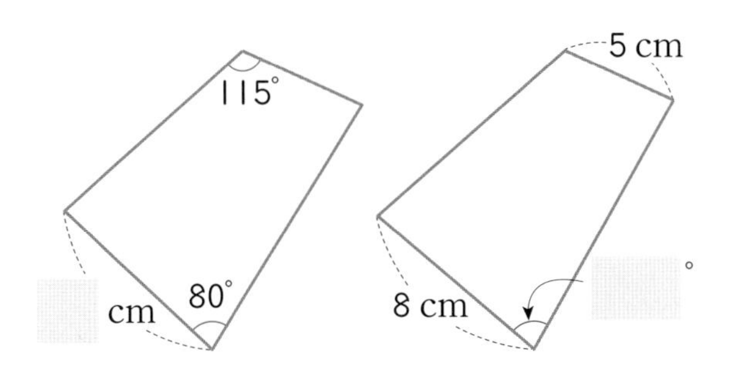

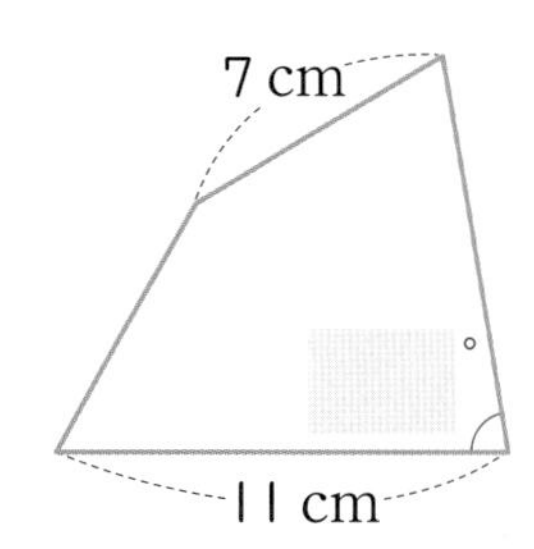

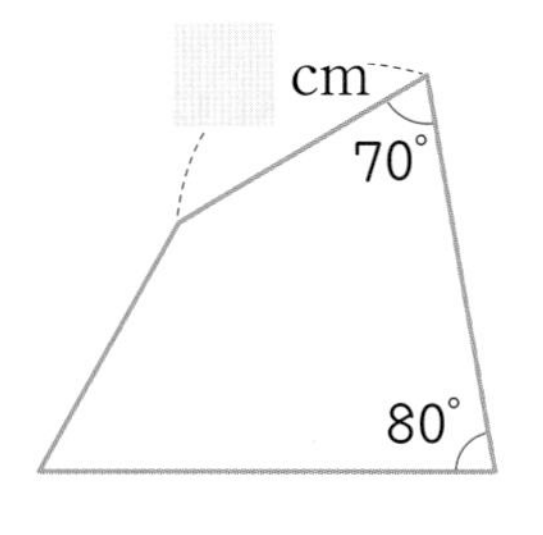

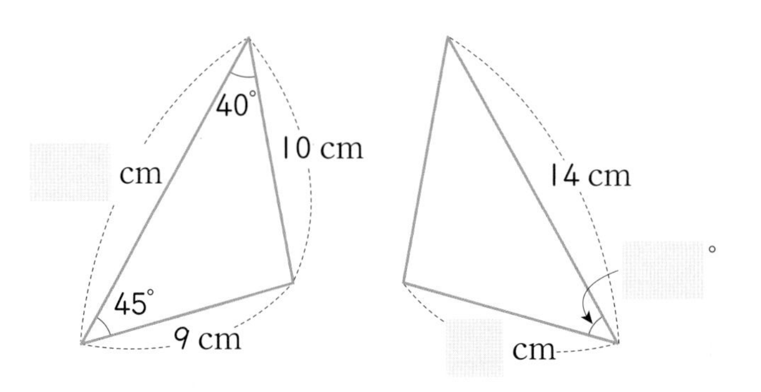

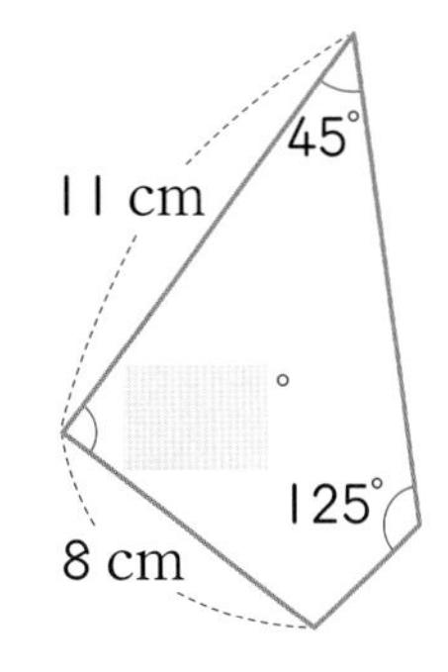

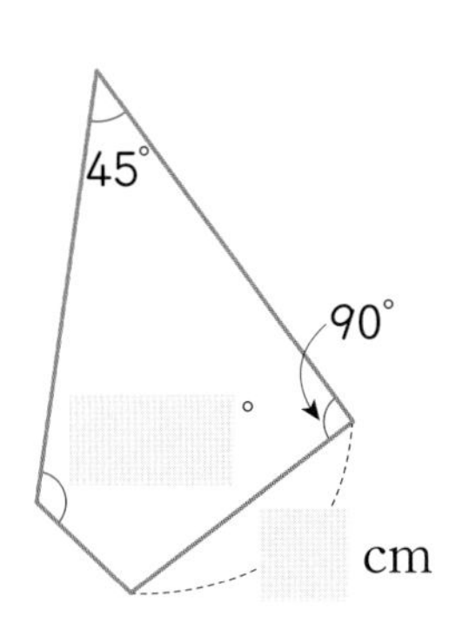

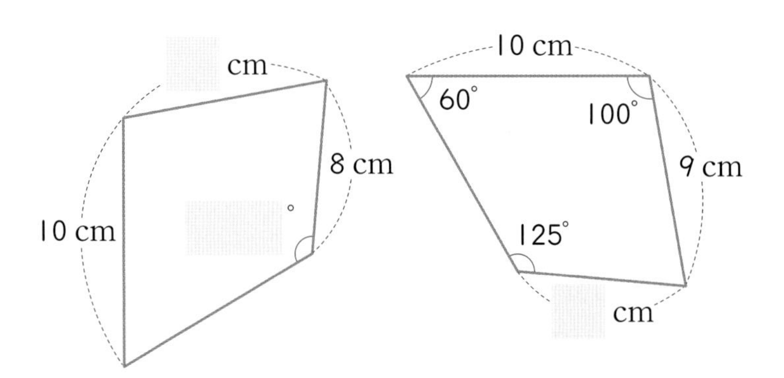

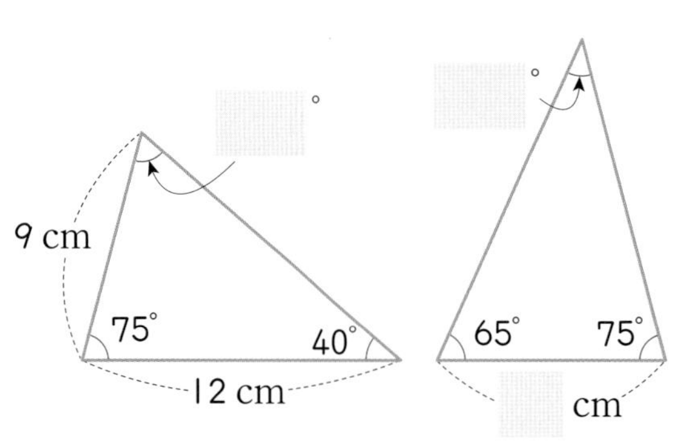

02 선대칭도형

정답 19쪽

● **선대칭도형:** 한 직선을 따라 접었을 때 완전히 겹치는 도형

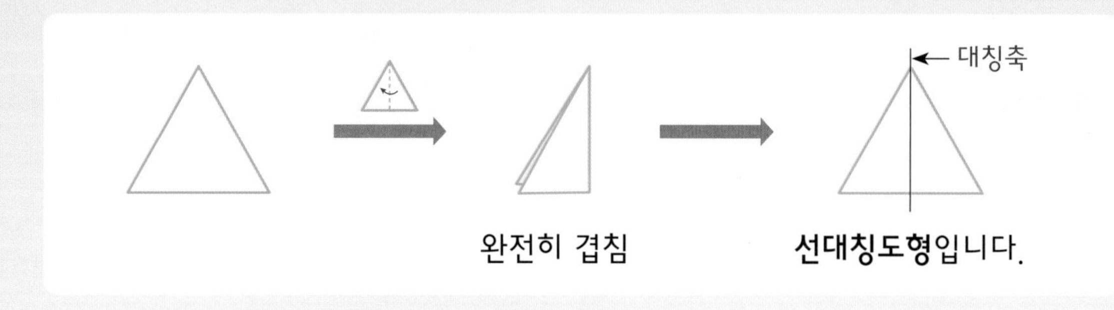

1 주어진 도형을 점선을 따라 접었을 때, 알맞은 말에 ○표 하시오.

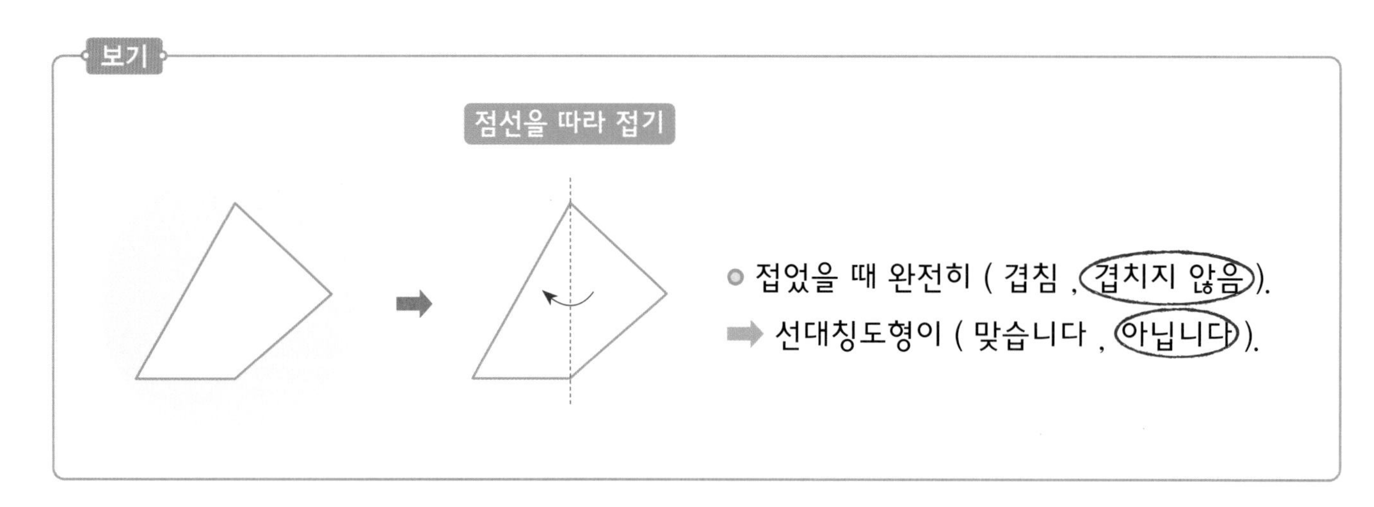

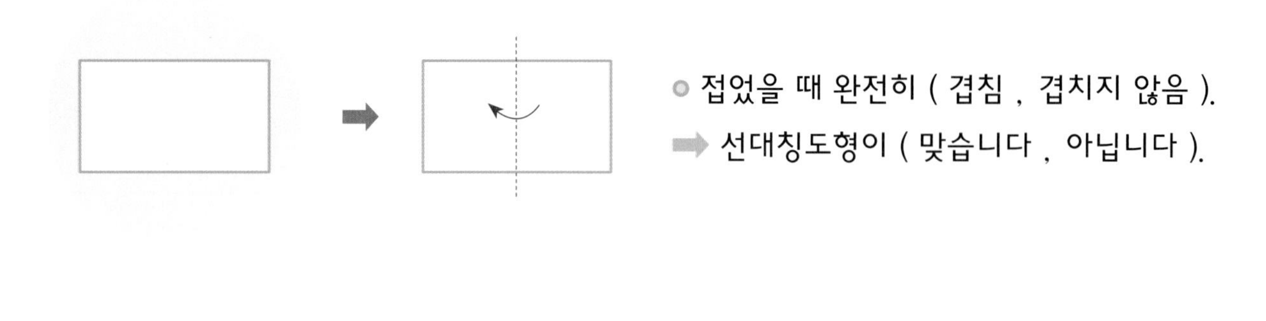

○ 접었을 때 완전히 (겹침 , 겹치지 않음).

➡ 선대칭도형이 (맞습니다 , 아닙니다).

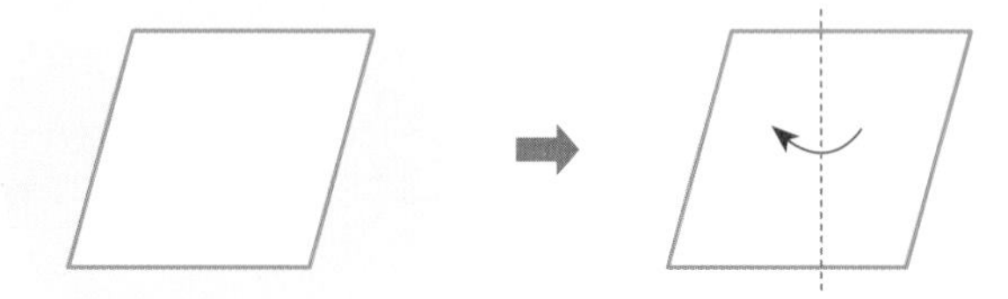

○ 접었을 때 완전히 (겹침 , 겹치지 않음).

➡ 선대칭도형이 (맞습니다 , 아닙니다).

2 선대칭도형을 모두 찾아 ○표 하시오.

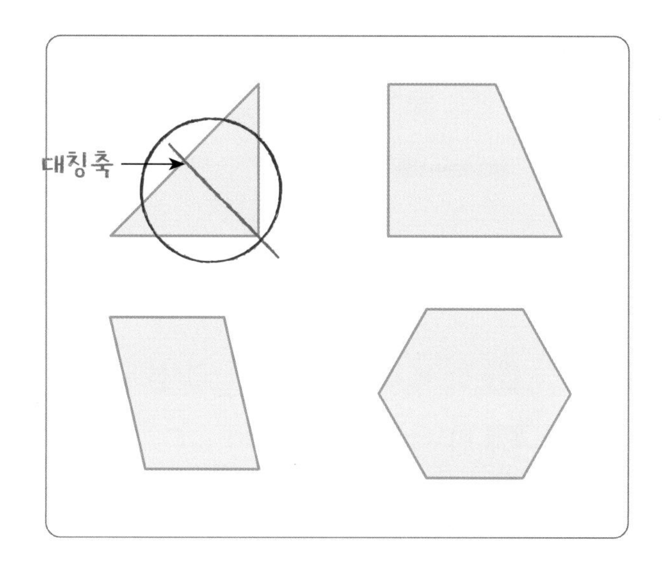

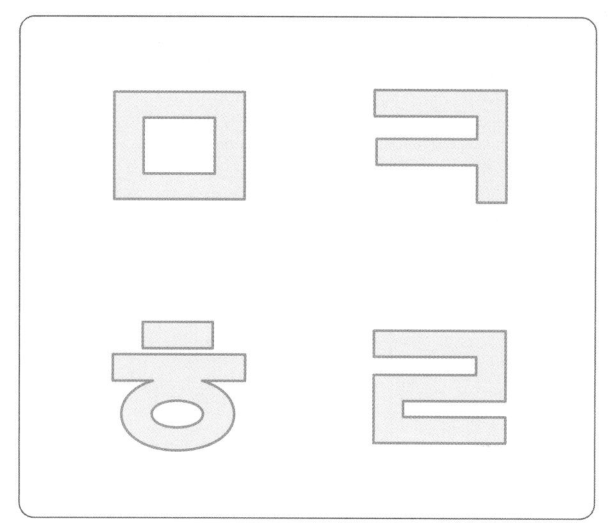

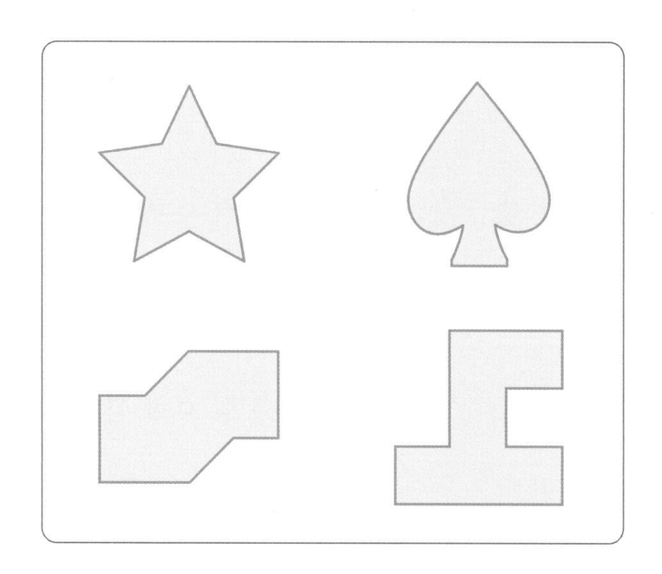

- 선대칭도형의 대응점, 대응변, 대응각 알아보기

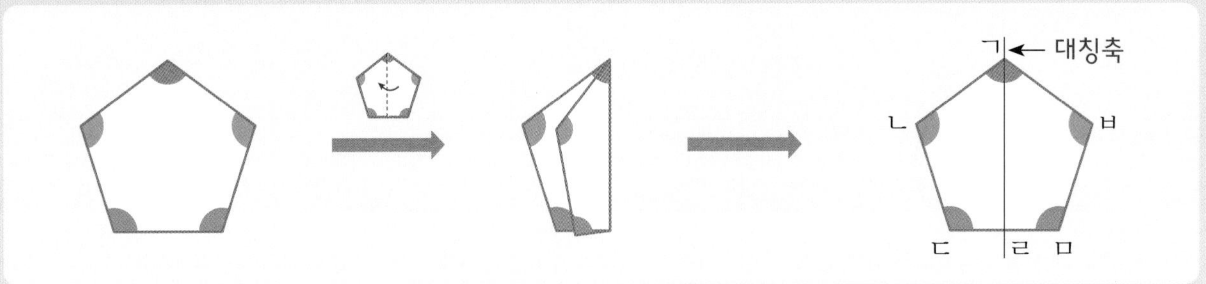

대응점 대칭축을 따라 접었을 때 겹치는 점 예 점 ㄴ과 점 ㅂ, 점 ㄷ과 점 ㅁ

대응변 대칭축을 따라 접었을 때 겹치는 변 예 변 ㄱㄴ과 변 ㄱㅂ

대응각 대칭축을 따라 접었을 때 겹치는 각 예 각 ㄱㄴㄷ과 각 ㄱㅂㅁ

3 직선 ㄱㄴ을 대칭축으로 하는 선대칭도형입니다. ☐ 안에 알맞게 써넣으시오.

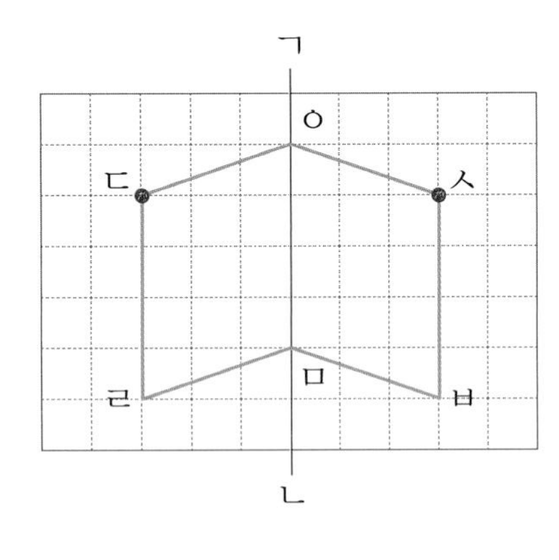

대응점 점 ㄷ과 점 ㅅ

대응점 점 ㅂ과 점 ☐

대응변 변 ㄷㄹ과 변 ☐

대응변 변 ㅂㅁ과 변 ☐

대응각 각 ㄷㄹㅁ과 각 ☐

대응각 각 ㅂㅅㅇ과 각 ☐

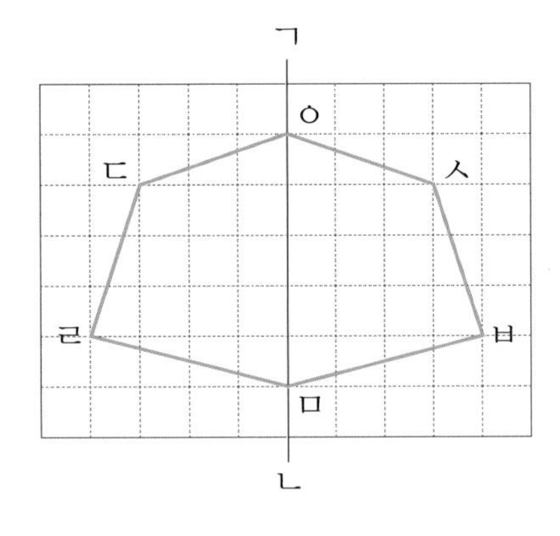

대응점 점 ㅂ과 점 ☐

대응점 점 ㄷ과 점 ☐

대응변 변 ㅂㅁ과 변 ☐

대응변 변 ㄷㄹ과 변 ☐

대응각 각 ㅇㅅㅂ과 각 ☐

대응각 각 ㅁㄹㄷ과 각 ☐

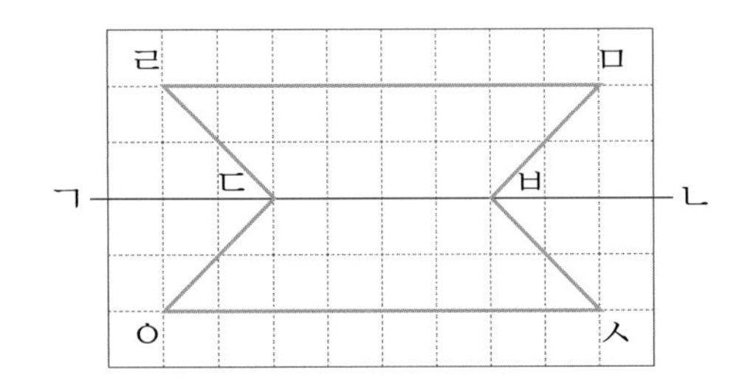

대응점 점 ㅇ과 점 ☐

대응점 점 ㅁ과 점 ☐

대응변 변 ㅁㅂ과 변 ☐

대응변 변 ㅇㅅ과 변 ☐

대응각 각 ㄷㄹㅁ과 각 ☐

대응각 각 ㅂㅅㅇ과 각 ☐

4 직선 ㄱㄴ을 대칭축으로 하는 선대칭도형입니다. ▢ 안에 알맞은 수를 써넣으시오.

보기

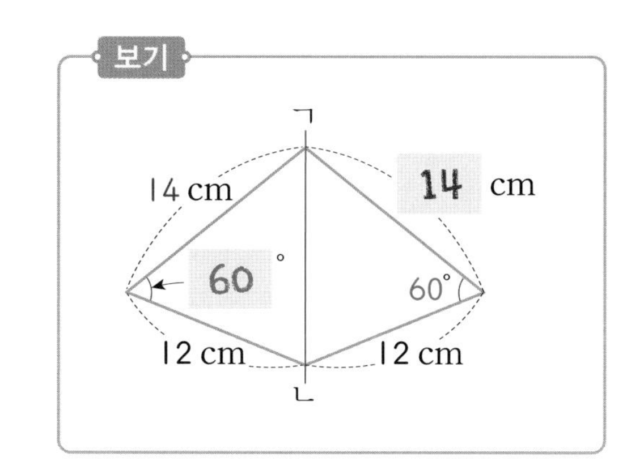

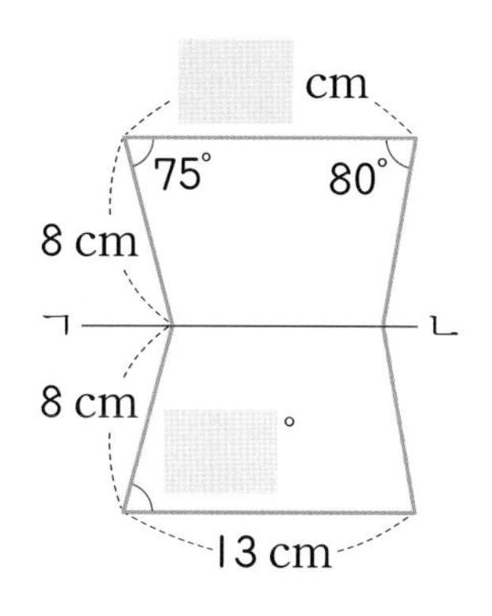

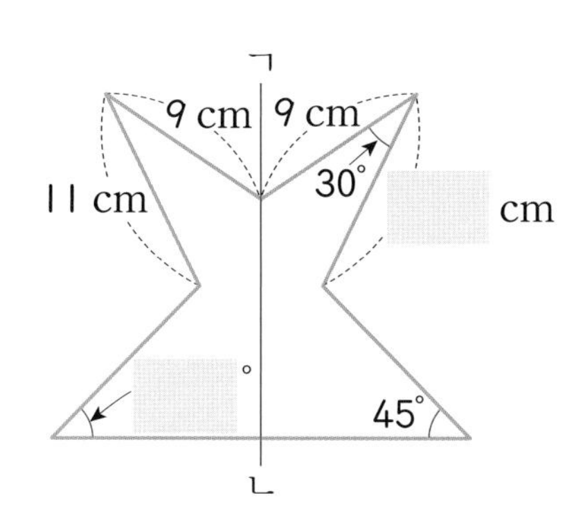

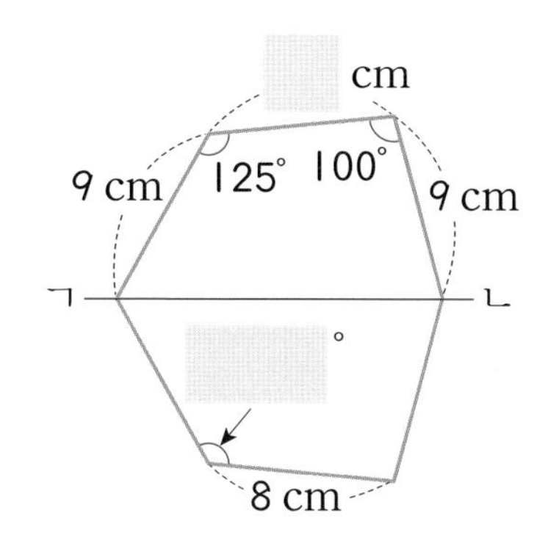

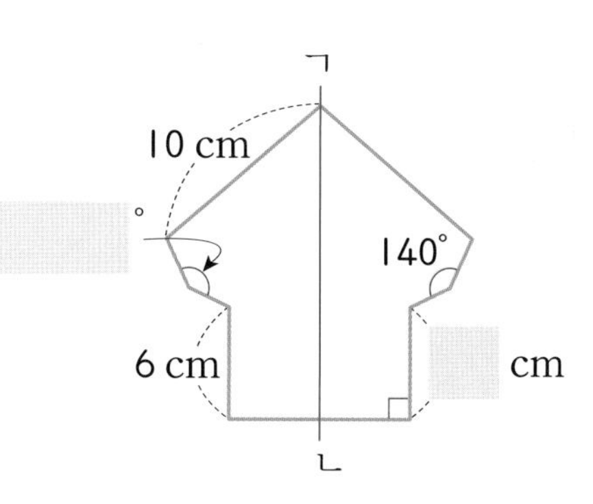

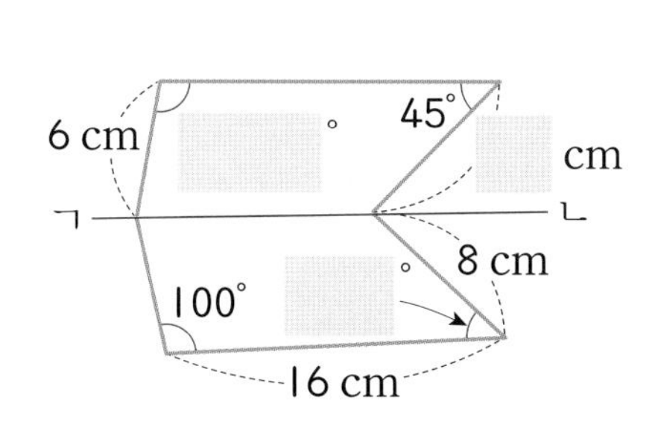

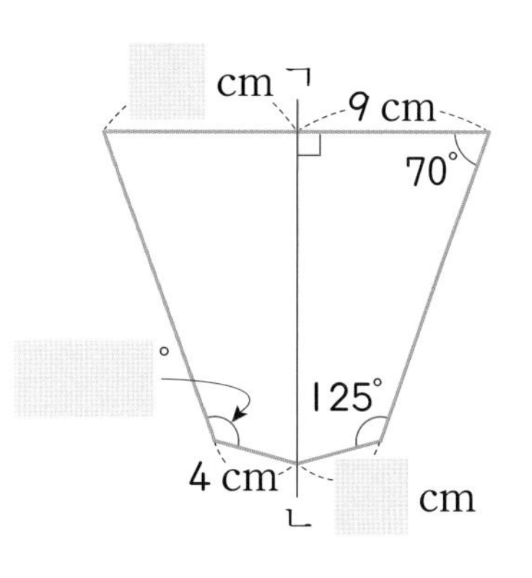

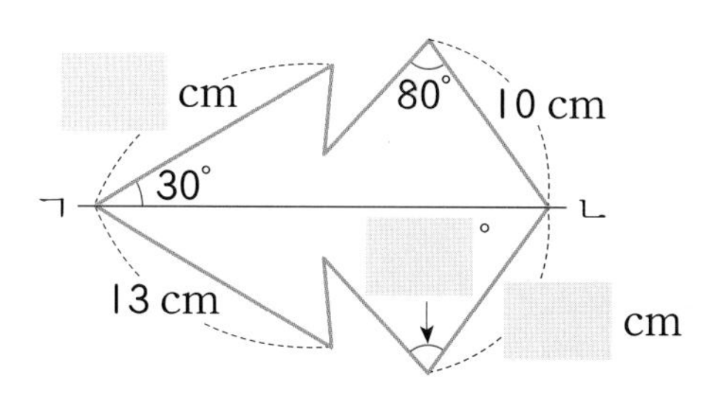

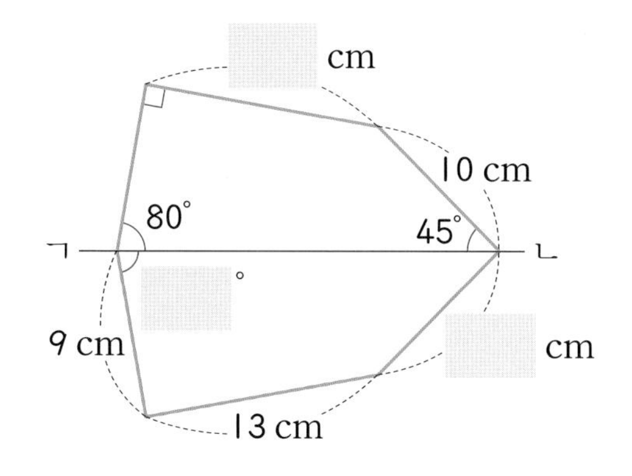

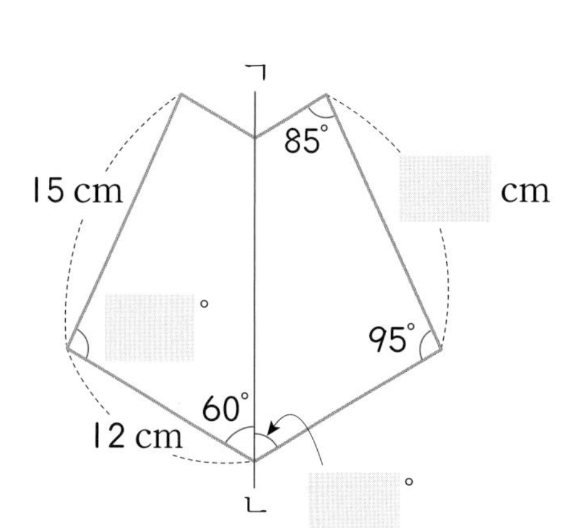

03 점대칭도형

정답 20쪽

● **점대칭도형:** 한 도형을 어떤 점을 중심으로 **180° 돌렸을 때** 처음 도형과 완전히 겹치는 도형

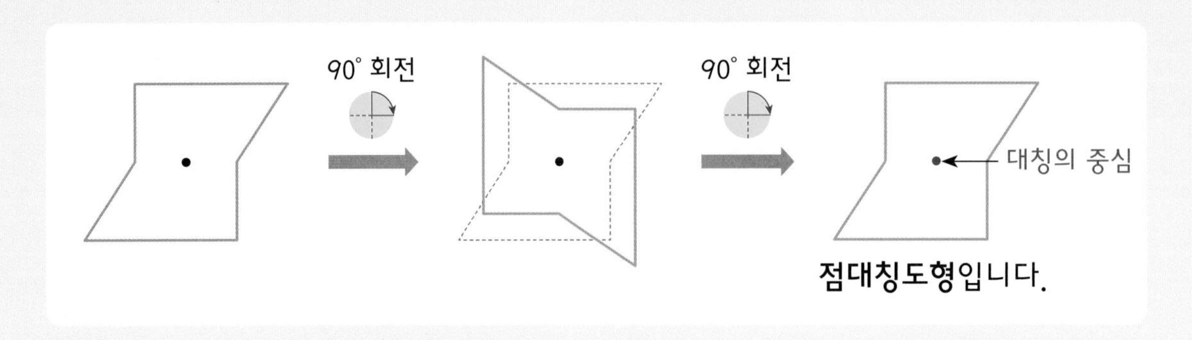

1 **주어진 도형을 180° 돌렸을 때 모양을 추측하고, 알맞은 말에 ○표 하시오.**

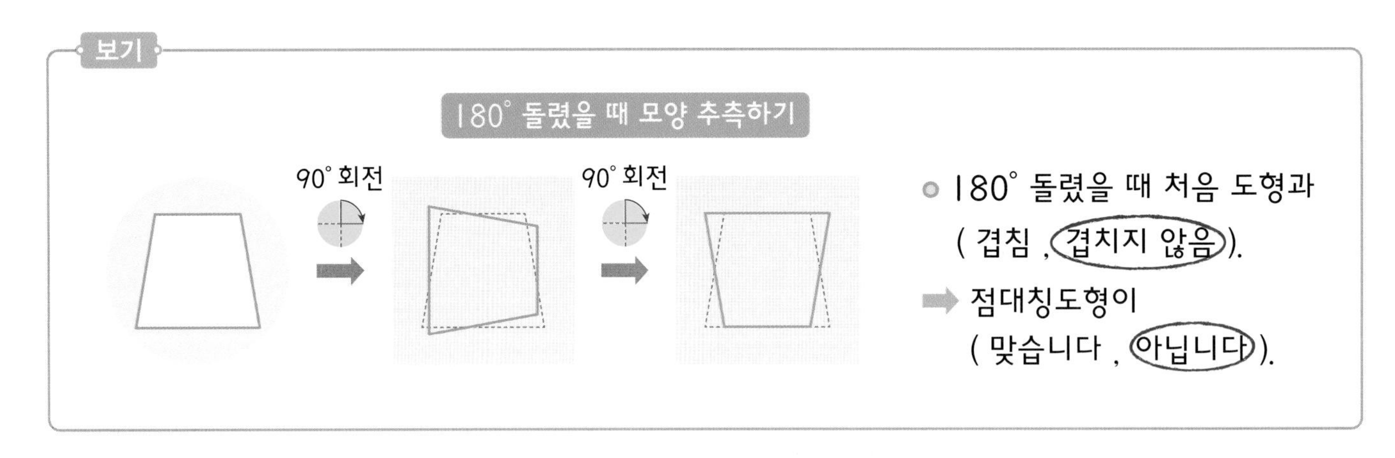

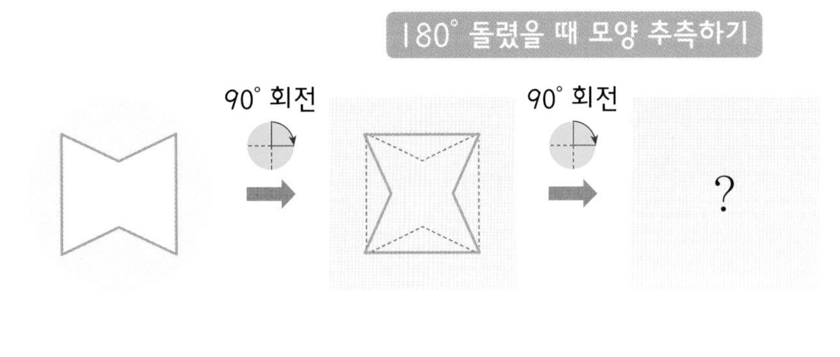

○ 180° 돌렸을 때 처음 도형과
(겹침 , 겹치지 않음).
➡ 점대칭도형이
(맞습니다 , 아닙니다).

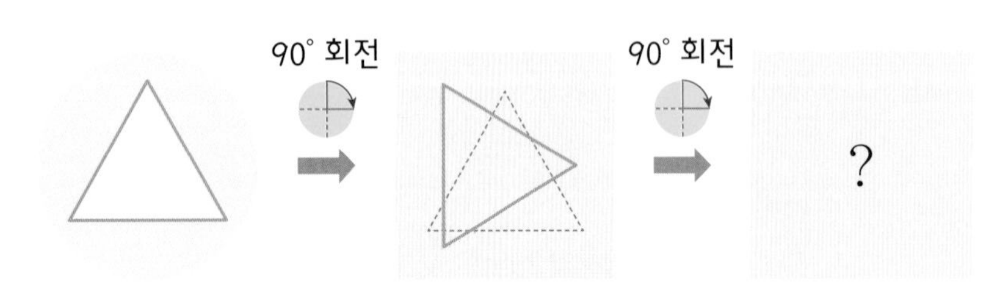

○ 180° 돌렸을 때 처음 도형과
(겹침 , 겹치지 않음).
➡ 점대칭도형이
(맞습니다 , 아닙니다).

2 점대칭도형을 모두 찾아 ◯표 하시오.

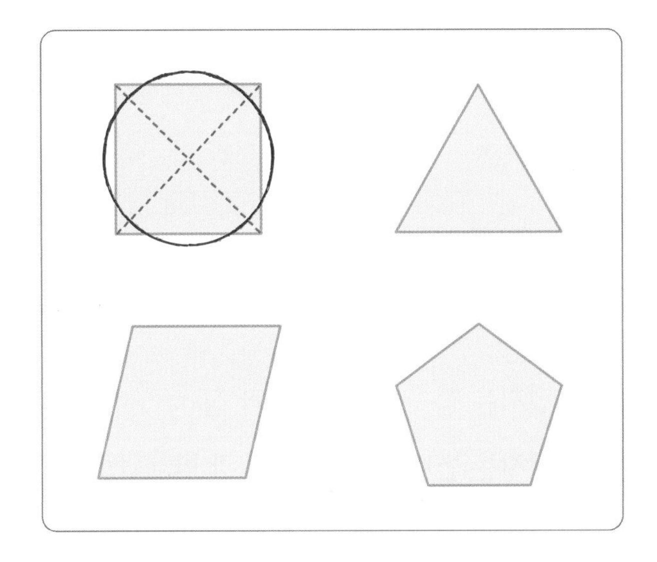

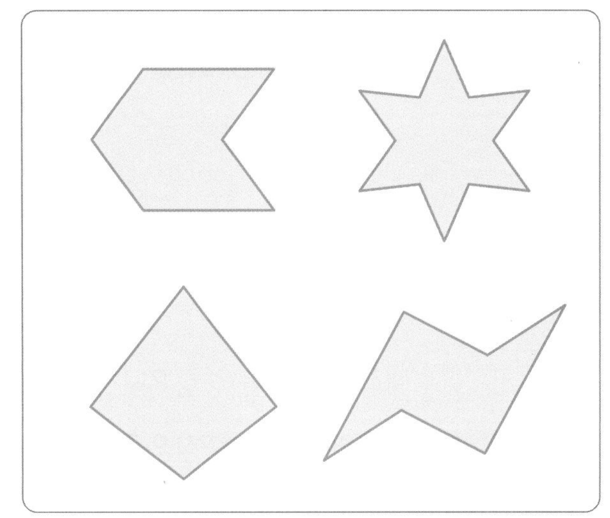

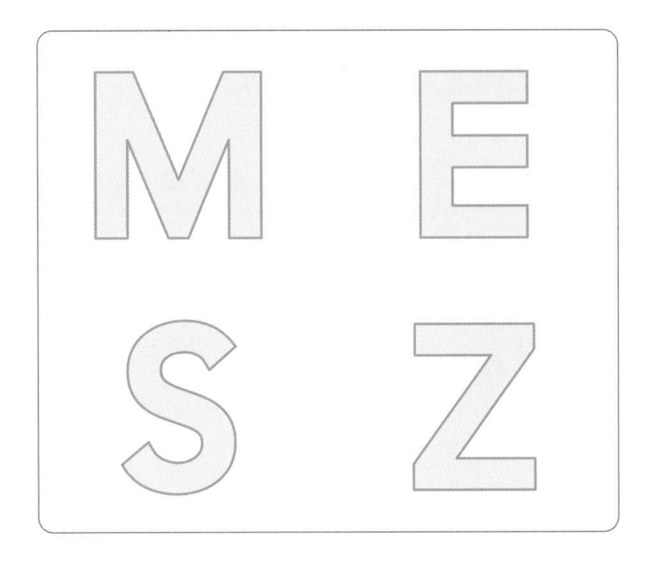

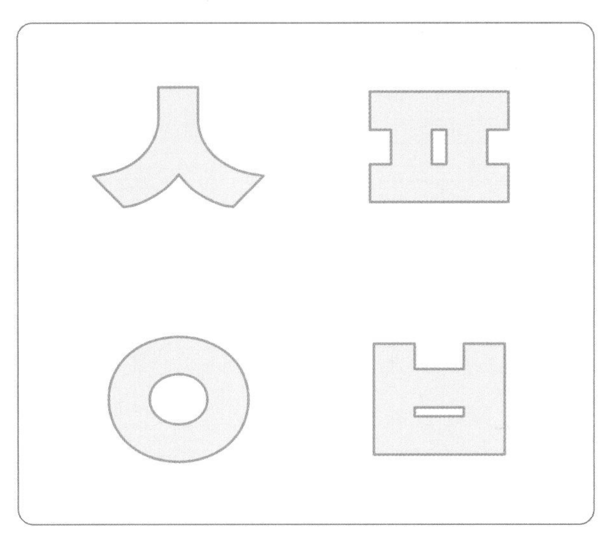

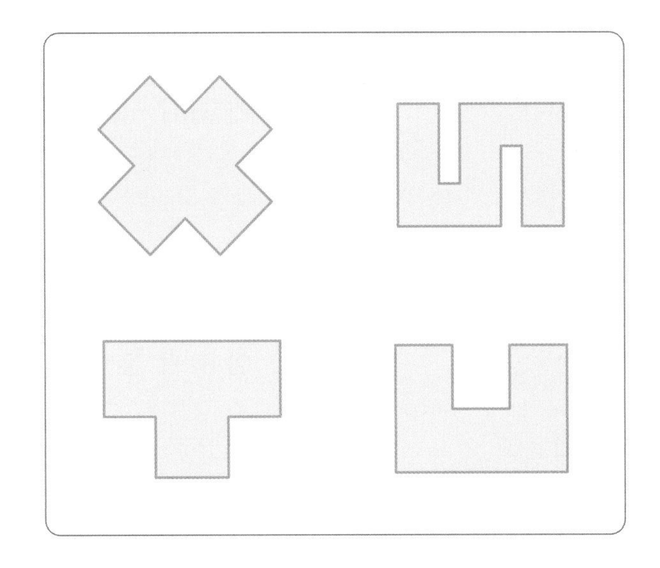

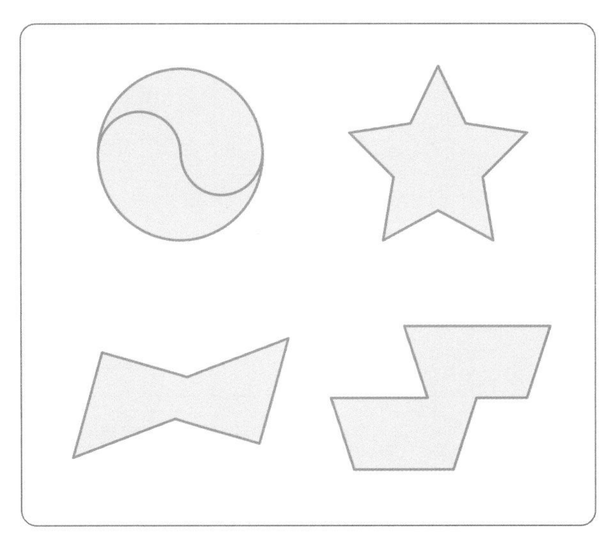

점대칭도형의 대응점, 대응변, 대응각 알아보기

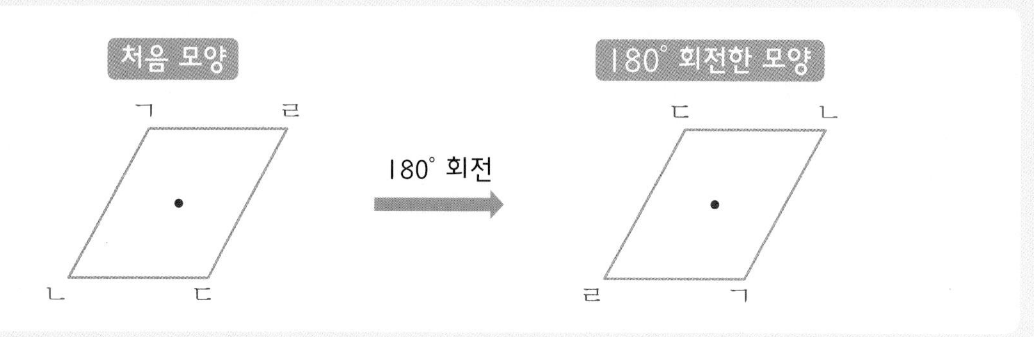

대응점 대칭의 중심을 중심으로 180° 돌렸을 때 겹치는 점 　예 점 ㄱ과 점 ㄷ

대응변 대칭의 중심을 중심으로 180° 돌렸을 때 겹치는 변 　예 변 ㄱㄴ과 변 ㄷㄹ

대응각 대칭의 중심을 중심으로 180° 돌렸을 때 겹치는 각 　예 각 ㄱㄴㄷ과 각 ㄷㄹㄱ

3 점 ㅇ을 대칭의 중심으로 하는 점대칭도형입니다. ☐ 안에 알맞게 써넣으시오.

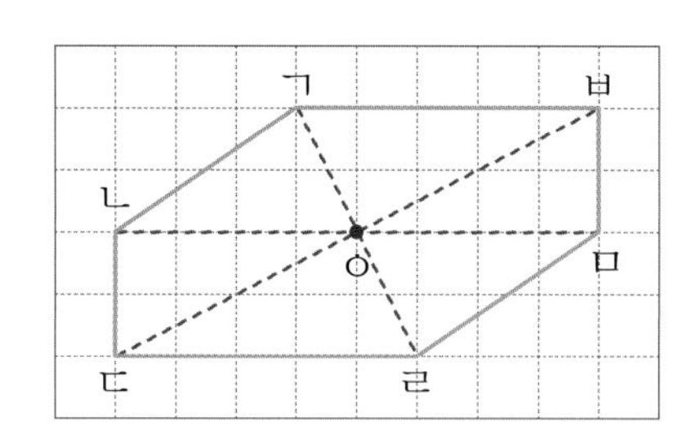

대응점 점 ㄱ과 점 ㄹ 　대응점 점 ㄷ과 점 ☐

대응변 변 ㄱㅂ과 변 ☐ 　대응변 변 ㄴㄷ과 변 ☐

대응각 각 ㄴㄷㄹ과 각 ☐ 　대응각 각 ㄱㄴㄷ과 각 ☐

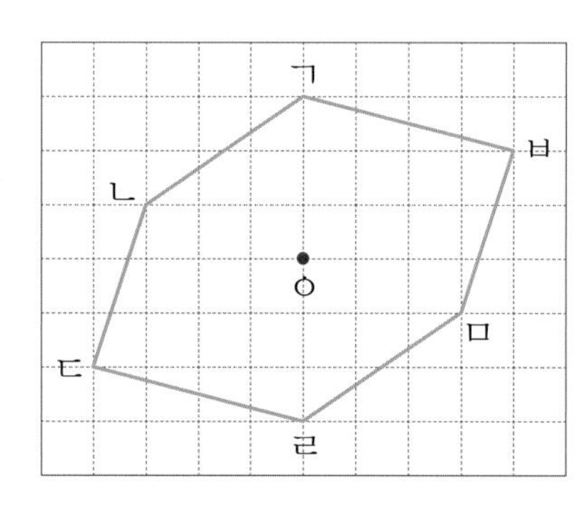

대응점 점 ㄷ과 점 ☐ 　대응점 점 ㄴ과 점 ☐

대응변 변 ㄹㅁ과 변 ☐ 　대응변 변 ㄷㄹ과 변 ☐

대응각 각 ㄱㄴㄷ과 각 ☐ 　대응각 각 ㅁㅂㄱ과 각 ☐

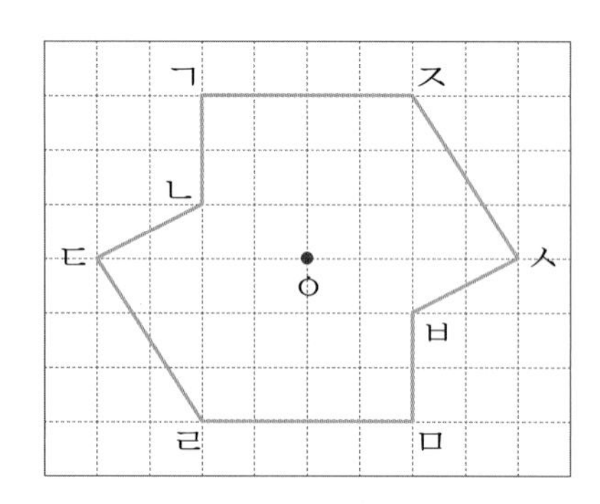

대응점 점 ㅅ과 점 ☐ 　대응점 점 ㄹ과 점 ☐

대응변 변 ㄴㄷ과 변 ☐ 　대응변 변 ㅈㅅ과 변 ☐

대응각 각 ㄱㅈㅅ과 각 ☐ 　대응각 각 ㄴㄷㄹ과 각 ☐

4 점 ㅇ을 대칭의 중심으로 하는 점대칭도형입니다. □ 안에 알맞은 수를 써넣으시오.

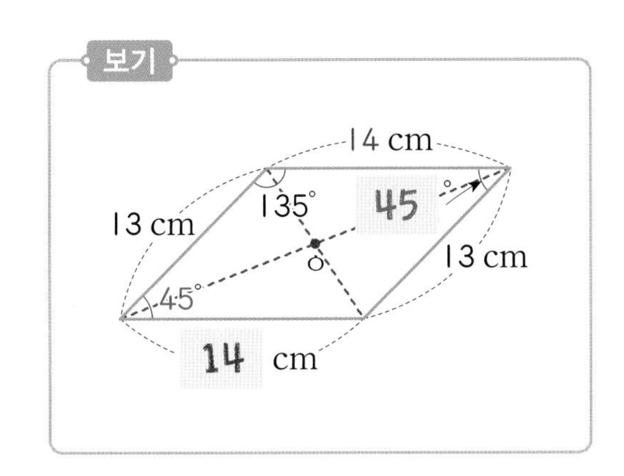

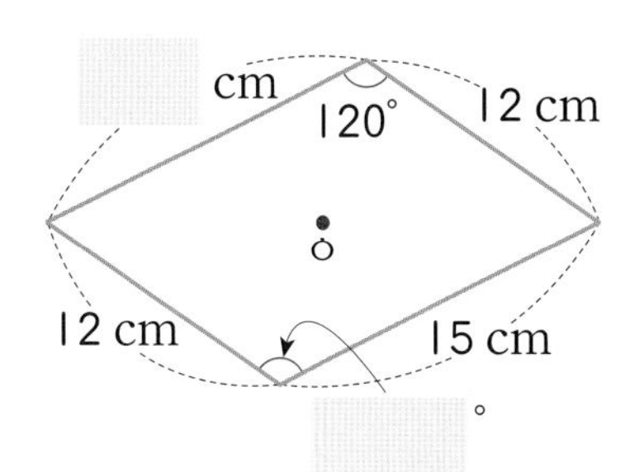

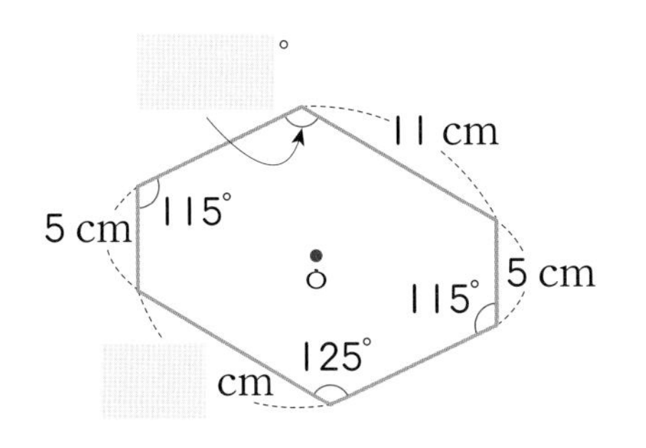

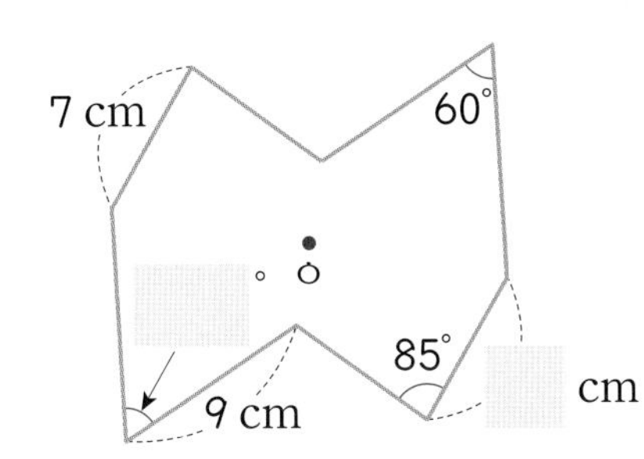

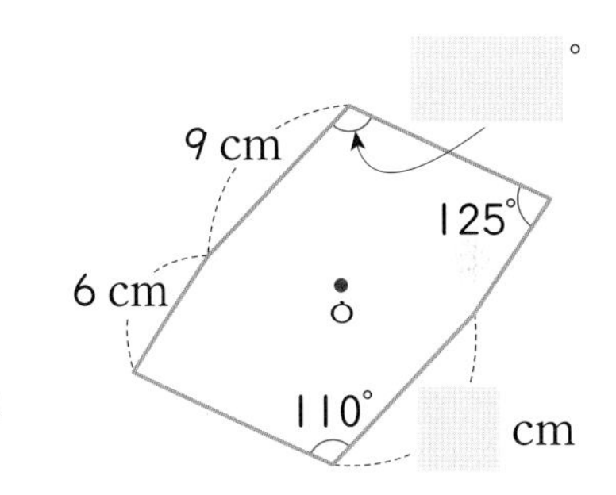

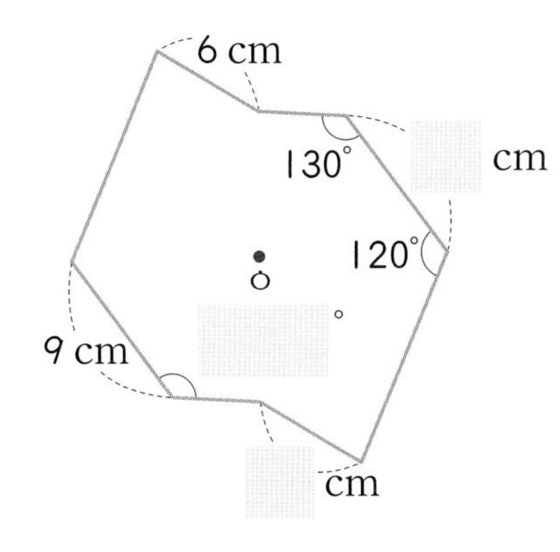

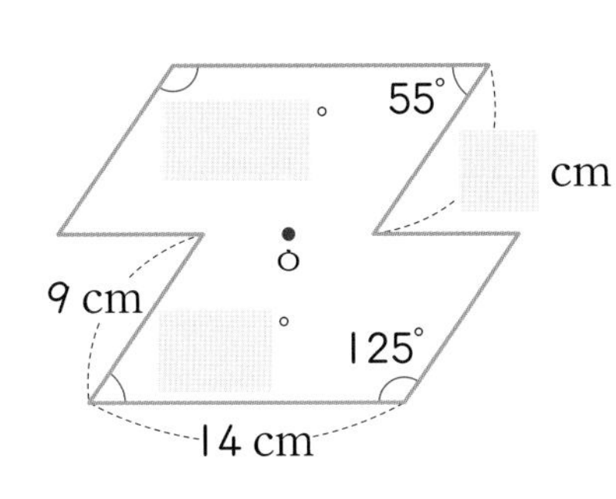

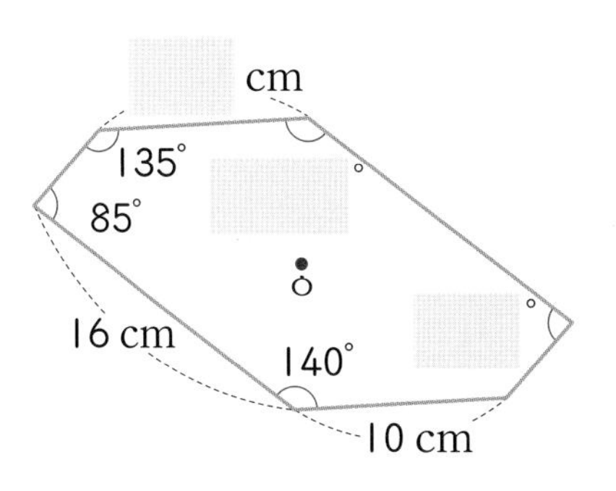

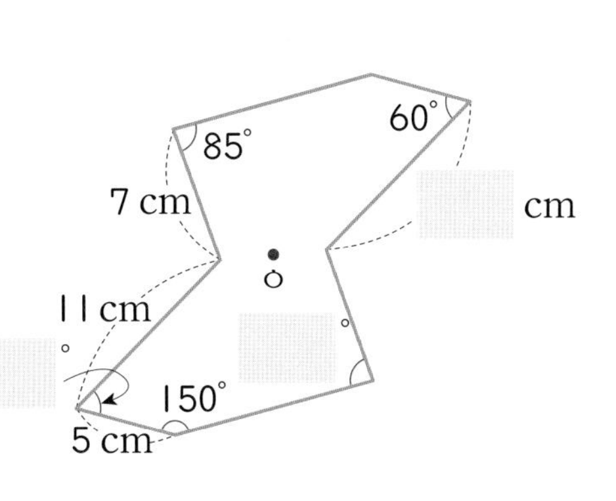

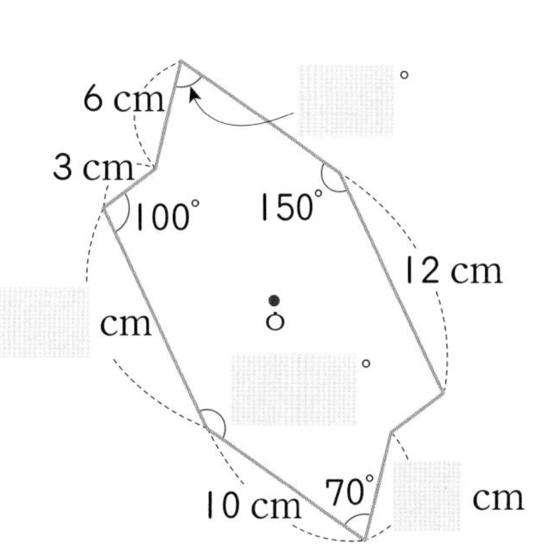

정답 21쪽

선대칭도형 그리기

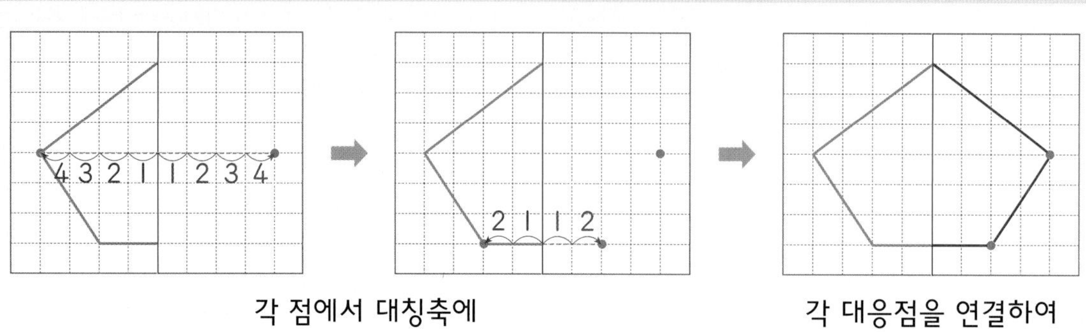

응용 1 직선 ㄱㄴ을 대칭축으로 하는 선대칭도형을 완성해 보시오. 준비물 자

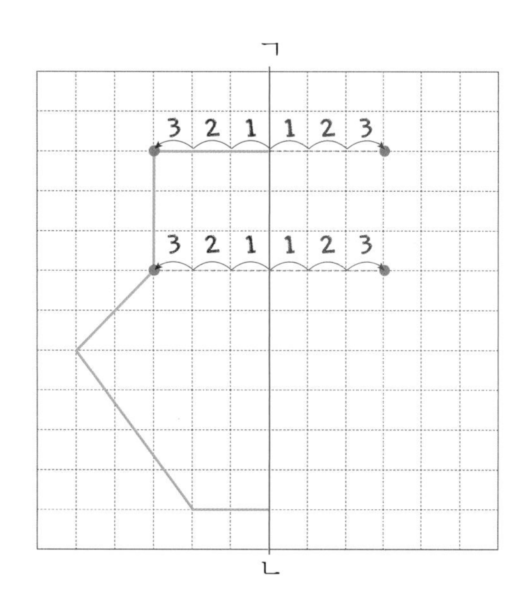

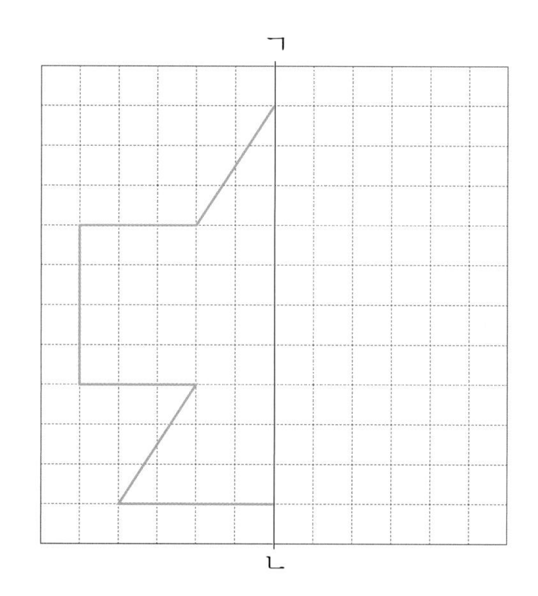

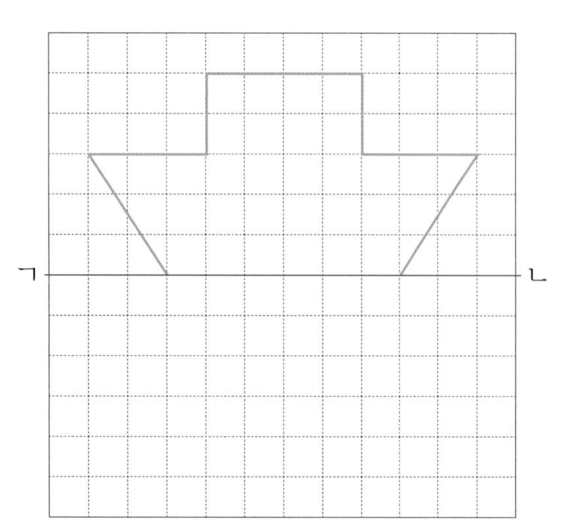

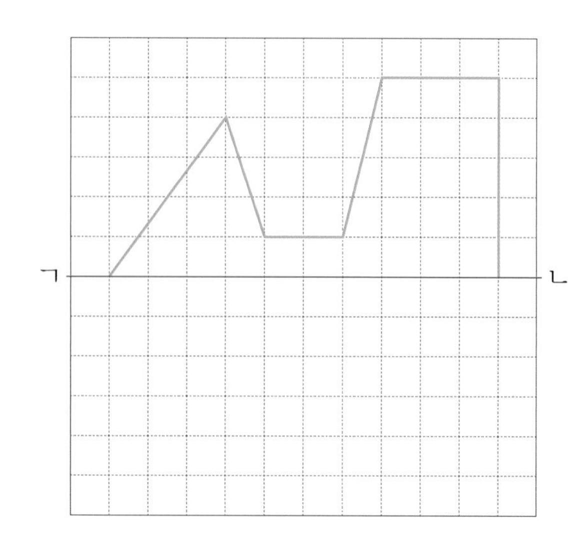

점대칭도형 그리기

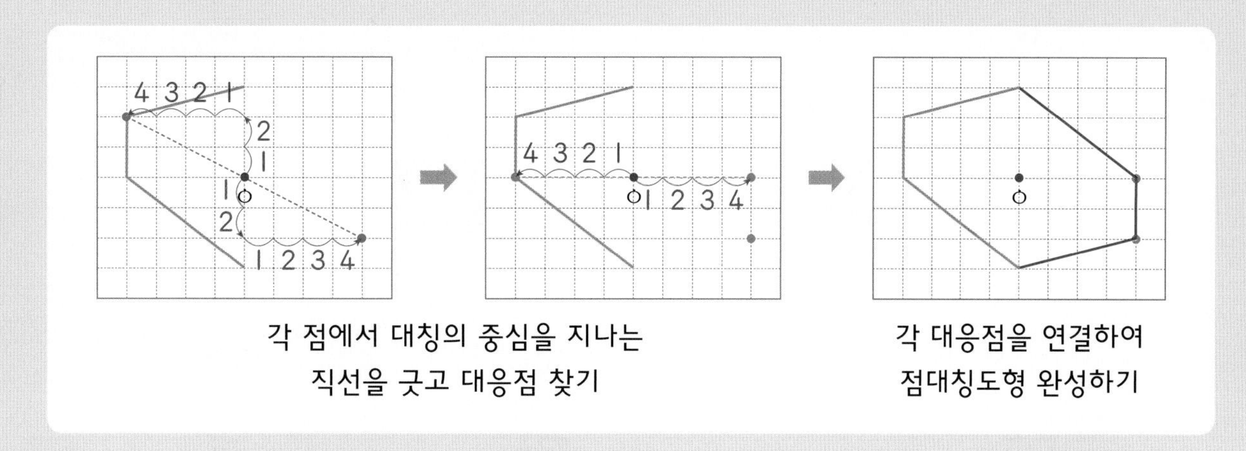

응용 ② 점 ㅇ을 대칭의 중심으로 하는 점대칭도형을 완성해 보시오. 준비물 자

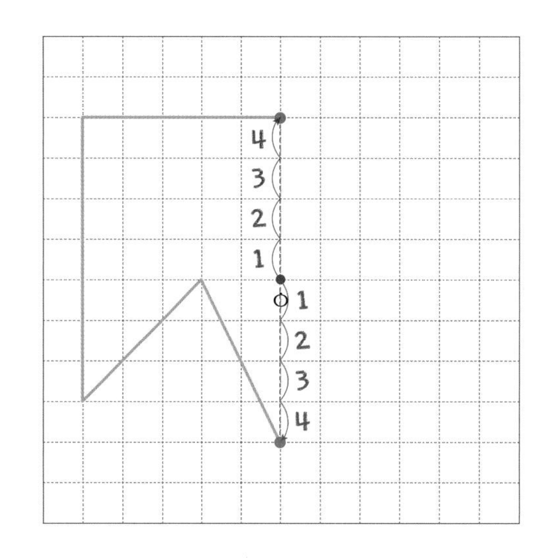

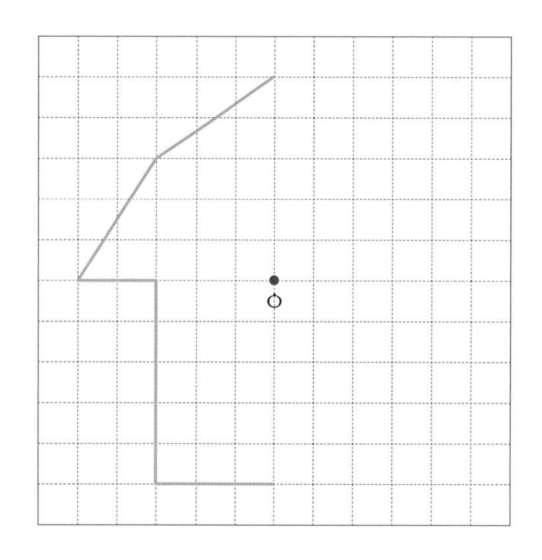

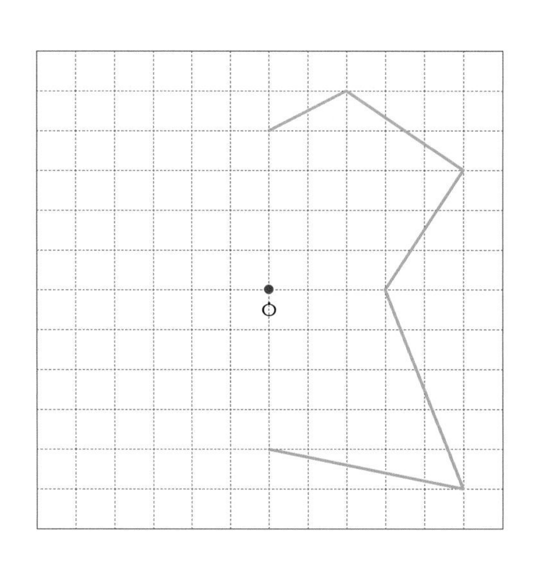

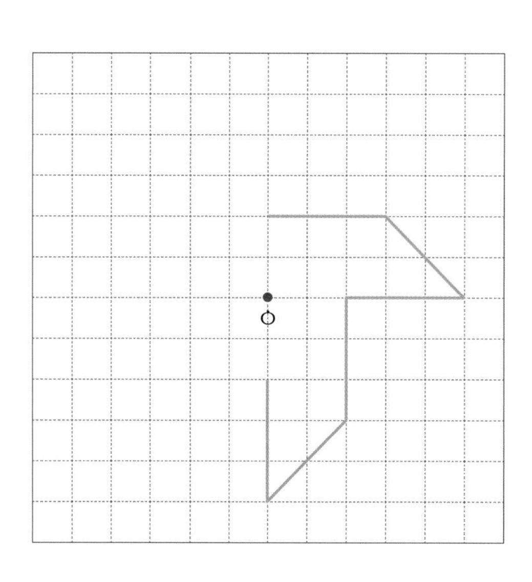

응용 ③ 디지털 수를 거울에 비쳤을 때 나오는 모양을 그려 보시오.

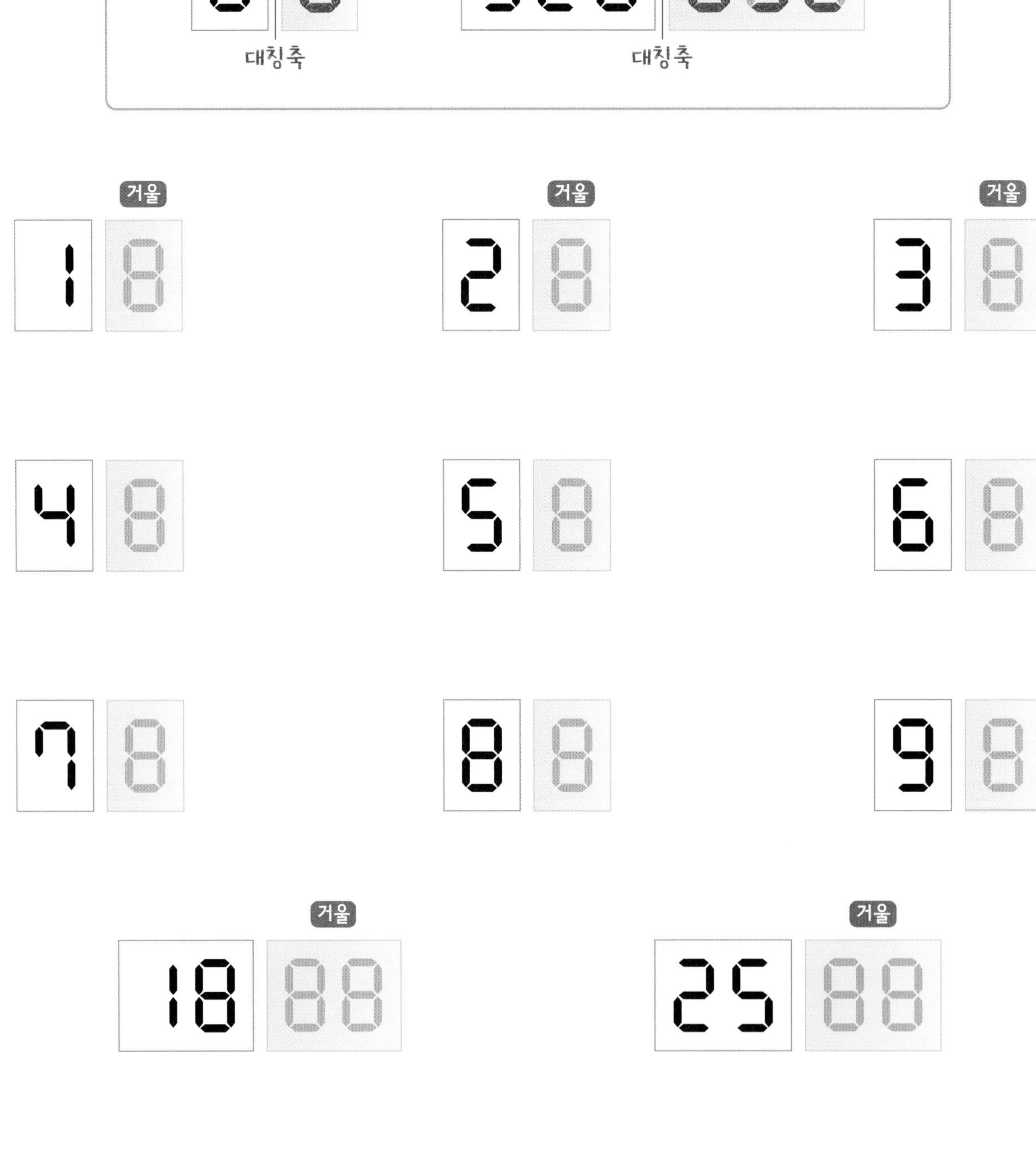

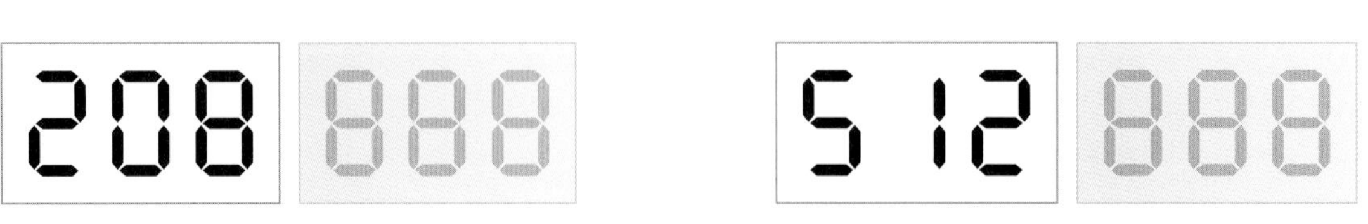

응용 ④ 디지털 수를 180° 돌렸을 때 나오는 모양을 그려 보시오.

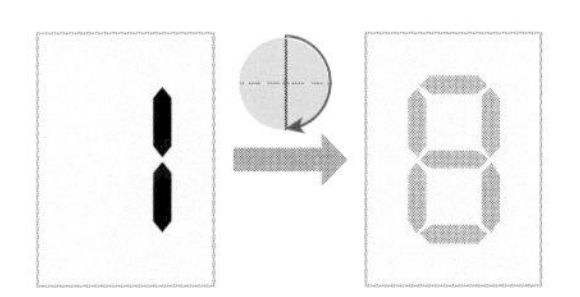

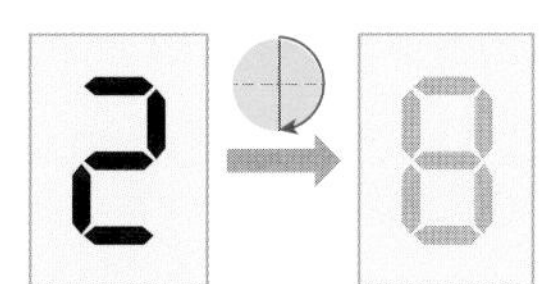

01 주어진 도형과 합동인 도형을 찾아 ○표 하시오.

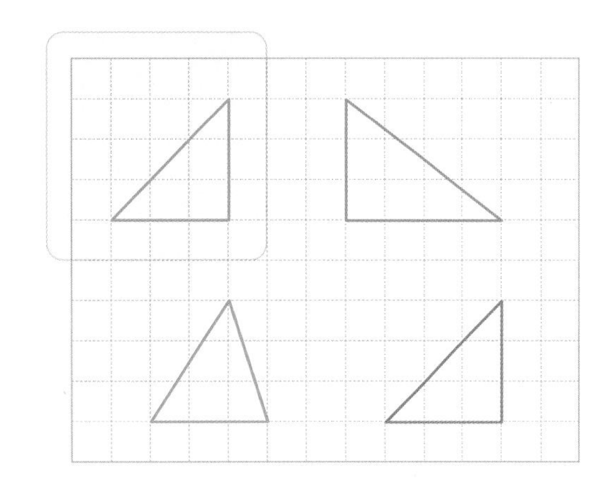

02 주어진 두 도형은 서로 합동입니다. ☐ 안에 알맞게 써넣으시오.

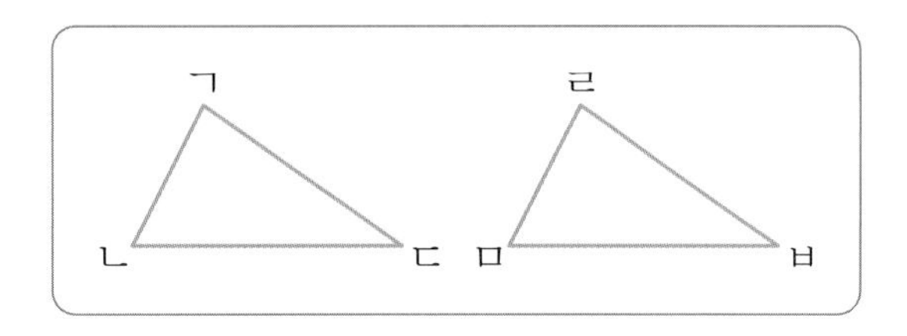

대응점 점 ㄷ과 점 ☐

대응변 변 ㄱㄴ과 변 ☐

대응각 각 ㄴㄷㄱ과 각 ☐

03 주어진 두 도형은 서로 합동입니다. ☐ 안에 알맞게 써넣으시오.

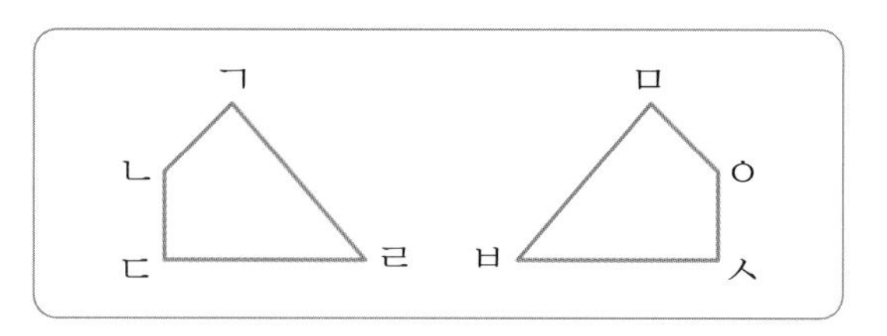

대응점 점 ㄴ과 점 ☐

대응변 변 ㄷㄹ과 변 ☐

대응각 각 ㄴㄱㄹ과 각 ☐

[04~05] 주어진 두 도형은 서로 합동입니다. ☐ 안에 알맞은 수를 써넣으시오.

04

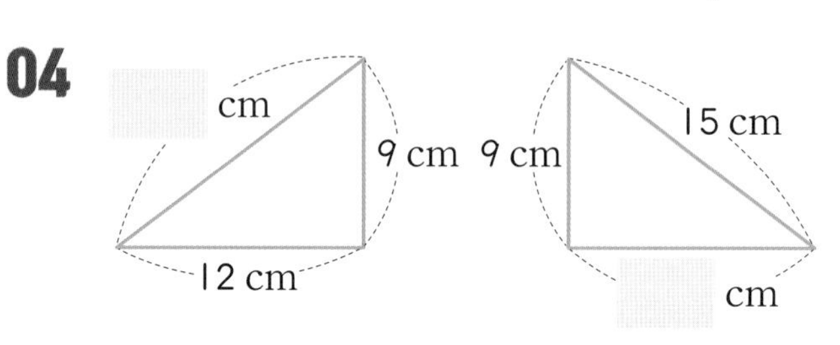

05

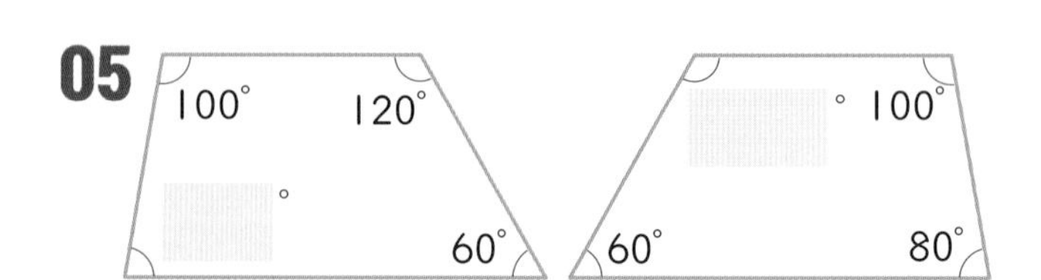

[06~07] 주어진 두 도형은 서로 합동입니다.
　　　　　 ☐ 안에 알맞은 수를 써넣으시오.

06

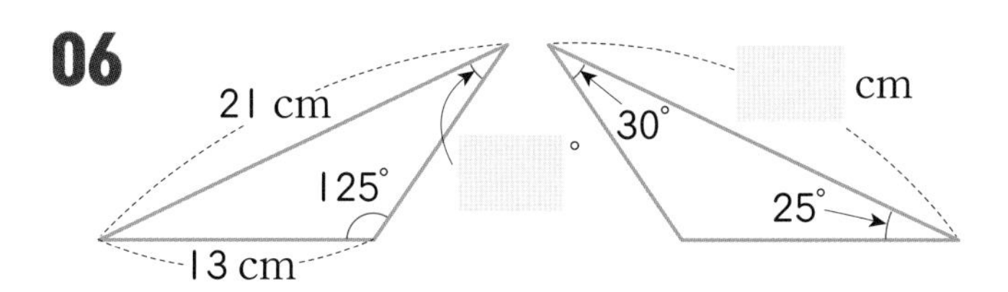

07

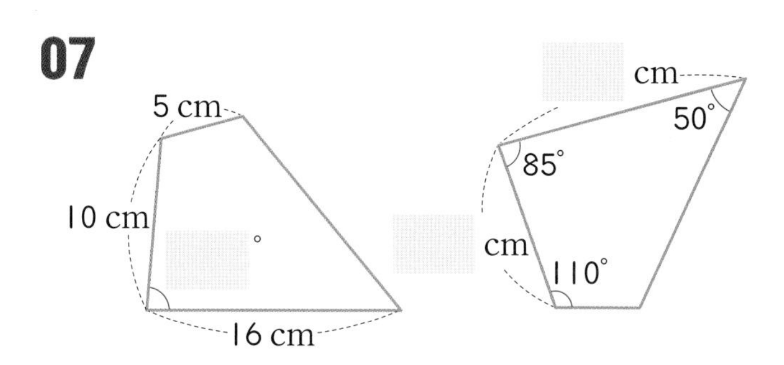

08

주어진 도형을 점선을 따라 접었을 때, 알맞은 말에 ○표 하시오.

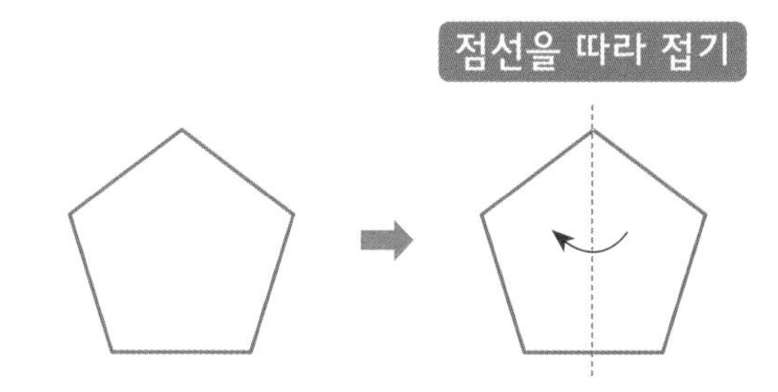

- 접었을 때 완전히 (겹침 , 겹치지 않음).

➡ 선대칭도형이 (맞습니다 , 아닙니다).

09

주어진 도형을 점선을 따라 접었을 때, 알맞은 말에 ○표 하시오.

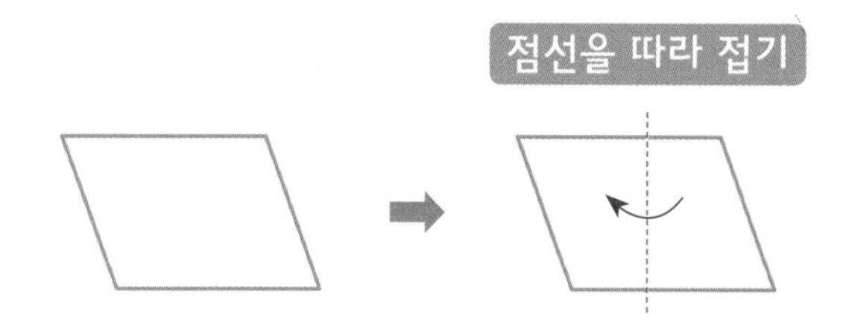

- 접었을 때 완전히 (겹침 , 겹치지 않음).

➡ 선대칭도형이 (맞습니다 , 아닙니다).

10

선대칭도형을 모두 찾아 ○표 하시오.

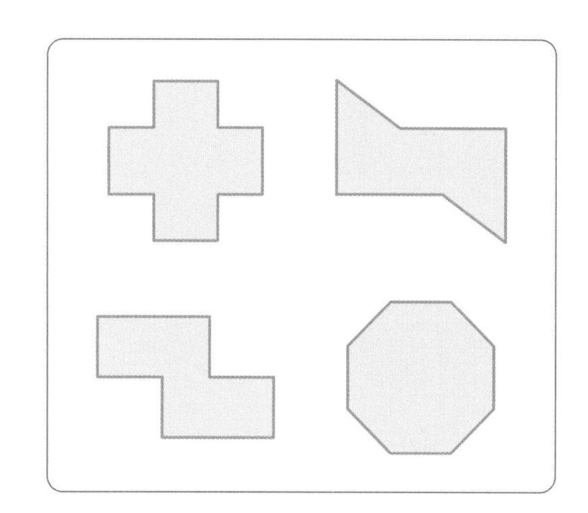

[11~12] 직선 ㄱㄴ을 대칭축으로 하는 선대칭도형입니다. ☐ 안에 알맞게 써넣으시오.

11

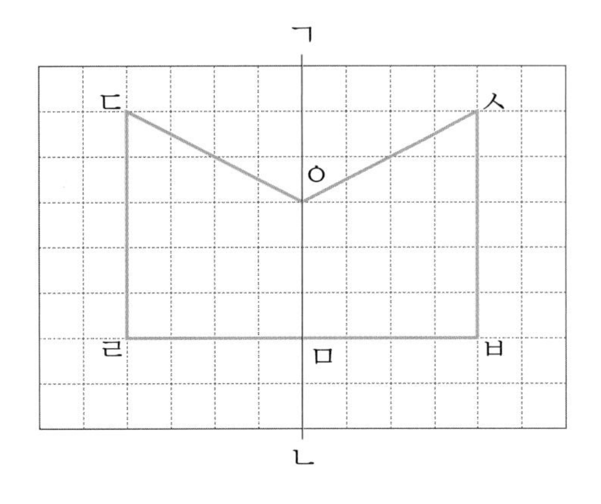

대응점 점 ㄹ과 점 ☐

대응변 변 ㄷㄹ과 변 ☐

대응각 각 ㄷㄹㅁ과 각 ☐

12

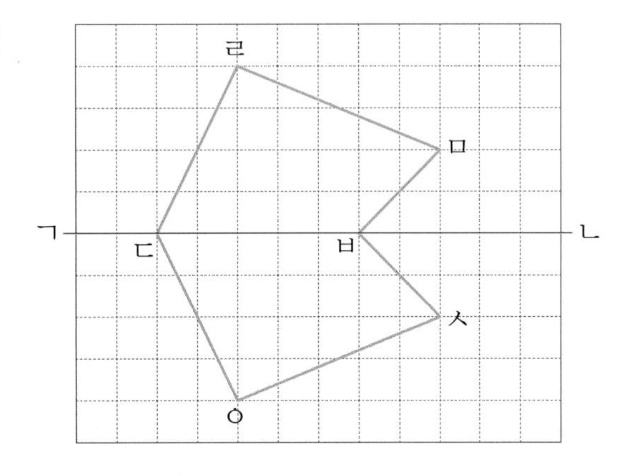

대응점 점 ㅁ과 점 ☐

대응변 변 ㄷㄹ과 변 ☐

대응각 각 ㄹㅁㅂ과 각 ☐

[13~14] 직선 ㄱㄴ을 대칭축으로 하는 선대칭도형입니다. ☐ 안에 알맞은 수를 써넣으시오.

13

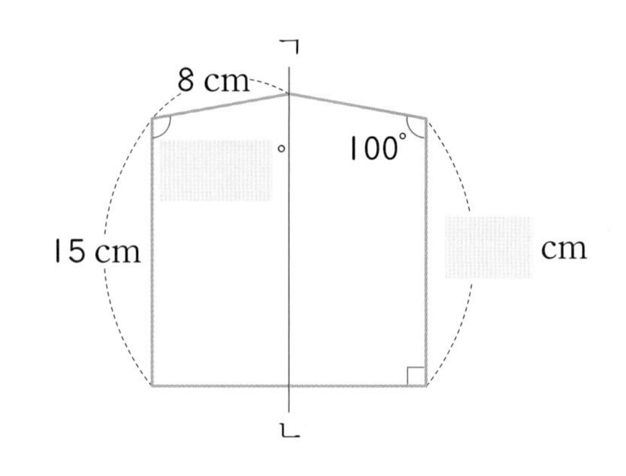

14

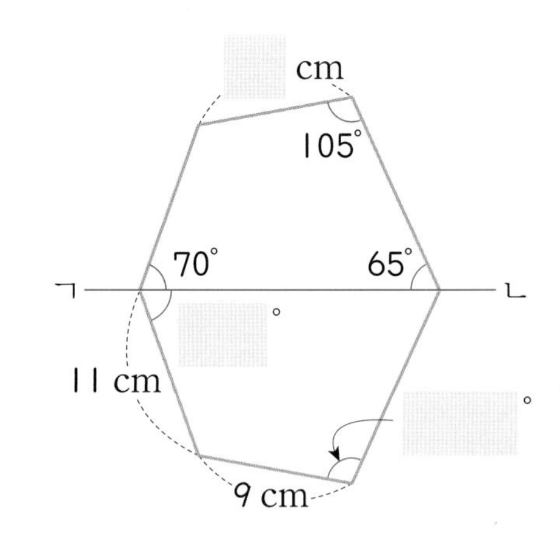

15 주어진 도형을 180° 돌렸을 때 모양을 추측하고, 알맞은 말에 ◯표 하시오.

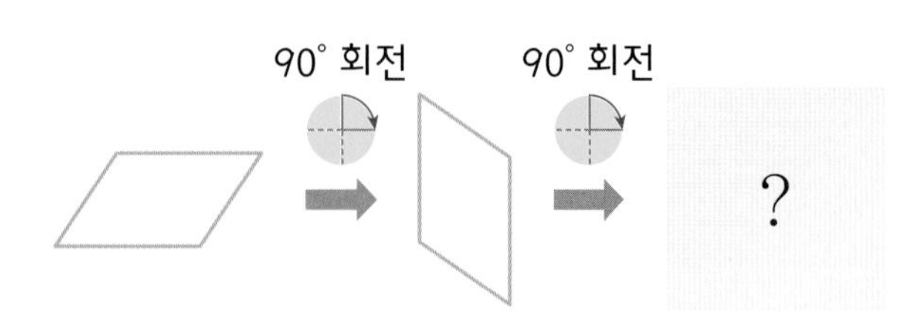

- 180° 돌렸을 때 처음 도형과 (겹침 , 겹치지 않음).

➡ 점대칭도형이 (맞습니다 , 아닙니다).

16 점대칭도형을 모두 찾아 ○표 하시오.

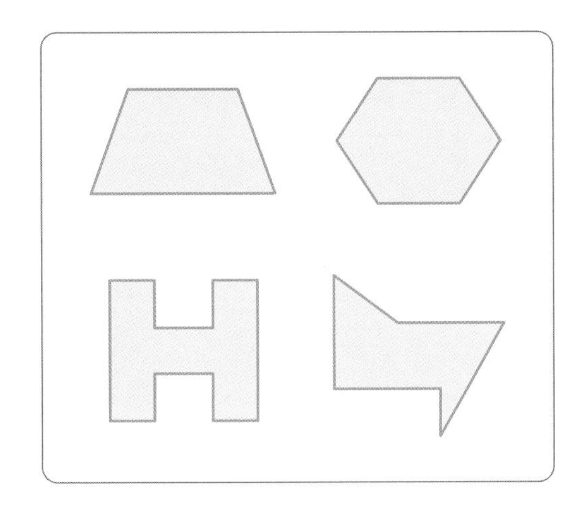

17 점 ㅇ을 대칭의 중심으로 하는 점대칭도형입니다. ☐ 안에 알맞게 써넣으시오.

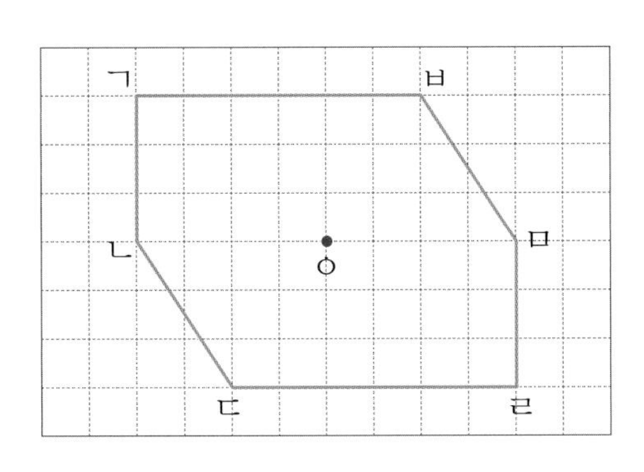

대응점 점 ㄴ과 점 ☐

대응변 변 ㄷㄹ과 변 ☐

대응각 각 ㄴㄱㅂ과 각 ☐

18 점 ㅇ을 대칭의 중심으로 하는 점대칭도형입니다. ☐ 안에 알맞게 써넣으시오.

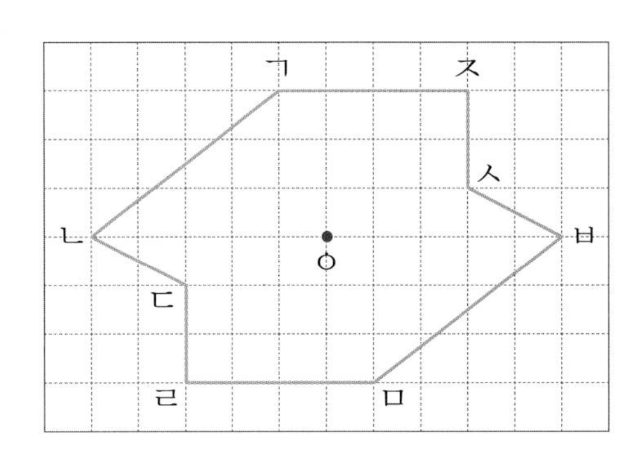

대응점 점 ㄴ과 점 ☐

대응변 변 ㄷㄹ과 변 ☐

대응각 각 ㄹㅁㅂ과 각 ☐

[19~20] 점 ㅇ을 대칭의 중심으로 하는 점대칭도형입니다. ☐ 안에 알맞은 수를 써넣으시오.

19

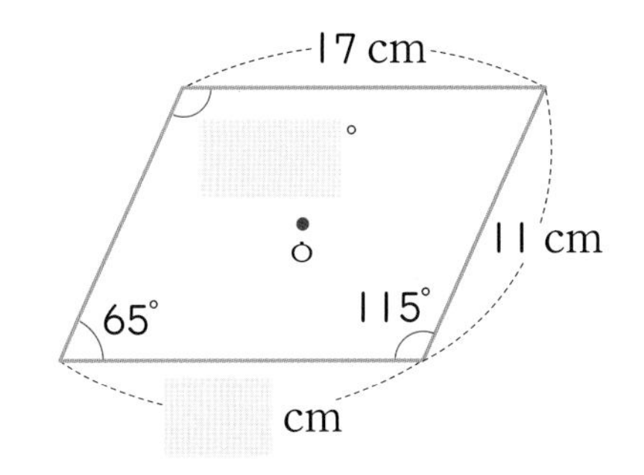

20

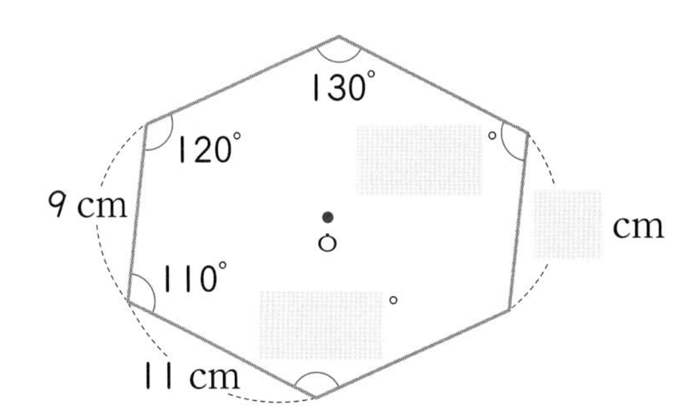

정답 23쪽

1 오른쪽 도형과 합동인 도형을 찾아 기호를 쓰시오.

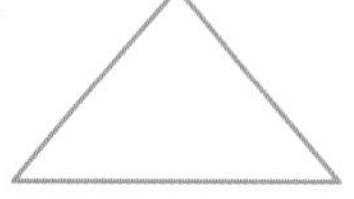

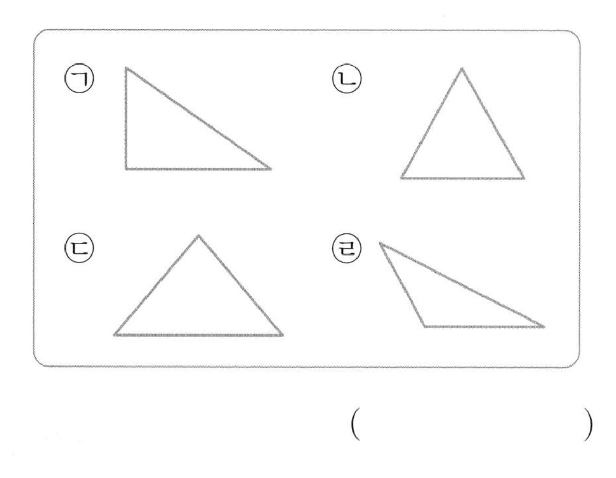

(　　　　　)

2 도형을 점선을 따라 잘랐을 때, 만들어진 두 도형이 합동이 되는 것을 모두 고르시오. (　　　　　)

① 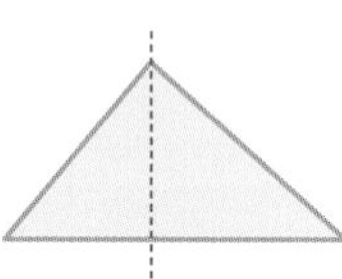

② 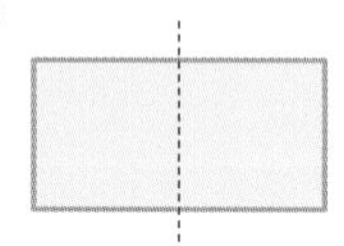

③ 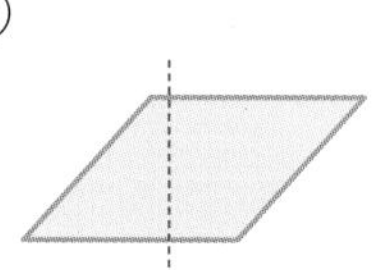

④ 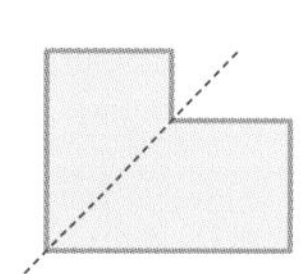

⑤ 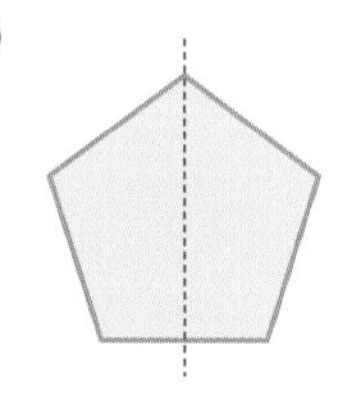

3 두 삼각형은 서로 합동입니다. 물음에 답하시오.

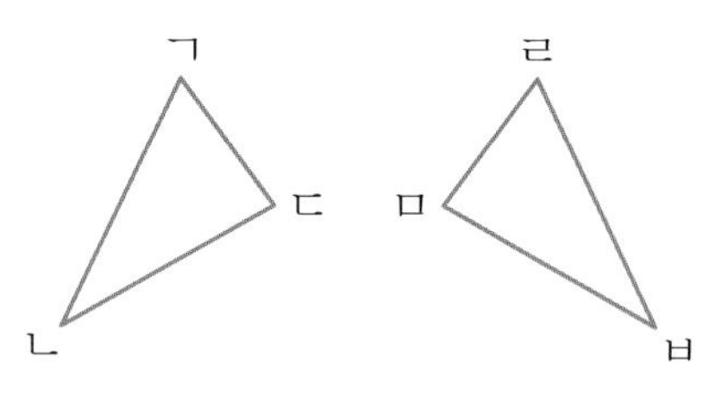

(1) 변 ㄱㄴ의 대응변은 어느 것입니까?

(　　　　　)

(2) 각 ㄹㅁㅂ의 대응각은 어느 것입니까?

(　　　　　)

4 두 삼각형은 서로 합동입니다. 물음에 답하시오.

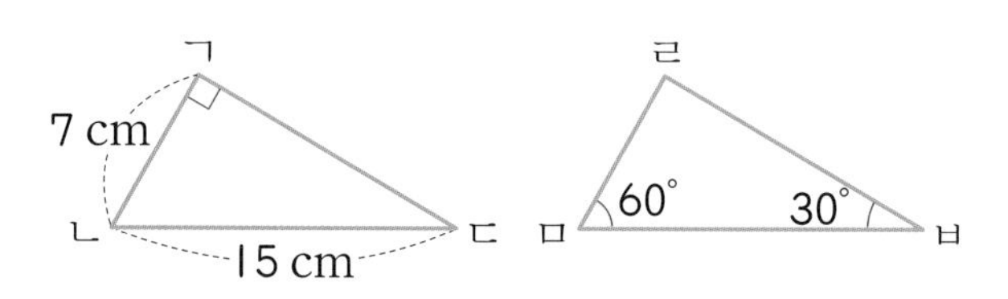

(1) 변 ㅁㅂ의 길이는 몇 cm입니까?

(　　　　　)cm

(2) 각 ㄱㄴㄷ의 크기는 몇 도입니까?

(　　　　　)

5 두 사각형은 서로 합동입니다. ▢ 안에 알맞은 수를 써넣으시오.

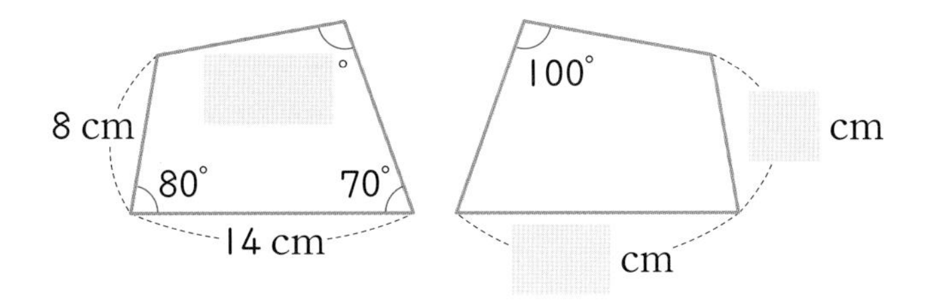

6 항상 합동이 되는 것을 찾아 기호를 쓰시오.

㉠ 둘레가 같은 두 직사각형
㉡ 넓이가 같은 두 마름모
㉢ 세 변의 길이가 각각 같은 두 삼각형

( )

7 선대칭도형을 모두 찾아 기호를 쓰시오.

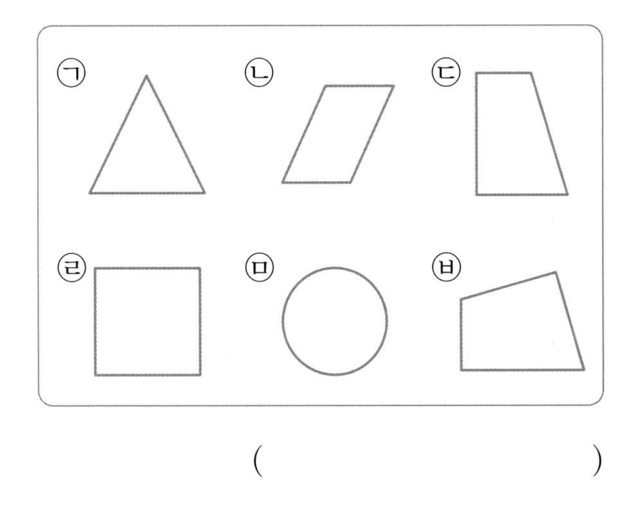

( )

8 다음 도형은 선대칭도형입니다. 대칭축을 찾아 기호를 쓰시오.

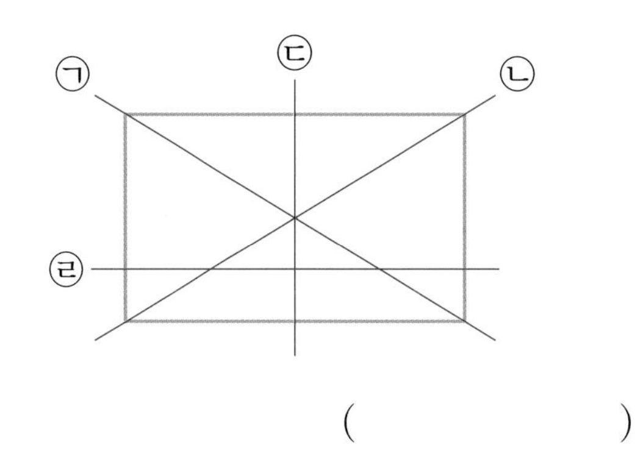

( )

9 다음 도형은 선대칭도형입니다. 대칭축을 모두 그려 보시오.

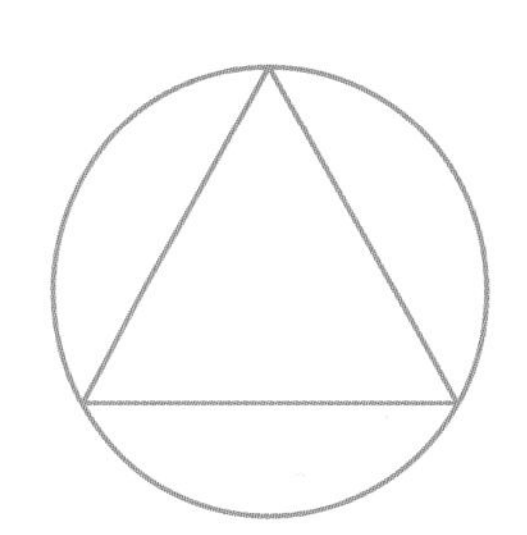

10 직선 ㄱㄴ을 대칭축으로 하는 선대칭도형입니다. ▢ 안에 알맞은 수를 써넣으시오.

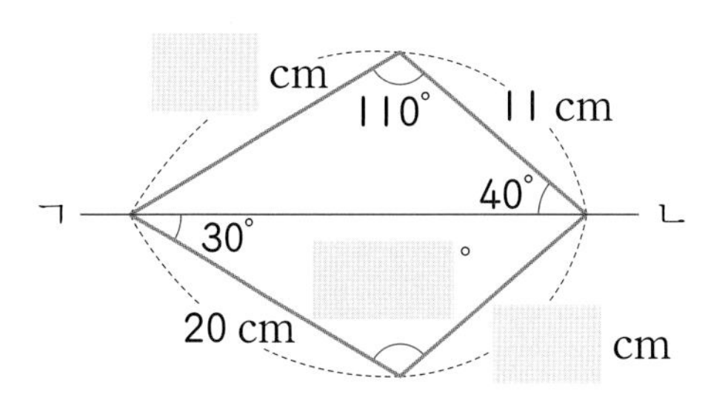

11 선대칭도형이 되도록 그림을 완성해 보시오.

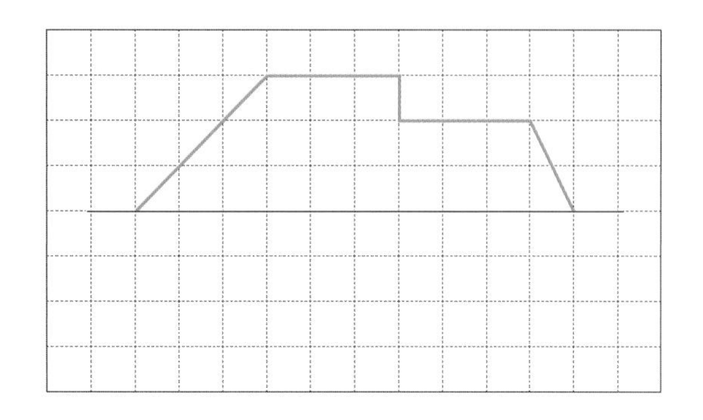

12 선대칭도형에서 대칭축이 직선 ㉮일 때와 직선 ㉯일 때, 변 ㄱㄴ의 대응변을 각각 찾아 쓰시오.

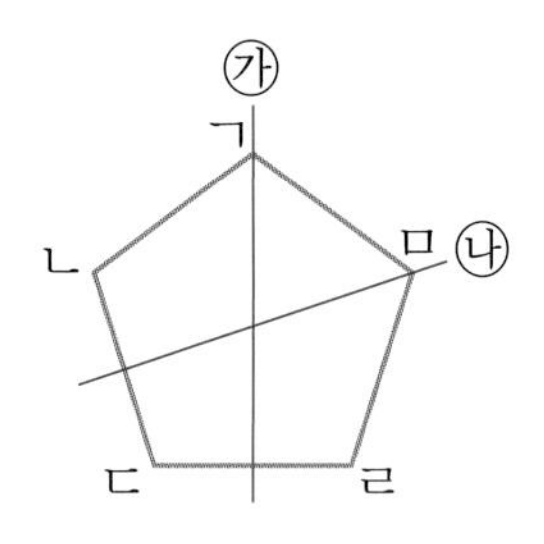

대칭축이 직선 ㉮일 경우 (　　　　　　)

대칭축이 직선 ㉯일 경우 (　　　　　　)

13 점 ㅇ을 중심으로 180° 돌렸을 때 처음 도형과 완전히 겹치는 도형을 찾아 ○표 하시오.

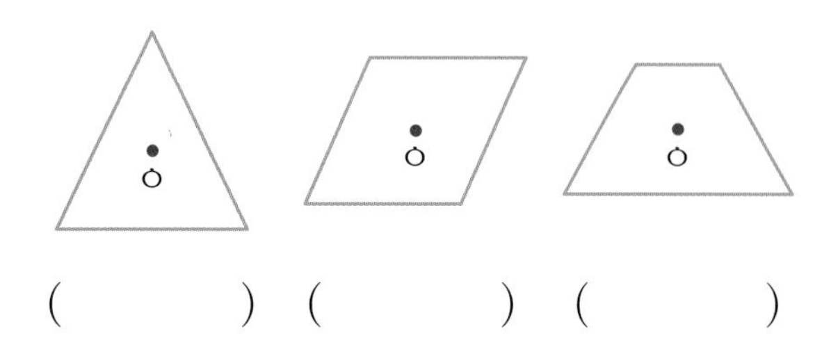

(　　　) (　　　) (　　　)

14 선대칭도형도 되고 점대칭도형도 되는 것은 어느 것입니까? (　　　)

① 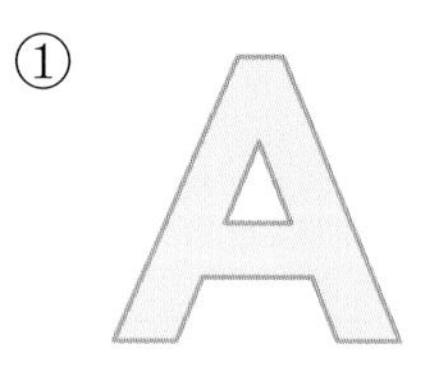

② 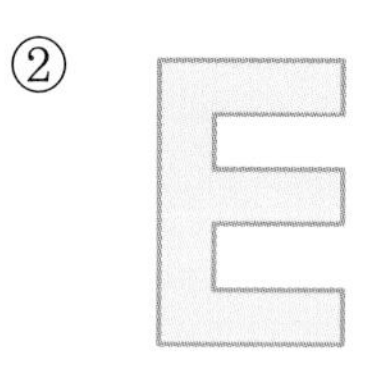

③ H

④ 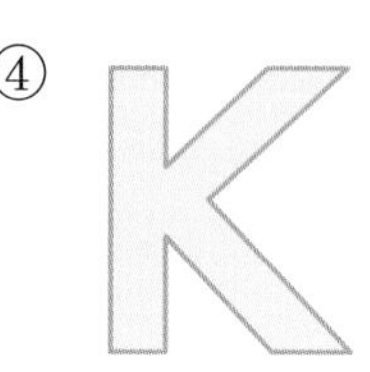

⑤ N

15 점 ㅇ을 대칭의 중심으로 하는 점대칭도형입니다. □ 안에 알맞은 수를 써넣으시오.

(1)

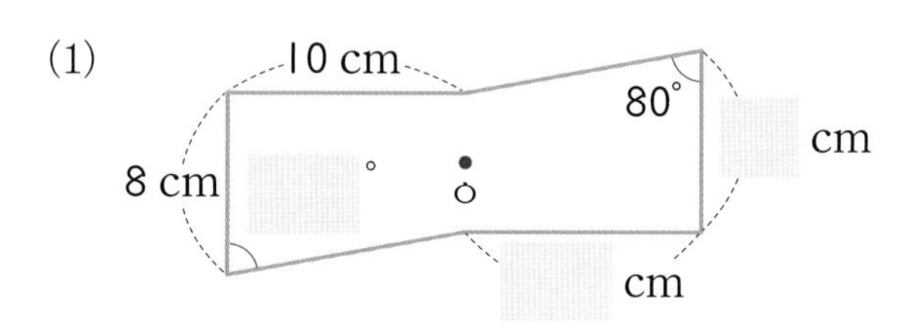

(2)

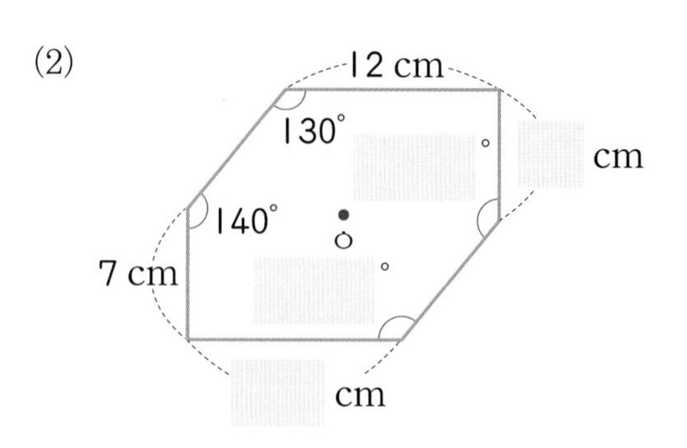

16 점대칭도형에서 주어진 선분과 길이가 같은 선분을 찾아 쓰시오.

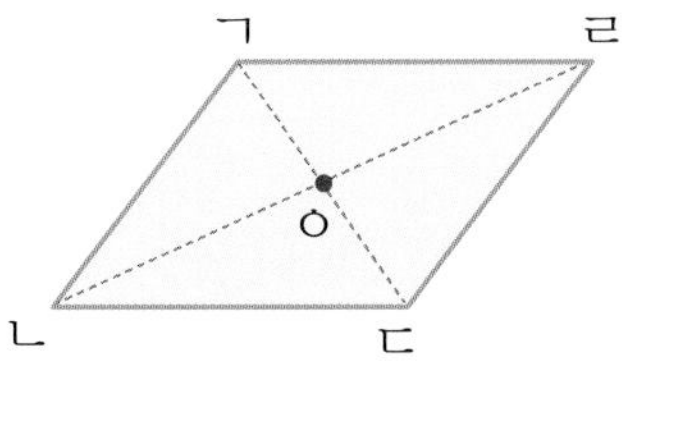

선분 ㄱㅇ과 선분 (　　　　　)
선분 ㄴㅇ과 선분 (　　　　　)

17 다음 도형은 점 ㅇ을 대칭의 중심으로 하는 점대칭도형입니다. 선분 ㄹㅈ의 길이가 18 cm일 때, 선분 ㄹㅇ의 길이는 몇 cm입니까?

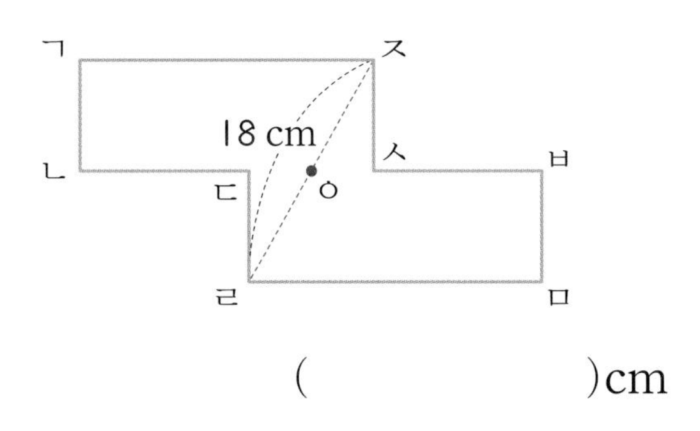

(　　　　　)cm

18 점대칭도형이 되도록 그림을 완성해 보시오.

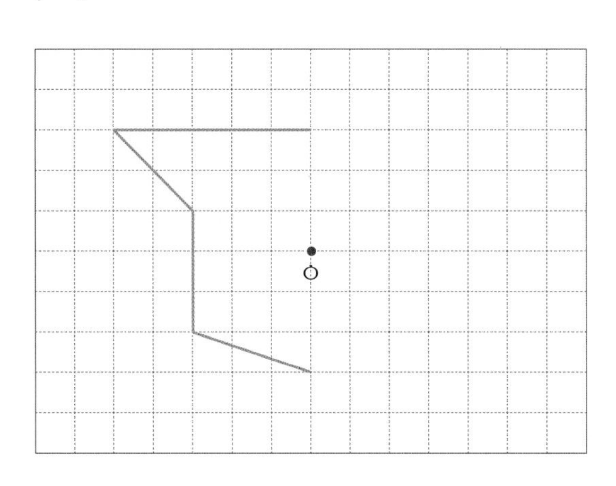

19 두 삼각형은 서로 합동입니다. 삼각형 ㄱㄴㄷ의 둘레는 몇 cm인지 풀이 과정을 쓰고 답을 구하시오.

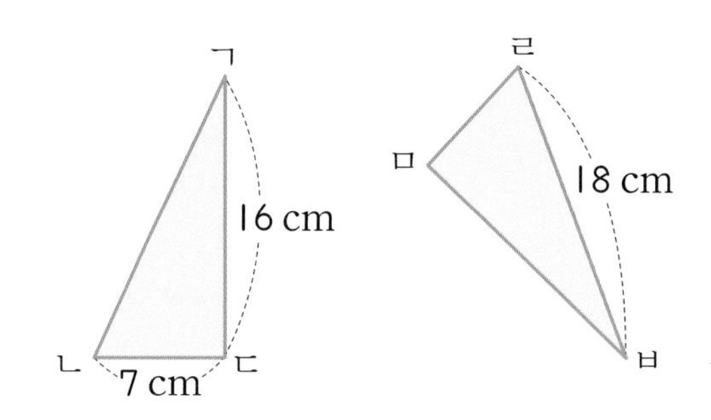

풀이

답

20 다음 그림에서 직선 ㄱㄴ을 대칭축으로 하는 선대칭도형을 완성했을 때, 완성한 선대칭도형의 넓이는 몇 cm^2인지 풀이 과정을 쓰고 답을 구하시오.

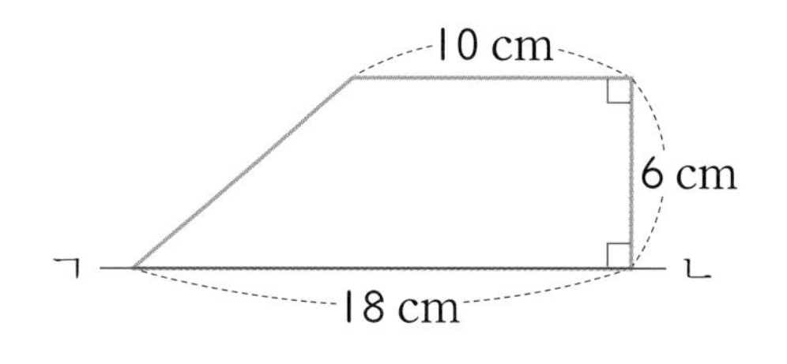

풀이

답

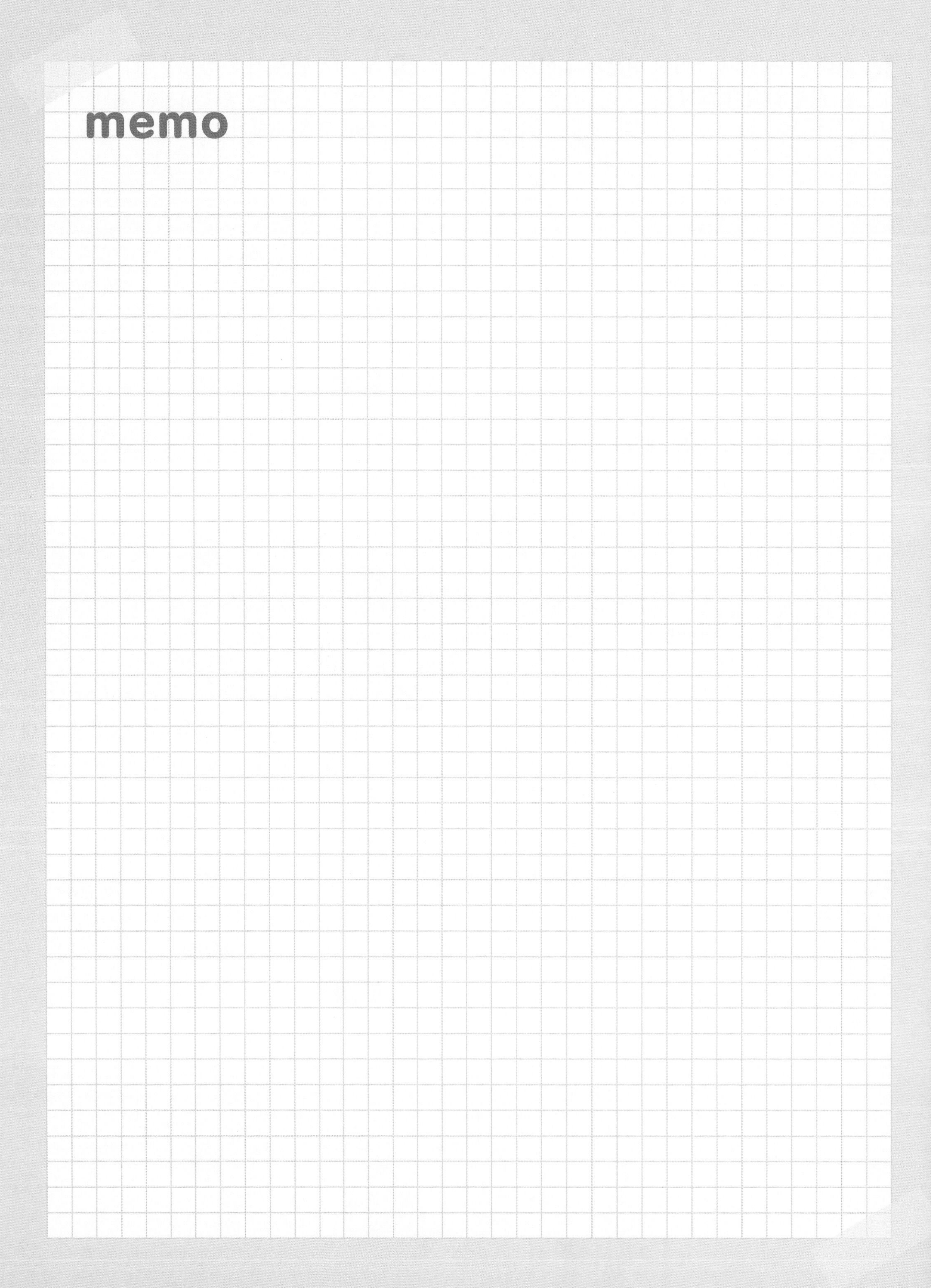
memo

FACTO school

5-2

초등 수학 팩토

단원별 계산력 수학

소수의 곱셈

매스티안

6. 분수와 소수
· 분수와 소수
· 분수와 소수의 크기 비교

3-1

4. 분수
· 진분수, 가분수, 대분수
· 분모가 같은 분수의 크기 비교

3-2

1. 분수의 덧셈과 뺄셈
· 분모가 같은 진분수, 대분수의 덧셈과 뺄셈

4-2

4. 약분과 통분
· 약분하기, 통분하기
· 분모가 다른 분수의 크기 비교

5-1

4-2

3. 소수의 덧셈과 뺄셈
· 소수 두 자리 수, 소수 세 자리 수
· 소수의 덧셈과 뺄셈

5-2

4. 소수의 곱셈
· (소수)×(자연수)
· (소수)×(소수)

4 소수의 곱셈

Teaching Guide

소수의 곱셈을 학습하는 목표는 단순히 소수의 연산을 잘하고자 함이 아니라 소수점의 위치가 어떤 규칙에 따라 들어가는지, 소수의 곱셈을 어떤 원리로 하는지를 이해하고 연습하는 것입니다. 소수의 곱셈은 자연수의 곱셈과 같은 계산 방법을 적용할 수 있습니다. 소수점의 위치와 관계없이 자연수의 곱셈처럼 계산한 후, 소수점의 위치를 정해 주는 것입니다. 그중에서도 곱하는 수가 10, 100, 1000 등의 자연수인 경우와 0.1, 0.01, 0.001 등의 소수인 경우에 곱의 소수점의 위치가 정해지는 규칙성을 잘 알아 두는 것이 중요합니다.

2. 약수와 배수
- 약수와 배수
- 공약수와 최대공약수
- 공배수와 최소공배수

1. 분수의 나눗셈
- (자연수)÷(분수)
- (분수)÷(분수)

- 분모가 다른 진분수, 대분수의 덧셈과 뺄셈

2. 분수의 곱셈
- (분수)×(자연수)
- (분수)×(분수)

6-1

6-1

3. 소수의 나눗셈
- (소수)÷(자연수)
- (자연수)÷(자연수)

6-2

2. 소수의 나눗셈
- (소수)÷(소수)
- (자연수)÷(소수)

중학 1-1

유리수의 계산

제곱근과 실수

유리수와 순환소수

공부한 날짜

1일차	0.1의 개수를 생각하여 계산하기	월 일
2일차	소수를 분수로 고쳐서 계산하기	월 일
3일차	자연수의 곱셈으로 계산하기	월 일
4일차	곱의 소수점 위치의 규칙 찾기	월 일
5일차	곱의 소수점 위치를 이용한 자연수와 소수의 곱셈	월 일
6일차	곱의 소수점 위치를 이용한 소수끼리의 곱셈	월 일
7일차	소수의 곱셈 연습	월 일
8일차	응용 문제	월 일
9일차	형성 평가	월 일
10일차	단원 평가	월 일

01 0.1의 개수를 생각하여 계산하기

정답 24쪽

0.2×3

0.2	➡	0.1 0.1	➡	0.1 0.1
0.2		0.1 0.1		0.1 0.1
0.2		0.1 0.1		0.1 0.1

$0.2 \times 3 = (0.1 \times 2) \times 3 = 0.1 \times 6 = 0.6$

1 ☐ 안에 알맞은 수를 써넣으시오.

보기

0.1×6 ➡ 0.1을 6 번 더한 것
➡ 0.6

0.1×7 ➡ 0.1을 ☐ 번 더한 것
➡ ☐

0.1×8 ➡ 0.1을 ☐ 번 더한 것
➡ ☐

0.1×9 ➡ 0.1을 ☐ 번 더한 것
➡ ☐

0.1×10 ➡ 0.1을 ☐ 번 더한 것
➡ ☐

0.1×20 ➡ 0.1을 ☐ 번 더한 것
➡ ☐

0.1×30 ➡ 0.1을 ☐ 번 더한 것
➡ ☐

0.1×40 ➡ 0.1을 ☐ 번 더한 것
➡ ☐

0.1×54 ➡ 0.1을 ☐ 번 더한 것
➡ ☐

0.1×76 ➡ 0.1을 ☐ 번 더한 것
➡ ☐

2 □ 안에 알맞은 수를 써넣으시오.

보기

$1.6 = 0.1 \times$ 16

1.6은 0.1이 16개

$0.7 = 0.1 \times$ □

0.7은 0.1이 7개

$0.8 = 0.1 \times$ □

0.8은 0.1이 8개

$0.9 = 0.1 \times$ □

$1 = 0.1 \times$ □

$1.2 = 0.1 \times$ □

$1.5 = 0.1 \times$ □

$1.8 = 0.1 \times$ □

$2 = 0.1 \times$ □

$2.4 = 0.1 \times$ □

$3 = 0.1 \times$ □

$4 = 0.1 \times$ □

$3.2 = 0.1 \times$ □

$4.1 = 0.1 \times$ □

$7.5 = 0.1 \times$ □

$5.8 = 0.1 \times$ □

$6 = 0.1 \times$ □

$8.4 = 0.1 \times$ □

$1.9 = 0.1 \times$ □

$3.7 = 0.1 \times$ □

$9.2 = 0.1 \times$ □

$8 = 0.1 \times$ □

$6.3 = 0.1 \times$ □

$4.5 = 0.1 \times$ □

3 □ 안에 알맞은 수를 써넣으시오.

$7 \times 0.4 = 7 \times 0.1 \times 4$
$= 0.1 \times 28$
$= \square$

$0.6 \times 3 = 0.1 \times 6 \times 3$
$= 0.1 \times \square$
$= \square$

$8 \times 0.2 = 8 \times 0.1 \times \square$
$= 0.1 \times \square$
$= \square$

$0.5 \times 9 = 0.1 \times \square \times 9$
$= 0.1 \times \square$
$= \square$

$4 \times 0.8 = 4 \times 0.1 \times \square$
$= 0.1 \times \square$
$= \square$

$0.9 \times 6 = 0.1 \times \square \times 6$
$= 0.1 \times \square$
$= \square$

$3 \times 0.7 = 3 \times 0.1 \times \square$
$= 0.1 \times \square$
$= \square$

$0.4 \times 6 = 0.1 \times \square \times 6$
$= 0.1 \times \square$
$= \square$

$5 \times 0.5 = 5 \times 0.1 \times \square$
$= 0.1 \times \square$
$= \square$

$1.2 \times 3 = 0.1 \times \square \times 3$
$= 0.1 \times \square$
$= \square$

$5 \times 1.3 = 5 \times 0.1 \times \square$
$= 0.1 \times \square$
$= \square$

$1.6 \times 4 = 0.1 \times \square \times 4$
$= 0.1 \times \square$
$= \square$

$3 \times 1.5 = 3 \times 0.1 \times \square$
$= 0.1 \times \square$
$= \square$

$2.6 \times 2 = 0.1 \times \square \times 2$
$= 0.1 \times \square$
$= \square$

$3 \times 3.2 = 3 \times 0.1 \times \square$
$= 0.1 \times \square$
$= \square$

 4 소수의 곱셈을 하시오.

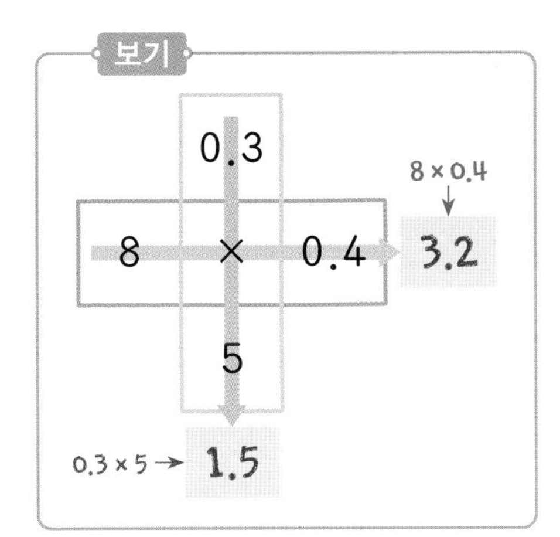

	0.5	
6	×	0.9
	7	

	4	
0.2	×	8
	0.6	

	0.7	
12	×	0.3
	4	

	11	
0.8	×	3
	0.4	

	1.2	
2	×	3.1
	4	

	6	
2.4	×	2
	1.3	

	1.8	
4	×	3.2
	3	

	5	
1.5	×	7
	2.1	

02 소수를 분수로 고쳐서 계산하기

정답 25쪽

분자 쓰기 / 소수점 찍기

$\frac{27}{10}$ ➡ 27 ➡ 2.7 ➡ 2.7
분모에 0이 1개 / 소수 1자리 수

$\frac{12}{100}$ ➡ 12 ➡ .12 ➡ 0.12
분모에 0이 2개 / 소수 2자리 수

$\frac{43}{1000}$ ➡ 43 ➡ 0.043 ➡ 0.043
분모에 0이 3개 / 소수 3자리 수

소수 → 분수

분자 쓰기 / 분모 쓰기

0.5 ➡ 5 ➡ $\frac{5}{10}$
소수 1자리 수 / 분모에 0이 1개

1.29 ➡ 129 ➡ $\frac{129}{100}$
소수 2자리 수 / 분모에 0이 2개

0.063 ➡ 63 ➡ $\frac{63}{1000}$
소수 3자리 수 / 분모에 0이 3개

1 분수를 소수로 나타내어 보시오.

보기

$\frac{9}{10}$ = 0.9
분모에 0이 1개 / 소수 1자리 수

$\frac{47}{100}$ = .47
분모에 0이 2개 / 소수 2자리 수

$\frac{121}{1000}$ = .121
분모에 0이 3개 / 소수 3자리 수

$\frac{7}{10}$ =

$\frac{9}{100}$ =

$\frac{36}{1000}$ =

$\frac{11}{10}$ =

$\frac{125}{100}$ =

$\frac{2038}{1000}$ =

$\frac{54}{10}$ =

$\frac{379}{100}$ =

$\frac{4107}{1000}$ =

$\frac{121}{10}$ =

$\frac{2008}{100}$ =

$\frac{9315}{1000}$ =

2 소수를 분수로 나타내어 보시오.

보기

$0.2 = \frac{2}{10}$

소수 1 자리 수 / 분모에 0이 1개

$0.45 = \frac{45}{\square}$

소수 2 자리 수 / 분모에 0이 2개

$2.183 = \frac{2183}{\square}$

소수 3 자리 수 / 분모에 0이 3개

$0.5 = \frac{\square}{\square}$

$0.28 = \frac{\square}{\square}$

$0.461 = \frac{\square}{\square}$

$0.7 = \frac{\square}{\square}$

$0.63 = \frac{\square}{\square}$

$0.109 = \frac{\square}{\square}$

$0.9 = \frac{\square}{\square}$

$0.08 = \frac{\square}{\square}$

$0.014 = \frac{\square}{\square}$

$1.3 = \frac{\square}{\square}$

$2.11 = \frac{\square}{\square}$

$4.713 = \frac{\square}{\square}$

$5.7 = \frac{\square}{\square}$

$3.89 = \frac{\square}{\square}$

$6.016 = \frac{\square}{\square}$

● **소수를 분수로 고쳐서 계산하기**

소수 → 분수	소수 → 분수
$0.3\times4=\frac{3}{10}\times4$	$0.2\times0.6=\frac{2}{10}\times\frac{6}{10}$
$=\frac{12}{10}$	$=\frac{12}{100}$
$=1.2$	$=0.12$

3 보기 와 같이 소수를 분수로 고쳐서 계산해 보시오.

보기

소수 → 분수

$0.2\times7=\frac{2}{10}\times7$

$=\frac{14}{10}$

$=1.4$

$8\times0.4=8\times\frac{\square}{\square}$

$=\frac{\square}{\square}$

$=\square$

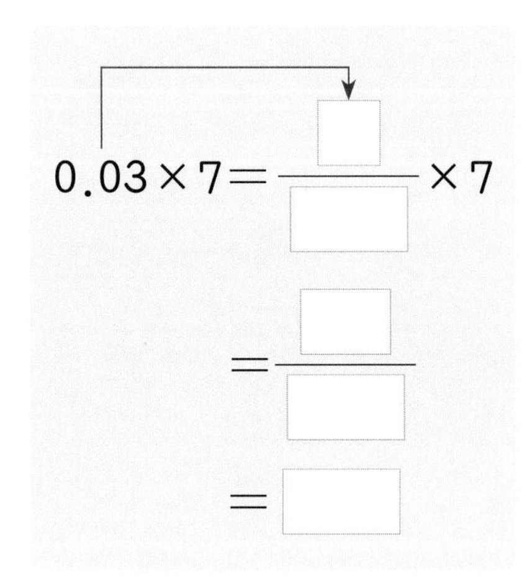

$5\times0.09=5\times\frac{\square}{\square}$

$=\frac{\square}{\square}$

$=\square$

$1.3\times2=\frac{\square}{\square}\times2$

$=\frac{\square}{\square}$

$=\square$

$2.01\times3=\frac{\square}{\square}\times3$

$=\frac{\square}{\square}$

$=\square$

$5\times3.01=5\times\frac{\square}{\square}$

$=\frac{\square}{\square}$

$=\square$

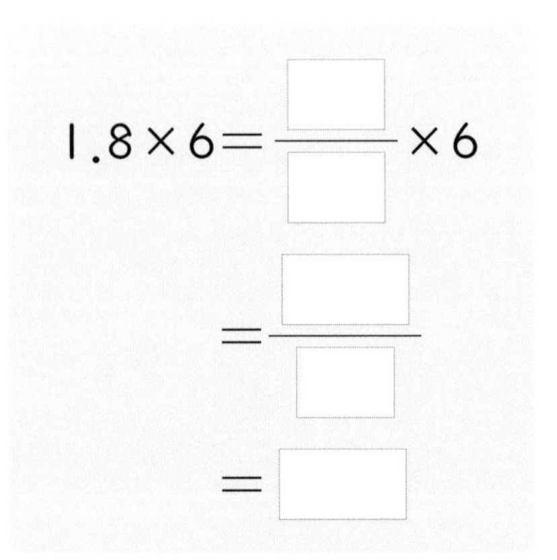

4 보기 와 같이 소수를 분수로 고쳐서 계산해 보시오.

보기

소수 → 분수

$0.16 \times 0.2 = \frac{16}{100} \times \frac{2}{10}$

$= \frac{32}{1000}$

$= 0.032$

$0.3 \times 0.15 = \frac{\square}{\square} \times \frac{\square}{\square}$

$= \frac{\square}{\square}$

$= \square$

$0.4 \times 0.7 = \frac{\square}{\square} \times \frac{\square}{\square}$

$= \frac{\square}{\square}$

$= \square$

$0.08 \times 0.6 = \frac{\square}{\square} \times \frac{\square}{\square}$

$= \frac{\square}{\square}$

$= \square$

$1.2 \times 0.6 = \frac{\square}{\square} \times \frac{\square}{\square}$

$= \frac{\square}{\square}$

$= \square$

$1.5 \times 1.3 = \frac{\square}{\square} \times \frac{\square}{\square}$

$= \frac{\square}{\square}$

$= \square$

$1.05 \times 3.2 = \frac{\square}{\square} \times \frac{\square}{\square}$

$= \frac{\square}{\square}$

$= \square$

$10.4 \times 2.01 = \frac{\square}{\square} \times \frac{\square}{\square}$

$= \frac{\square}{\square}$

$= \square$

03 자연수의 곱셈으로 계산하기

정답 26쪽

● 자연수의 곱셈을 이용하여 소수와 자연수의 곱셈 계산하기

$4 \times 6 = 24$ → $\frac{1}{10}$배 ➡ $\frac{1}{10}$배 → $0.4 \times 6 = 2.4$

$5 \times 107 = 535$ → $\frac{1}{100}$배 ➡ $\frac{1}{100}$배 → $5 \times 1.07 = 5.35$

1 ▒ 안에 알맞은 수를 써넣으시오.

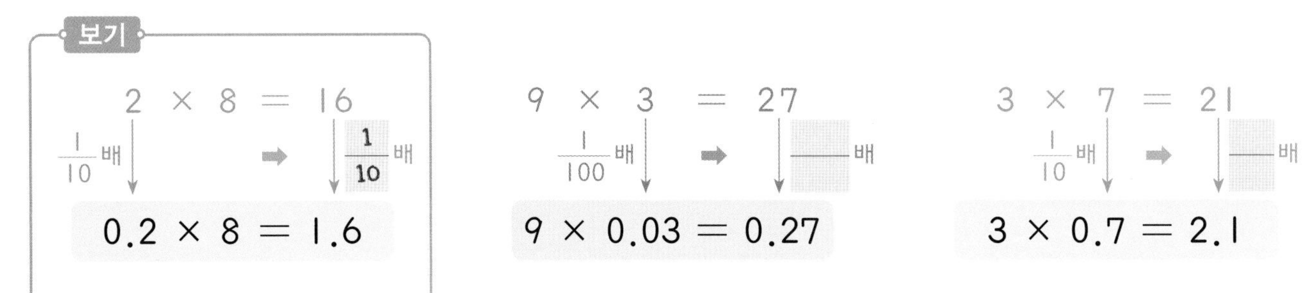

보기

$2 \times 8 = 16$ → $\frac{1}{10}$배 ➡ $\frac{1}{10}$배 → $0.2 \times 8 = 1.6$

$9 \times 3 = 27$ → $\frac{1}{100}$배 ➡ ▒배 → $9 \times 0.03 = 0.27$

$3 \times 7 = 21$ → $\frac{1}{10}$배 ➡ ▒배 → $3 \times 0.7 = 2.1$

$6 \times 9 = 54$ → $\frac{1}{100}$배 ➡ ▒배 → $0.06 \times 9 = 0.54$

$12 \times 3 = 36$ → $\frac{1}{10}$배 ➡ ▒배 → $1.2 \times 3 = 3.6$

$5 \times 103 = 515$ → $\frac{1}{100}$배 ➡ ▒배 → $5 \times 1.03 = 5.15$

$3 \times 16 = 48$ → $\frac{1}{10}$배 ➡ ▒배 → $3 \times 1.6 = 4.8$

$114 \times 4 = 456$ → $\frac{1}{100}$배 ➡ ▒배 → $1.14 \times 4 = 4.56$

$26 \times 2 = 52$ → $\frac{1}{10}$배 ➡ ▒배 → $2.6 \times 2 = 5.2$

$8 \times 102 = 816$ → $\frac{1}{100}$배 ➡ ▒배 → $8 \times 1.02 = 8.16$

$7 \times 36 = 252$ → $\frac{1}{10}$배 ➡ ▒배 → $7 \times 3.6 = 25.2$

$203 \times 3 = 609$ → $\frac{1}{100}$배 ➡ ▒배 → $2.03 \times 3 = 6.09$

 2 자연수의 곱셈을 이용하여 계산해 보시오.

보기

$5 \times 3 = 15$, $\frac{1}{10}$배 → $0.5 \times 3 = \square$ ➡ $5 \times 3 = 15$, $\frac{1}{10}$배 → $\frac{1}{10}$배 → $0.5 \times 3 = \square$ ➡ $5 \times 3 = 15$, $\frac{1}{10}$배 → $\frac{1}{10}$배 → $0.5 \times 3 = 1.5$

$7 \times 4 = 28$, $\frac{1}{100}$배 ➡ $\frac{1}{100}$배
$7 \times 0.04 = $ 28

$9 \times 8 = 72$, $\frac{1}{10}$배 ➡ $\frac{1}{10}$배
$9 \times 0.8 = $ 72

$13 \times 2 = 26$, $\frac{1}{100}$배 ➡ $\frac{1}{100}$배
$0.13 \times 2 = \square$

$6 \times 8 = 48$, $\frac{1}{10}$배 ➡
$6 \times 0.8 = \square$

$32 \times 4 = 128$, $\frac{1}{100}$배 ➡
$0.32 \times 4 = \square$

$7 \times 12 = 84$ ➡
$0.7 \times 12 = \square$

$5 \times 25 = 125$
$5 \times 0.25 = \square$

$18 \times 7 = 126$
$18 \times 0.7 = \square$

$43 \times 3 = 129$
$0.43 \times 3 = \square$

$6 \times 13 = 78$
$0.6 \times 13 = \square$

$2 \times 301 = 602$
$2 \times 3.01 = \square$

$4 \times 24 = 96$
$4 \times 2.4 = \square$

$307 \times 8 = 2456$
$3.07 \times 8 = \square$

$91 \times 3 = 273$
$9.1 \times 3 = \square$

$6 \times 241 = 1446$
$6 \times 2.41 = \square$

● 자연수의 곱셈을 이용하여 소수끼리의 곱셈 계산하기

$8 \times 2 = 16$

$\frac{1}{100}$배, $\frac{1}{10}$배 ➡ $\frac{1}{1000}$배

$0.08 \times 0.2 = 0.016$

3 ▢ 안에 알맞은 수를 써넣으시오.

보기

$6 \times 8 = 48$

$\frac{1}{10}$배, $\frac{1}{10}$배 ➡ $\frac{1}{100}$배

$0.6 \times 0.8 = 0.48$

$9 \times 5 = 45$

$\frac{1}{10}$배, $\frac{1}{100}$배 ➡ ▢배

$0.9 \times 0.05 = 0.045$

$12 \times 7 = 84$

$\frac{1}{100}$배, $\frac{1}{10}$배 ➡ ▢배

$0.12 \times 0.7 = 0.084$

$43 \times 2 = 86$

$\frac{1}{100}$배, $\frac{1}{100}$배 ➡ ▢배

$0.43 \times 0.02 = 0.0086$

$7 \times 9 = 63$

$\frac{1}{10}$배, $\frac{1}{10}$배 ➡ ▢배

$0.7 \times 0.9 = 0.63$

$5 \times 13 = 65$

$\frac{1}{10}$배, $\frac{1}{100}$배 ➡ ▢배

$0.5 \times 0.13 = 0.065$

$27 \times 3 = 81$

$\frac{1}{100}$배, $\frac{1}{10}$배 ➡ ▢배

$0.27 \times 0.3 = 0.081$

$102 \times 4 = 408$

$\frac{1}{100}$배, $\frac{1}{100}$배 ➡ ▢배

$1.02 \times 0.04 = 0.0408$

$26 \times 14 = 364$

$\frac{1}{10}$배, $\frac{1}{10}$배 ➡ ▢배

$2.6 \times 1.4 = 3.64$

$11 \times 203 = 2233$

$\frac{1}{10}$배, $\frac{1}{100}$배 ➡ ▢배

$1.1 \times 2.03 = 2.233$

$315 \times 8 = 2520$

$\frac{1}{100}$배, $\frac{1}{10}$배 ➡ ▢배

$3.15 \times 0.8 = 2.52$

$6 \times 416 = 2496$

$\frac{1}{100}$배, $\frac{1}{100}$배 ➡ ▢배

$0.06 \times 4.16 = 0.2496$

4 자연수의 곱셈을 이용하여 계산해 보시오.

보기

$6 \times 9 = 54$ ($\frac{1}{10}$배, $\frac{1}{10}$배) → $0.6 \times 0.9 = \square$

→ $6 \times 9 = 54$ ($\frac{1}{10}$배, $\frac{1}{10}$배 ➡ $\frac{1}{100}$배) → $0.6 \times 0.9 = \square$

→ $6 \times 9 = 54$ ($\frac{1}{10}$배, $\frac{1}{10}$배 ➡ $\frac{1}{100}$배) → $0.6 \times 0.9 = 0.54$

$3 \times 7 = 21$ ($\frac{1}{10}$배, $\frac{1}{100}$배 ➡ $\frac{1}{1000}$배)
$0.3 \times 0.07 =$ [21]

$14 \times 8 = 112$ ($\frac{1}{100}$배, $\frac{1}{10}$배 ➡ $\frac{1}{1000}$배)
$0.14 \times 0.8 =$ [112]

$29 \times 15 = 435$ ($\frac{1}{100}$배, $\frac{1}{100}$배 ➡ $\frac{1}{10000}$배)
$0.29 \times 0.15 = \square$

$4 \times 8 = 32$ ($\frac{1}{10}$배, $\frac{1}{10}$배 ➡)
$0.4 \times 0.8 = \square$

$7 \times 16 = 112$ ($\frac{1}{10}$배, $\frac{1}{100}$배 ➡)
$0.7 \times 0.16 = \square$

$34 \times 9 = 306$
$0.34 \times 0.9 = \square$

$25 \times 9 = 225$
$0.25 \times 0.09 = \square$

$6 \times 13 = 78$
$0.6 \times 1.3 = \square$

$12 \times 14 = 168$
$1.2 \times 0.14 = \square$

$516 \times 7 = 3612$
$5.16 \times 0.7 = \square$

$284 \times 4 = 1136$
$2.84 \times 0.04 = \square$

$37 \times 29 = 1073$
$3.7 \times 2.9 = \square$

$49 \times 8 = 392$
$4.9 \times 0.08 = \square$

$214 \times 35 = 7490$
$2.14 \times 3.5 = \square$

$308 \times 112 = 34496$
$3.08 \times 1.12 = \square$

04 곱의 소수점 위치의 규칙 찾기

정답 27쪽

	0.32 쓰기	소수점 이동	
0.32×10 (0이 1개)	0.32	0.32 (소수점 1칸 이동)	3.2
0.32×100 (0이 2개)	0.32	0.32 (소수점 2칸 이동)	32
0.32×1000 (0이 3개)	0.32	0.320 (소수점 3칸 이동)	320

1 소수점 위치를 생각하여 소수점을 바르게 찍어 보시오.

보기

0.15×10 (0이 1개) ➡ 0.15×10 (1칸 이동 ← 0이 1개) ➡ 0.15×10=1.5 (1칸 이동 ← 0이 1개)

0.562×10=5 6 2 (1칸 이동 ← 0이 1개)

0.302×100=3 0 2 (2칸 이동 ← 0이 2개)

0.117×1000=1 1 7 (3칸 이동 ← 0이 3개)

0.194×10=1 9 4 (← 0이 1개)

0.273×100=2 7 3 (← 0이 2개)

0.8751×1000=8 7 5 1

1.64×10=1 6 4

2.853×100=2 8 5 3

6.72×100=6 7 2

4.719×1000=4 7 1 9

2 ☐ 안에 알맞은 수를 써넣으시오.

보기

0.32×1000 (0이 3개) ➡ $0.32\bigcirc \times 1000$ (3칸 이동 ⬅ 0이 3개) ➡ $0.32\bigcirc \times 1000 = 320$ (3칸 이동 ⬅ 0이 3개)

$0.46 \times 10 =$ ☐ (1칸 이동 ⬅ 0이 1개)

$0.571 \times 100 =$ ☐ (2칸 이동 ⬅ 0이 2개)

$0.2903 \times 1000 =$ ☐ (3칸 이동 ⬅ 0이 3개)

$0.83 \times 10 =$ ☐ (⬅ 0이 1개)

$0.475 \times 100 =$ ☐ (⬅ 0이 2개)

$0.16 \times 1000 =$ ☐

$0.9 \times 10 =$ ☐

$0.7 \times 100 =$ ☐

$0.5 \times 1000 =$ ☐

$2.34 \times 10 =$ ☐

$1.732 \times 100 =$ ☐

$5.816 \times 1000 =$ ☐

$4.7 \times 10 =$ ☐

$1.8 \times 100 =$ ☐

$3.54 \times 1000 =$ ☐

$6.2 \times 10 =$ ☐

$9.3 \times 100 =$ ☐

$1.863 \times 1000 =$ ☐

$3.25 \times 10 =$ ☐

$7.01 \times 100 =$ ☐

$2.56 \times 1000 =$ ☐

	25.4 쓰기	소수점 이동	
25.4×0.1 (소수 1자리 수) ➡	25.4 ➡	25.4 (소수점 1칸 이동) ➡	2.54
25.4×0.01 (소수 2자리 수) ➡	25.4 ➡	25.4 (소수점 2칸 이동) ➡	0.254
25.4×0.001 (소수 3자리 수) ➡	25.4 ➡	0 25.4 (소수점 3칸 이동) ➡	0.0254

3 소수점 위치를 생각하여 소수점을 바르게 찍어 보시오.

보기

4.12×0.1 (소수 1자리) ➡ 4.12×0.1 (1칸 이동 ⬅ 소수 1자리) ➡ 4.12×0.1=0.412 (1칸 이동 ⬅ 소수 1자리)

32×0.1= 3 2 (1칸 이동 ⬅ 소수 1자리)

16×0.01= 1 6 (2칸 이동 ⬅ 소수 2자리)

1245×0.001= 1 2 4 5 (3칸 이동 ⬅ 소수 3자리)

43×0.1= 4 3 (⬅ 소수 1자리)

211×0.01= 2 1 1 (⬅ 소수 2자리)

379×0.001= 3 7 9

10.6×0.1= 1 0 6

21.7×0.01= 2 1 7

306.5×0.001= 3 0 6 5

628.4×0.1= 6 2 8 4

58.03×0.01= 5 8 0 3

187.43×0.001= 1 8 7 4 3

4 ☐ 안에 알맞은 수를 써넣으시오.

보기

960×0.1 (소수 1자리) ➡ 960×0.1 (1칸 이동 ⬅ 소수 1자리) ➡ $960 \times 0.1 = 96.0$ (1칸 이동 ⬅ 소수 1자리)

소수점 아래 0은 생략합니다.

$59 \times 0.1 =$ ☐ (1칸 이동 ⬅ 소수 1자리)

$237 \times 0.01 =$ ☐ (2칸 이동 ⬅ 소수 2자리)

$3965 \times 0.001 =$ ☐ (3칸 이동 ⬅ 소수 3자리)

$18 \times 0.1 =$ ☐ (⬅ 소수 1자리)

$64 \times 0.01 =$ ☐ (⬅ 소수 2자리)

$438 \times 0.001 =$ ☐

$7 \times 0.1 =$ ☐

$60 \times 0.01 =$ ☐

$57 \times 0.001 =$ ☐

$32.5 \times 0.1 =$ ☐

$10.3 \times 0.01 =$ ☐

$5004 \times 0.001 =$ ☐

$2.8 \times 0.1 =$ ☐

$1.6 \times 0.01 =$ ☐

$42.7 \times 0.001 =$ ☐

$51.6 \times 0.1 =$ ☐

$9.8 \times 0.01 =$ ☐

$3.2 \times 0.001 =$ ☐

$147 \times 0.1 =$ ☐

$70 \times 0.01 =$ ☐

$29 \times 0.001 =$ ☐

05 곱의 소수점 위치를 이용한 자연수와 소수의 곱셈

정답 28쪽

$2 \times 9 = 18$ → ($\frac{1}{10}$배, $\frac{1}{10}$배) → $0.2 \times 9 = 1.8$

(소수 1자리 수) × (자연수) → (소수 1자리 수)

$18 \times 7 = 126$ → ($\frac{1}{100}$배, $\frac{1}{100}$배) → $18 \times 0.07 = 1.26$

(자연수) × (소수 2자리 수) → (소수 2자리 수)

1 □ 안에 알맞은 수를 써넣고, 계산 결과에 소수점을 바르게 찍어 보시오.

보기

$0.5 \times 7 = 3\ 5$ (소수 1 자리 수) × (자연수) → (소수 1 자리 수) ➡ $0.5 \times 7 = 3.5$ (소수 1 자리 수) × (자연수) → (소수 1 자리 수)

$9 \times 0.6 = 5\ 4$
(자연수) × (소수 1 자리 수) → (소수 □ 자리 수)

$0.14 \times 8 = 1\ 1\ 2$
(소수 □ 자리 수) × (자연수) → (소수 □ 자리 수)

$3 \times 0.112 = 3\ 3\ 6$
(자연수) × (소수 □ 자리 수) → (소수 □ 자리 수)

$0.9 \times 7 = 6\ 3$
(소수 □ 자리 수) × (자연수) → (소수 □ 자리 수)

$6 \times 1.02 = 6\ 1\ 2$
(자연수) × (소수 □ 자리 수) → (소수 □ 자리 수)

$0.145 \times 9 = 1\ 3\ 0\ 5$
(소수 □ 자리 수) × (자연수) → (소수 □ 자리 수)

2 소수점 위치를 생각하여 계산해 보시오.

보기

$15 \times 0.03 = 45$ ➡ $15 \times 0.03 = 45$ (소수 2자리) ➡ (소수 2자리) ➡ $15 \times 0.03 = 0.45$

$0.3 \times 3 =$ 9 (3×3)
(소수 1자리) ➡ (소수 1자리)

$4 \times 0.06 =$ 24 (4×6)
(소수 2자리) ➡ (소수 2자리)

$0.024 \times 2 =$ 48 (24×2)
(소수 3자리) ➡ (소수 3자리)

$13 \times 0.2 =$
(소수 1자리) ➡ (소수 1자리)

$0.07 \times 8 =$
(소수 2자리) ➡ (소수 2자리)

$3 \times 0.032 =$
(소수 3자리) ➡ (소수 3자리)

$0.7 \times 11 =$

$3 \times 0.24 =$

$0.016 \times 4 =$

$5 \times 1.2 =$

$1.06 \times 8 =$

$4 \times 2.001 =$

$3.2 \times 7 =$

$5 \times 2.03 =$

$1.005 \times 9 =$

$8 \times 11.2 =$

$3.12 \times 4 =$

$3 \times 2.012 =$

$$\begin{array}{r} 0.4 \\ \times \quad 9 \\ \hline \end{array} \Rightarrow \begin{array}{r} 0.4 \\ \times \quad 9 \\ \hline 36 \end{array} \Rightarrow \begin{array}{r} 0.4 \\ \times \quad 9 \\ \hline 3.6 \end{array} \Rightarrow \begin{array}{r} 0.4 \\ \times \quad 9 \\ \hline 3.6 \end{array}$$

0.4 ← 소수 1자리 수

3.6 ← 소수 1자리 수

3 ▢ 안에 알맞은 수를 써넣고, 계산 결과에 소수점을 바르게 찍어 보시오.

보기

0.8 ← 소수 1 자리 수
× 7
5.6 ← 소수 1 자리 수

0.12 ← 소수 2 자리 수
× 9
1.08 ← 소수 2 자리 수

813
× 0.002 ← 소수 3 자리 수
1.626 ← 소수 3 자리 수

0.6 ← 소수 1 자리 수
× 4
24 ← 소수 ▢ 자리 수

14
× 0.08 ← 소수 ▢ 자리 수
112 ← 소수 ▢ 자리 수

1.026 ← 소수 ▢ 자리 수
× 9
9234 ← 소수 ▢ 자리 수

0.5 ← 소수 ▢ 자리 수
× 11
55 ← 소수 ▢ 자리 수

1.25 ← 소수 ▢ 자리 수
× 7
875 ← 소수 ▢ 자리 수

3
× 1.009 ← 소수 ▢ 자리 수
3027 ← 소수 ▢ 자리 수

24
× 0.3 ← 소수 ▢ 자리 수
72 ← 소수 ▢ 자리 수

7.06 ← 소수 ▢ 자리 수
× 9
6354 ← 소수 ▢ 자리 수

2.003 ← 소수 ▢ 자리 수
× 4
8012 ← 소수 ▢ 자리 수

4 소수점 위치를 생각하여 계산해 보시오.

보기

$$\begin{array}{r} 0.04 \\ \times \quad 6 \\ \hline \end{array} \Rightarrow \begin{array}{r} 0.04 \\ \times \quad 6 \\ \hline 24 \end{array} \Rightarrow \begin{array}{r} 0.04 \\ \times \quad 6 \\ \hline 24 \end{array} \Rightarrow \begin{array}{r} 0.04 \\ \times \quad 6 \\ \hline 0.24 \end{array}$$

소수 2자리 수 (0.04)
소수 2자리 수 (24)

$$\begin{array}{r} 0.3 \\ \times \quad 7 \\ \hline 21 \end{array}$$
← 소수 1자리 수 (0.3), ← 소수 1자리 수 (21)

$$\begin{array}{r} 8 \\ \times 0.09 \\ \hline 72 \end{array}$$
← 소수 2자리 수 (0.09), ← 소수 2자리 수 (72)

$$\begin{array}{r} 0.006 \\ \times \quad 2 \\ \hline 12 \end{array}$$
← 소수 3자리 수 (0.006), ← 소수 3자리 수 (12)

$$\begin{array}{r} 12 \\ \times 0.4 \\ \hline 48 \end{array}$$
← 소수 1자리 수 (0.4), ← 소수 1자리 수 (48)

$$\begin{array}{r} 0.13 \\ \times \quad 3 \\ \hline 39 \end{array}$$
← 소수 2자리 수 (0.13), ← 소수 2자리 수 (39)

$$\begin{array}{r} 42 \\ \times 0.002 \\ \hline \end{array}$$
← 소수 3자리 수 (0.002), ← 소수 3자리 수

$$\begin{array}{r} 0.9 \\ \times 21 \\ \hline \end{array}$$

$$\begin{array}{r} 17 \\ \times 0.06 \\ \hline \end{array}$$

$$\begin{array}{r} 1.203 \\ \times \quad 3 \\ \hline \end{array}$$

$$\begin{array}{r} 1.5 \\ \times \quad 9 \\ \hline \end{array}$$

$$\begin{array}{r} 3.04 \\ \times \quad 6 \\ \hline \end{array}$$

$$\begin{array}{r} 1031 \\ \times 0.005 \\ \hline \end{array}$$

$$\begin{array}{r} 2.6 \\ \times \quad 3 \\ \hline \end{array}$$

$$\begin{array}{r} 139 \\ \times 0.02 \\ \hline \end{array}$$

$$\begin{array}{r} 4.018 \\ \times \quad 4 \\ \hline \end{array}$$

06 곱의 소수점 위치를 이용한 소수끼리의 곱셈

정답 29쪽

$2 \times 13 = 26$

$\frac{1}{10}$배, $\frac{1}{100}$배 ➡ $\frac{1}{1000}$배

$0.2 \times 0.13 = 0.026$

(소수 1자리 수) × (소수 2자리 수) → (소수 3자리 수)

1 □ 안에 알맞은 수를 써넣고, 계산 결과에 소수점을 바르게 찍어 보시오.

보기

$0.4 \times 0.9 = 36$ ➡ $0.4 \times 0.9 = 0.36$

(소수 1 자리 수) × (소수 1 자리 수) → (소수 2 자리 수)

$0.3 \times 0.7 = 21$

(소수 1 자리 수) × (소수 1 자리 수) → (소수 □ 자리 수)

$0.8 \times 0.31 = 248$

(소수 □ 자리 수) × (소수 □ 자리 수) → (소수 □ 자리 수)

$0.12 \times 0.9 = 108$

(소수 □ 자리 수) × (소수 □ 자리 수) → (소수 □ 자리 수)

$1.9 \times 0.6 = 114$

(소수 □ 자리 수) × (소수 □ 자리 수) → (소수 □ 자리 수)

$0.5 \times 1.03 = 515$

(소수 □ 자리 수) × (소수 □ 자리 수) → (소수 □ 자리 수)

$0.24 \times 1.2 = 288$

(소수 □ 자리 수) × (소수 □ 자리 수) → (소수 □ 자리 수)

2 소수점 위치를 생각하여 계산해 보시오.

보기

$0.08 \times 0.5 = 40$ ➡ $0.08 \times 0.5 = 040$ ➡ $0.08 \times 0.5 = 0.040$

(소수 2자리) × (소수 1자리) ➡ (소수 3자리)

7×9

$0.7 \times 0.9 =$ 63

(소수 1자리) × (소수 1자리) ➡ (소수 2자리)

8×14

$0.8 \times 0.14 =$ 112

(소수 1자리) × (소수 2자리) ➡ (소수 3자리)

36×42

$0.36 \times 4.2 =$ 1512

(소수 2자리) × (소수 1자리) ➡ (소수 3자리)

25×93

$0.25 \times 0.93 =$ 2325

(소수 2자리) × (소수 2자리) ➡ (소수 4자리)

$1.3 \times 0.5 =$

(소수 1자리) × (소수 1자리) ➡ (소수 2자리)

$1.7 \times 0.03 =$

(소수 1자리) × (소수 2자리) ➡ (소수 3자리)

$2.12 \times 0.4 =$

$0.106 \times 0.3 =$

$5.4 \times 0.6 =$

$1.5 \times 0.09 =$

$1.46 \times 0.8 =$

$2.03 \times 0.07 =$

$6.8 \times 1.2 =$

$3.4 \times 0.09 =$

$0.75 \times 8.6 =$

$1.06 \times 0.4 =$

$2.7 \times 0.03 =$

$0.32 \times 1.2 =$

$$\begin{array}{r} 4.7 \\ \times\ 1.2 \\ \hline \end{array} \Rightarrow \begin{array}{r} 4.7 \\ \times\ 1.2 \\ \hline 5\ 6\ 4 \end{array} \Rightarrow \begin{array}{r} 4.7 \\ \times\ 1.2 \\ \hline 5\ 6\ 4 \end{array} \Rightarrow \begin{array}{r} 4.7 \\ \times\ 1.2 \\ \hline 5.6\ 4 \end{array}$$

4.7 ← 소수 1자리 수

× 1.2 ← 소수 1자리 수

5 6 4 ← 소수 2자리 수

3 ▒ 안에 알맞은 수를 써넣고, 계산 결과에 소수점을 바르게 찍어 보시오.

보기

1.2 ← 소수 1 자리 수

× 0.4 ← 소수 1 자리 수

0.4 8 ← 소수 2 자리 수

1.5 ← 소수 1 자리 수

× 1.4 9 ← 소수 2 자리 수

2 2 3 5 ← 소수 3 자리 수

2.3 6 ← 소수 2 자리 수

× 0.7 ← 소수 1 자리 수

1 6 5 2 ← 소수 3 자리 수

3.0 2 ← 소수 2 자리 수

× 0.4 8 ← 소수 2 자리 수

1 4 4 9 6 ← 소수 ▒ 자리 수

4.9 ← 소수 ▒ 자리 수

× 0.6 ← 소수 ▒ 자리 수

2 9 4 ← 소수 ▒ 자리 수

0.9 ← 소수 ▒ 자리 수

× 1.7 5 ← 소수 ▒ 자리 수

1 5 7 5 ← 소수 ▒ 자리 수

2.0 5 ← 소수 ▒ 자리 수

× 1.3 ← 소수 ▒ 자리 수

2 6 6 5 ← 소수 ▒ 자리 수

6.4 3 ← 소수 ▒ 자리 수

× 0.5 6 ← 소수 ▒ 자리 수

3 6 0 0 8 ← 소수 ▒ 자리 수

9.2 ← 소수 ▒ 자리 수

× 3.4 ← 소수 ▒ 자리 수

3 1 2 8 ← 소수 ▒ 자리 수

1.7 ← 소수 ▒ 자리 수

× 0.9 6 ← 소수 ▒ 자리 수

1 6 3 2 ← 소수 ▒ 자리 수

3.8 4 ← 소수 ▒ 자리 수

× 0.7 ← 소수 ▒ 자리 수

2 6 8 8 ← 소수 ▒ 자리 수

2.3 9 ← 소수 ▒ 자리 수

× 1.2 4 ← 소수 ▒ 자리 수

2 9 6 3 6 ← 소수 ▒ 자리 수

 4 소수점 위치를 생각하여 계산해 보시오.

보기

$$0.06 \times 0.3 \Rightarrow 0.06 \times 0.3 = 18 \Rightarrow$$

0.06 ← 소수 2자리 수
× 0.3 ← 소수 1자리 수
018 ← 소수 3자리 수

$$\Rightarrow 0.06 \times 0.3 = 0.018$$

0.4 ← 소수 1자리 수 × 0.8 ← 소수 1자리 수 32 ← 소수 2자리 수	0.8 ← 소수 1자리 수 × 0.09 ← 소수 2자리 수 72 ← 소수 3자리 수	0.006 ← 소수 3자리 수 × 0.7 ← 소수 1자리 수 42 ← 소수 4자리 수
0.12 ← 소수 2자리 수 × 0.03 ← 소수 2자리 수 36 ← 소수 4자리 수	3.4 ← 소수 1자리 수 × 0.7 ← 소수 1자리 수 238 ← 소수 2자리 수	1.5 ← 소수 1자리 수 × 0.09 ← 소수 2자리 수 ← 소수 3자리 수
1.03×0.5	1.2×0.016	0.37×0.08
3.4×0.05	2.06×0.7	4.31×0.09
8.2×1.6	1.03×0.14	5.02×0.04

07 소수의 곱셈 연습

정답 30쪽

1 소수의 곱셈을 하시오.

	×	
0.3	5	

0.3×5

	×	
0.04	7	

	×	
0.12	3	

	×	
4	0.9	

	×	
8	0.03	

	×	
3	0.21	

	×	
1.2	4	

	×	
2.6	3	

	×	
5.4	2	

	×	
6	1.1	

	×	
9	2.1	

	×	
3	2.4	

	×	
1.02	4	

	×	
2.13	3	

	×	
1.06	7	

	×	
2	3.12	

	×	
5	4.11	

	×	
8	2.09	

2 바르게 계산한 식을 찾아 ◯표 하고, 틀린 답을 맞게 고쳐 보시오.

보기

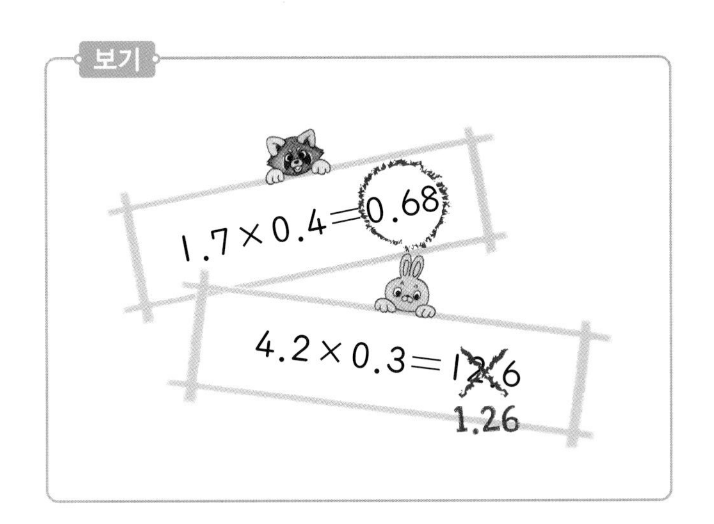

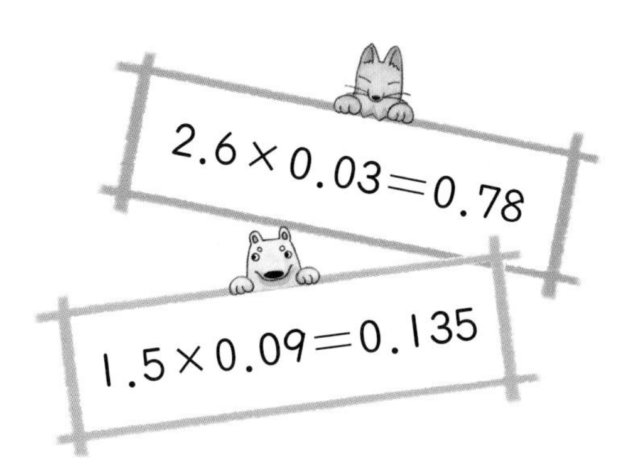

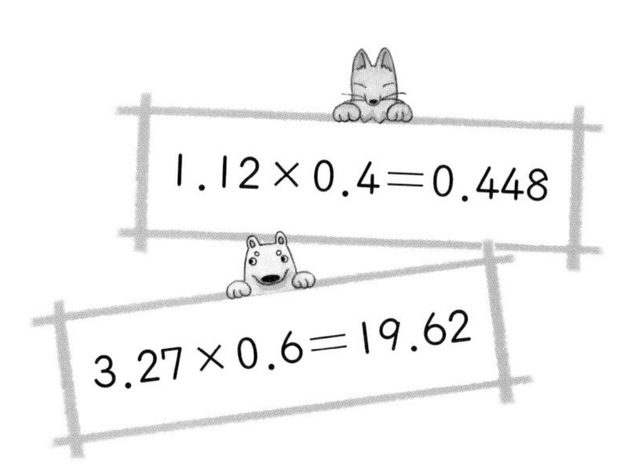

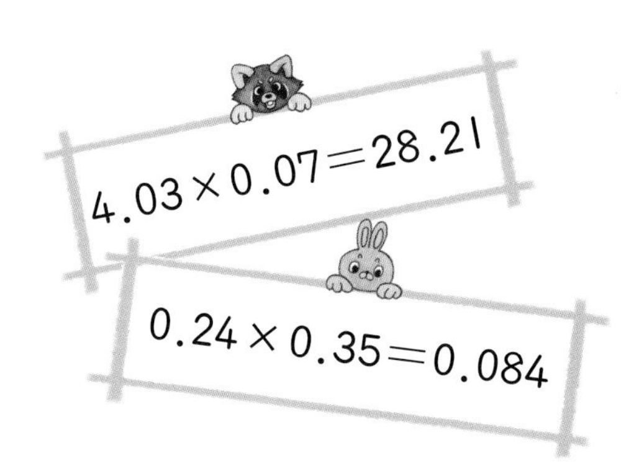

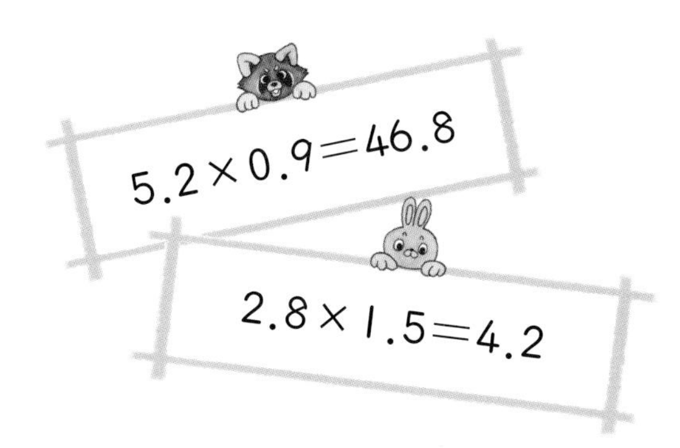

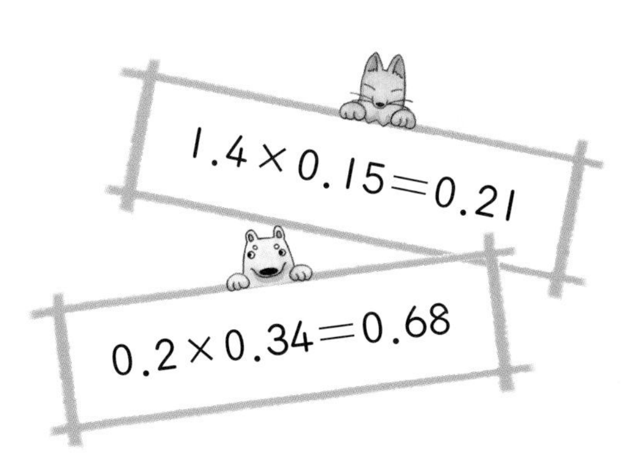

1.25×1.2=1.5

0.92×3.5=0.322

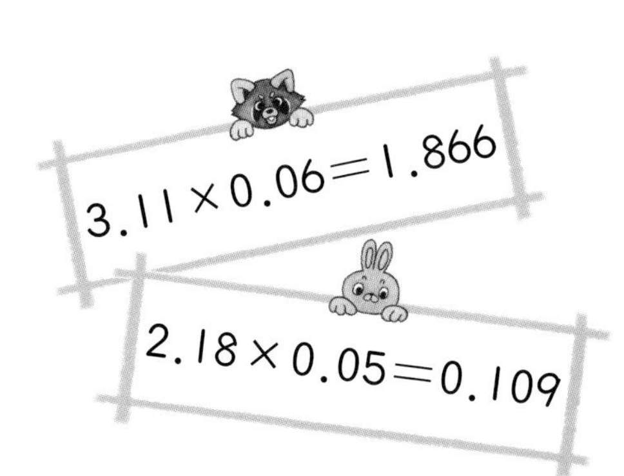

3 계산한 결과와 같은 칸을 찾아 해당 글자를 써넣어 수수께끼를 해결해 보시오.

세

$$\begin{array}{r} 0.5 \\ \times \quad 7 \\ \hline 3.5 \end{array}$$

서

$$\begin{array}{r} 0.4 \\ \times \quad 3 \\ \hline \end{array}$$

아

$$\begin{array}{r} 0.03 \\ \times \quad 7 \\ \hline \end{array}$$

에

$$\begin{array}{r} 9 \\ \times 0.2 \\ \hline \end{array}$$

다

$$\begin{array}{r} 0.3 \\ \times 0.6 \\ \hline \end{array}$$

가

$$\begin{array}{r} 1.4 \\ \times 0.2 \\ \hline \end{array}$$

름

$$\begin{array}{r} 0.7 \\ \times 0.6 \\ \hline \end{array}$$

는

$$\begin{array}{r} 1.2 \\ \times 0.5 \\ \hline \end{array}$$

상

$$\begin{array}{r} 0.35 \\ \times \quad 2.8 \\ \hline \end{array}$$

장

$$\begin{array}{r} 13 \\ \times 0.09 \\ \hline \end{array}$$

개

$$\begin{array}{r} 4.8 \\ \times 1.5 \\ \hline \end{array}$$

운

$$\begin{array}{r} 16 \\ \times 0.7 \\ \hline \end{array}$$

3.5	0.98	1.8	1.2
세			

0.28	1.17

0.21	0.42	0.18	11.2

7.2	0.6

?

수수께끼 답 ➡

4 소수의 곱셈 실력을 점검해 보시오.

실력 평가

맞힌 개수 개 | 제한 시간 10 분

1. 0.8×4
2. 0.9×7
3. 5×0.3
4. 0.06×9
5. 0.07×5
6. 12×0.04
7. 1.3×4
8. 2.6×3
9. 16×1.2
10. 2.01×5
11. 3.25×2
12. 13×1.02
13. 0.4×0.6
14. 0.08×0.7
15. 3.2×0.4
16. 1.3×0.8
17. 1.23×0.5
18. 0.7×2.4
19. 0.05×6.3
20. 1.4×9.02

수고하셨습니다!

정답 31쪽

새롬이는 매일 우유를 0.5 L씩 마십니다. 새롬이가 5일 동안 마시는 우유의 양은 몇 L입니까?

주어진 수에 ○표 하고, 구하는 것에 밑줄 치기

새롬이가 하루에 마시는 우유의 양: 0.5 L, 우유를 마시는 날 수: ☐ 일

문제 해결하기

하루에 마시는 우유의 양에 마시는 날 수를 (더합니다 , 곱합니다).

문제 풀기

(5일 동안 마시는 우유의 양)$=0.5\times5=$ ☐ (L)

답 쓰기

5일 동안 마시는 우유의 양은 ☐ L입니다.

태호의 몸무게는 34 kg입니다. 현주의 몸무게는 태호의 몸무게의 0.8배입니다. 현주의 몸무게는 몇 kg입니까?

주어진 수에 ○표 하고, 구하는 것에 밑줄 치기

태호의 몸무게: ☐ kg, 현주의 몸무게: 태호의 몸무게의 ☐ 배

문제 해결하기

태호의 몸무게에 0.8을 (더합니다 , 곱합니다).

문제 풀기

(현주의 몸무게)$=34\times0.8=$ ☐ (kg)

답 쓰기

현주의 몸무게는 ☐ kg입니다.

가로가 0.8 m이고, 세로가 0.6 m인 직사각형 모양의 종이가 있습니다. 이 종이의 넓이는 몇 m^2입니까?

주어진 수에 ○표 하고, 구하는 것에 밑줄 치기

종이의 가로: 0.8 m, 종이의 세로: m

문제 해결하기

가로의 길이와 세로의 길이를 (더합니다 , 곱합니다).

문제 풀기

(종이의 넓이)$=0.8\times0.6=$ (m^2)

답 쓰기

종이의 넓이는 m^2입니다.

지수는 한 시간에 3.12 km를 걷는다고 합니다. 같은 빠르기로 1.5시간 동안 몇 km를 걸을 수 있습니까?

주어진 수에 ○표 하고, 구하는 것에 밑줄 치기

한 시간에 걸을 수 있는 거리: km, 걷는 시간: 시간

문제 해결하기

한 시간에 걸을 수 있는 거리에 걷는 시간을 (더합니다 , 곱합니다).

문제 풀기

(1.5시간 동안 걸을 수 있는 거리)$=3.12\times1.5=$ (km)

답 쓰기

1.5시간 동안 걸을 수 있는 거리는 km입니다.

● ▢ 안에 알맞은 수를 써넣고, 답을 구하시오.

1 Drill

한 권의 무게가 0.3 kg인 동화책이 있습니다. 이 동화책 6권의 무게는 몇 kg입니까?

풀이 (동화책 6권의 무게)= ▢ × ▢ = ▢ (kg)

답 ______ kg

2 Drill

노란색 끈의 길이는 8 m이고, 파란색 끈의 길이는 노란색 끈의 길이의 1.25배입니다. 파란색 끈의 길이는 몇 m입니까?

풀이 (파란색 끈의 길이)= ▢ × ▢ = ▢ (m)

답 ______ m

3 Drill

준우는 폐휴지를 0.76 kg 모았고, 아라는 준우가 모은 폐휴지의 0.8배를 모았습니다. 아라가 모은 폐휴지의 무게는 몇 kg입니까?

풀이 (아라가 모은 폐휴지의 무게)= ▢ × ▢ = ▢ (kg)

답 ______ kg

4 Drill

식용유 1 L의 무게는 1.3 kg입니다. 식용유 2.5 L의 무게는 몇 kg입니까?

풀이 (식용유 2.5 L의 무게)= ▢ × ▢ = ▢ (kg)

답 ______ kg

● 서술형 문제를 읽고 풀이 과정과 답을 쓰시오.

도전 1

우희는 하루에 1.5시간씩 독서를 했습니다. 우희가 일주일 동안 독서한 시간은 몇 시간입니까?

풀이

답

도전 2

수박 한 통의 무게가 12 kg입니다. 멜론 한 통의 무게가 수박 한 통의 무게의 0.53배라면 멜론 한 통의 무게는 몇 kg입니까?

풀이

답

도전 3

희철이가 채집한 장수풍뎅이의 몸길이가 3.4 cm이고, 사마귀의 몸길이는 장수풍뎅이의 몸길이의 2.2배입니다. 사마귀의 몸길이는 몇 cm입니까?

풀이

답

도전 4

연우는 한 자루에 30.25 g인 색연필 10자루를, 보라는 한 개에 7.4 g인 사탕 80개를 갖고 있습니다. 연우와 보라 중 누가 갖고 있는 것의 무게가 더 무겁습니까?

풀이

형성평가

정답 32쪽 걸린 시간: 분 점 수: 점

01 ☐ 안에 알맞은 수를 써넣으시오.

(1) $4.8=0.1\times$ ☐

(2) $9=0.1\times$ ☐

02 ☐ 안에 알맞은 수를 써넣으시오.

(1) $2.7\times3=0.1\times$ ☐ $\times3$

$=0.1\times$ ☐

$=$ ☐

(2) $7\times1.8=7\times0.1\times$ ☐

$=0.1\times$ ☐

$=$ ☐

03 빈 곳에 알맞은 수를 써넣으시오.

	5.7		
8	×	1.2	☐
	6		
	☐		

04 분수는 소수로, 소수는 분수로 나타내어 보시오.

(1) $\dfrac{1357}{100}=$ ☐

(2) $7.249=\dfrac{☐}{☐}$

05 소수를 분수로 고쳐서 계산해 보시오.

(1) $6\times3.12=6\times\dfrac{☐}{☐}$

$=\dfrac{☐}{☐}$

$=$ ☐

(2) $1.08\times2.7=\dfrac{☐}{☐}\times\dfrac{☐}{☐}$

$=\dfrac{☐}{☐}$

$=$ ☐

06 자연수의 곱셈을 이용하여 계산해 보시오.

$8 \times 13 = 104$

$\frac{1}{10}$배 ↓ ➡ ↓ $\frac{1}{10}$배

$0.8 \times 13 = \square$

07 □ 안에 알맞은 수를 써넣으시오.

(1) $7 \times 9 = 63$

$\frac{1}{10}$배 ↓ $\frac{1}{10}$배 ↓ ➡ ↓ $\frac{\square}{}$배

$0.7 \times 0.9 = 0.63$

(2) $15 \times 13 = 195$

$\frac{1}{10}$배 ↓ $\frac{1}{100}$배 ↓ ➡ ↓ $\frac{\square}{}$배

$1.5 \times 0.13 = 0.195$

08 자연수의 곱셈을 이용하여 계산해 보시오.

(1) $27 \times 32 = 864$

$2.7 \times 3.2 = \square$

(2) $157 \times 64 = 10048$

$1.57 \times 6.4 = \square$

09 □ 안에 알맞은 수를 써넣으시오.

(1) $0.97 \times 10 = \square$

(2) $1.54 \times 10 = \square$

(3) $6.297 \times 100 = \square$

(4) $5.62 \times 100 = \square$

(5) $4.928 \times 1000 = \square$

10 □ 안에 알맞은 수를 써넣으시오.

(1) $67 \times 0.1 = \square$

(2) $2.8 \times 0.1 = \square$

(3) $15.7 \times 0.01 = \square$

(4) $947 \times 0.01 = \square$

(5) $246.8 \times 0.001 = \square$

11 ☐ 안에 알맞은 수를 써넣고, 계산 결과에 소수점을 바르게 찍어 보시오.

(1) 0.9 × 6 = 5 4

(☐ 소수 자리 수) × (자연수) → (☐ 소수 자리 수)

(2) 12 × 1.57 = 1 8 8 4

(자연수) × (☐ 소수 자리 수) → (☐ 소수 자리 수)

12 계산을 하시오.

(1) $2.47 \times 9 =$ ☐

(2) $4 \times 1.357 =$ ☐

13 ☐ 안에 알맞은 수를 써넣고, 계산 결과에 소수점을 바르게 찍어 보시오.

```
  4.1 5 8  ← 소수 ☐ 자리 수
×       2
---------
  8 3 1 6  ← 소수 ☐ 자리 수
```

14 계산을 하시오.

(1)

```
  3.0 8
×     3
-------
  ☐
```

(2)

```
      3 7
× 0.0 0 4
---------
  ☐
```

15 ☐ 안에 알맞은 수를 써넣고, 계산 결과에 소수점을 바르게 찍어 보시오.

(1) 5.7 × 2.6 = 1 4 8 2

(☐ 소수 자리 수) × (☐ 소수 자리 수) → (☐ 소수 자리 수)

(2) 1.28 × 5.8 = 7 4 2 4

(☐ 소수 자리 수) × (☐ 소수 자리 수) → (☐ 소수 자리 수)

16 계산을 하시오.

(1) $1.56 \times 2.3 =$ □

(2) $2.05 \times 1.7 =$ □

17 □ 안에 알맞은 수를 써넣고, 계산 결과에 소수점을 바르게 찍어 보시오.

$$\begin{array}{r} 3.72 \\ \times 0.54 \\ \hline 20088 \end{array}$$

3.72 ← 소수 □ 자리 수
× 0.54 ← 소수 □ 자리 수
20088 ← 소수 □ 자리 수

18 계산을 하시오.

(1)
$$\begin{array}{r} 3.14 \\ \times \quad 0.7 \\ \hline \square \end{array}$$

(2)
$$\begin{array}{r} 4.6 \\ \times 0.032 \\ \hline \square \end{array}$$

19 빈 곳에 알맞은 수를 써넣으시오.

(1)

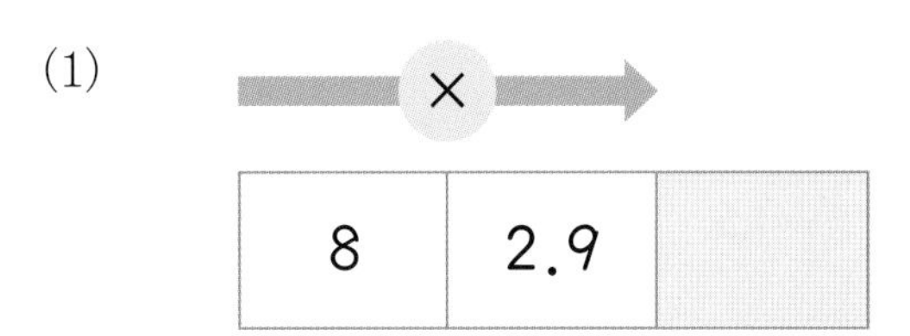

(2)

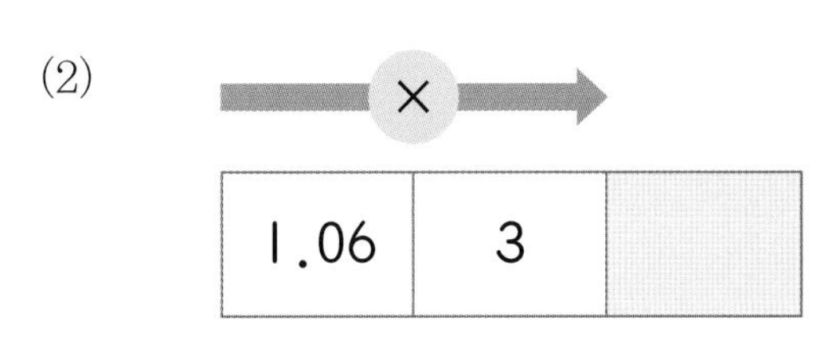

20 바르게 계산한 식을 찾아 ○표 하고, 틀린 답을 맞게 고쳐 보시오.

(1)

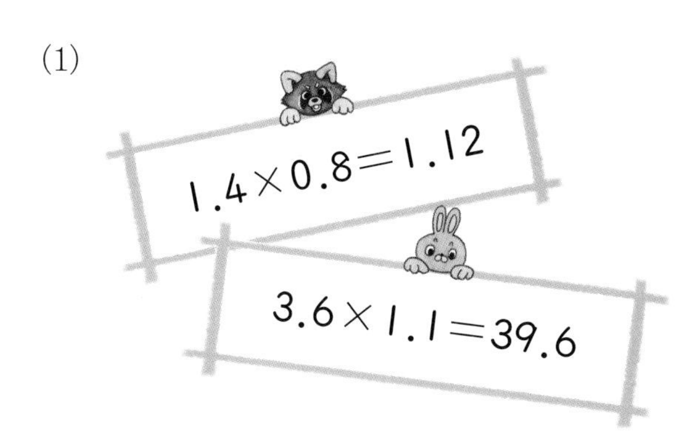

(2)

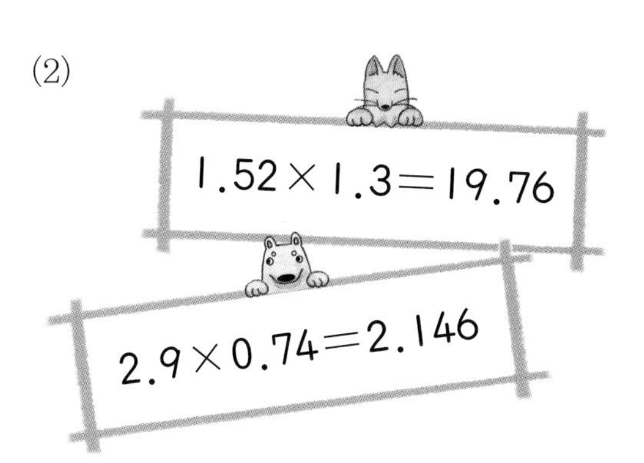

단원 평가

4. 소수의 곱셈

정답 33쪽

1 수직선을 보고 □ 안에 알맞은 수를 써넣으시오.

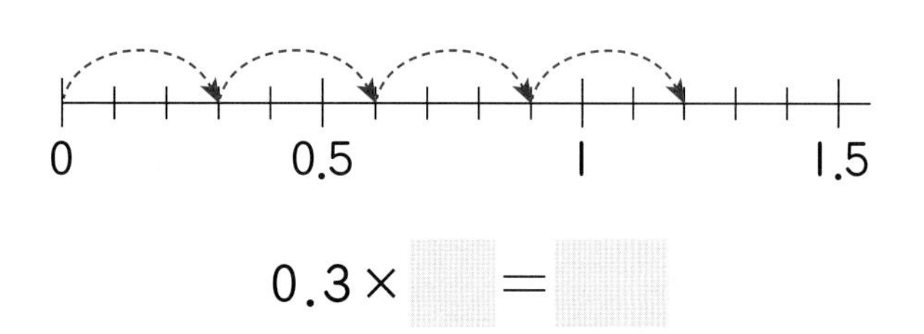

2 □ 안에 알맞은 수를 써넣으시오.

(1)

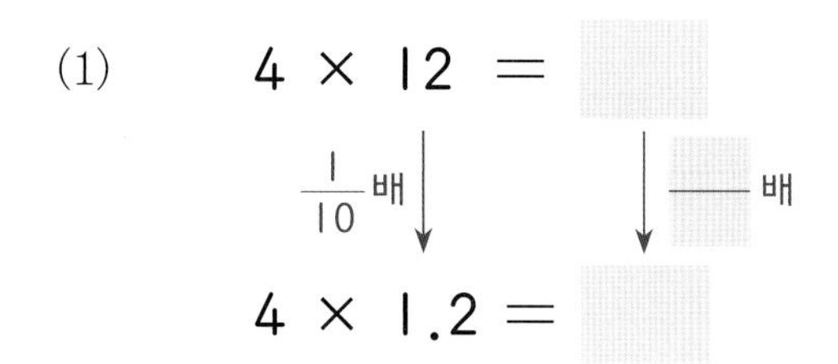

(2)

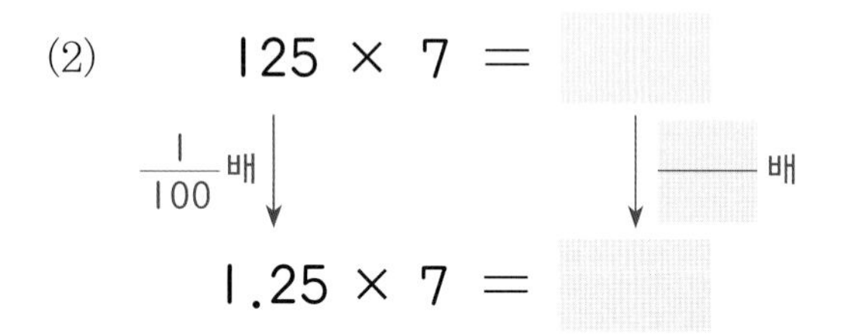

3 계산 결과가 나머지와 다른 것은 어느 것입니까? (　　　　)

① 0.7×3　　② 3×0.7
③ 0.7의 3배　　④ 0.7+0.7+0.7
⑤ 0.7×0.7×0.7

4 빈 곳에 알맞은 수를 써넣으시오.

(1)

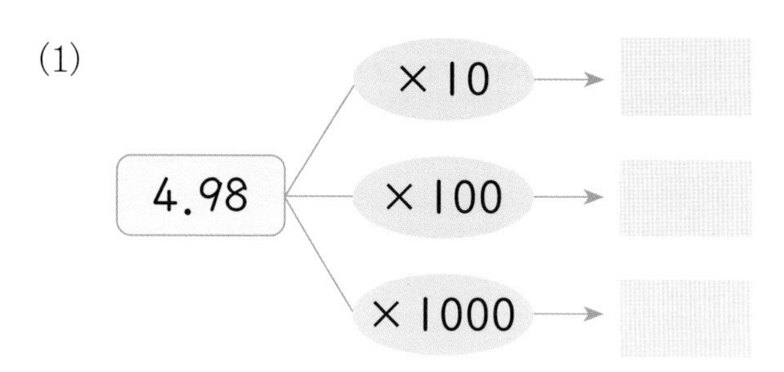

(2)

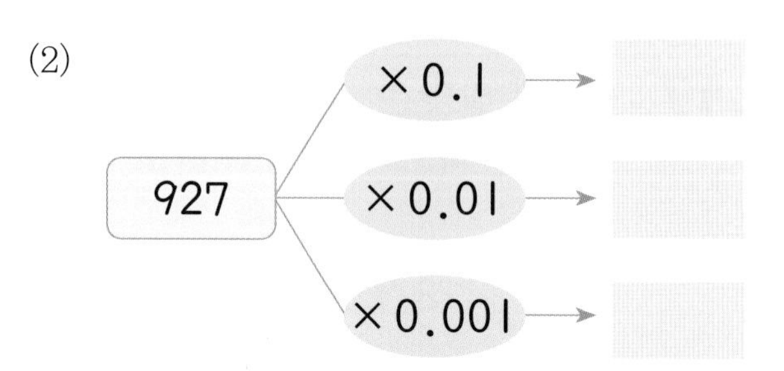

5 계산이 잘못된 곳을 찾아 바르게 계산해 보시오.

$$\begin{array}{r} 0.38 \\ \times\ 0.06 \\ \hline 2.28 \end{array} \Rightarrow$$

6 빈 곳에 알맞은 수를 써넣으시오.

(1)

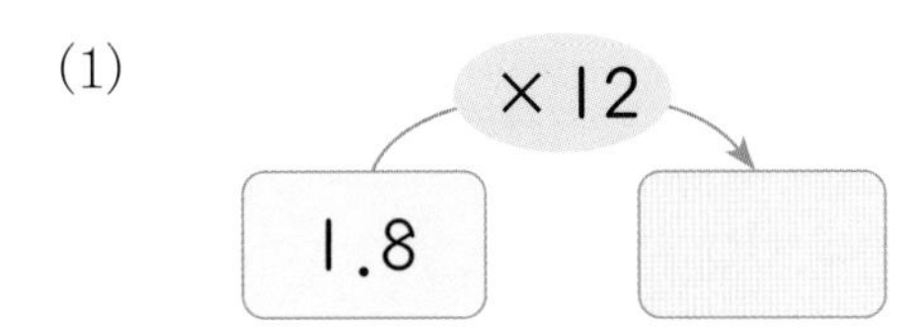

(2)

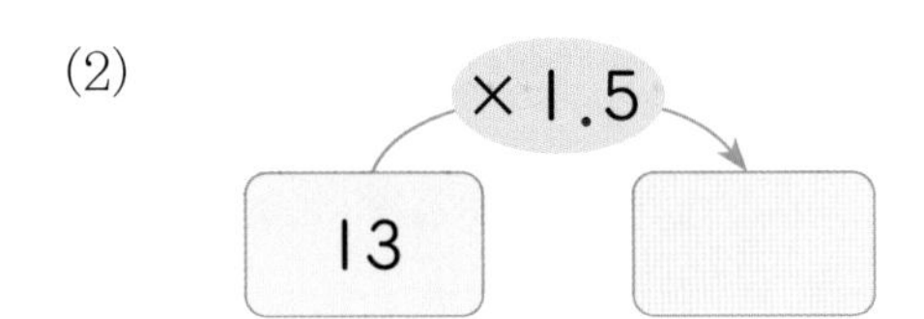

7 빈 곳에 알맞은 수를 써넣으시오.

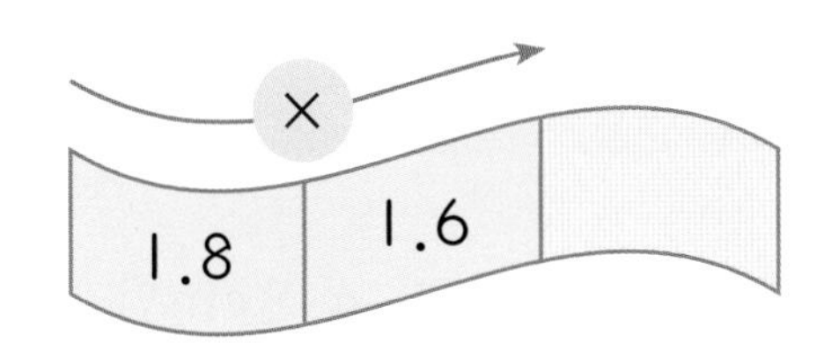

8 $785\times23=18055$를 이용하여 ☐ 안에 알맞은 수를 써넣으시오.

(1) $7.85\times2.3=$ ☐

(2) $7.85\times0.23=$ ☐

9 ㉠과 ㉡의 곱을 구하시오.

㉠ 0.1이 7개인 수
㉡ 0.1이 9개인 수

(　　　　　　)

10 평행사변형의 넓이를 구하시오.

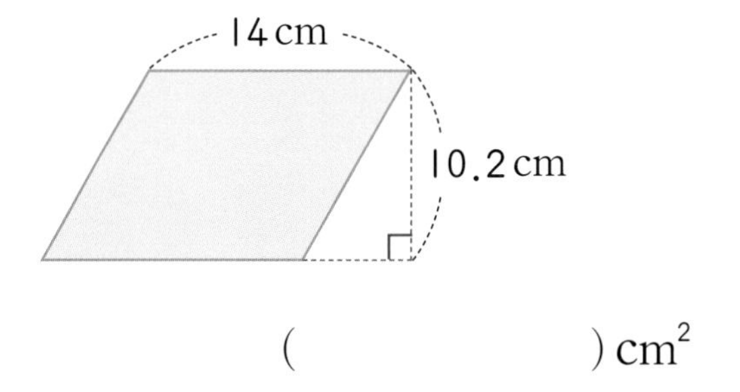

(　　　　　　) cm^2

11 ★이 같은 자연수일 때, 계산 결과가 가장 큰 것부터 차례로 1, 2, 3, 4를 쓰시오.

★ × 1.74 — ○

★ × 0.8 — ○

2.7 × ★ — ○

★ × 0.92 — ○

12 계산 결과가 더 큰 것을 찾아 ○표 하시오.

2.8 × 0.71	0.75 × 3.1
(　　)	(　　)

13 소금물 1L에 0.07kg의 소금이 녹아 있습니다. 이 소금물 0.5L에는 몇 kg의 소금이 녹아 있습니까?

(　　　　)kg

14 가장 큰 수와 가장 작은 수의 곱을 구하시오.

5.27	4.98	6.2
4.05	6.9	5.8

(　　　　)

15 한 변의 길이가 4.8cm인 정오각형이 있습니다. 이 정오각형의 둘레는 몇 cm입니까?

(　　　　)cm

16 ㉠에 알맞은 수는 ㉡에 알맞은 수의 몇 배입니까?

$67.5 \times ㉠ = 675$
$675 \times ㉡ = 6.75$

(　　　　　　)배

17 전체 길이가 20m인 종이가 있습니다. 색칠한 부분의 길이는 몇 m입니까?

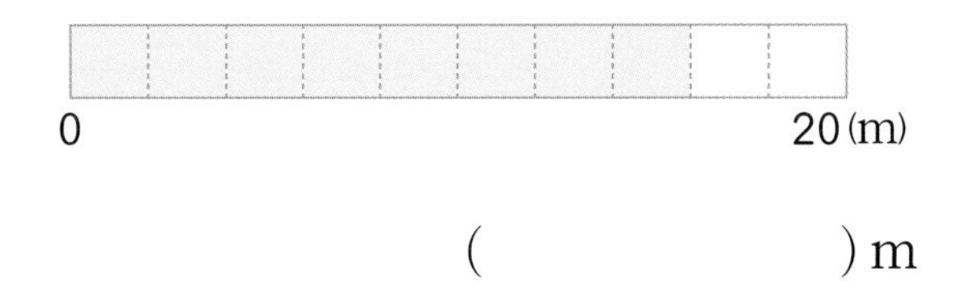

(　　　　　　) m

18 ☐ 안에 들어갈 수 있는 가장 큰 자연수는 얼마입니까?

$5.16 \times 3.5 > ☐$

(　　　　　　)

19 아버지의 키는 정국이의 키의 1.2배입니다. 정국이의 키가 140.5cm일 때, 아버지의 키는 몇 cm인지 풀이 과정을 쓰고 답을 구하시오.

풀이

답

20 한 시간 동안 95km를 일정한 빠르기로 달리는 자동차가 있습니다. 이 자동차로 2시간 30분 동안 달린다면 몇 km를 갈 수 있는지 풀이 과정을 쓰고 답을 구하시오.

풀이

답

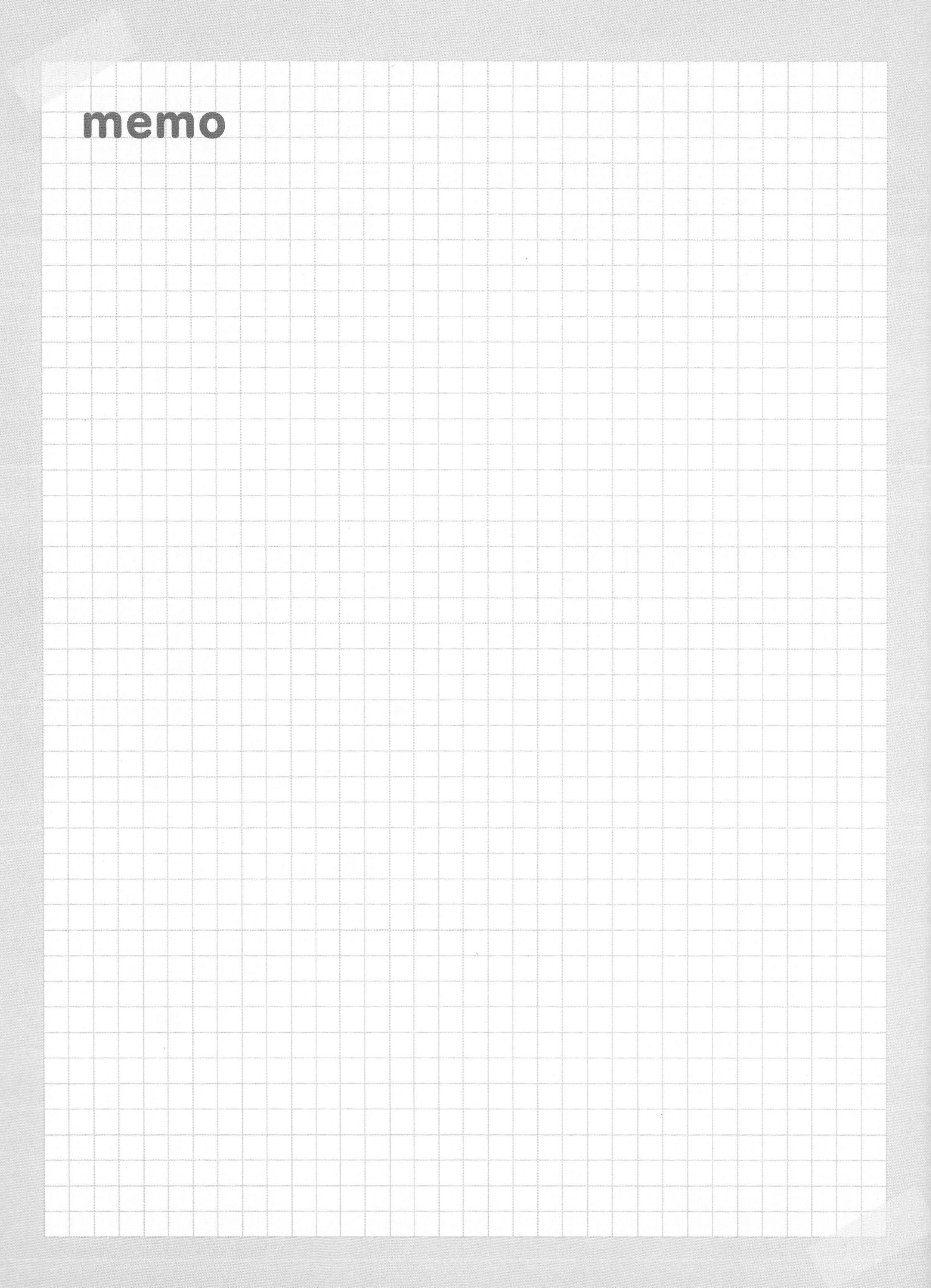
memo

FACTO school

5-2

초등 수학 팩토

단원별 계산력 수학

직육면체

매스티안

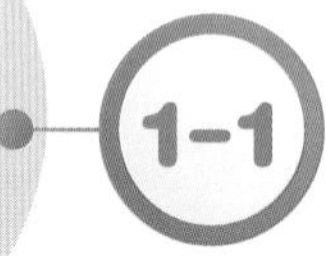

2. 여러 가지 모양

· 🟫, 🟫, ⚪ 모양
· 🟫, 🟫, ⚪ 모양으로 만들기

5. 직육면체

· 직육면체와 정육면체
· 직육면체의 겨냥도와 전개도

2. 각기둥과 각뿔

· 각기둥과 각뿔
· 각기둥의 전개도

6. 직육면체의 부피와 겉넓이

· 부피 비교하기
· 직육면체의 부피
· 직육면체의 겉넓이

기본 도형

5 직육면체

Teaching Guide

직육면체에서 각 면이나 모서리를 읽는 방법과 순서는 일반적으로 모서리는 왼쪽에서 오른쪽으로 읽습니다. '모서리 ㄱㄴ', '모서리 ㄴㄷ' 이런 식으로 읽습니다. 면을 읽을 때는 왼쪽 위부터 시계 반대 방향으로 '면 ㄱㄴㄷㄹ', '면 ㄴㅂㅅㄷ', '면 ㄷㅅㅇㄹ'로 읽습니다. 그러나 반드시 이 방법으로만 읽어야 하는 것은 아닙니다. '면 ㄱㄹㄷㄴ'처럼 시계 방향으로 읽어도 괜찮습니다.

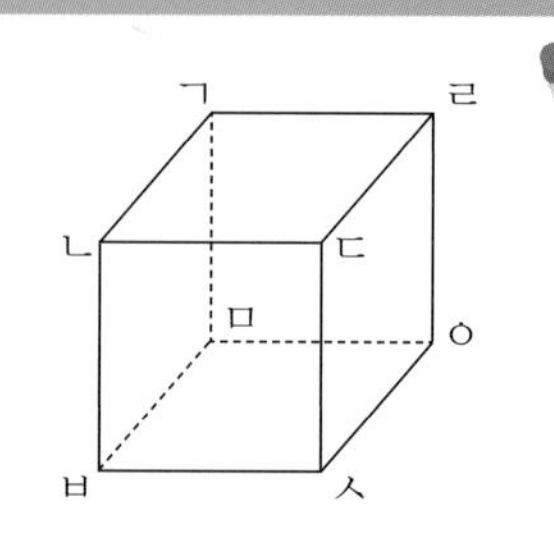

6. 원기둥, 원뿔, 구

- 원기둥, 원뿔, 구
- 원기둥의 전개도

다면체와 회전체

입체도형의
겉넓이와 부피

3. 공간과 입체

- 쌓은 모양과 쌓기나무의 개수
- 쌓기나무로 여러 가지 모양 만들기

공부한 날짜

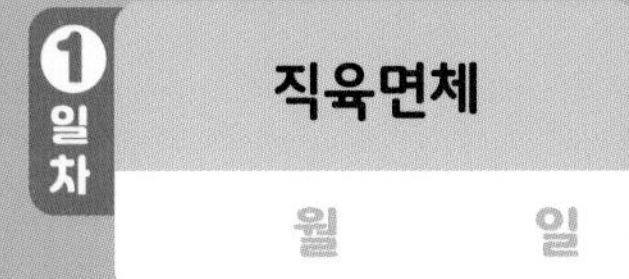

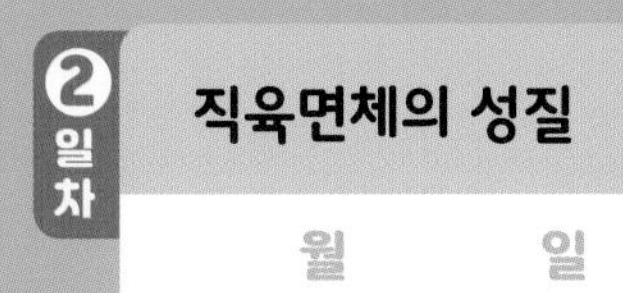

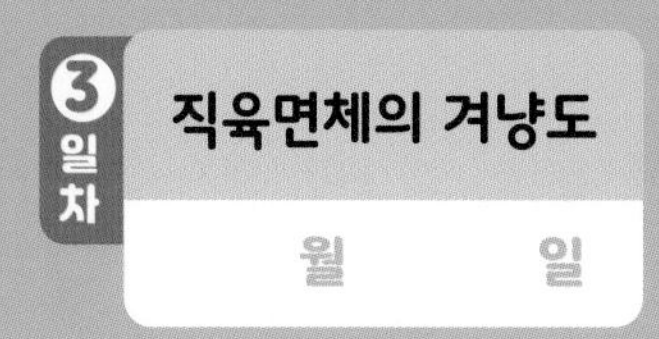

4 일차
직육면체의 전개도
월 일

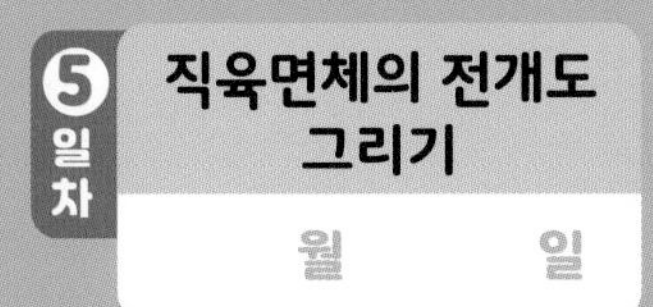

6 일차
응용 문제
월 일

01 직육면체

정답 34쪽

정육면체: 정사각형 6개로 둘러싸인 도형

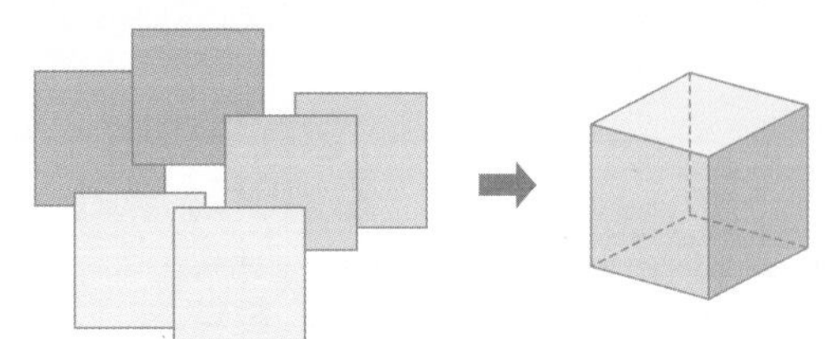

직육면체: 직사각형 6개로 둘러싸인 도형

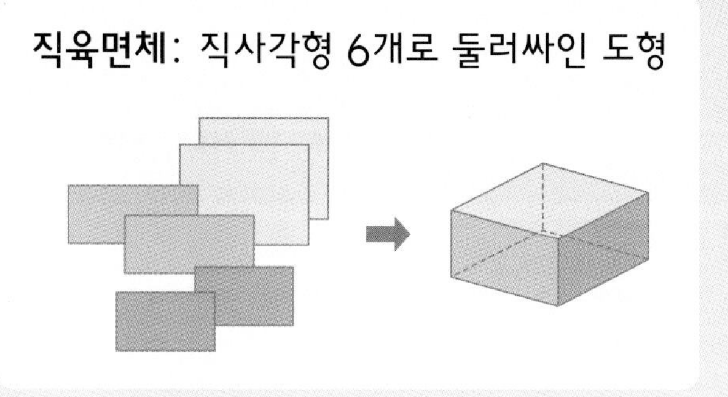

1 맞는 것에 모두 ○표, 틀린 것에 모두 ×표 하여 직육면체인지, 정육면체인지 알아보시오.

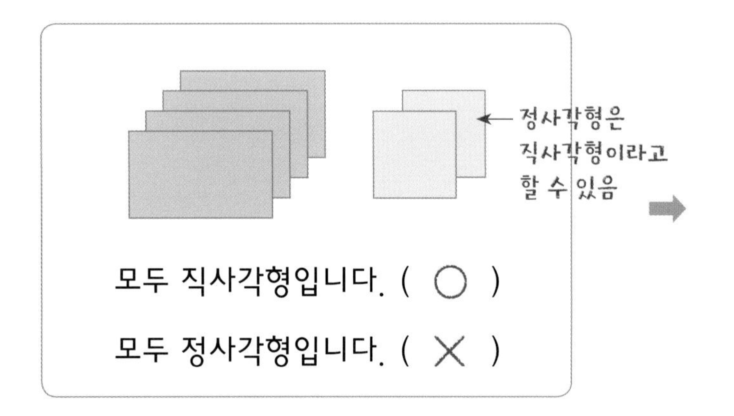

모두 직사각형입니다. (○)

모두 정사각형입니다. (×)

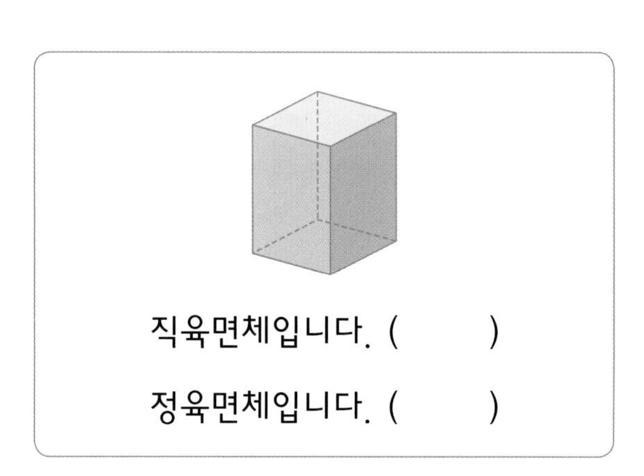

직육면체입니다. (　　)

정육면체입니다. (　　)

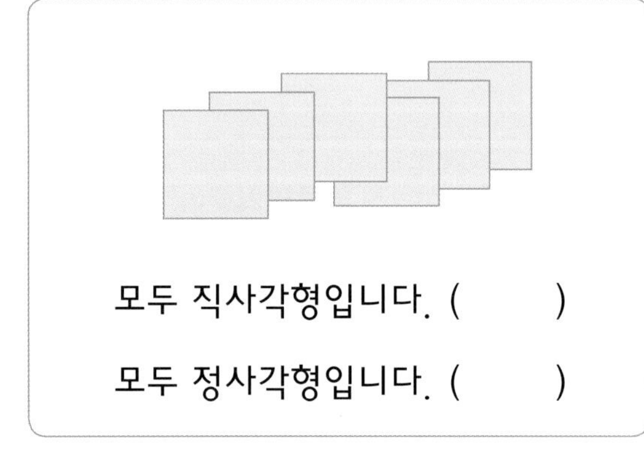

모두 직사각형입니다. (　　)

모두 정사각형입니다. (　　)

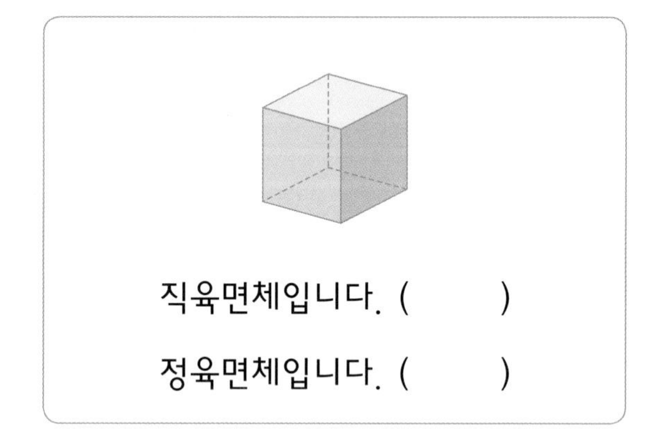

직육면체입니다. (　　)

정육면체입니다. (　　)

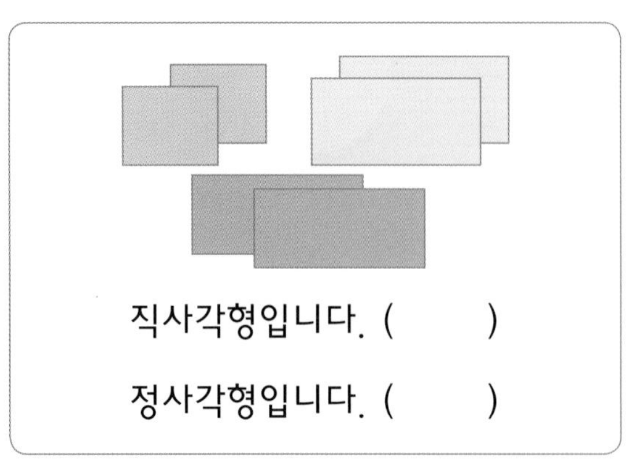

직사각형입니다. (　　)

정사각형입니다. (　　)

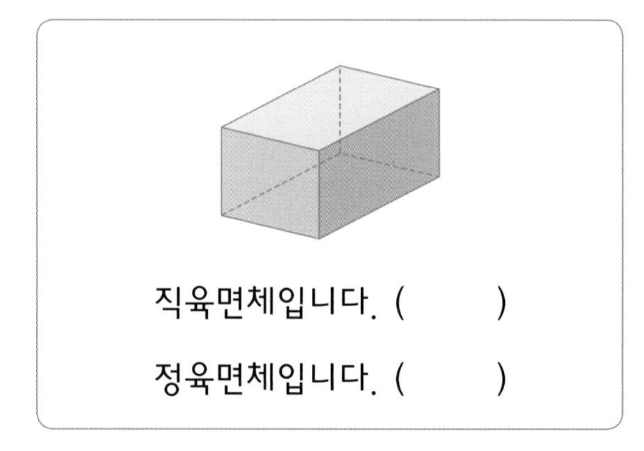

직육면체입니다. (　　)

정육면체입니다. (　　)

2 도형을 보고 알맞은 기호를 찾아 쓰시오.

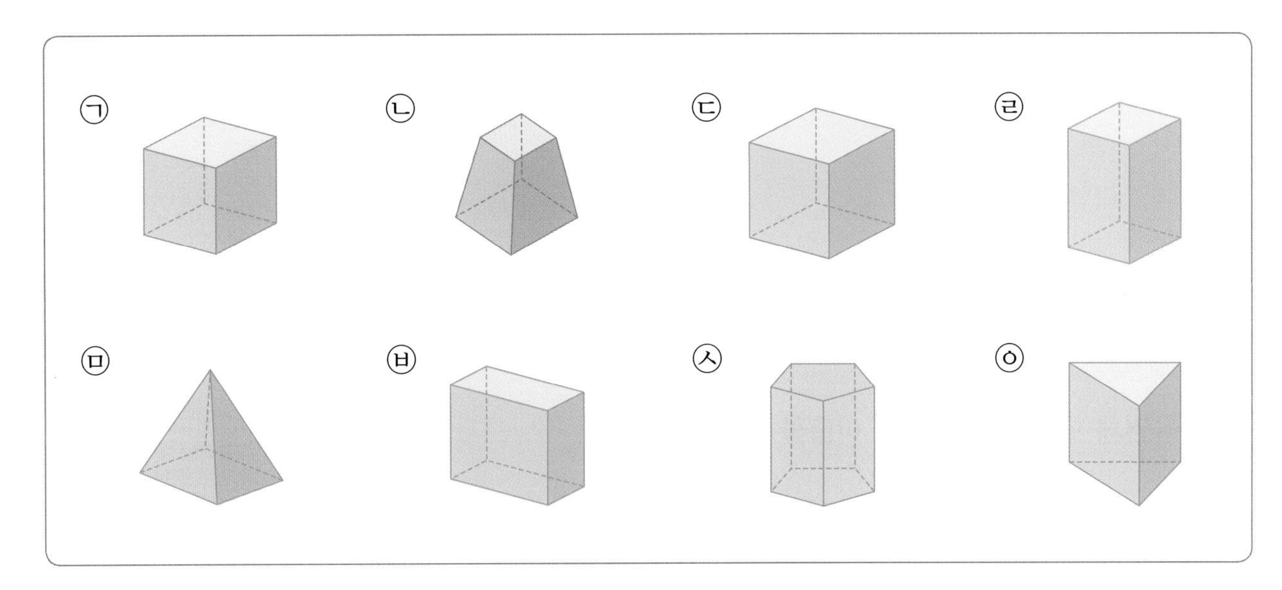

➡ 직육면체: ㉠, , ,

➡ 정육면체: ㉠,

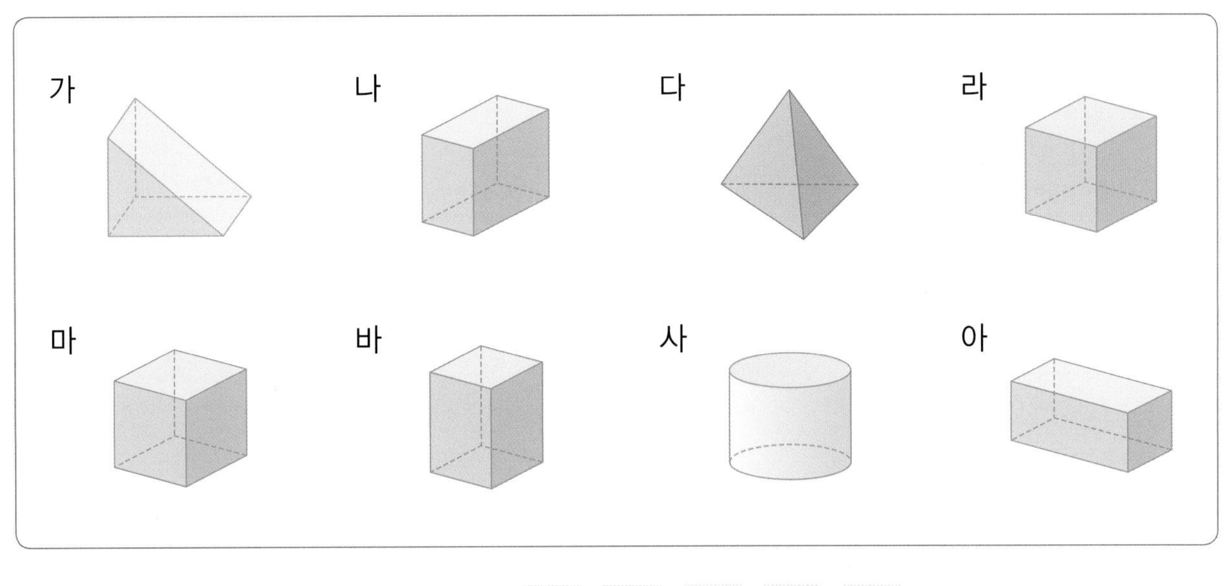

➡ 직육면체: , , , ,

➡ 정육면체: ,

직육면체의 구성 요소

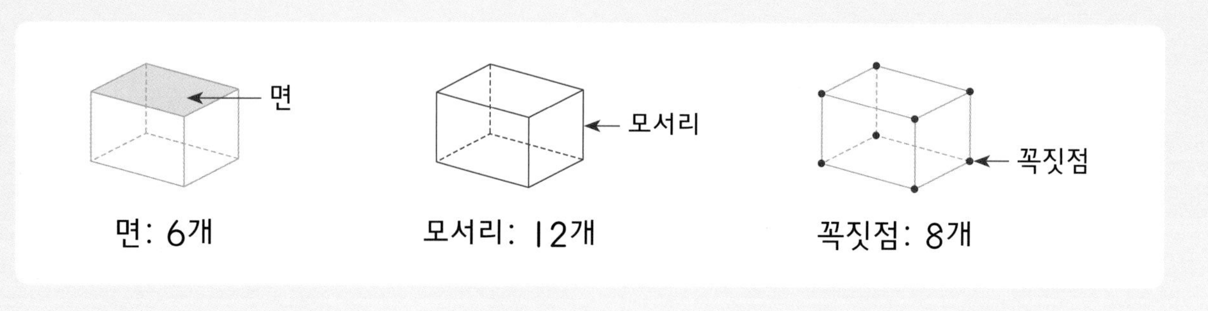

3 직육면체 모양의 각 부분의 이름을 ☐ 안에 알맞게 써넣으시오.

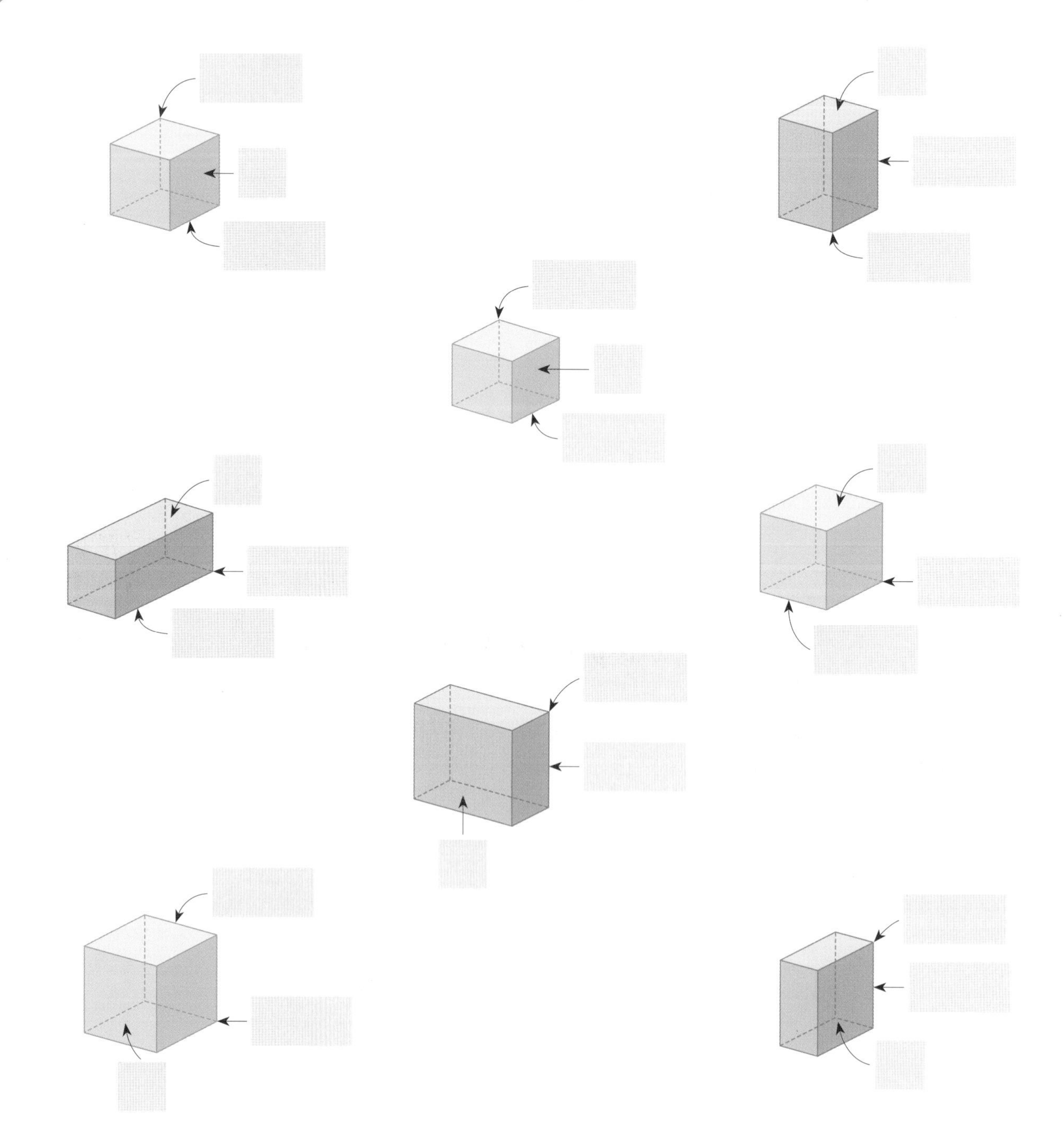

4 직육면체와 정육면체를 비교하여 빈칸에 알맞게 써넣고, 설명이 옳은 것은 ○표, 옳지 않은 것은 ×표 하시오.

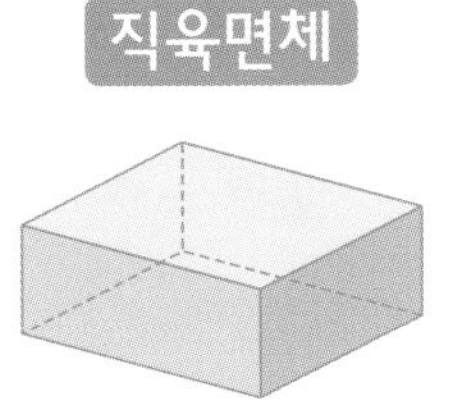

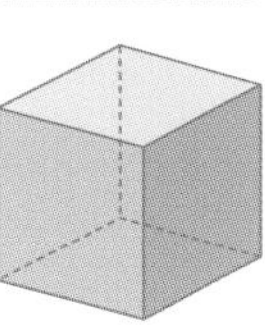

	면의 모양	면의 수(개)	모서리의 수(개)	꼭짓점의 수(개)
직육면체	직사각형	6		
정육면체				

- 직육면체는 6개의 직사각형으로 둘러싸여 있습니다. ……
- 정육면체의 면은 모양과 크기가 모두 다릅니다. ……
- 직육면체의 면은 모두 정사각형입니다. ……
- 정육면체의 모서리의 길이는 모두 같습니다. ……
- 직육면체와 정육면체는 면, 모서리, 꼭짓점의 수가 각각 같습니다. ……
- 정육면체에서 보이는 면은 6개, 보이지 않는 모서리는 3개입니다. ……
- 직육면체는 정육면체라고 할 수 있습니다. ……
- 정육면체는 직육면체라고 할 수 있습니다. ……

02 직육면체의 성질

정답 35쪽

밑면: 직육면체에서 서로 **평행한 두 면**

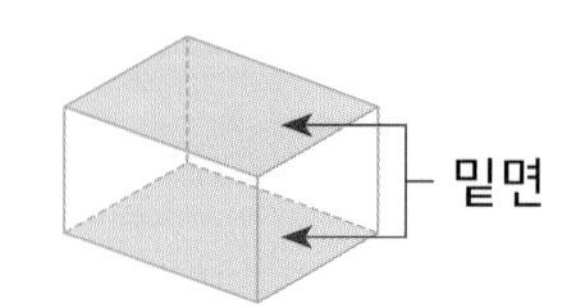

옆면: 직육면체에서 **밑면과 수직인 면**

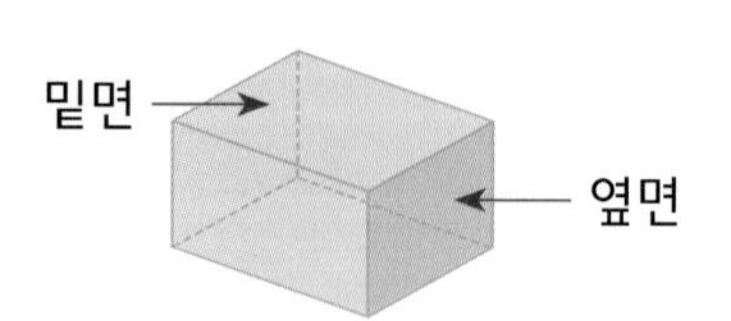

1 그림을 보고 알맞게 답하시오.

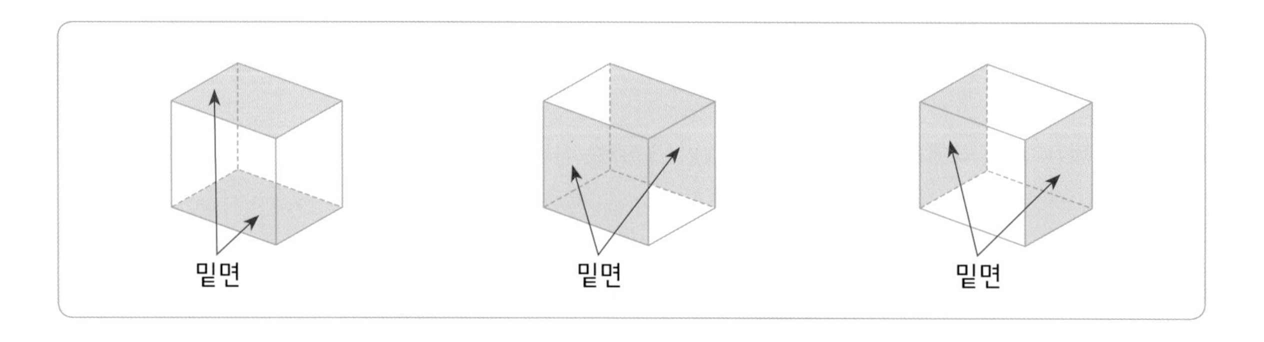

- 마주 보는 면은 서로 만나지 않으므로 (평행 , 수직)합니다.
- 평행한 두 면을 (밑면 , 옆면)이라고 합니다.
- 평행한 면이 모두 　 쌍이고, 이 평행한 면은 각각 (밑면 , 옆면)이 될 수 있습니다.

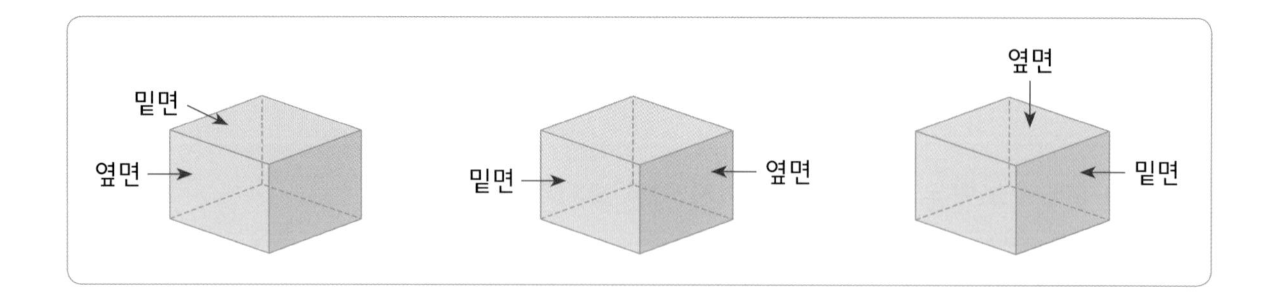

- 연두색 면과 파란색 면은 서로 (평행 , 수직)으로 만납니다.
- 연두색 면이 밑면일 때 밑면과 수직인 면을 (밑면 , 옆면)이라고 합니다.
- 밑면과 수직인 면이 　 개이므로 옆면도 　 개입니다.

2 색칠한 면의 이름을 쓰시오.

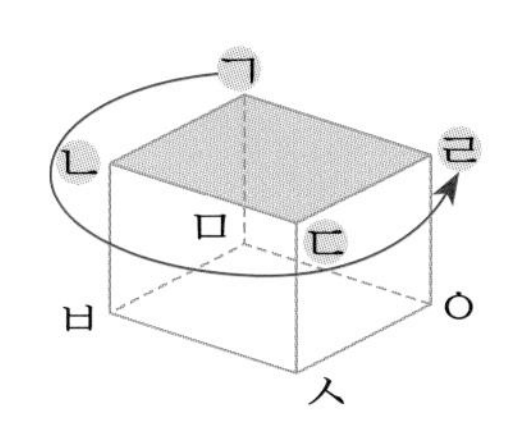

면

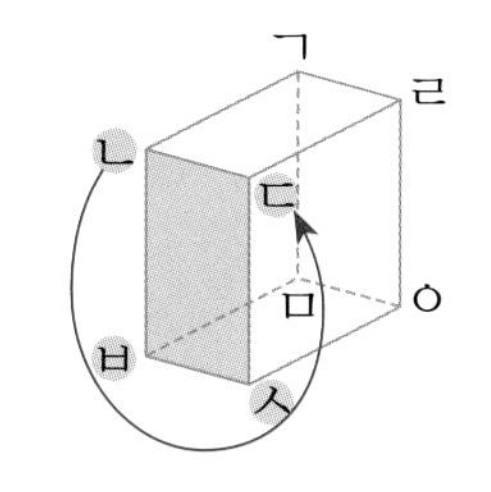

면

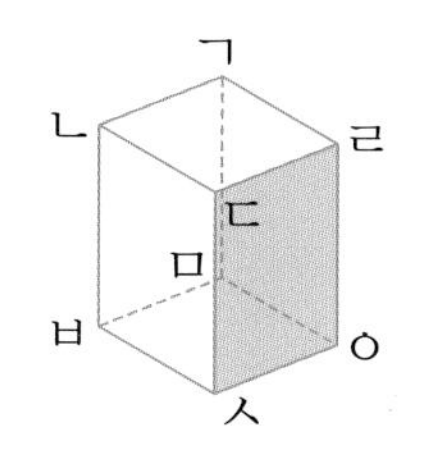

면

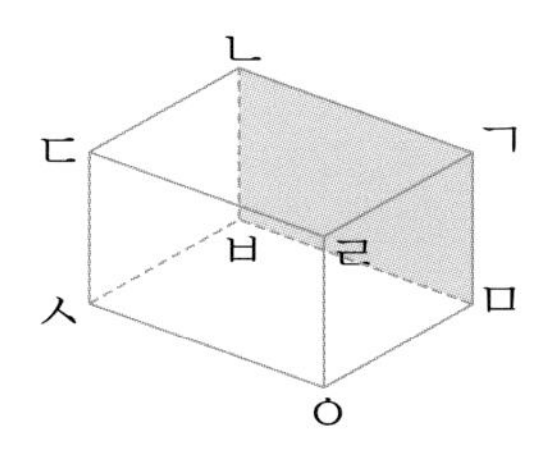

면

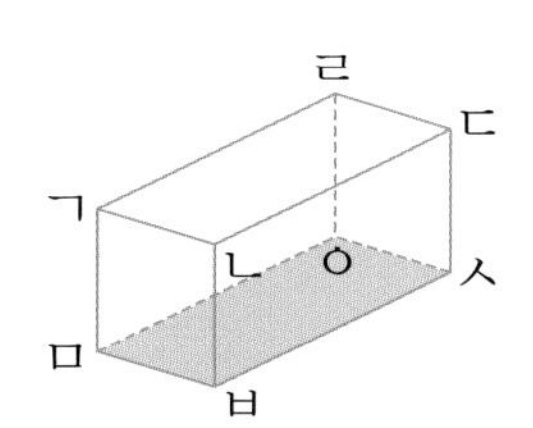

면

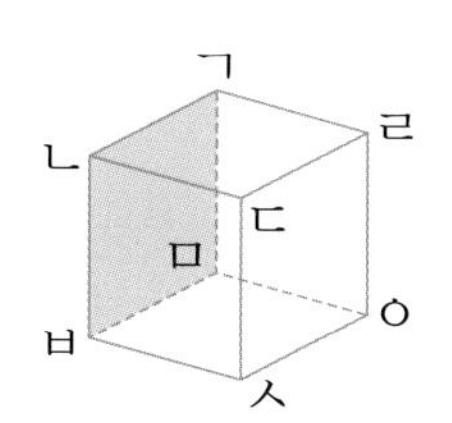

면

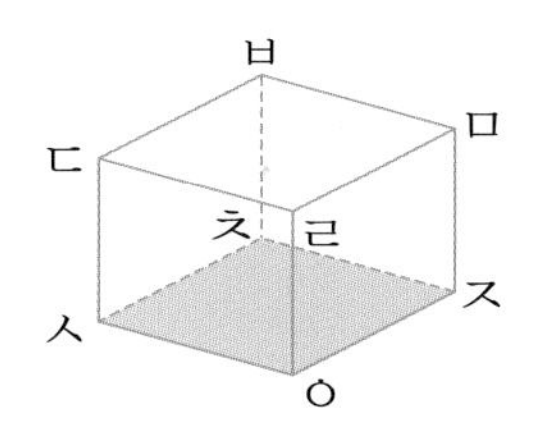

면

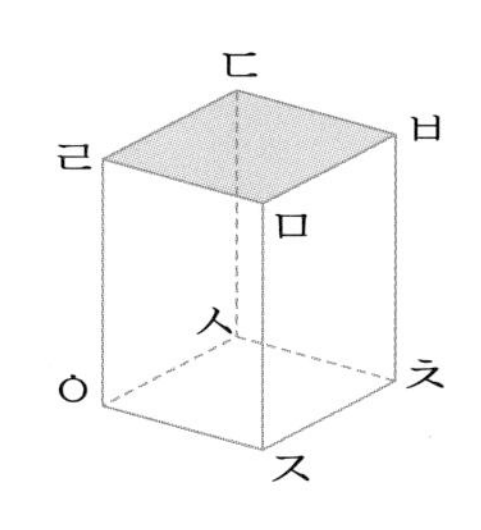

면

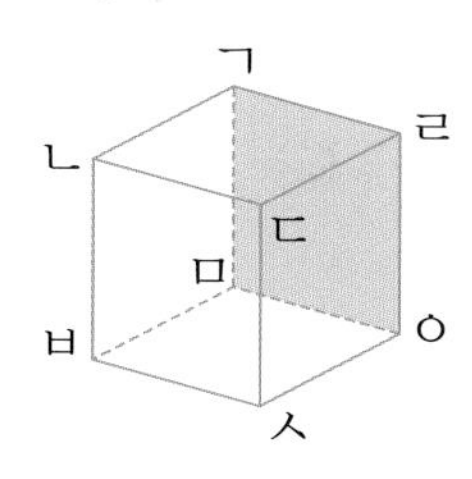

면

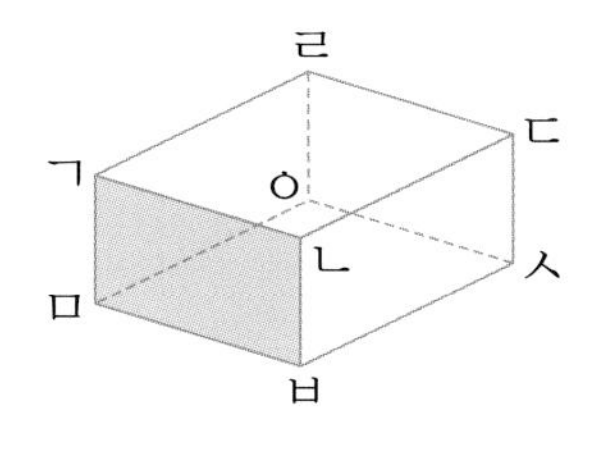

면

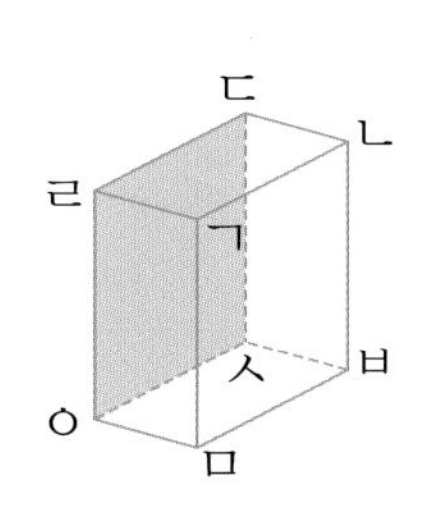

면

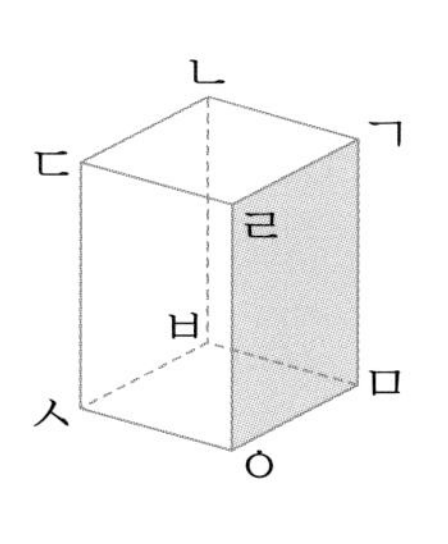

면

3 직육면체에서 색칠한 면이 한 밑면일 때, 다른 한 밑면을 찾아 이름을 쓰시오.

→ 평행한 면

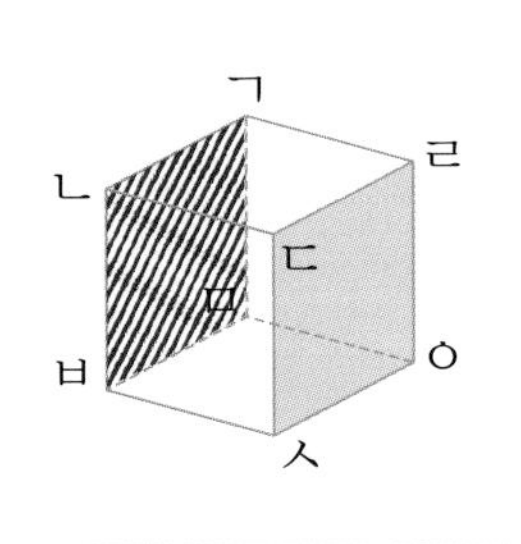

면

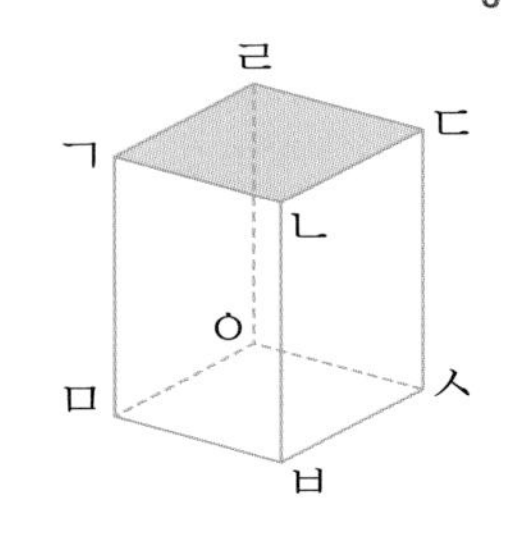

면

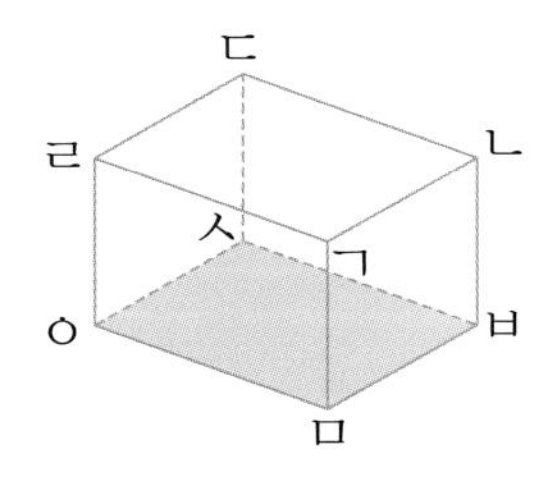

면

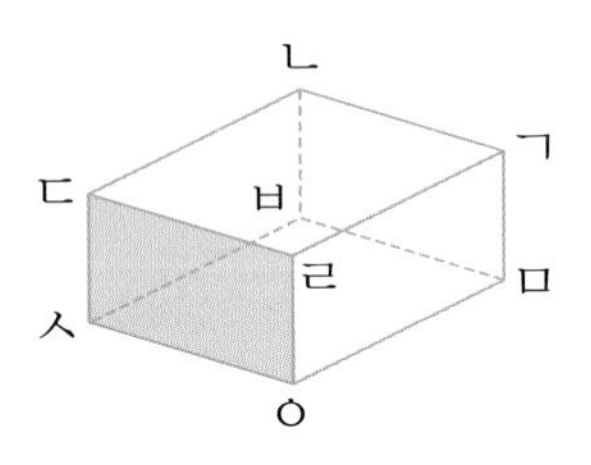

면

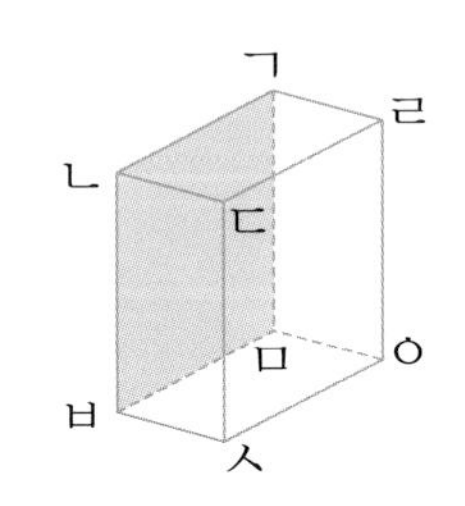

면

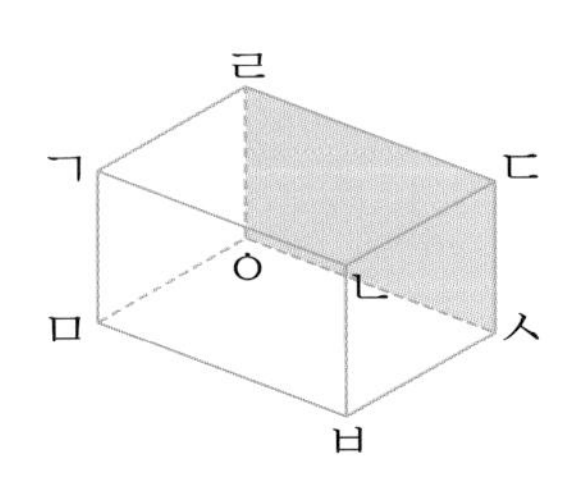

면

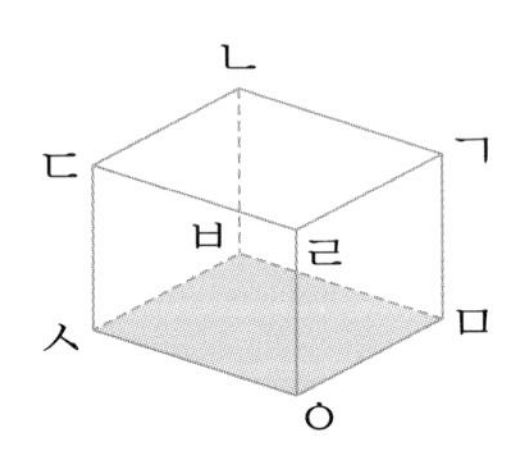

면

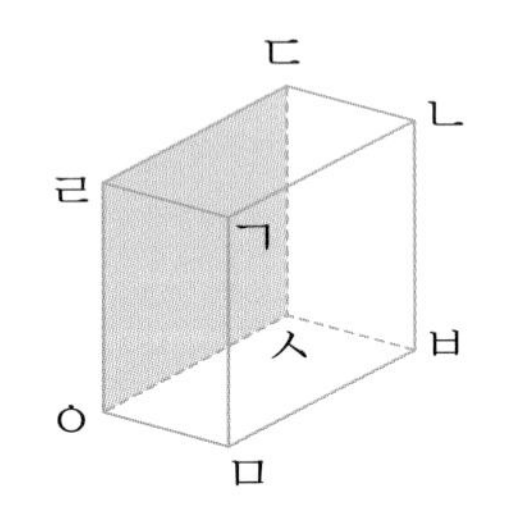

면

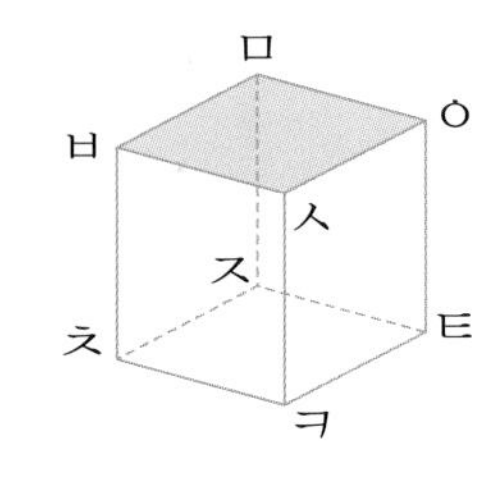

면

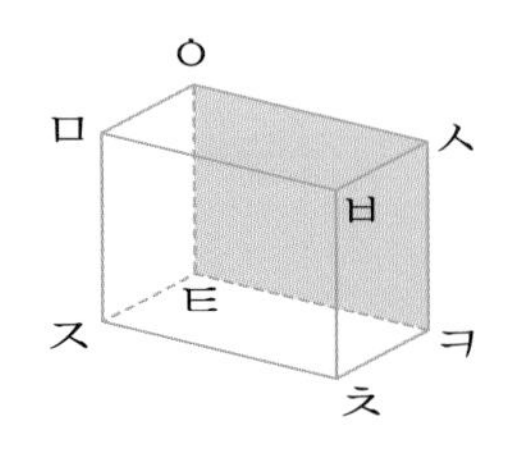

면

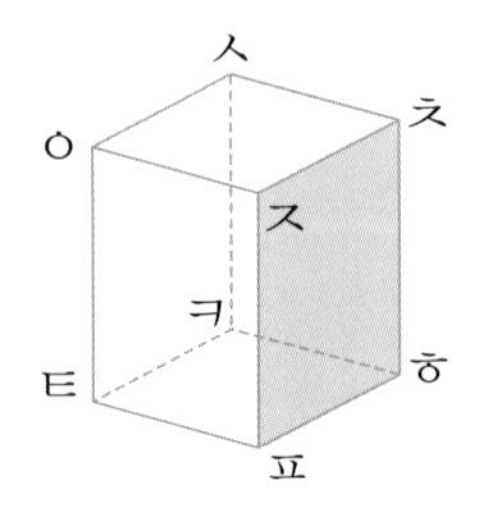

면

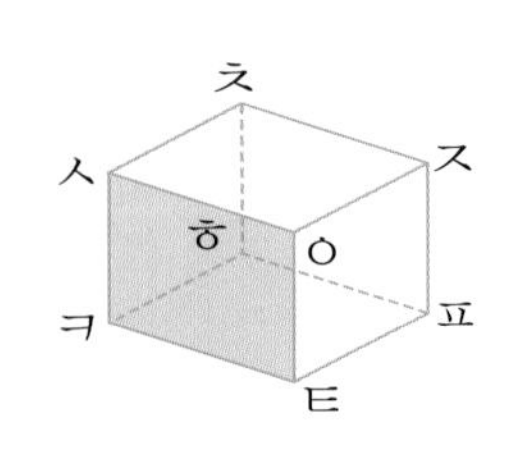

면

4 직육면체에서 색칠한 면이 한 밑면일 때, 옆면을 모두 찾아 이름을 쓰시오.

└→ 수직인 면

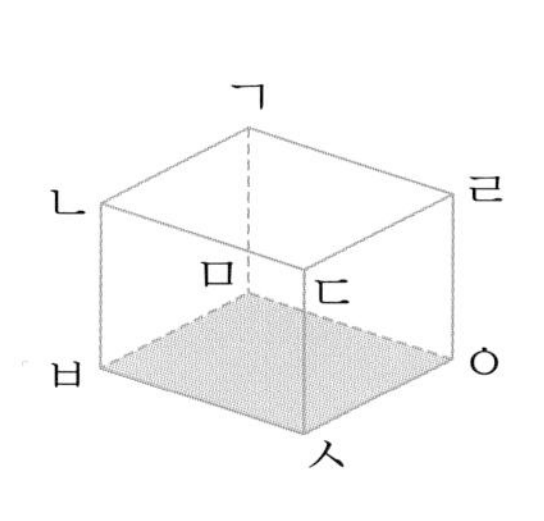

면
면
면
면

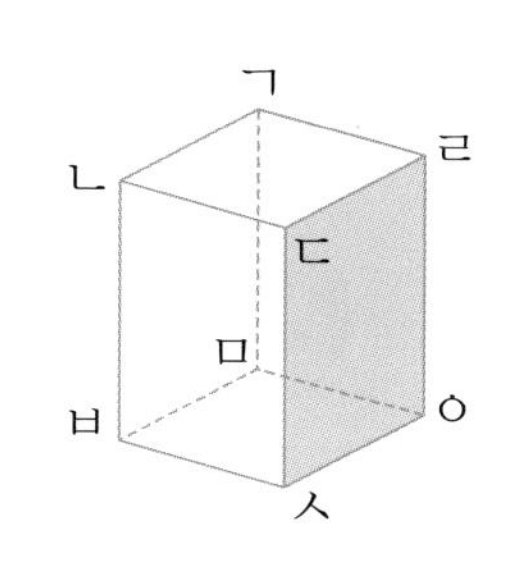

면
면
면
면

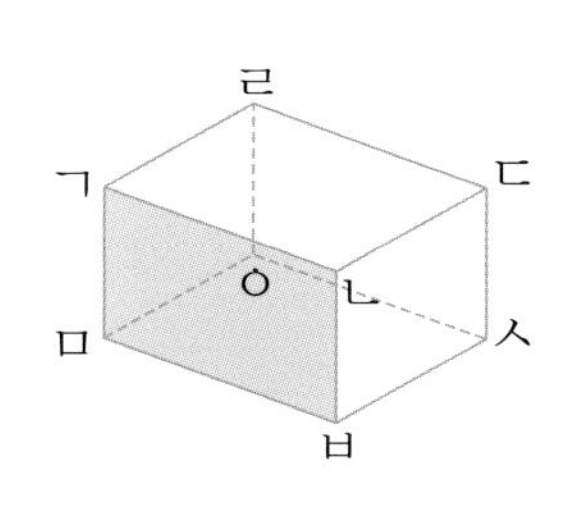

면
면
면
면

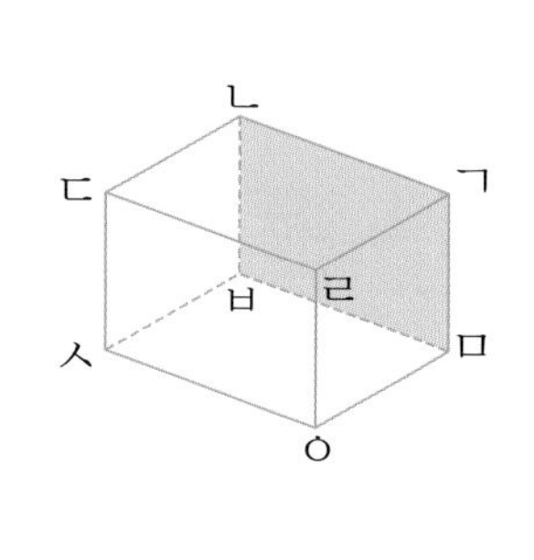

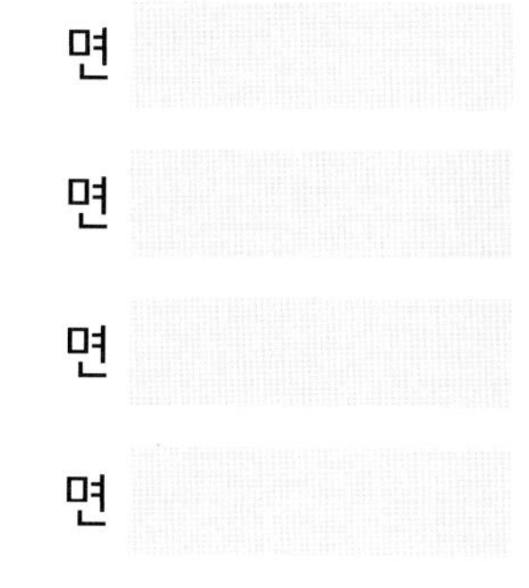

면
면
면
면

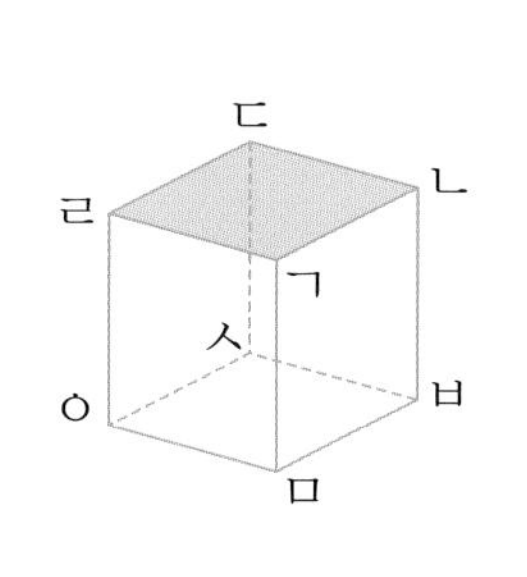

면
면
면
면

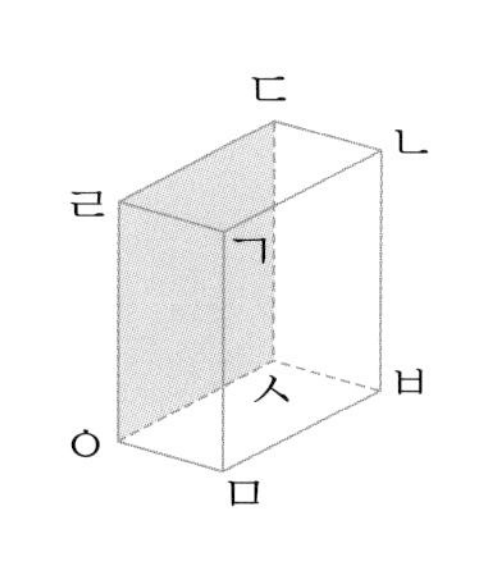

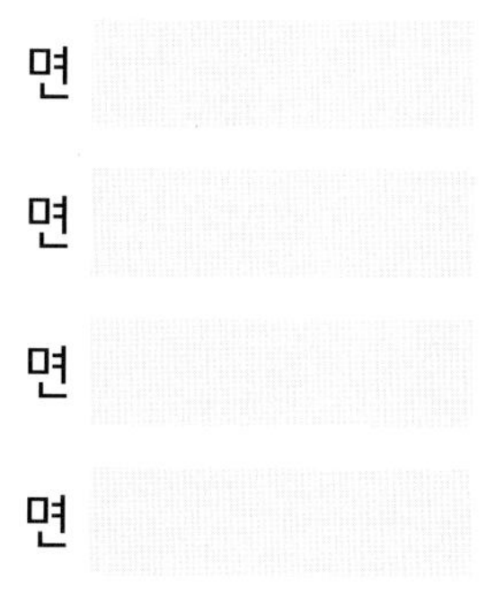

면
면
면
면

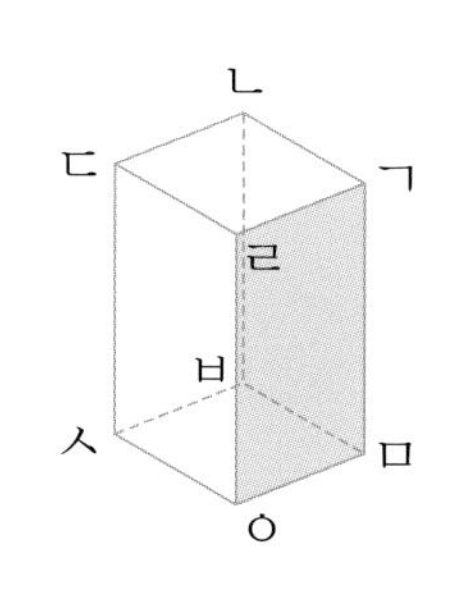

면
면
면
면

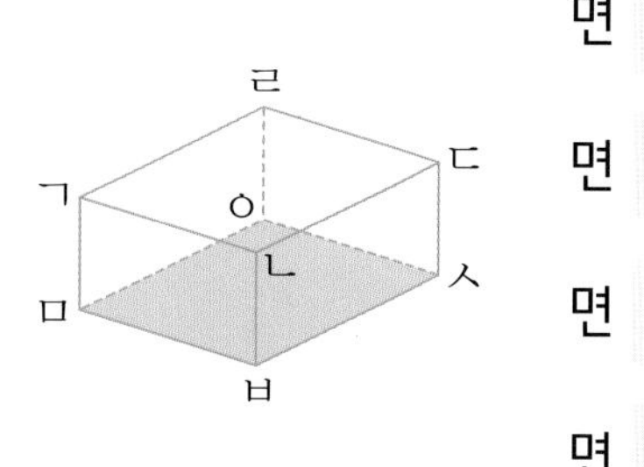

면
면
면
면

03 직육면체의 겨냥도

정답 36쪽

겨냥도: 직육면체 모양을 잘 알 수 있도록 나타낸 그림

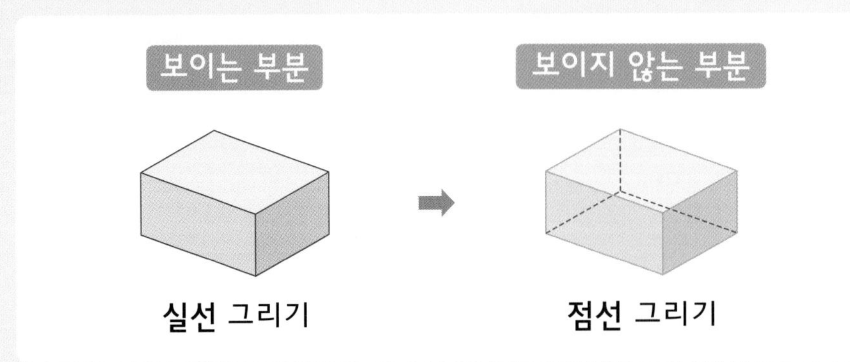

1 잘못 그린 겨냥도입니다. 잘못 그린 이유로 알맞은 것을 찾아 기호를 써넣으시오.

㉠ 보이는 모서리를 그리지 않았습니다.
㉡ 보이지 않는 모서리를 그리지 않았습니다.
㉢ 보이는 모서리를 실선으로 그리지 않았습니다.
㉣ 보이지 않는 모서리를 점선으로 그리지 않았습니다.

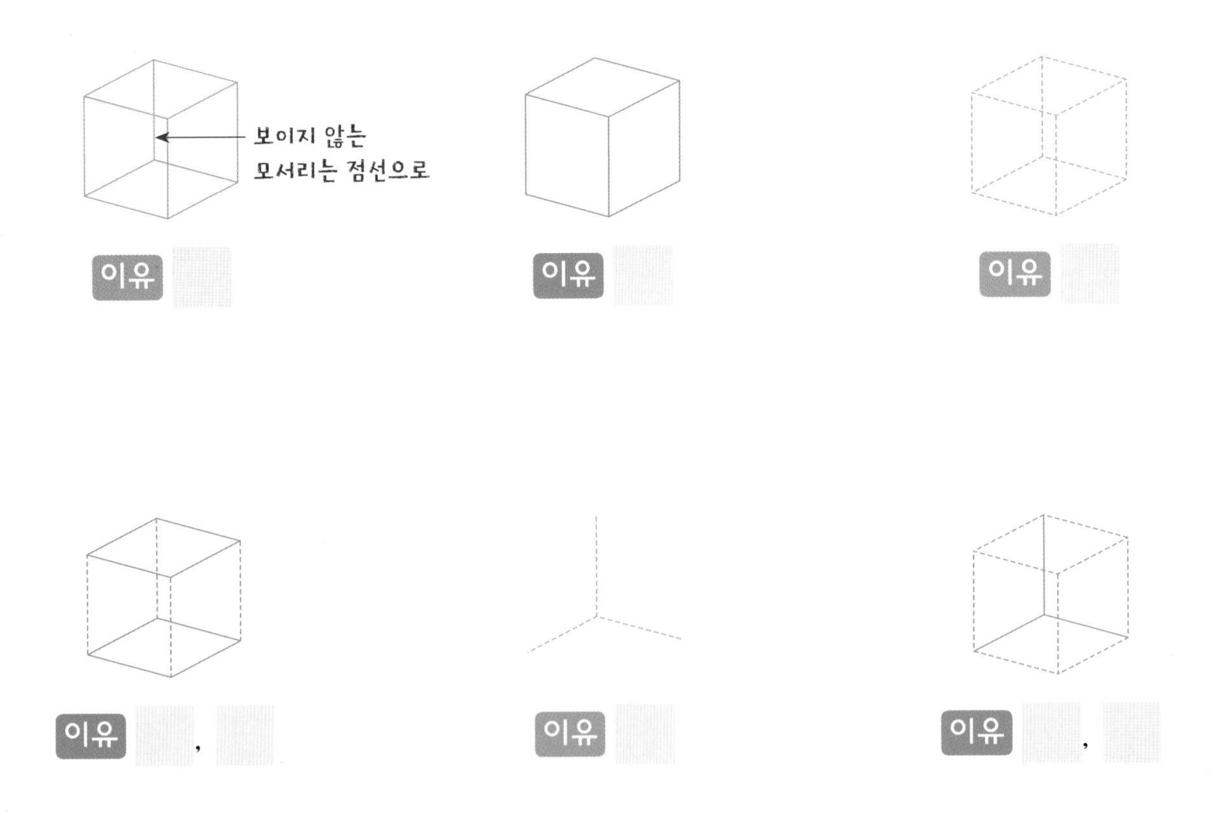

 보이는 모서리를 실선으로 그려 보시오.

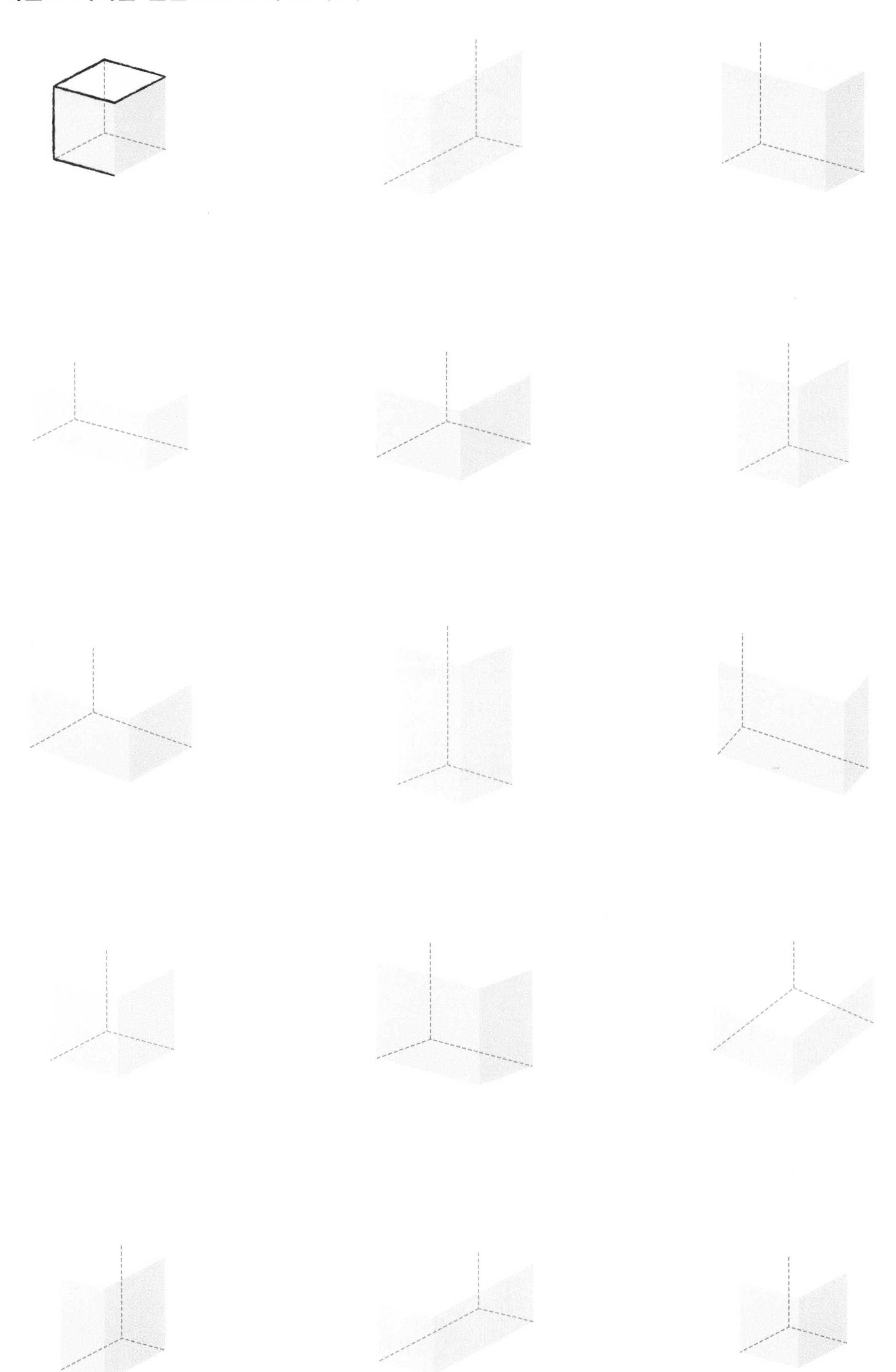

3 보이지 않는 모서리를 점선으로 그려 보시오.

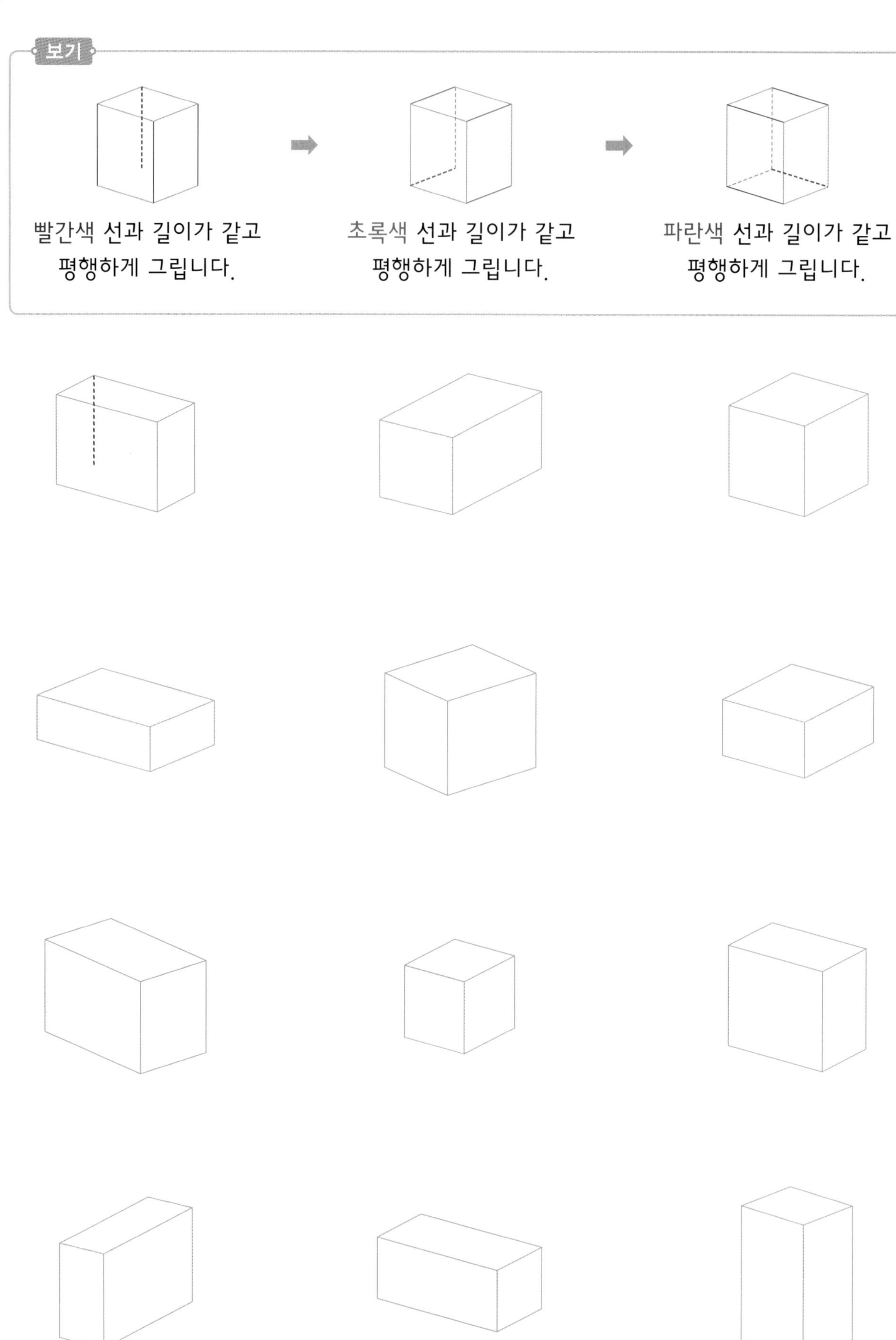

보기
빨간색 선과 길이가 같고
평행하게 그립니다.
초록색 선과 길이가 같고
평행하게 그립니다.
파란색 선과 길이가 같고
평행하게 그립니다.

4 겨냥도를 완성하시오.

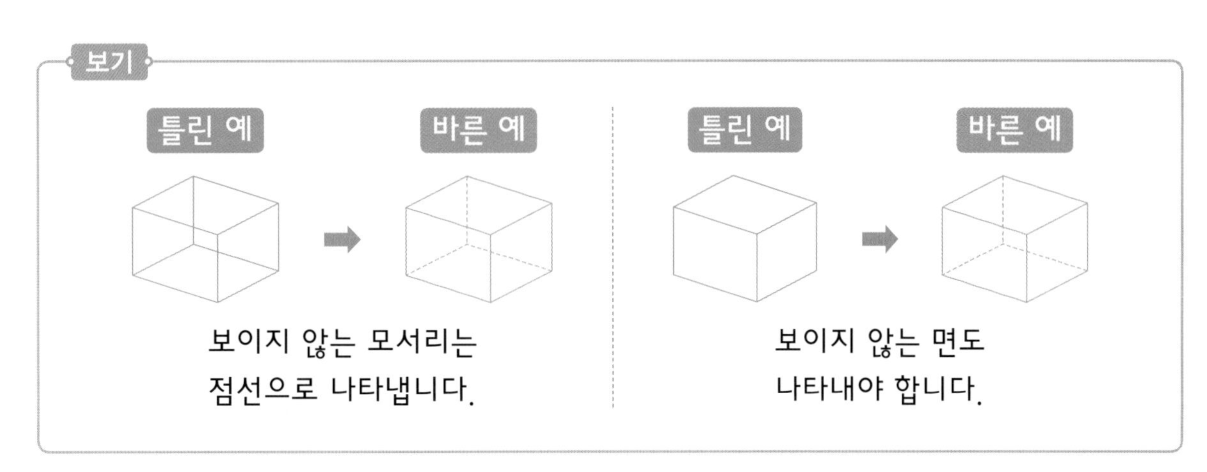

보기
틀린 예
바른 예
보이지 않는 모서리는
점선으로 나타냅니다.
틀린 예
바른 예
보이지 않는 면도
나타내야 합니다.

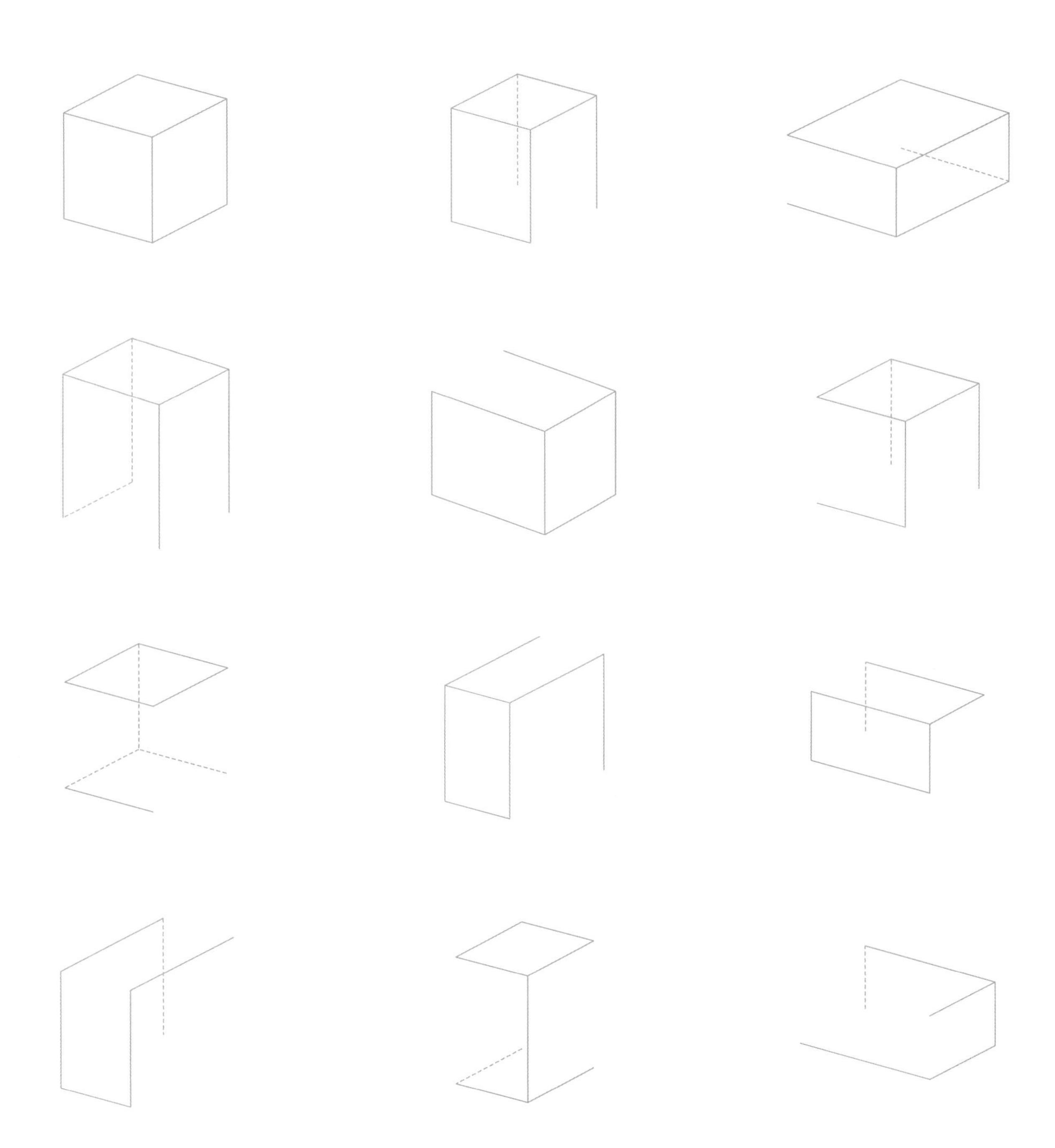

04 직육면체의 전개도

정답 37쪽

● **전개도:** 직육면체의 모서리를 잘라서 펼친 그림

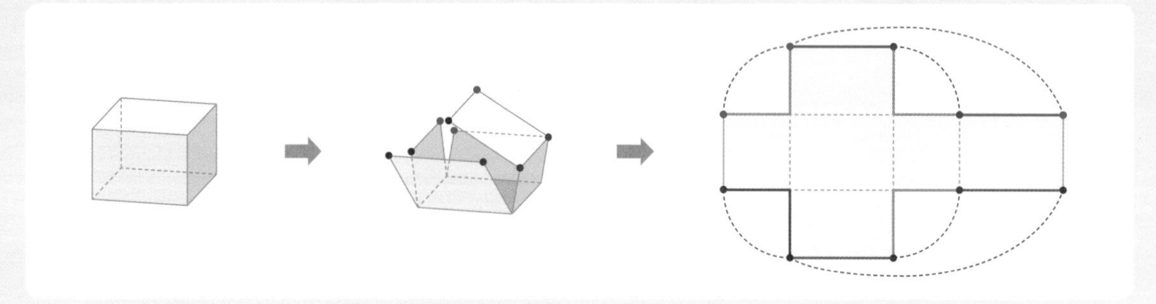

1 전개도를 접었을 때 만나는 꼭짓점을 쓰시오.

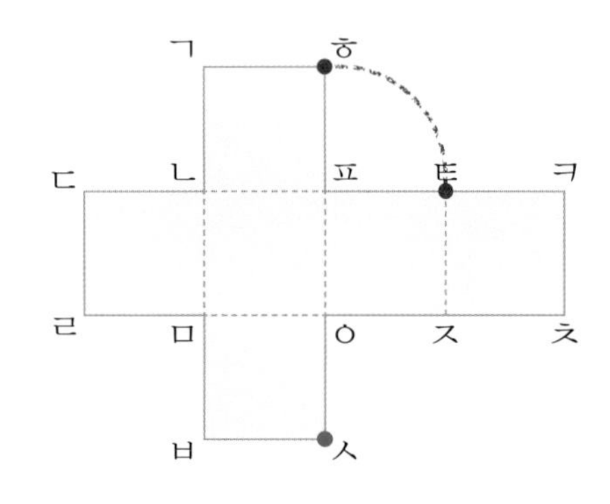

◎ 점 ㅎ과 만나는 점: 점

◎ 점 ㅅ과 만나는 점: 점

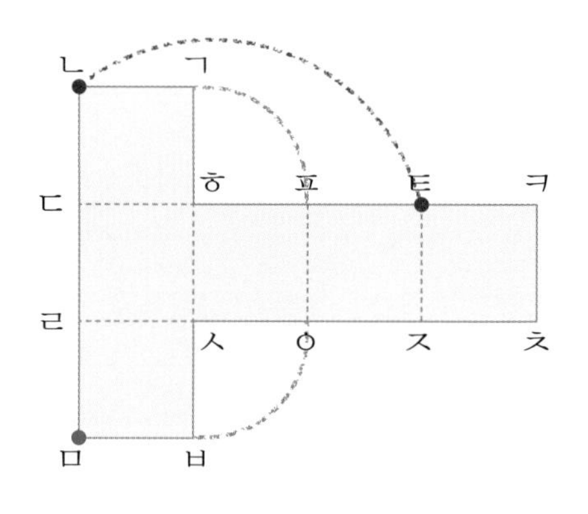

◎ 점 ㄴ과 만나는 점: 점

◎ 점 ㅁ과 만나는 점: 점

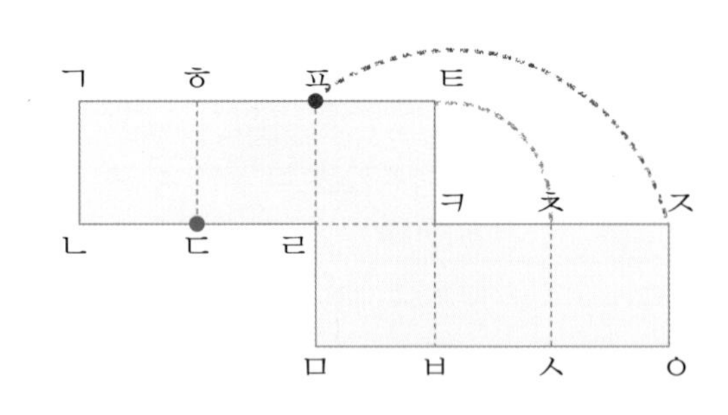

◎ 점 ㅍ과 만나는 점: 점

◎ 점 ㄷ과 만나는 점: 점

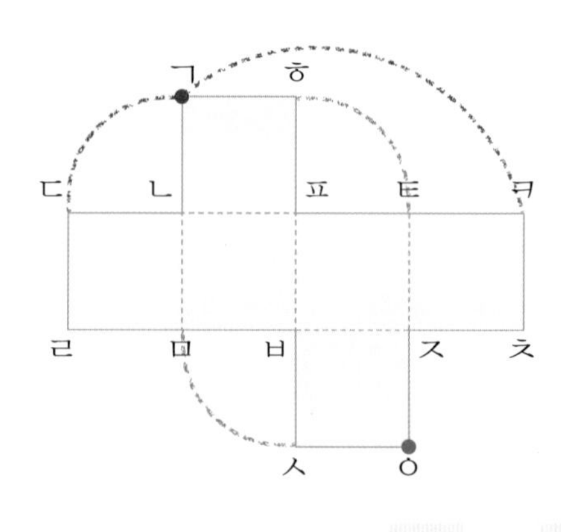

◎ 점 ㄱ과 만나는 점: 점 , 점

◎ 점 ㅇ과 만나는 점: 점 , 점

2 전개도를 접었을 때 만나는 선분을 쓰시오.

보기

ㄴ ㄱ
ㄹ ㄷ ㅎ ㅍ ㅌ
ㅁ ㅂ ㅅ ㅇ ㅋ
ㅈ ㅊ

- 선분 ㄱㄴ과 만나는 선분: 선분 ㅍㅌ
- 선분 ㅈㅊ과 만나는 선분: 선분 ㅅㅂ

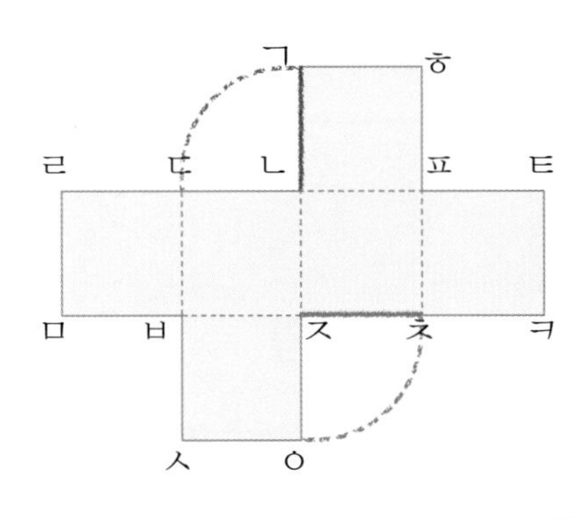

- 선분 ㄱㄴ과 만나는 선분: 선분
- 선분 ㅈㅊ과 만나는 선분: 선분

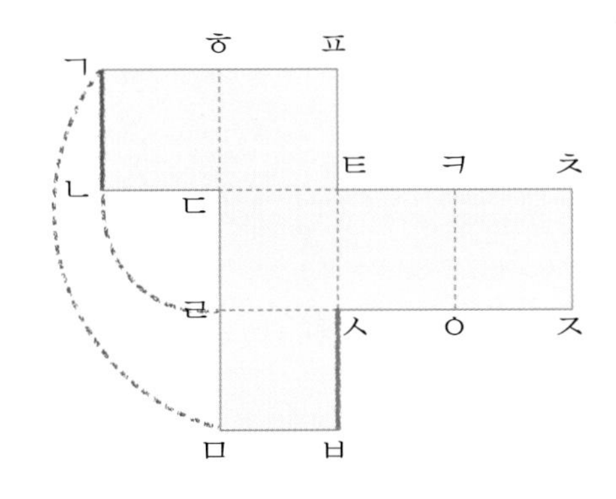

- 선분 ㄱㄴ과 만나는 선분: 선분
- 선분 ㅂㅅ과 만나는 선분: 선분

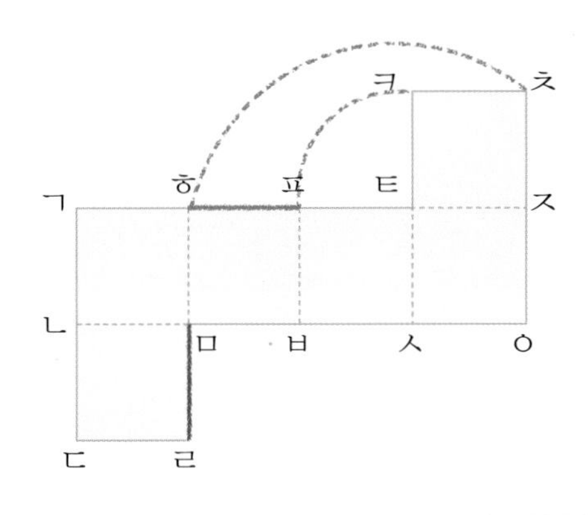

- 선분 ㄹㅁ과 만나는 선분: 선분
- 선분 ㅎㅍ과 만나는 선분: 선분

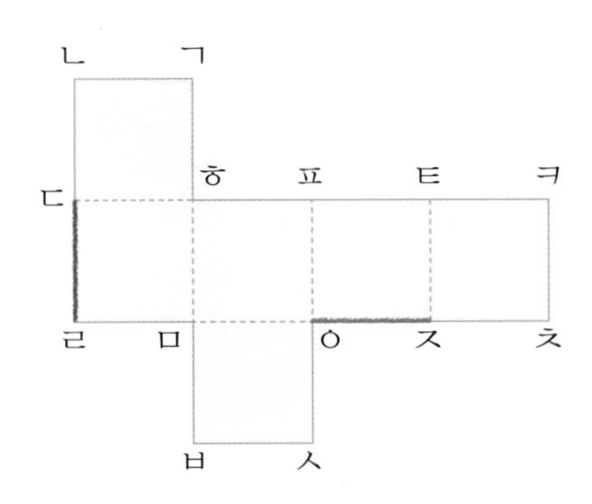

- 선분 ㄷㄹ과 만나는 선분: 선분
- 선분 ㅇㅈ과 만나는 선분: 선분

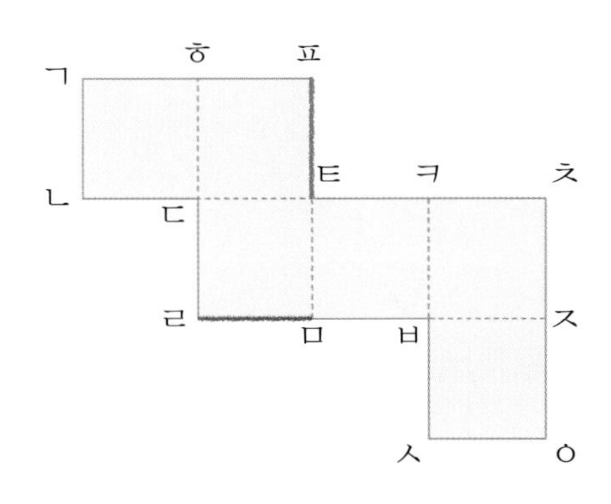

- 선분 ㄹㅁ과 만나는 선분: 선분
- 선분 ㅍㅌ과 만나는 선분: 선분

3 전개도를 접었을 때 색칠한 밑면과 수직인 면에 '옆', 평행한 면에 '밑' 이라고 쓰시오.

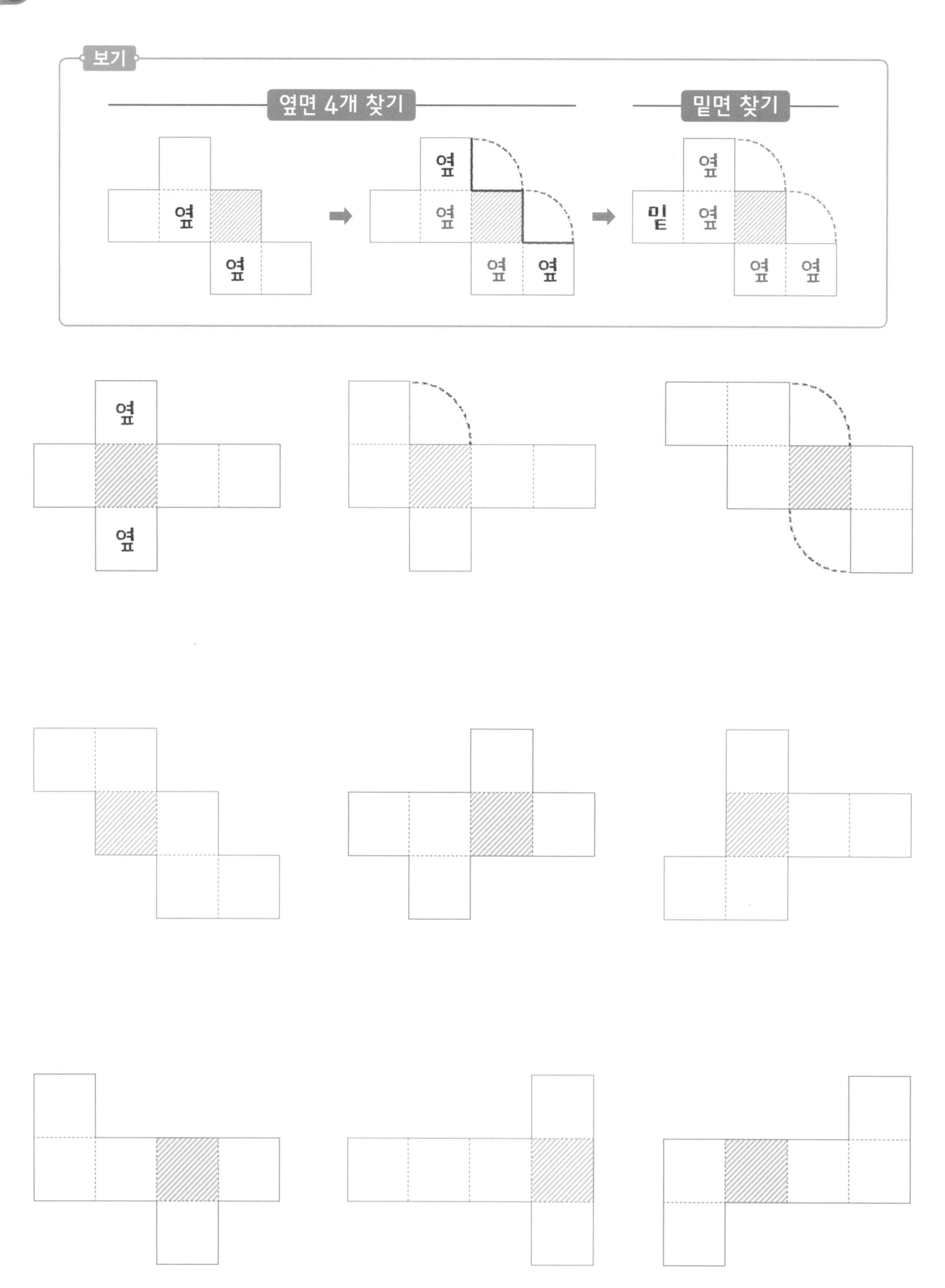

4 전개도를 접었을 때 색칠한 밑면과 평행한 면 또는 수직인 면을 찾아 기호를 쓰시오.

평행한 면

가
나 다 라
마

면

수직인 면

가
나 다 라
마

면 , 면 , 면 , 면

평행한 면

가
나 다 라
마

면

수직인 면

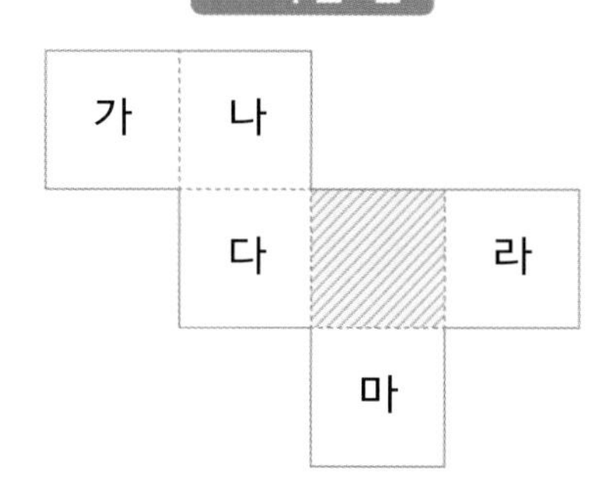

면 , 면 , 면 , 면

평행한 면

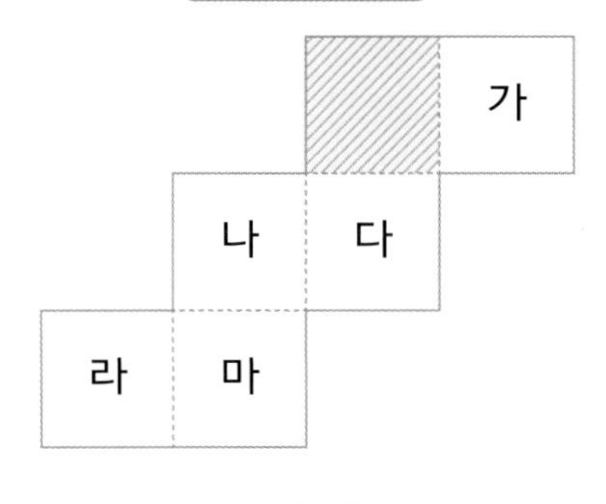

면

수직인 면

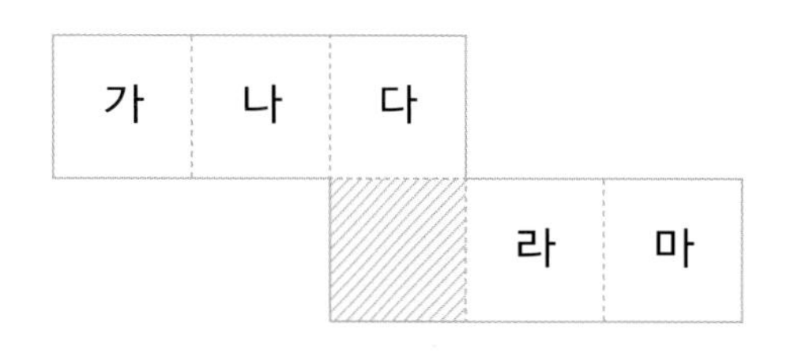

면 , 면 , 면 , 면

05 직육면체의 전개도 그리기

정답 38쪽

● 면을 옮겨서 여러 가지 모양으로 정육면체의 전개도 그리기

같은 전개도로 보는 경우

예1 시계 방향으로 직각만큼 돌렸을 때 겹치는 경우

예2 오른쪽으로 뒤집었을 때 겹치는 경우

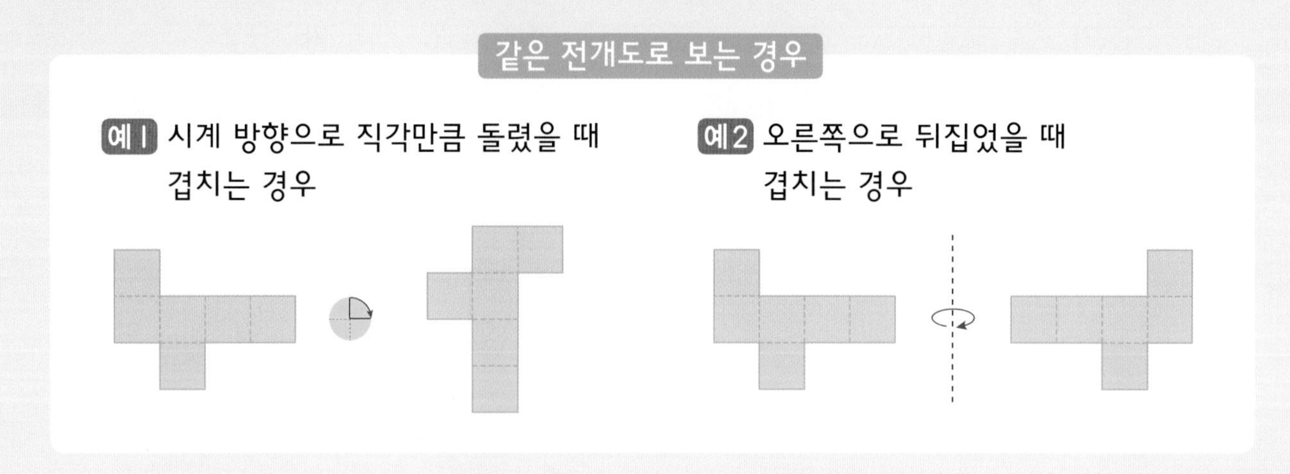

1 정육면체의 전개도를 서로 다른 방법으로 그려 보시오. (단, 돌리거나 뒤집었을 때 겹치는 전개도는 같은 것으로 봅니다.)

정사각형 4개가 일직선에 있는 경우

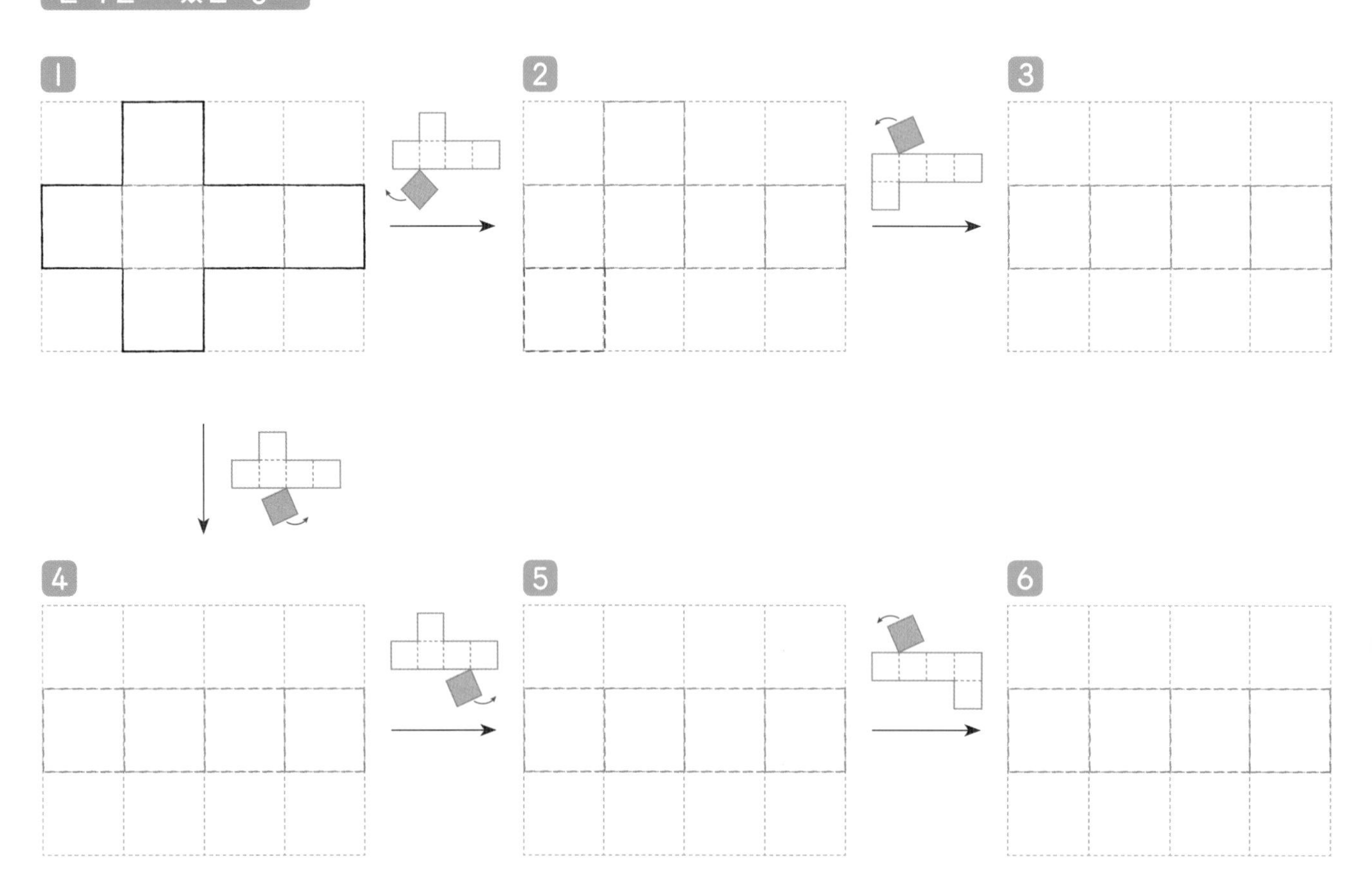

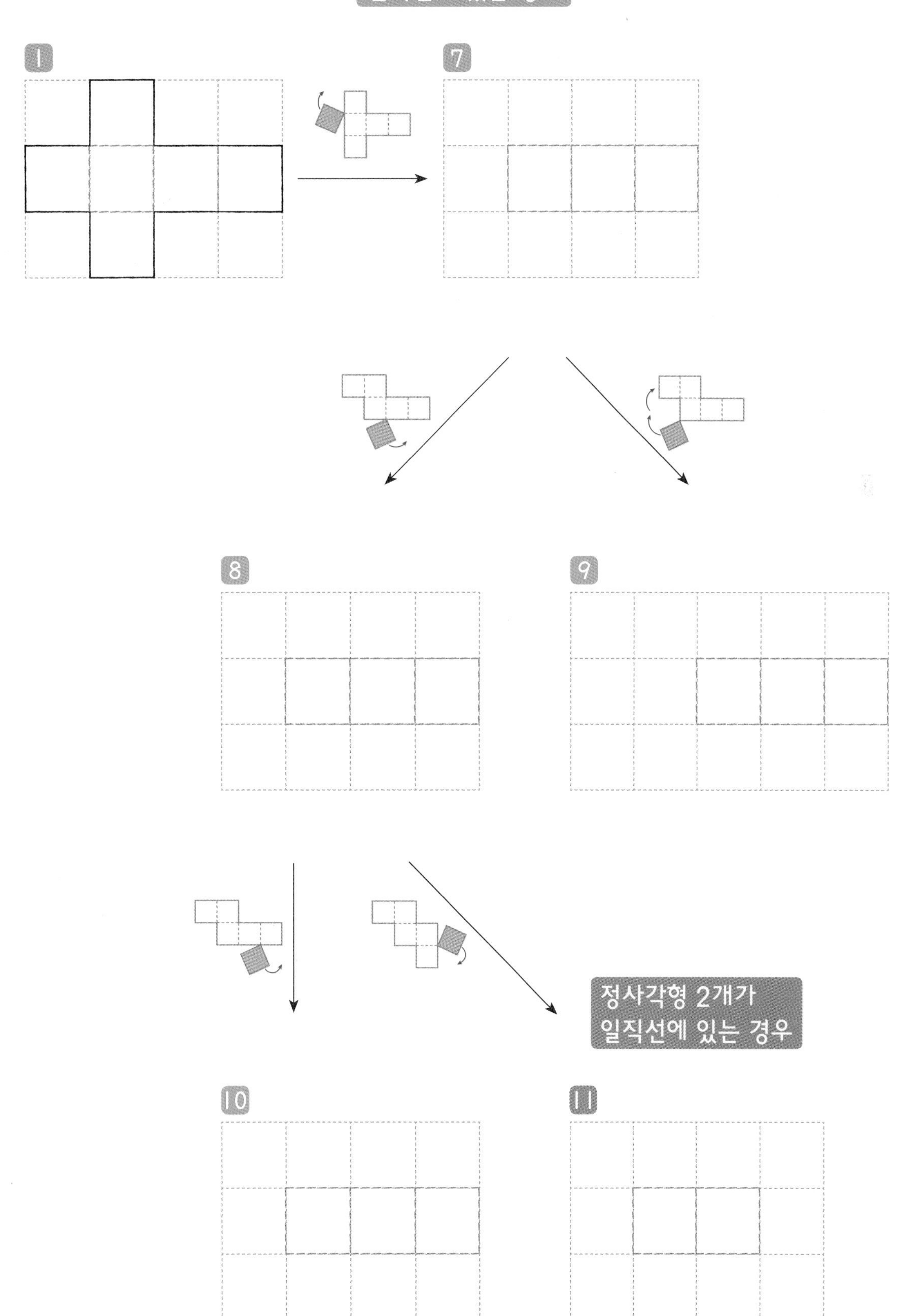
정사각형 3개가
일직선에 있는 경우
1
7
8
9
정사각형 2개가
일직선에 있는 경우
10
11

● 기준면을 정하여 직육면체의 전개도 그리기

4 cm
3 cm
2 cm

1 기준면 그리기

2 밑면 그리기

3 옆면 그리기

1 cm
1 cm

3 직육면체의 전개도를 그려 보시오.

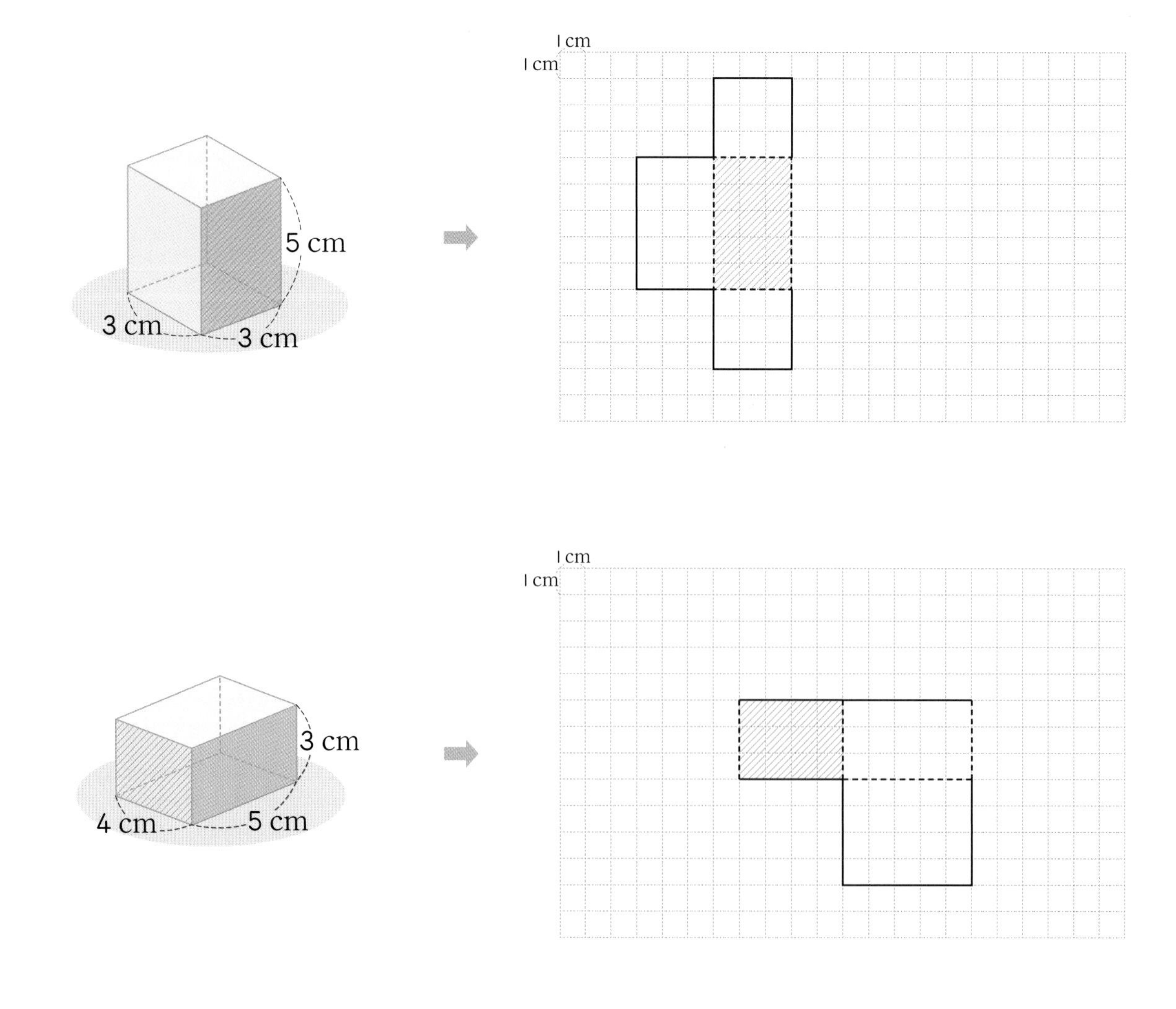

4 직육면체의 전개도를 그려 보시오.

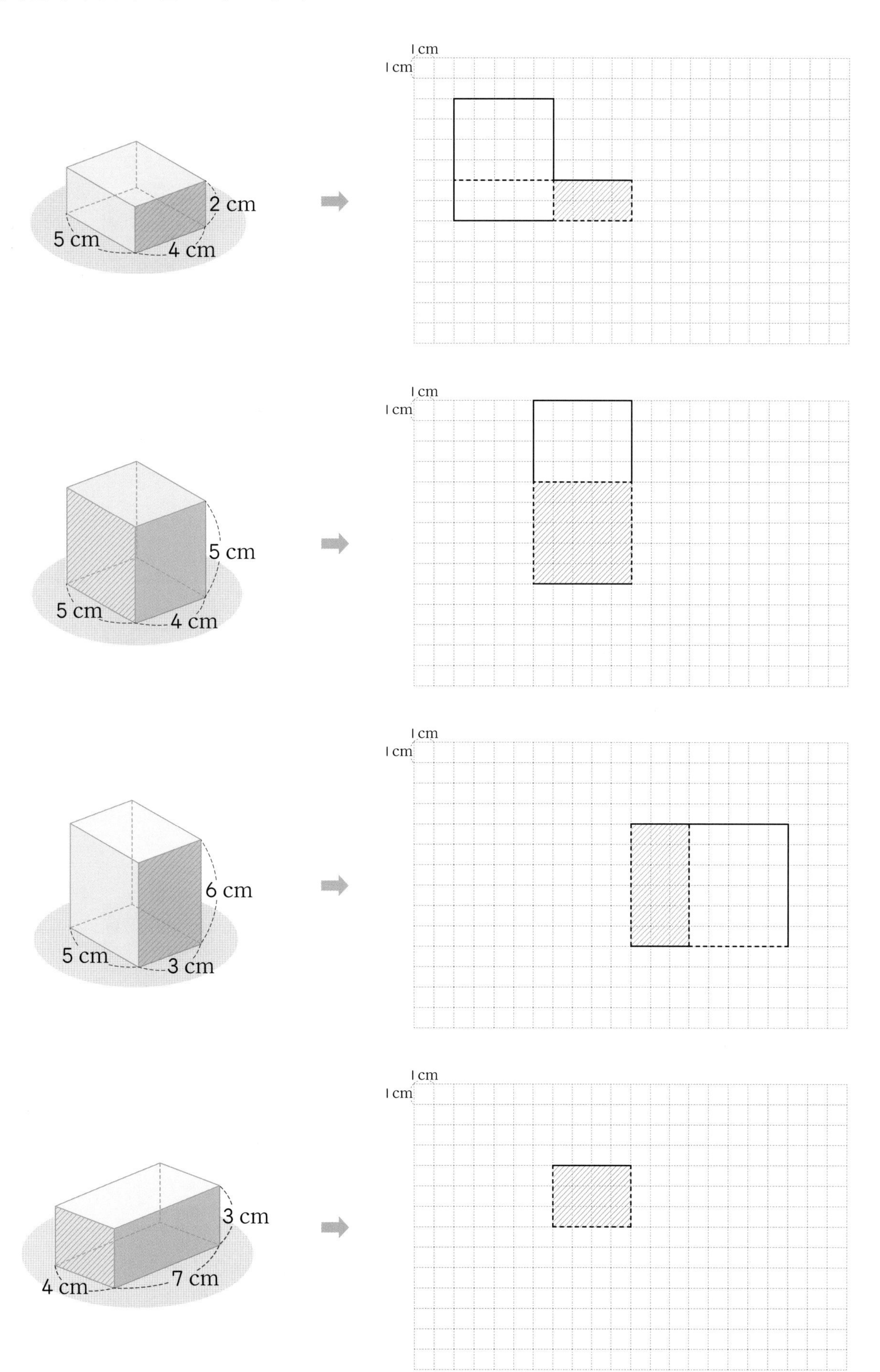

도전! 응용문제

정답 39쪽

응용 1 주사위의 마주 보는 면에 있는 눈의 수를 합하면 7입니다. 주사위의 눈의 수를 ☐ 안에 써넣으시오.

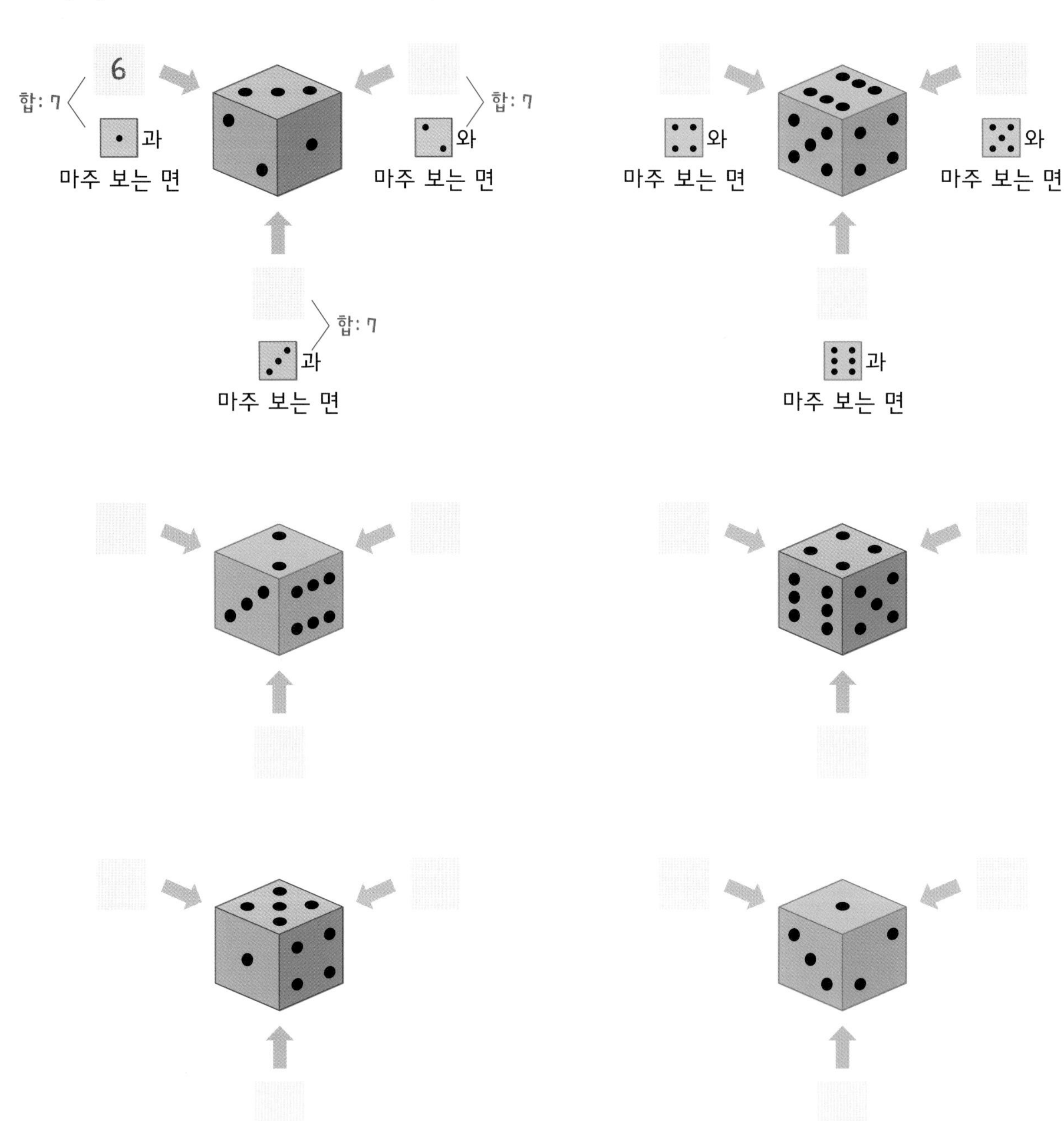

주사위의 칠점원리	주사위의 마주 보는 면의 눈의 합은 항상 ☐ 입니다.

예전에는 나무나 상아를 사람이 직접 깎아서 주사위를 만들었기 때문에 6개의 면의 넓이가 조금씩 차이가 났습니다. 따라서 마주 보는 두 면의 눈을 1과 6, 2와 5, 3과 4가 되게 하여 기대하는 값이 나올 확률이 비슷하도록 보완하였습니다.

응용 ② 주사위의 칠점원리를 이용하여 빈 곳에 알맞은 주사위의 눈을 그려 넣으시오.

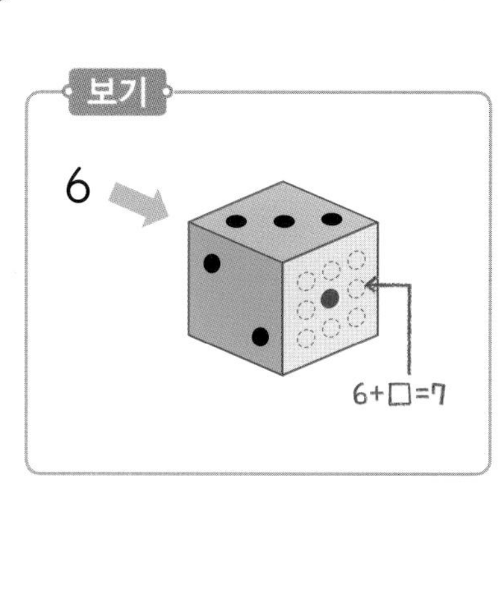

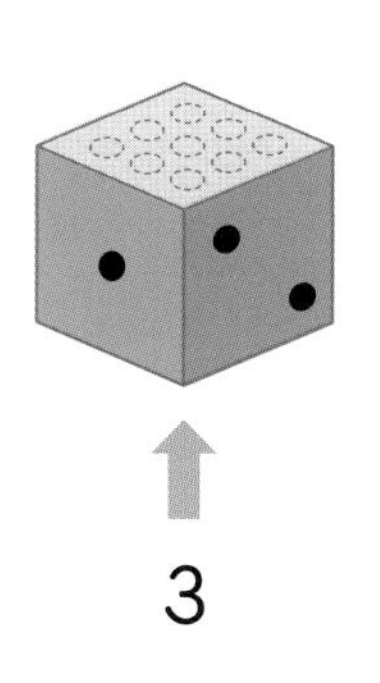

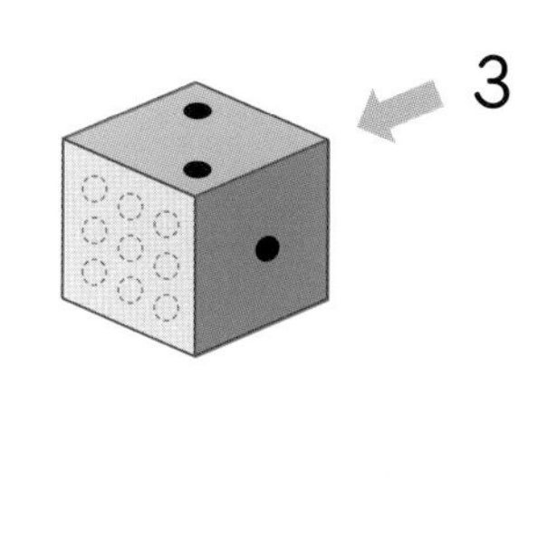

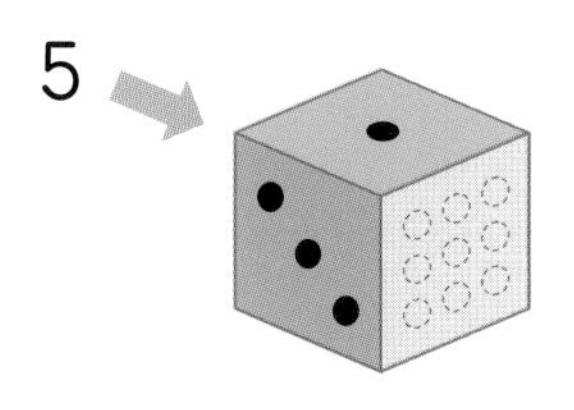

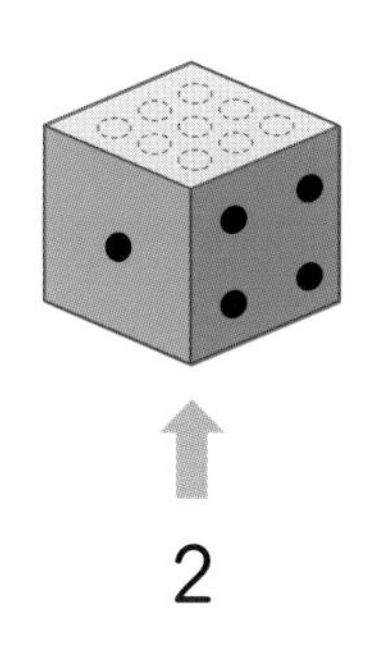

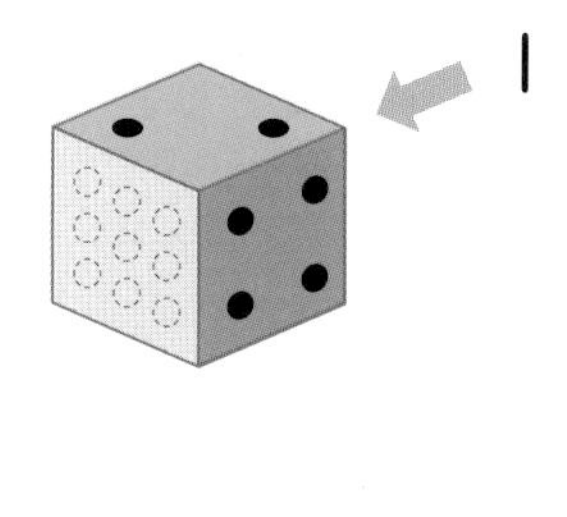

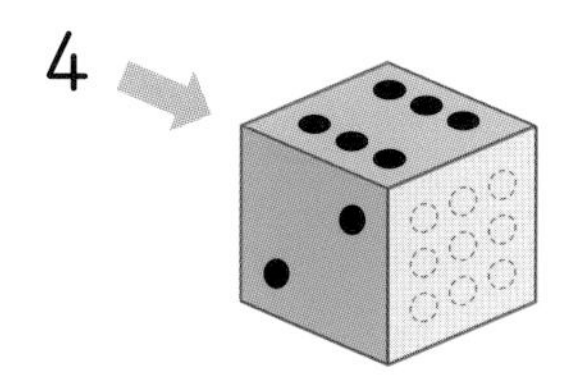

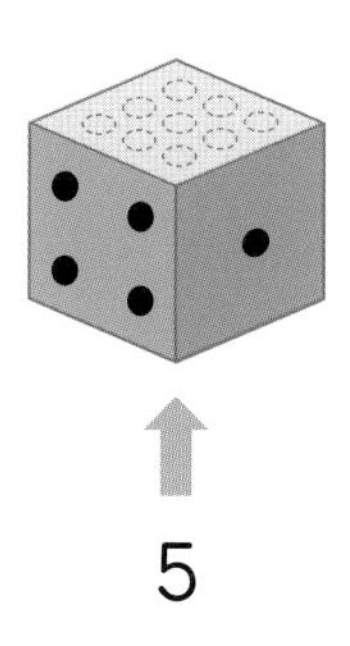

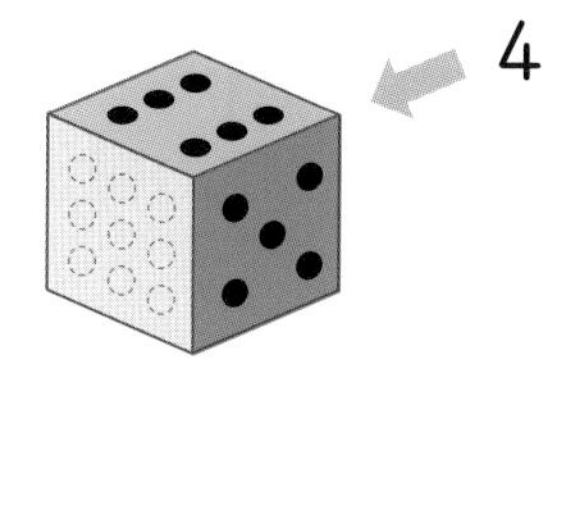

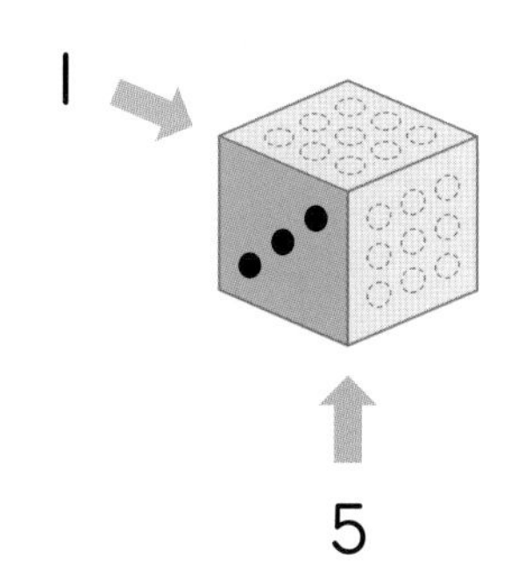

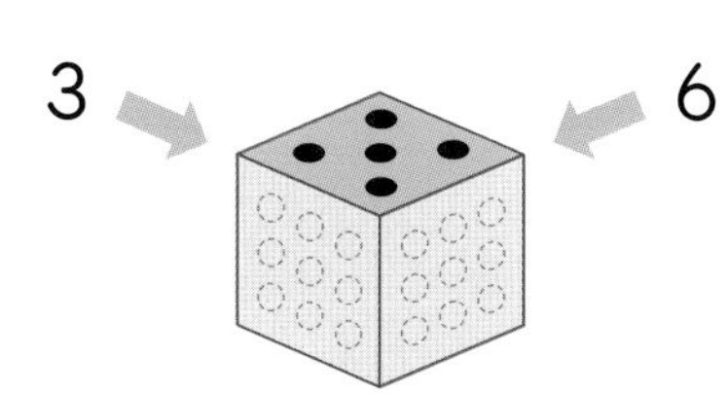

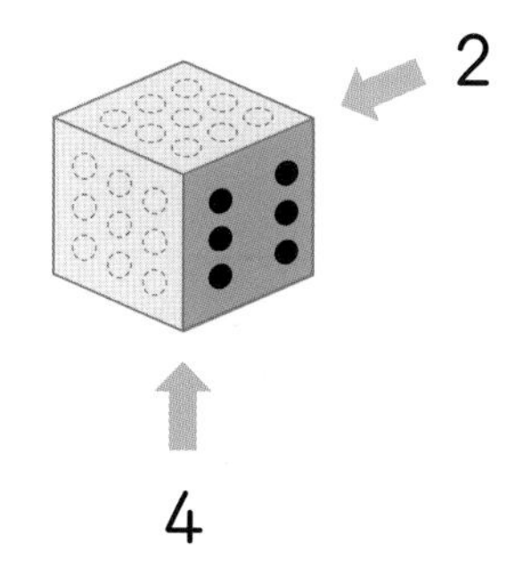

응용 ③ 전개도를 접었을 때 마주 보는 면끼리 각각 같은 모양을 그려 보시오.

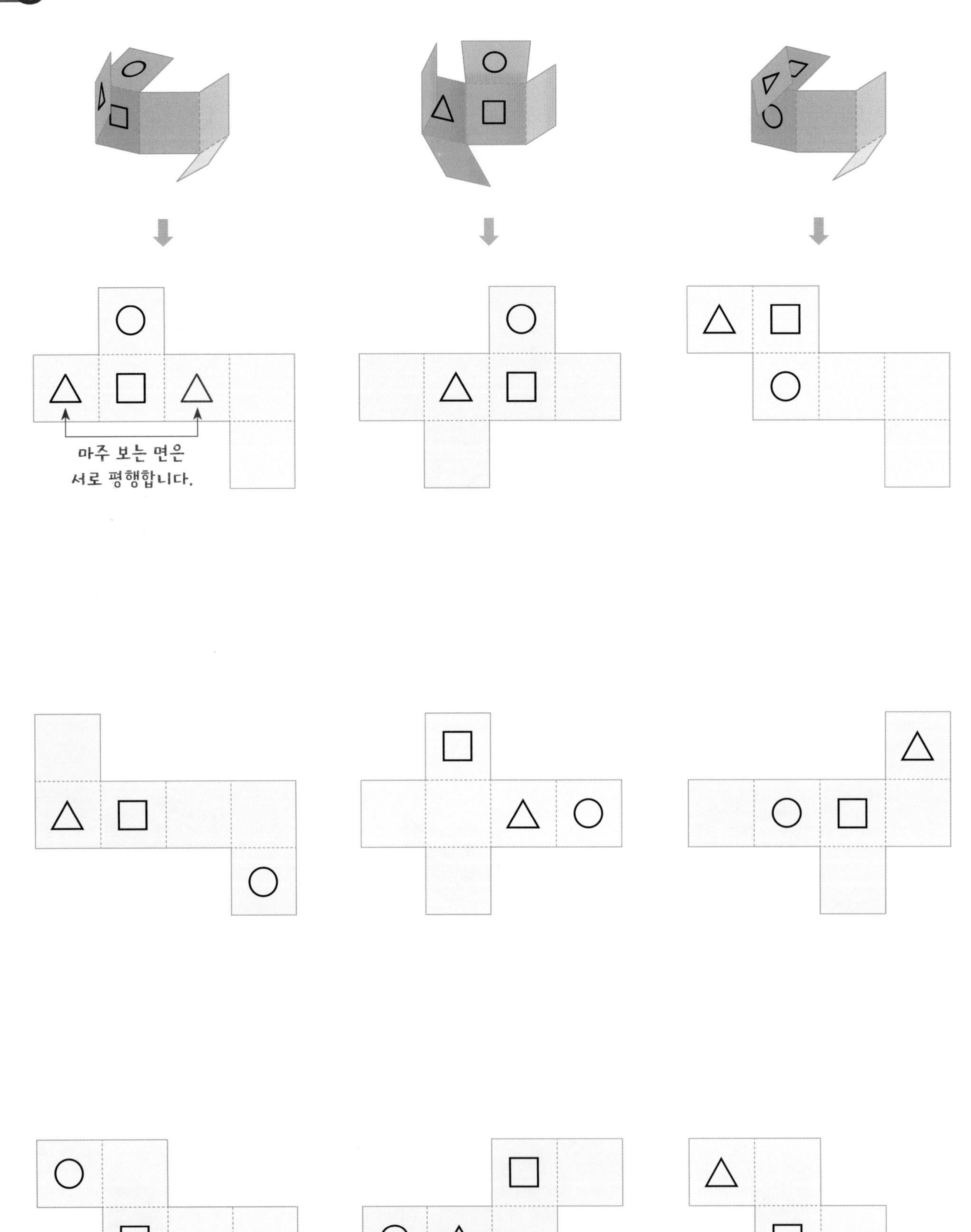

응용 ④ 주사위의 마주 보는 면에 있는 눈의 수를 합하면 7입니다. 정육면체 전개도의 빈 곳에 주사위 눈을 알맞게 그려 보시오.

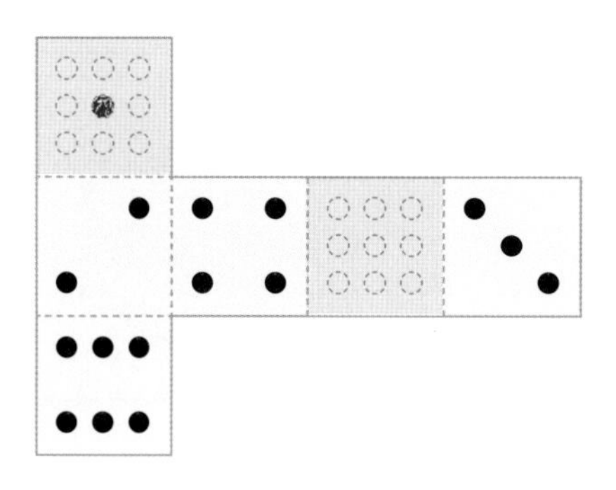

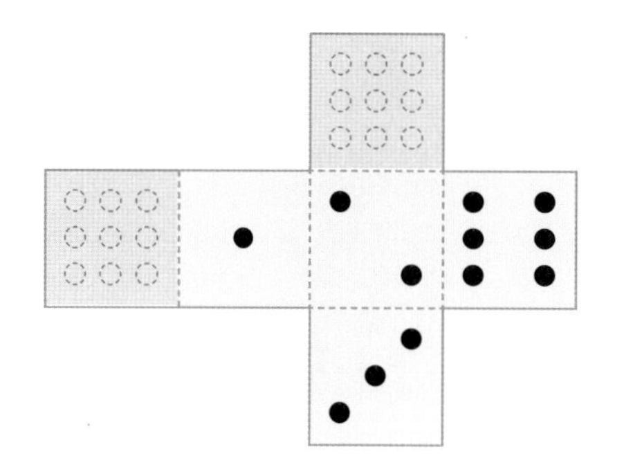

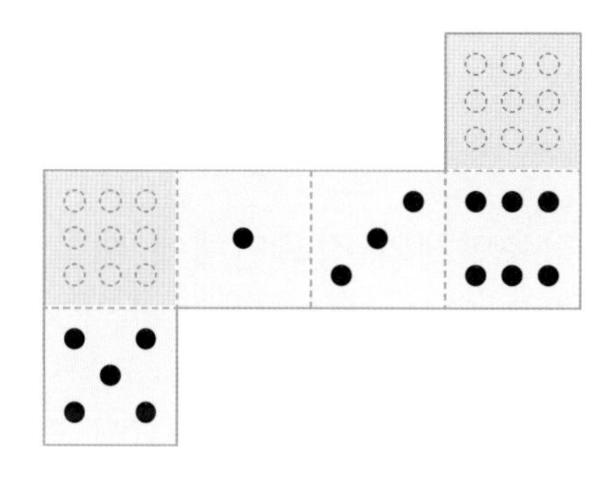

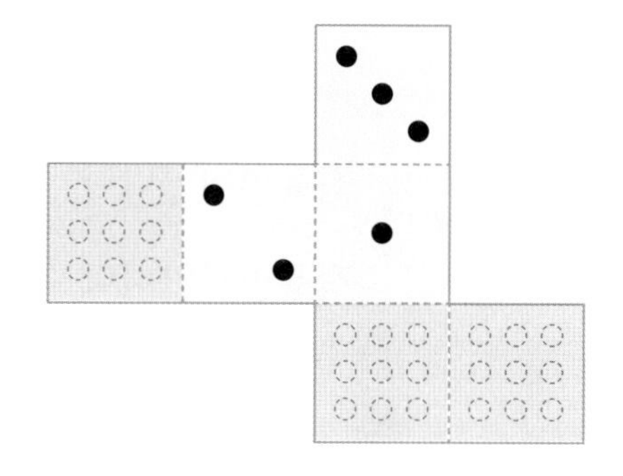

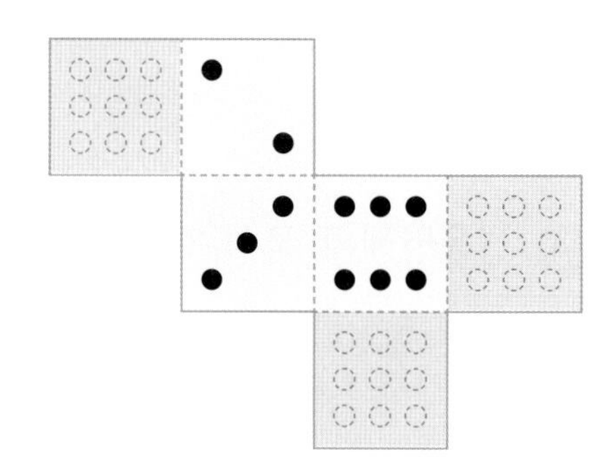

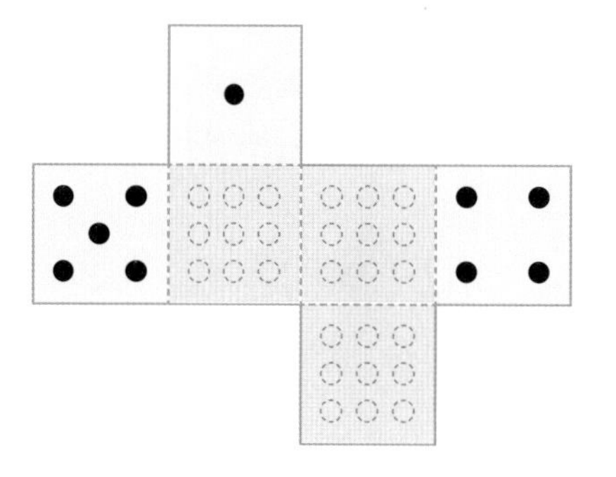

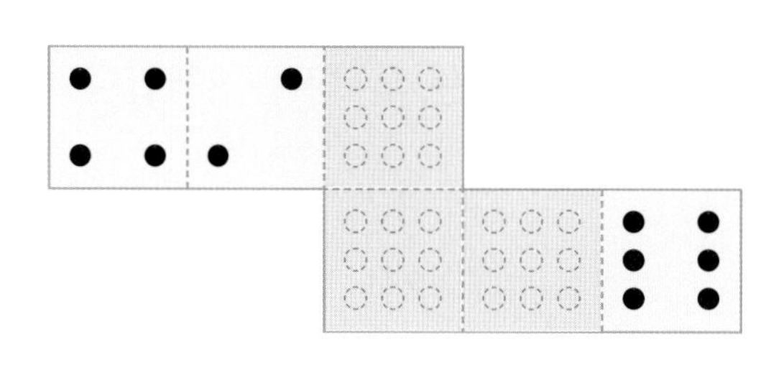

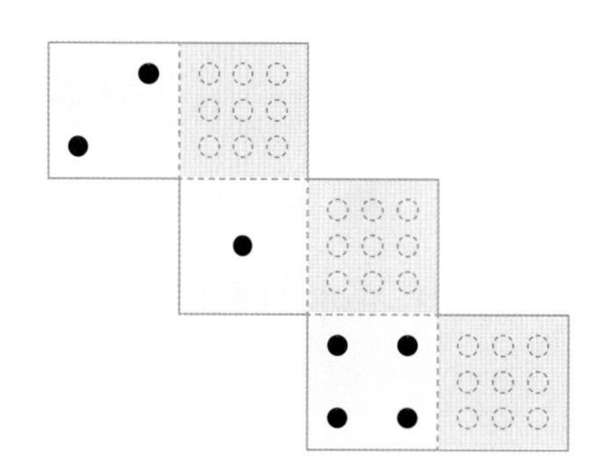

형성평가

정답 40쪽 걸린 시간: 분 점 수: 점

01 맞는 것에 모두 ○표, 틀린 것에 ×표 하여 직육면체인지, 정육면체인지 알아보시오.

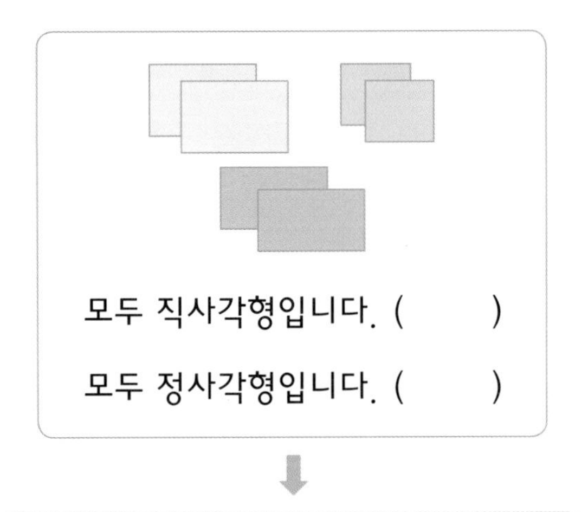

모두 직사각형입니다. (　　)

모두 정사각형입니다. (　　)

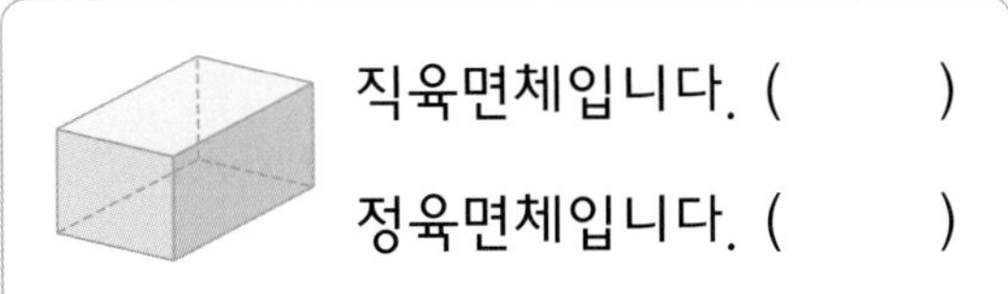

직육면체입니다. (　　)

정육면체입니다. (　　)

[02~03] 도형을 보고 물음에 답하시오.

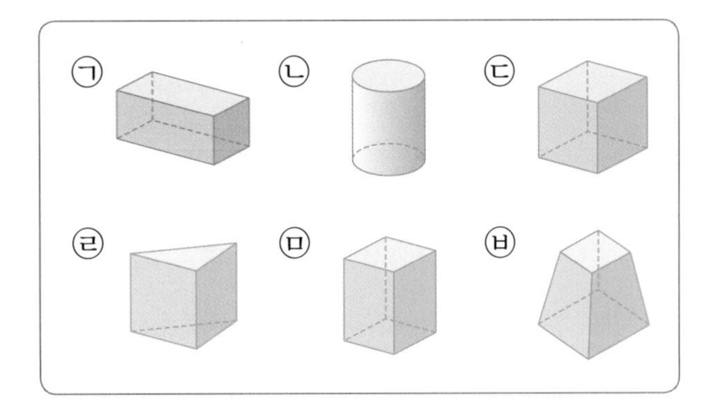

02 직육면체를 찾아 기호를 쓰시오.

　, 　, 　

03 정육면체를 찾아 기호를 쓰시오.

04 직육면체 모양의 각 부분의 이름을 　 안에 알맞게 써넣으시오.

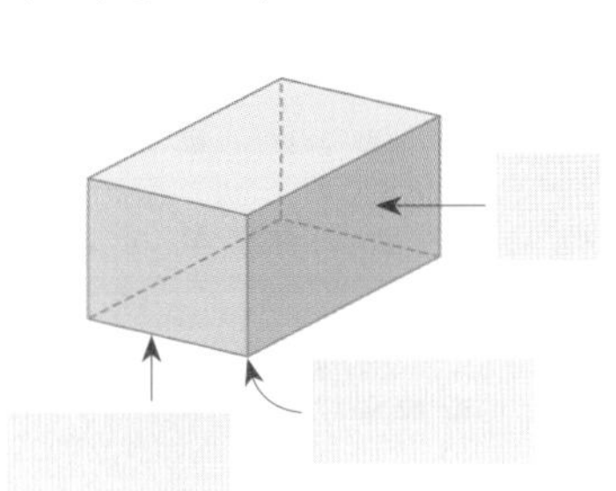

05 직육면체와 정육면체에 대한 설명이 옳은 것은 ○표, 옳지 않은 것은 ×표 하시오.

(1) 직육면체의 면은 모양과 크기가 모두 같습니다. ……

(2) 정육면체는 6개의 정사각형으로 둘러싸여 있습니다. ……

(3) 정육면체의 모서리의 길이는 모두 다릅니다. ……

(4) 직육면체와 정육면체는 면의 수가 같습니다. ……

(5) 정육면체에서 보이는 모서리는 9개, 보이지 않는 모서리는 3개입니다. ……

06 그림을 보고 □ 안에 알맞게 답하시오.

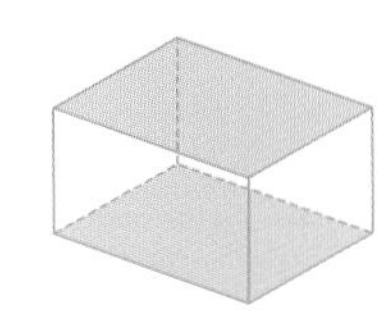

(1) 색칠한 두 면은 서로 평행하므로 □ 이라고 합니다.

(2) 평행한 면이 모두 □ 쌍입니다.

07 그림을 보고 □ 안에 알맞은 수를 써넣으시오.

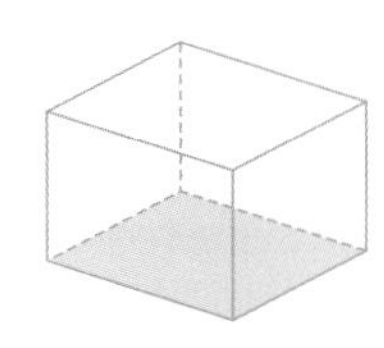

색칠한 면이 밑면일 때 밑면과 수직인 면이 □ 개이므로 옆면도 □ 개입니다.

08 색칠한 면의 이름을 쓰시오.

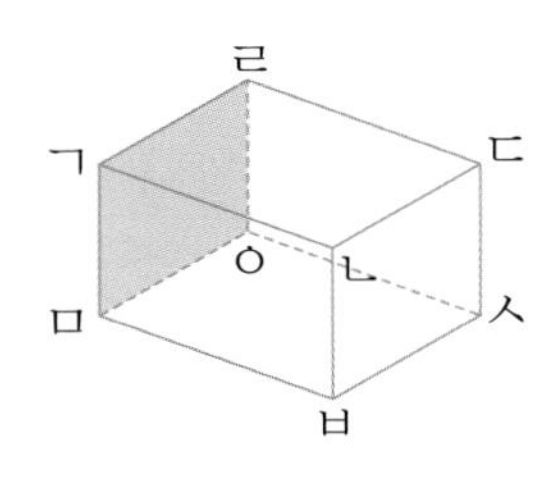

면 □

09 직육면체에서 색칠한 면이 한 밑면일 때, 다른 한 밑면을 찾아 이름을 쓰시오.

(1)

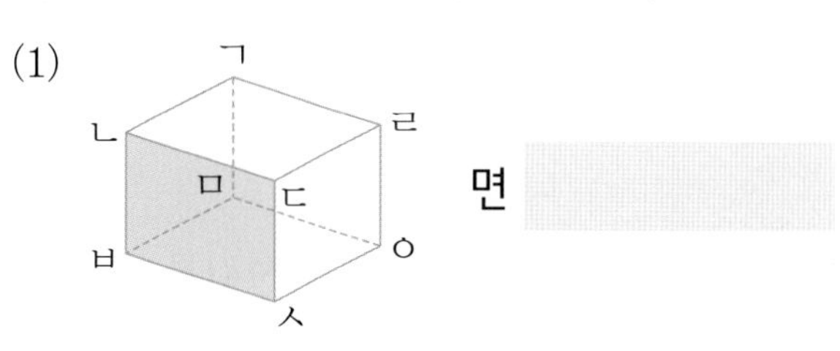

면 □

(2)

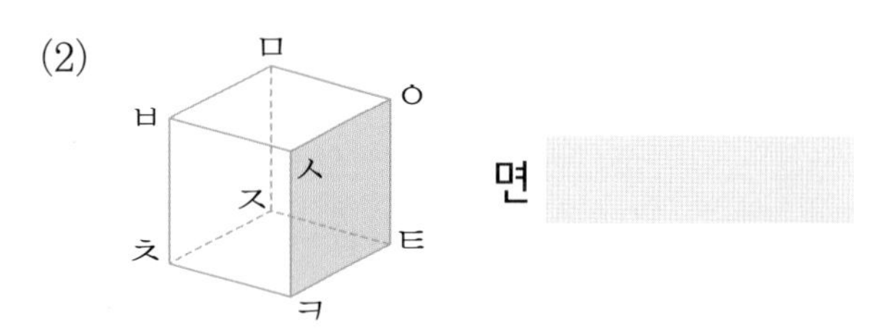

면 □

10 직육면체에서 색칠한 면이 한 밑면일 때, 옆면을 찾아 이름을 쓰시오.

(1)

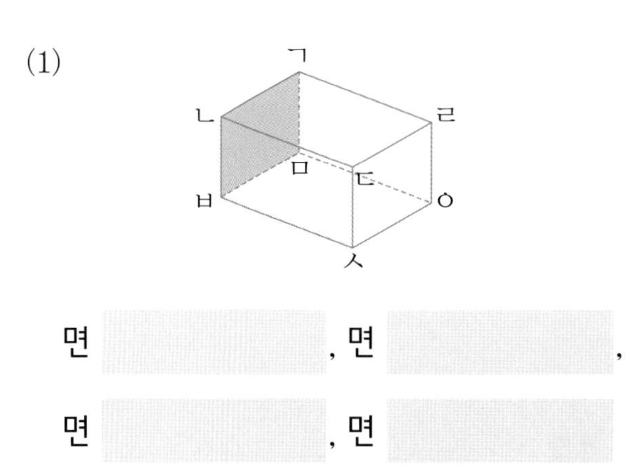

면 □, 면 □,
면 □, 면 □

(2)

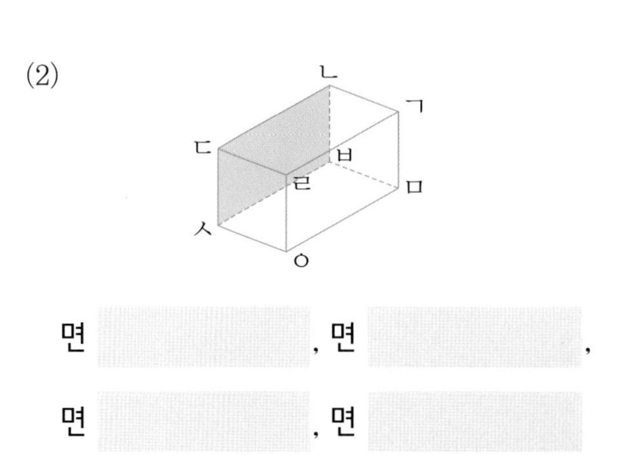

면 □, 면 □,
면 □, 면 □

11 잘못 그린 겨냥도입니다. 잘못 그린 이유로 알맞은 것을 찾아 기호를 써넣으시오.

> ㉠ 보이는 모서리를 그리지 않았습니다.
> ㉡ 보이지 않는 모서리를 그리지 않았습니다.
> ㉢ 보이는 모서리를 실선으로 그리지 않았습니다.
> ㉣ 보이지 않는 모서리를 점선으로 그리지 않았습니다.

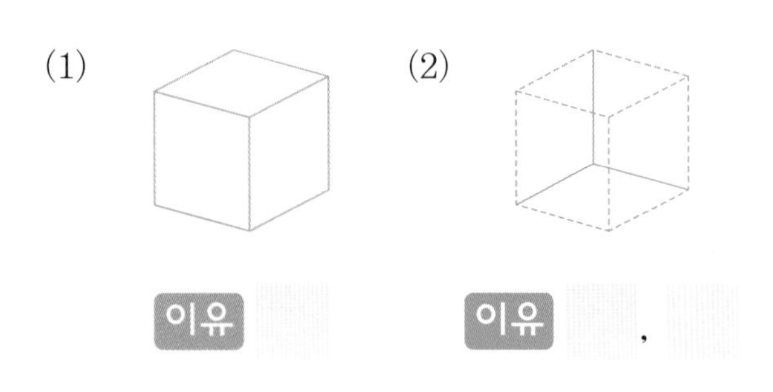

12 보이는 모서리를 실선으로 그려 보시오.

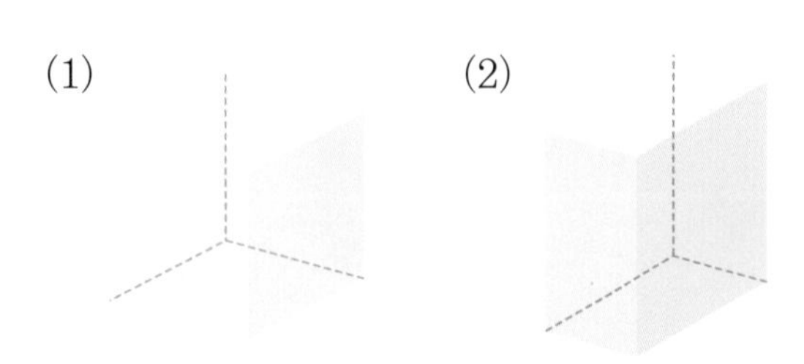

13 보이지 않는 모서리를 점선으로 그려 보시오.

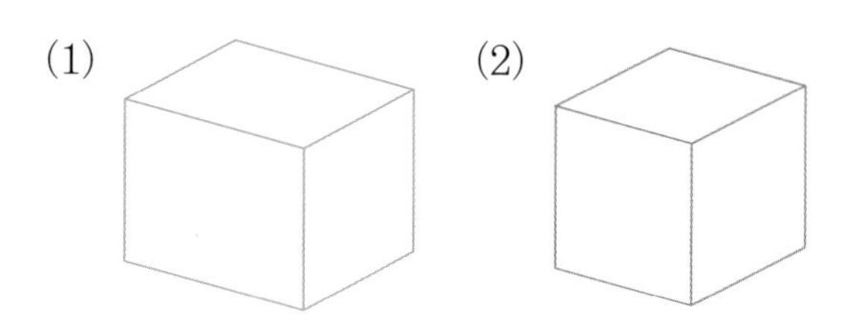

14 겨냥도를 완성하시오.

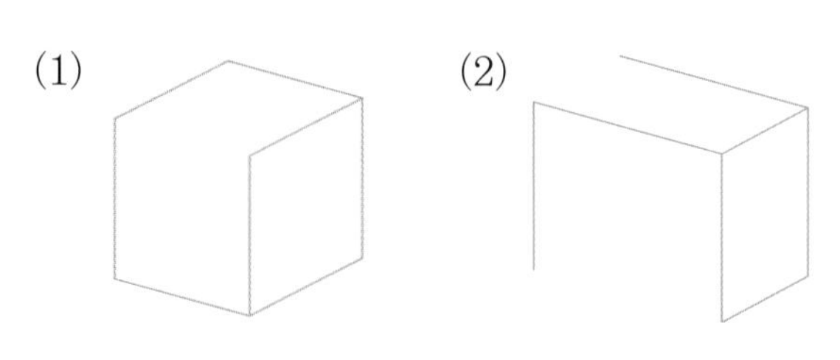

15 전개도를 접었을 때 만나는 꼭짓점을 쓰시오.

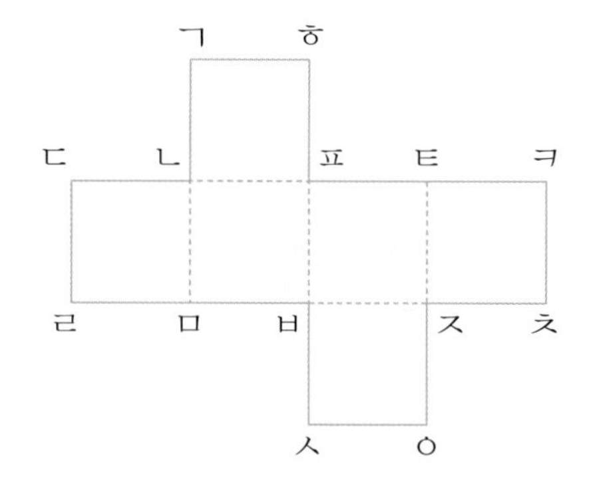

(1) 점 ㅁ과 만나는 점: 점

(2) 점 ㅌ과 만나는 점: 점

16 전개도를 접었을 때 만나는 선분을 쓰시오.

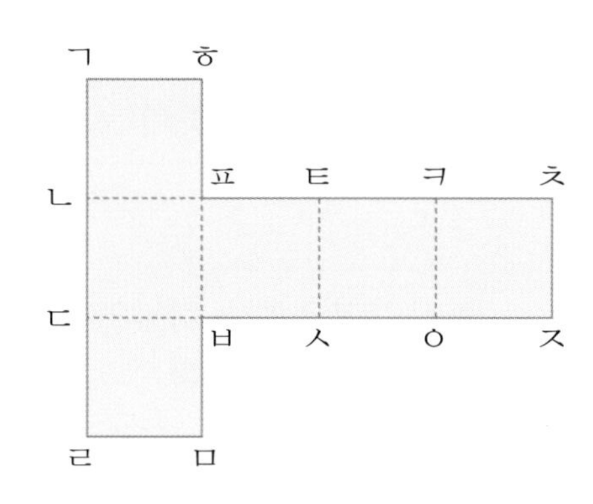

(1) 선분 ㄱㅎ과 만나는 선분: 선분

(2) 선분 ㄴㄷ과 만나는 선분: 선분

17 전개도를 접었을 때 색칠한 밑면과 수직인 면에 '옆', 평행한 면에 '밑'이라고 쓰시오.

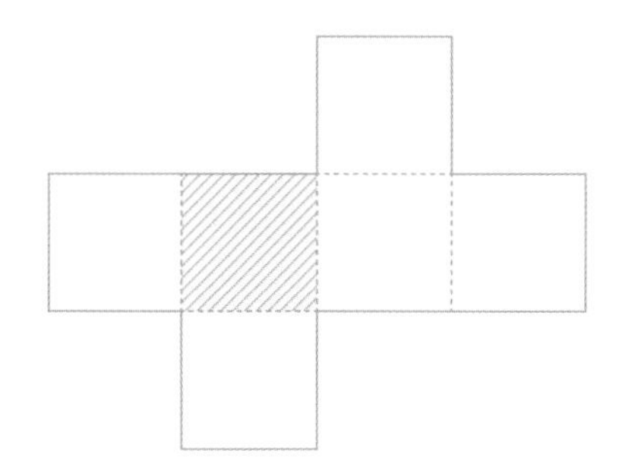

18 전개도를 접었을 때 색칠한 밑면과 평행한 면 또는 수직인 면을 찾아 기호를 쓰시오.

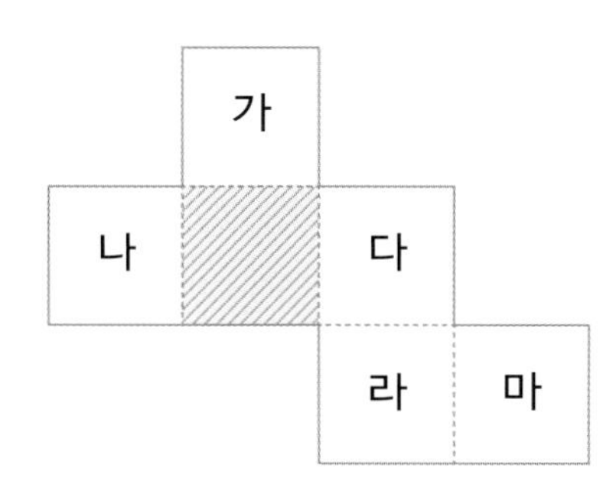

(1) 평행한 면 ➡ 면

(2) 수직인 면 ➡ 면 , 면 ,
면 , 면

[19~20] 직육면체의 전개도를 그려 보시오.

19

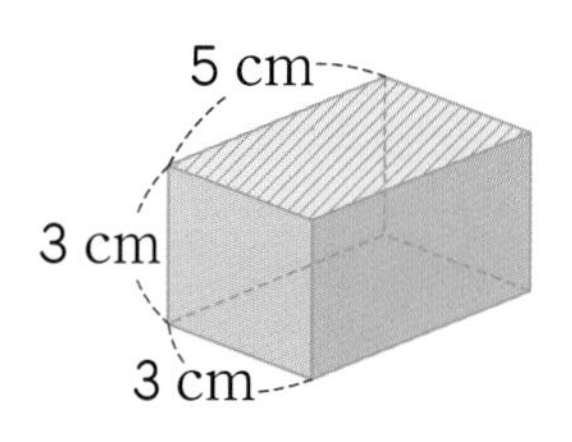

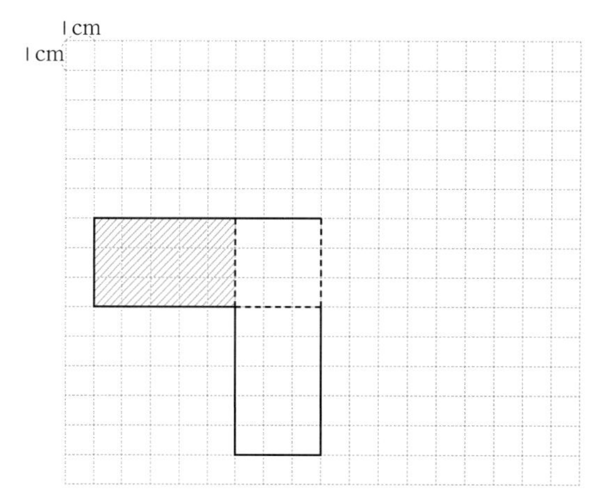

20

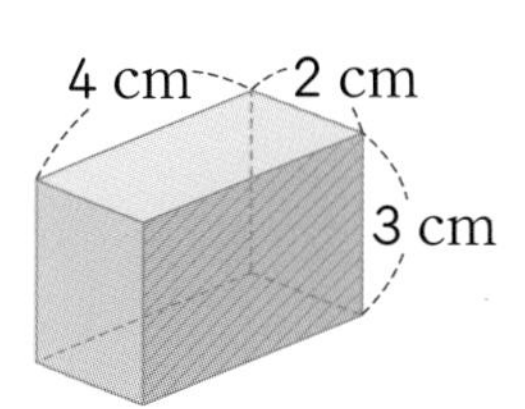

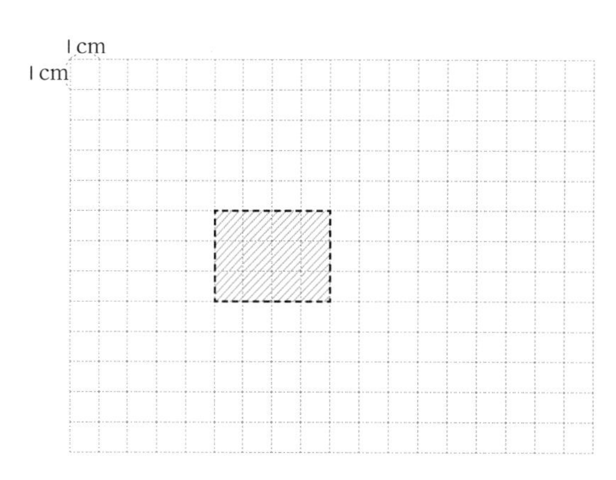

단원 평가

5. 직육면체

걸린 시간 분 점수 점

정답 41쪽

1 안에 알맞은 이름을 써넣으시오.

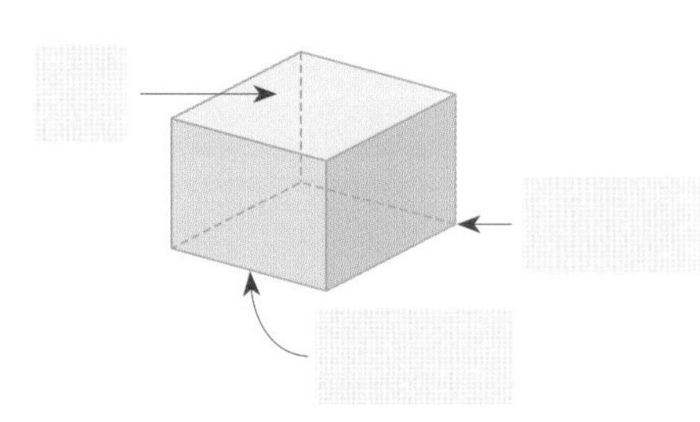

[2~3] 도형을 보고 물음에 답하시오.

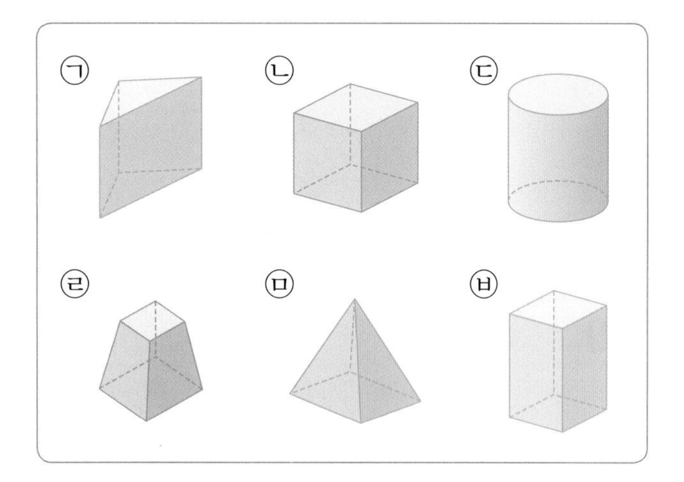

2 직육면체를 모두 찾아 기호를 쓰시오.

( )

3 정육면체를 찾아 기호를 쓰시오.

( )

4 직육면체에 대한 설명이 옳지 <u>않은</u> 것을 찾아 기호를 쓰시오.

㉠ 사각형으로 둘러싸인 부분을 면이라고 합니다.

㉡ 면과 면이 만나는 선분을 모서리라고 합니다.

㉢ 모서리와 모서리가 만나는 점을 꼭짓점이라고 합니다.

( )

5 직육면체의 겨냥도를 바르게 그린 것은 어느 것입니까? ( )

① 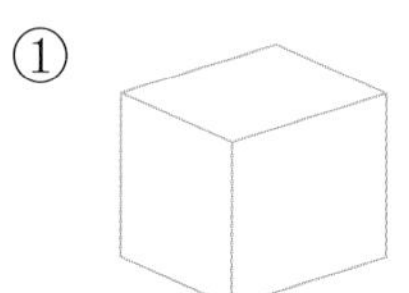

② 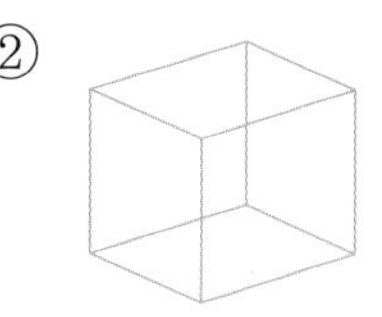

③ 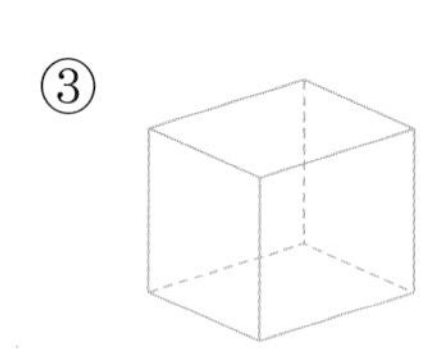

④ 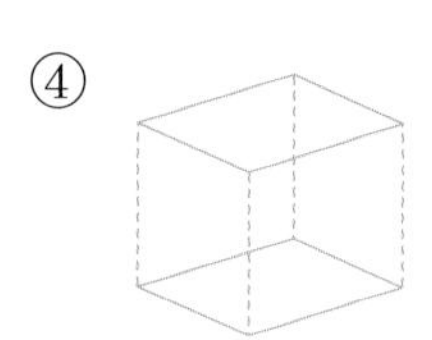

⑤ 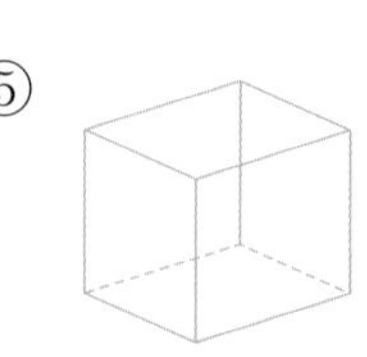

6 정육면체에서 면 ㉮를 본뜬 모양은 어떤 도형입니까?

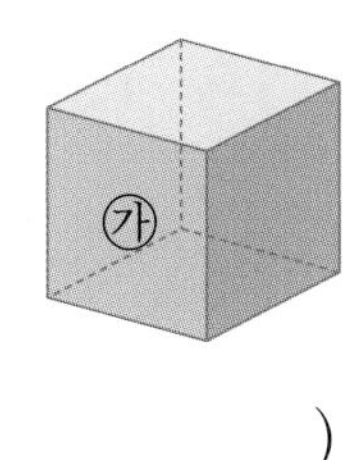

(　　　　　　)

7 직육면체와 정육면체의 다른 점을 모두 고르시오. (　　　　　　)

① 면의 수　② 면의 모양
③ 모서리의 수　④ 꼭짓점의 수
⑤ 모서리의 길이

8 직육면체에서 □ 안에 알맞은 수를 써넣으시오.

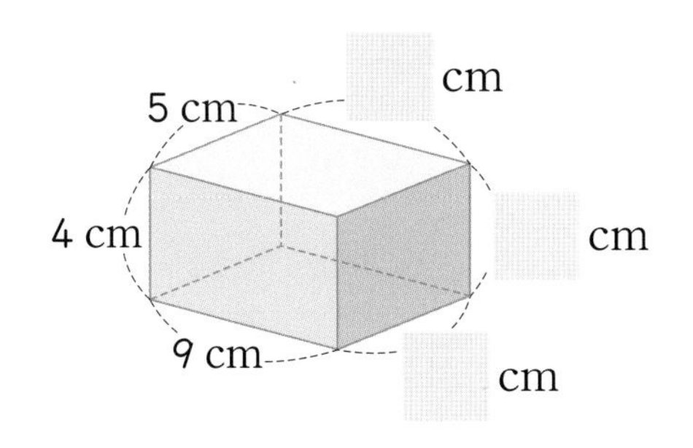

9 정육면체에서 □ 안에 알맞은 수를 써넣으시오.

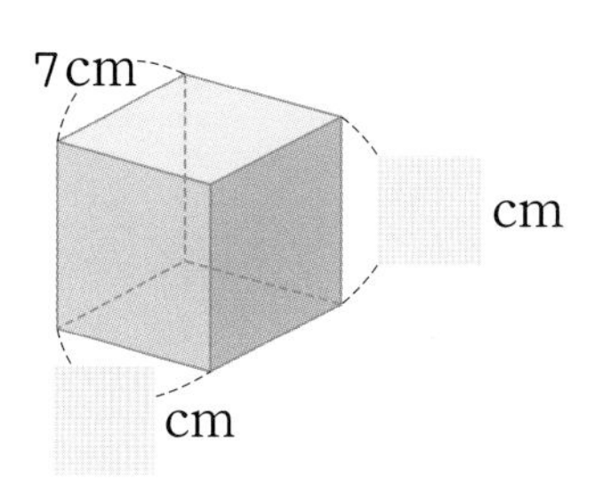

10 한 모서리의 길이가 8 cm인 정육면체가 있습니다. 이 정육면체의 모든 모서리의 길이의 합은 몇 cm입니까?

(　　　　　　)cm

11 직육면체에서 색칠한 면과 평행한 면을 찾아 기호를 쓰시오.

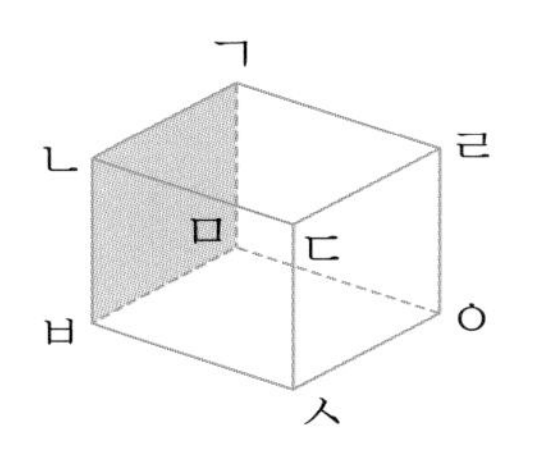

㉠ 면 ㄱㄴㄷㄹ　㉡ 면 ㄱㅁㅇㄹ
㉢ 면 ㅁㅂㅅㅇ　㉣ 면 ㄷㅅㅇㄹ

(　　　　　　)

12 직육면체에서 면 ㄴㅂㅅㄷ과 수직인 면은 모두 몇 개입니까?

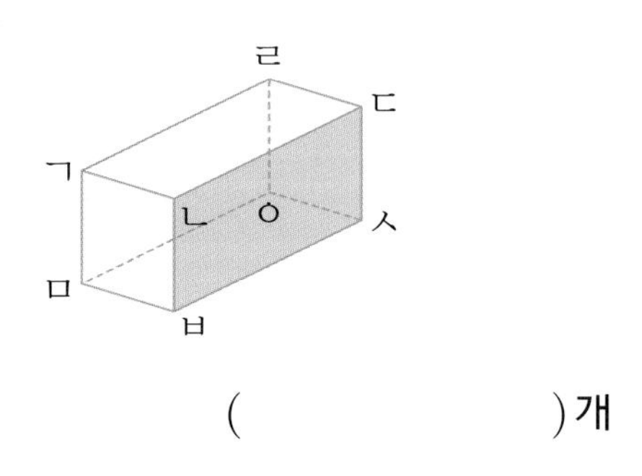

( )개

13 직육면체의 전개도가 <u>아닌</u> 것을 모두 고르시오. ( )

①
②
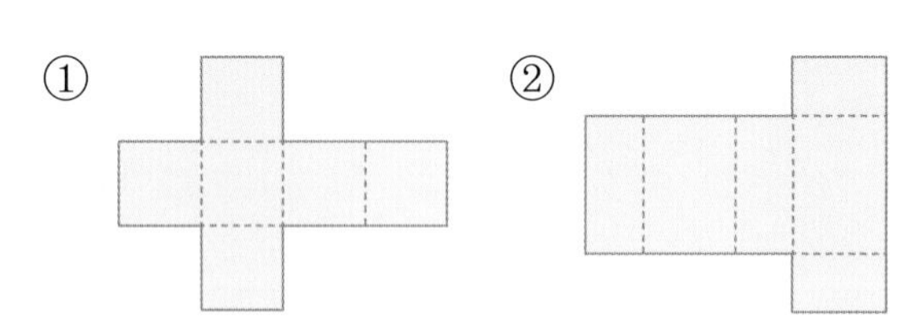

③
④
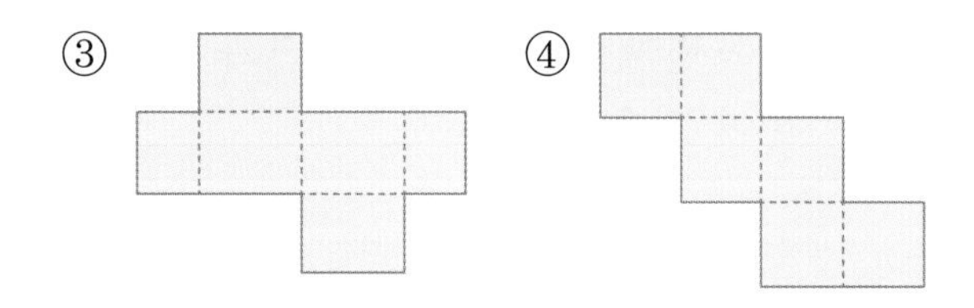

⑤
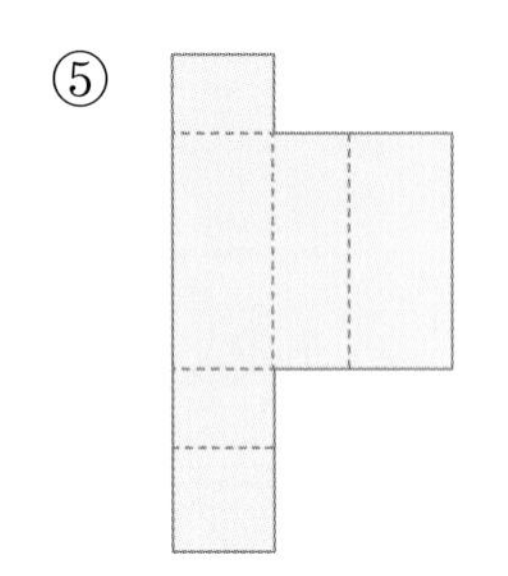

[14~15] 직육면체의 전개도를 보고 물음에 답하시오.

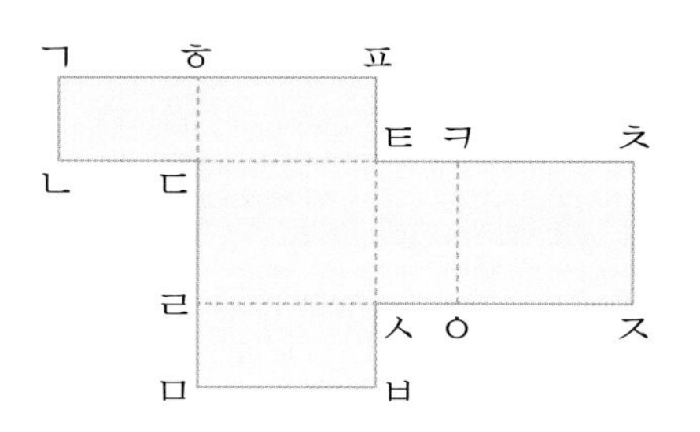

14 전개도를 접었을 때 점 ㅁ과 만나는 점을 모두 찾아 쓰시오.

( )

15 전개도를 접었을 때 선분 ㄱㅎ과 만나는 선분을 찾아 쓰시오.

( )

16 직육면체의 전개도입니다. ☐ 안에 알맞은 수를 써넣으시오.

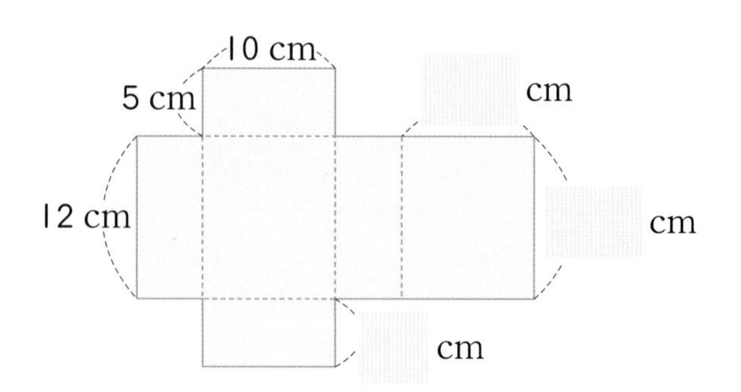

17 직육면체를 위와 앞에서 본 모양을 보고 겨냥도를 그린 것입니다. ▢ 안에 알맞은 수를 써넣으시오.

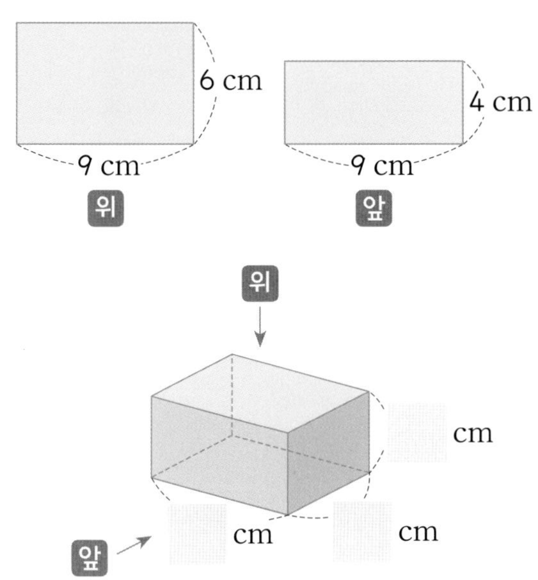

18 한 모서리의 길이가 6 cm인 정육면체의 전개도입니다. 전개도의 둘레의 길이는 몇 cm입니까?

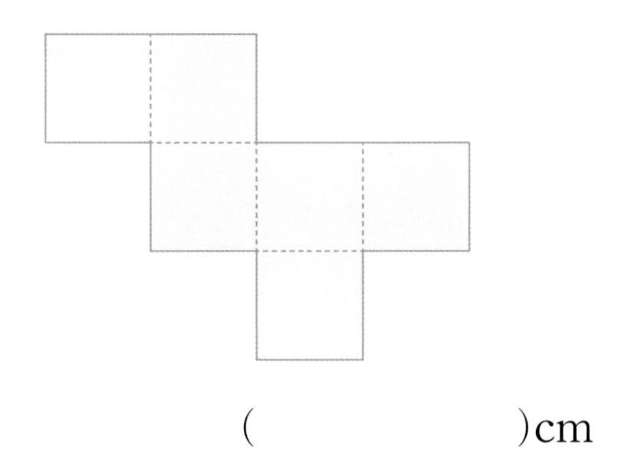

( ) cm

19 직육면체에서 보이는 모서리의 수는 보이는 꼭짓점의 수보다 몇 개 더 많은지 풀이 과정을 쓰고 답을 구하시오.

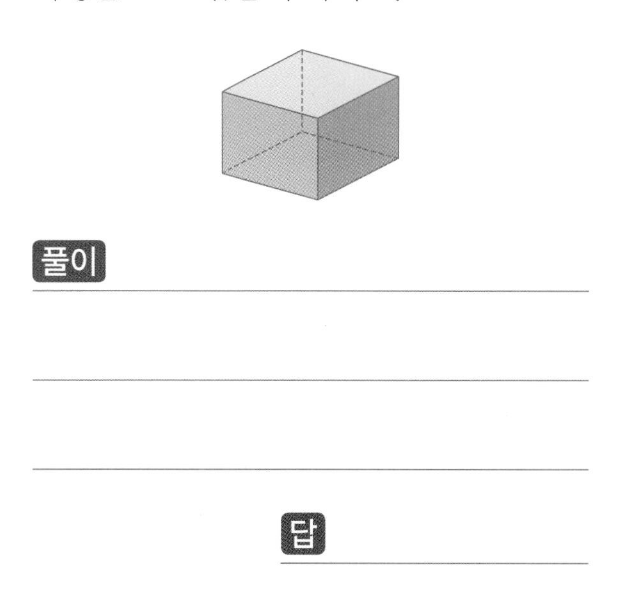

풀이

답

20 모든 모서리의 길이의 합이 60 cm인 정육면체가 있습니다. 이 정육면체의 한 모서리의 길이는 몇 cm인지 풀이 과정을 쓰고 답을 구하시오.

풀이

답

memo

FACTO school

5-2

초등 수학 팩토

단원별 계산력 수학

6 단원

평균과 가능성

매스티안

2-1
5. 분류하기
- 기준에 따라 분류하고 수 세기

2-2
5. 표와 그래프
- 표와 그래프 나타내기와 해석하기

3-2
6. 자료의 정리
- 표와 그림그래프

4-1
5. 막대그래프
- 막대그래프 그리기
- 막대그래프 해석하기

4-2
5. 꺾은선그래프
- 꺾은선그래프 그리기
- 꺾은선그래프 해석하기

6 평균과 가능성

Teaching Guide

평균의 개념은 제시된 자료들의 분포 상태를 직관적으로 파악할 수 있어, 자료들을 통계적으로 분석하는데 가장 기초가 되는 개념이며 확률 개념의 기초와도 밀접한 관련이 있습니다. 확률의 개념은 중학교에서 다루지만 확률 개념의 기초가 되는 '일이 일어날 가능성'은 이 단원에서 다룹니다. 아이들이 경험할 수 있는 친근한 상황에서 일이 일어날 가능성을 '불가능하다', '~아닐 것 같다', '반반이다', '~일 것 같다', '확실하다'의 말로 표현하고 비교할 수 있도록 지도합니다. 특히 일이 일어날 가능성의 정도가 직관적으로 파악되는 상황들은 '0, $\frac{1}{2}$, 1'로 표현할 수 있도록 지도합니다.

5. 여러 가지 그래프

· 그림그래프, 띠그래프, 원그래프 나타내기와 해석하기

자료의 정리와 해석

대푯값과 산포도

상관관계

6. 평균과 가능성

· 평균

· 일이 일어날 가능성

경우의 수

확률

일차	내용	날짜
1일차	평균 구하기	월 일
2일차	평균 활용하기	월 일
3일차	일이 일어날 가능성	월 일

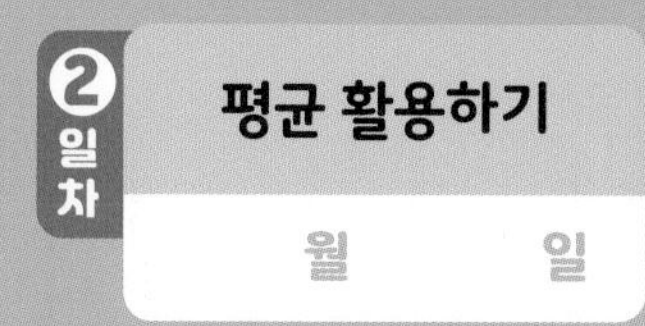
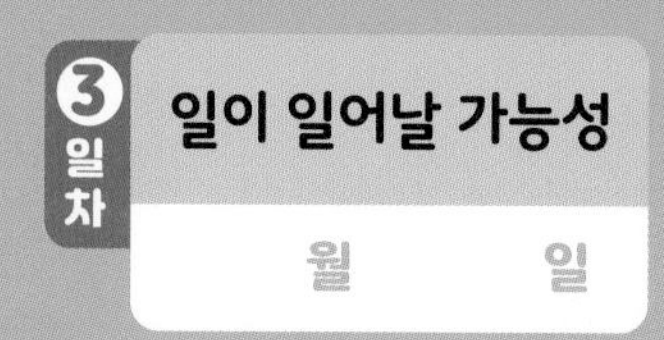

일차	내용	날짜
4일차	응용 문제	월 일
5일차	형성 평가	월 일
6일차	단원 평가	월 일

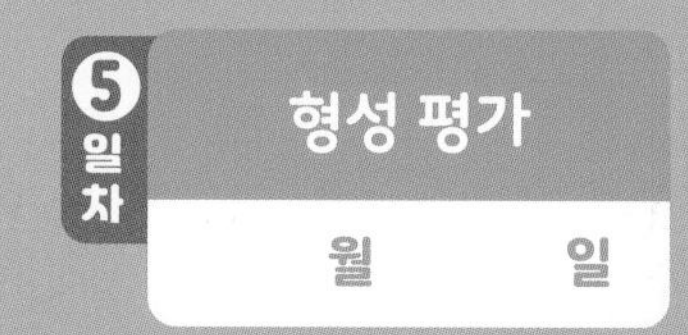
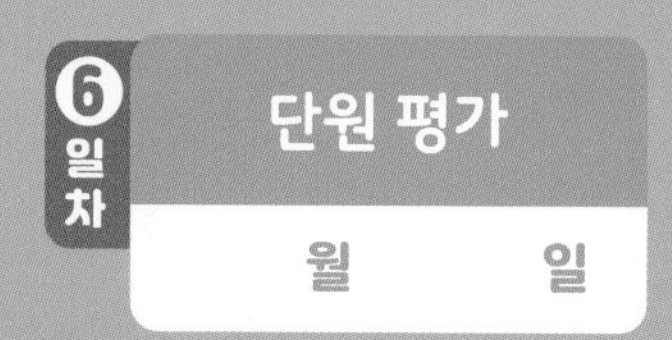

01 평균 구하기

정답 42쪽

● 물의 높이를 고르게 하여 평균 구하기

각 자료의 값을 모두 더해 자료의 수로 나눈 값을 **평균**이라고 합니다.

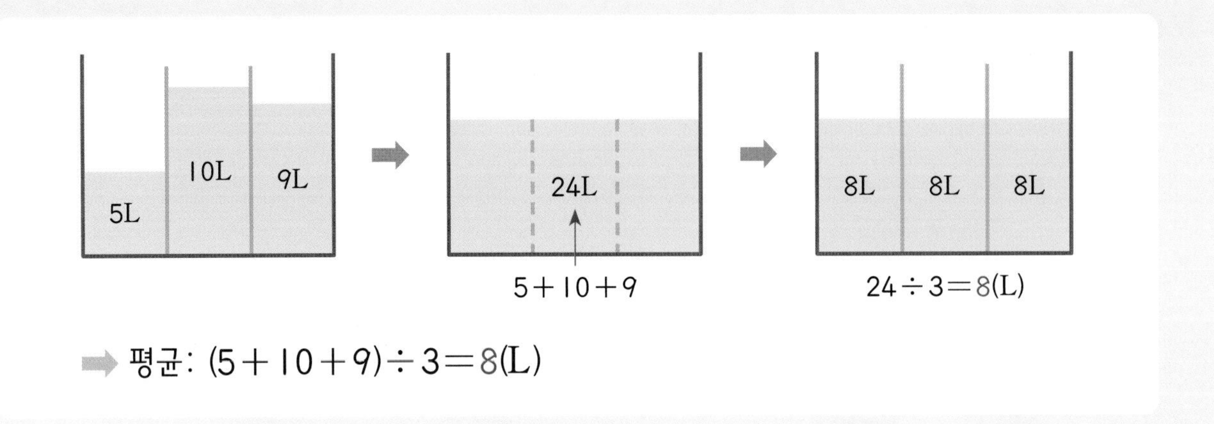

➡ 평균: (5+10+9)÷3=8(L)

1 칸막이가 있는 수조에 담긴 물의 양을 고르게 하여 평균을 구하려고 합니다. ☐ 안에 알맞은 수를 써넣으시오.

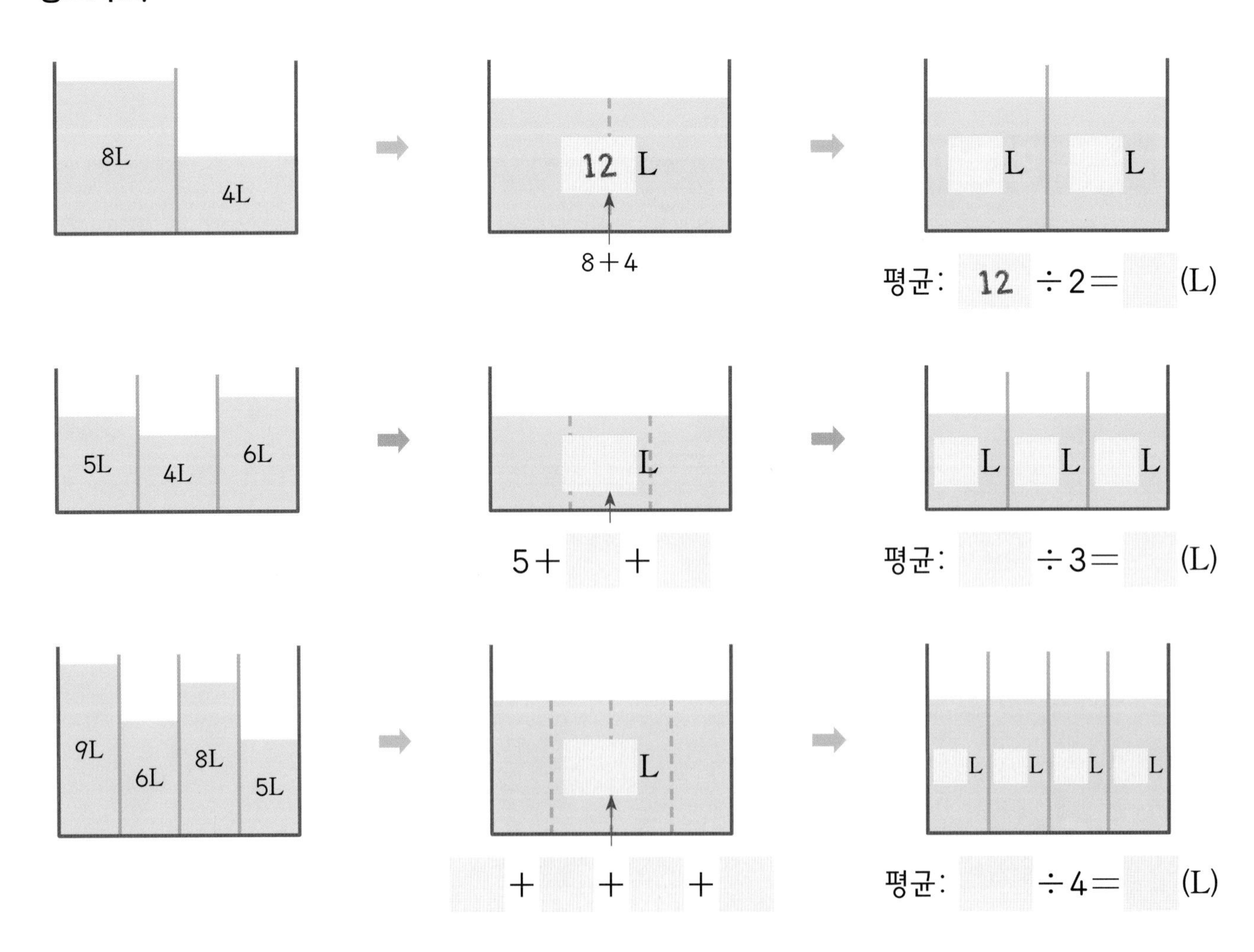

2 표를 보고 평균을 구해 보시오.

지혜네 반 모둠별 학생 수

모둠	1모둠	2모둠	3모둠	4모둠
학생 수(명)	8	7	8	9

➡ 평균: 32 ÷ 4 = (명)

8+7+8+9 ↗ ↖ 4모둠

9월에 읽은 동화책 수

이름	나라	미수	지아	호야
책 수(권)	8	5	6	5

➡ 평균: ÷ 4 = (권)

8+5+6+5 ↗ ↖ 4명

50m 달리기 기록

이름	준수	선호	소연	미진
기록(초)	9	6	8	7

➡ 평균: ÷ = (초)

고리 던지기 기록

회	1회	2회	3회	4회
고리 수(개)	4	5	5	6

➡ 평균: ÷ = (개)

제기차기 기록

회	1회	2회	3회	4회
기록(번)	22	19	25	18

➡ 평균: ÷ = (번)

윗몸 말아 올리기 기록

회	1회	2회	3회	4회
기록(번)	18	20	23	19

➡ 평균: ÷ = (번)

매달리기 기록

회	1회	2회	3회	4회
기록(초)	18	15	19	20

➡ 평균: ÷ = (초)

봉사 동아리 회원의 나이

이름	주연	윤기	은지	지민
나이(살)	12	13	10	13

➡ 평균: ÷ = (살)

● 예상한 평균을 이용하여 평균 구하기

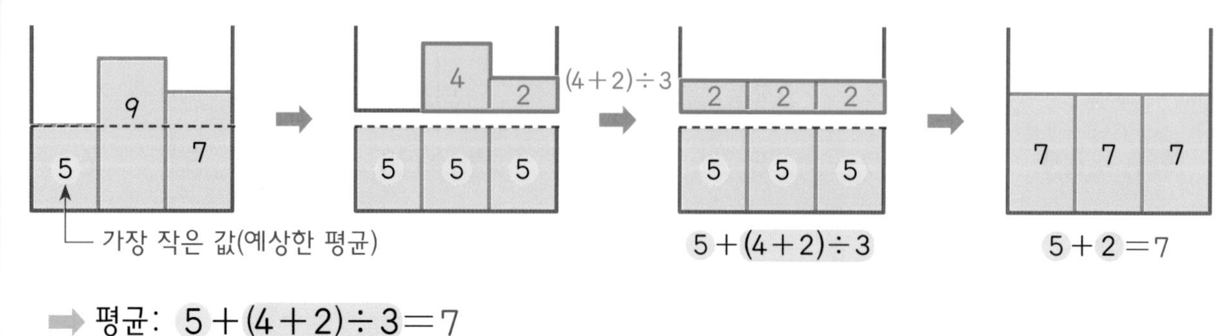

➡ 평균: 5+(4+2)÷3=7

3 예상한 평균을 이용하여 평균을 구하려고 합니다. ☐ 안에 알맞은 수를 써넣으시오.

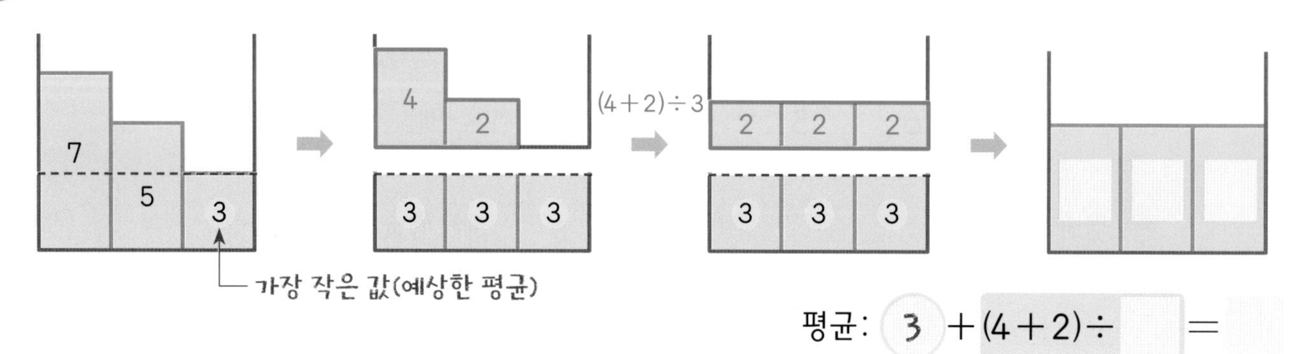

평균: 3+(4+2)÷☐=☐

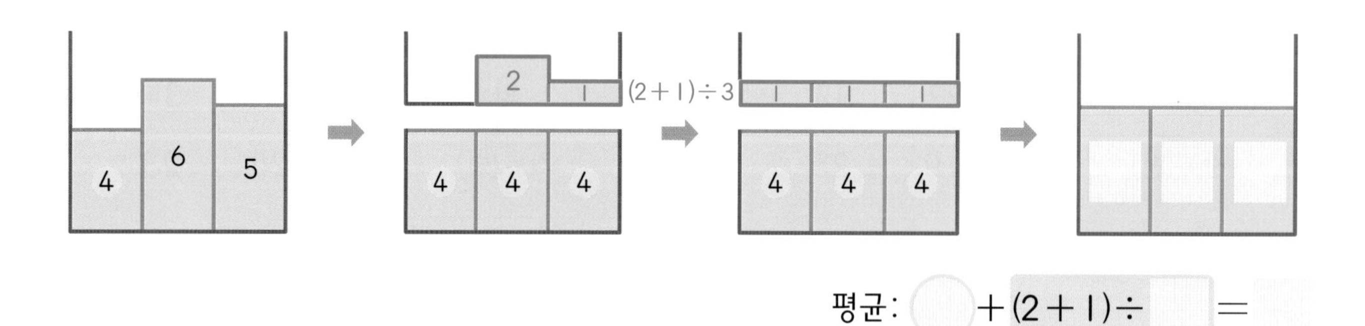

평균: ☐+(2+1)÷☐=☐

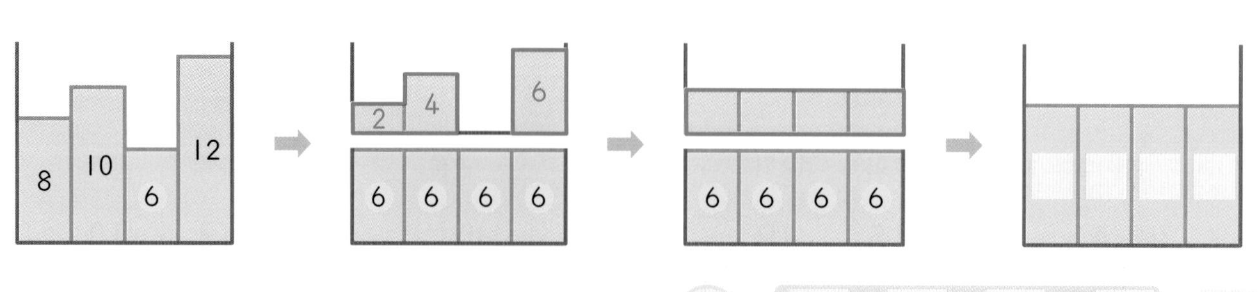

평균: ☐+(☐+☐+☐)÷☐=☐

4 예상한 평균을 이용하여 평균을 구해 보시오.

5학년 반별 학생 수

반	1반	2반	3반	4반
학생 수(명)	30	33	31	34

가장 작은 값(예상한 평균)

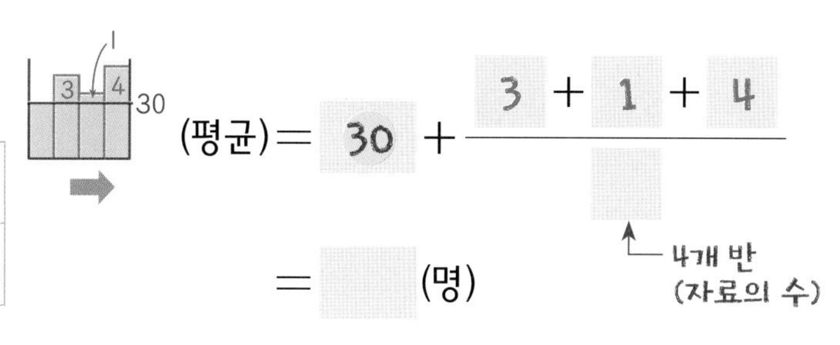

수진이의 점수

과목	국어	수학	영어	과학
점수(점)	85	84	91	88

$(평균) = \square + \dfrac{\square + \square + \square}{\square}$

$= \square$ (점)

줄넘기 기록

회	1회	2회	3회	4회
기록(번)	29	25	31	27

$(평균) = \square + \dfrac{\square + \square + \square}{\square}$

$= \square$ (번)

친구들의 몸무게

이름	슬기	현정	미란	지혜
몸무게(kg)	39	38	42	37

$(평균) = \square + \dfrac{\square + \square + \square}{\square}$

$= \square$ (kg)

마을별 초등학생 수

마을	가	나	다	라
학생 수(명)	130	126	121	127

$(평균) = \square + \dfrac{\square + \square + \square}{\square}$

$= \square$ (명)

02 평균 활용하기

정답 43쪽

● 자료를 보고 평균 구하기

은서네 모둠 친구들의 수학 점수

65점	75점	35점	85점
45점	85점	80점	90점

➡ 수학 점수의 평균: (65＋75＋35＋85＋45＋85＋80＋90)÷8
＝70(점)

(65＋75＋35＋85＋45＋85＋80＋90): 수학 점수의 합, 8: 친구 수

1 자료를 보고 평균을 구해 보시오.

은서의 공 던지기 기록

48m	50m	56m
54m	49m	55m

➡ 평균: ☐ m

(48+50+56+54+49+55)÷6

지수가 쓰러뜨린 볼링 핀의 수

4개	2개	6개	8개
9개	10개	8개	9개

➡ 평균: ☐ 개

(볼링 핀 수의 합)÷(횟수)

친구들이 가지고 있는 연필 수

10자루	3자루	5자루	9자루
9자루	6자루	8자루	6자루

➡ 평균: ☐ 자루

친구들이 일주일 동안 마신 물의 양

7L	6L	14L
10L	9L	8L

➡ 평균: ☐ L

석진이의 윗몸 일으키기 기록

25번	20번	30번	25번
27번	23번	26번	24번

➡ 평균: ☐ 번

현서의 50m 달리기 기록

9초	10초	12초
10초	9초	10초

➡ 평균: ☐ 초

자료 수가 다른 경우의 평균 비교하기

모둠 친구 수와 제기차기 횟수

모둠	1모둠	2모둠	3모둠	4모둠	5모둠
모둠 친구 수(명)	4	4	5	4	5
제기차기 횟수(번)	24	32	30	36	35
제기차기 횟수의 평균(번)	6	8	6	9	7
	24÷4	32÷4	30÷5	36÷4	35÷5

➡ 제기차기 기록의 평균이 가장 많은 모둠: 4모둠

2 평균을 구하여 표를 완성하고, ☐ 안에 알맞게 써넣으시오.

모둠	1모둠	2모둠	3모둠
모둠 친구 수(명)	4	5	3
읽은 도서 수(권)	16	15	18
읽은 도서 수의 평균(권)			

16÷4

➡ 평균이 가장 많은 모둠: ☐ 모둠

친구	지혜	호현	지영
가족 수(명)	3	4	5
마신 우유 양(mL)	1200	2000	1500
마신 우유 양의 평균(mL)			

➡ 평균이 가장 많은 친구: ☐

모둠	1모둠	2모둠	3모둠
모둠 친구 수(명)	5	6	4
먹은 사탕 수(개)	30	24	16
먹은 사탕 수의 평균(개)			

➡ 평균이 가장 많은 모둠: ☐ 모둠

모둠	1모둠	2모둠	3모둠
모둠 친구 수(명)	6	4	5
칭찬 도장 수(개)	42	36	40
칭찬 도장 수의 평균(개)			

➡ 평균이 가장 많은 모둠: ☐ 모둠

농장	가	나	다
암탉 수(마리)	15	24	12
낳은 달걀 수(개)	45	48	48
낳은 달걀 수의 평균(개)			

➡ 평균이 가장 많은 농장: ☐ 농장

농장	아침	햇살	신선
사과나무 수(그루)	10	20	15
사과 수확량(kg)	330	700	450
사과 수확량의 평균(kg)			

➡ 평균이 가장 많은 농장: ☐ 농장

● 평균을 이용하여 자료 값 구하기 (1)

붙임딱지 수

이름	지혜	호현	미란	혜원	평균
붙임딱지 수(장)		20	18	17	18

➡

붙임딱지 수

이름	지혜	호현	미란	혜원	평균
붙임딱지 수(장)	17	20	18	17	18

❶ 붙임딱지 수의 합

$18 \times 4 = 72$ (장)
(평균)(자료 수)

❷ 지혜의 붙임딱지 수

$72-(20+18+17)=17$(장)

3 평균을 이용하여 자료 값을 구하고, 표를 완성하시오.

조별 학생 수

조	1조	2조	3조	4조	평균
학생 수(명)	8	9	7		8

(평균) (자료 수)

❶ 학생 수의 합: 8 × ☐ = ☐ (명)

❷ 4조의 학생 수: ☐ − ☐ = ☐ (명)

(8+9+7)

고리 던지기 기록

회	1회	2회	3회	4회	평균
기록(번)	5		6	3	5

❶ 기록의 합: ☐ × ☐ = ☐ (번)

❷ 2회의 기록: ☐ − ☐ = ☐ (번)

윗몸 말아 올리기 기록

회	1회	2회	3회	4회	평균
기록(번)	12	10		13	11

❶ 기록의 합: ☐ × ☐ = ☐ (번)

❷ 3회의 기록: ☐ − ☐ = ☐ (번)

읽은 책의 수

월	1월	2월	3월	4월	평균
책 수(권)	9	7		5	6

❶ 책 수의 합: ☐ × ☐ = ☐ (권)

❷ 3월의 책 수: ☐ − ☐ = ☐ (권)

● 평균을 이용하여 자료 값 구하기 (2)

줄넘기 기록

회	1회	2회	3회	4회	평균
기록(번)	21		19	23	22

➡

줄넘기 기록

회	1회	2회	3회	4회	평균
기록(번)	21	25	19	23	22

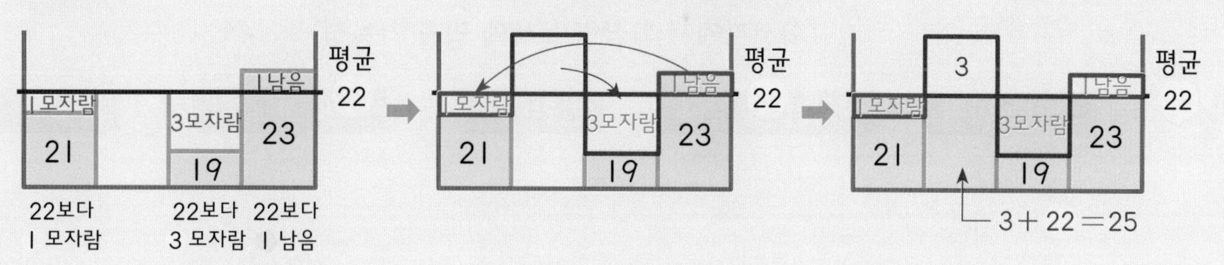

4 평균을 이용하여 자료 값을 구하고, 표를 완성하시오.

유나의 성적

과목	국어	수학	영어	사회	평균
점수(점)	94	86		88	90

90 보다 4 남음 / 90 보다 4 모자람 / 90 보다 남음 / 90 보다 2 모자람

수지네 양궁팀 점수

경기(회)	1회	2회	3회	4회	평균
점수(점)	50	58	60		55

55 보다 5 모자람 / 55 보다 남음 / 55 보다 5 남음 / 55 보다 모자람

주별 타자 기록 수

주	첫째	둘째	셋째	넷째	평균
기록(타)	150		120	110	130

130 보다 남음 / 130 보다 남음 / 130 보다 모자람 / 130 보다 모자람

03 일이 일어날 가능성

정답 44쪽

가능성 비교하기

어떠한 상황에서 특정한 일이 일어나길 기대할 수 있는 정도를 **가능성**이라고 합니다.

〈회전판에서 화살이 **녹색에 멈출** 가능성〉

불가능하다 / ~아닐 것 같다 /  / ~일 것 같다 / 

 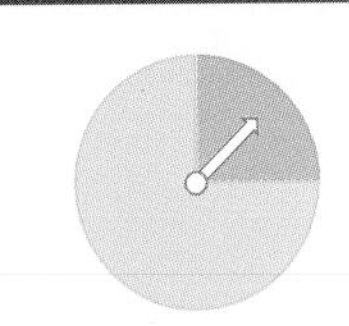 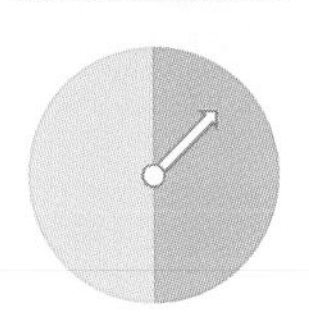 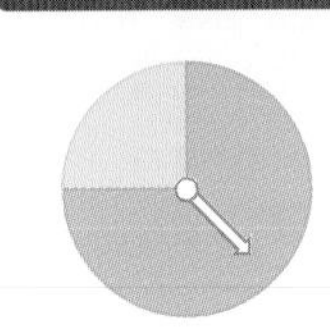 

1 회전판 돌리기에서 화살이 **노란색에 멈출** 가능성을 비교하는 말을 찾아 알맞게 써넣으시오.

불가능하다　~아닐 것 같다　반반이다　~일 것 같다　확실하다

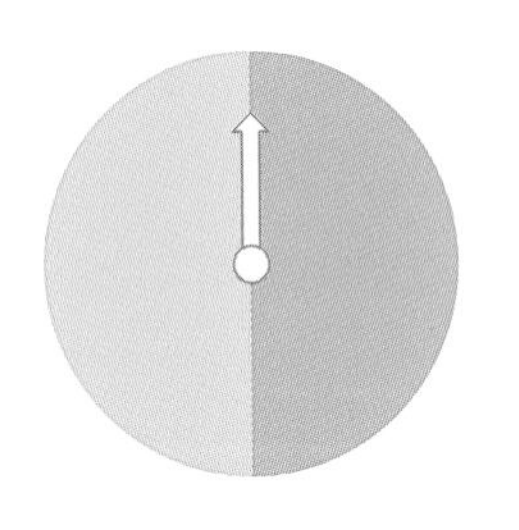 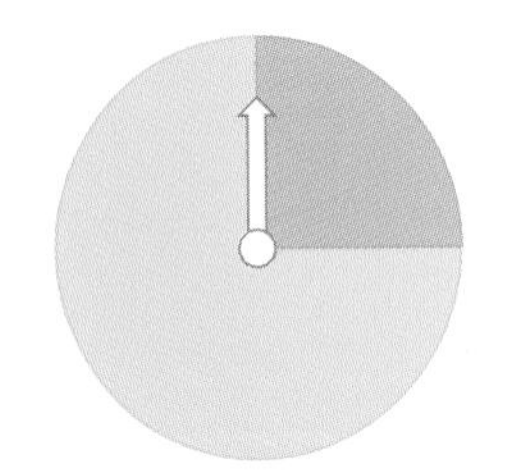 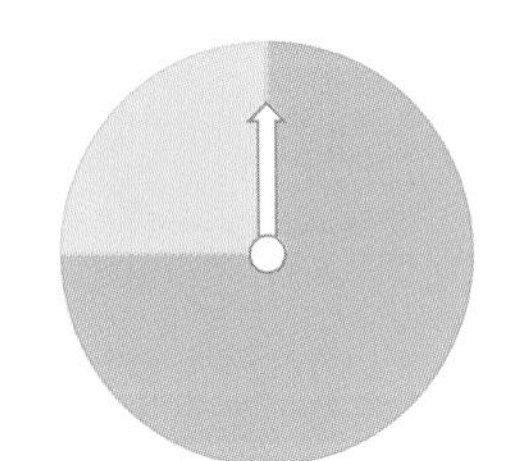 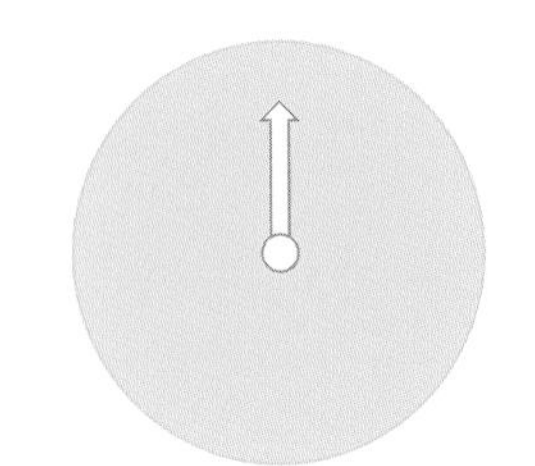

반반이다

 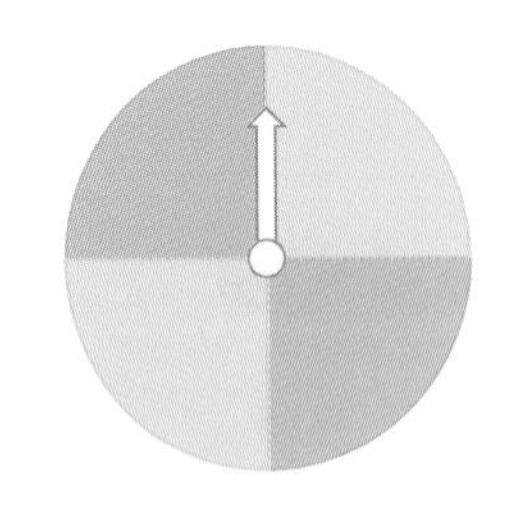  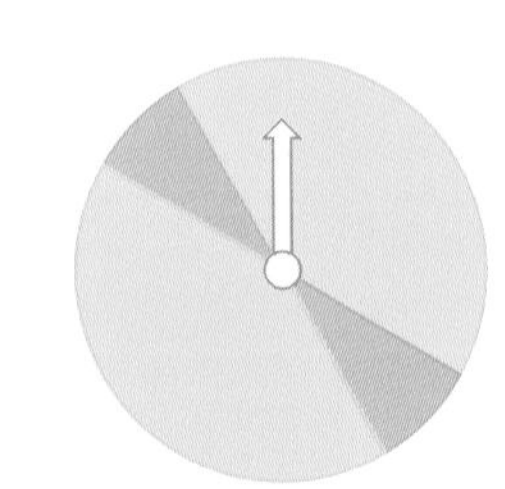

2 그림을 보고 □ 안에 알맞게 써넣으시오.

불가능하다　　~아닐 것 같다　　반반이다　　~일 것 같다　　확실하다

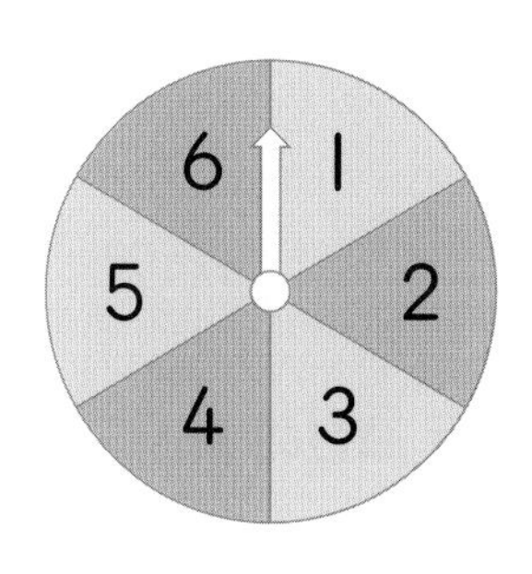

Q1 회전판의 화살이 4보다 큰 수에 멈출 가능성

➡ 4보다 큰 수: □, □

➡ 4보다 큰 수에 멈출 가능성: □

Q2 회전판의 화살이 6 이하의 수에 멈출 가능성

➡ 6 이하의 수: □, □, □, □, □, □

➡ 6 이하의 수에 멈출 가능성: □

Q1 주사위를 굴릴 때 눈의 수가 홀수가 나올 가능성

➡ 홀수: □, □, □

➡ 홀수가 나올 가능성: □

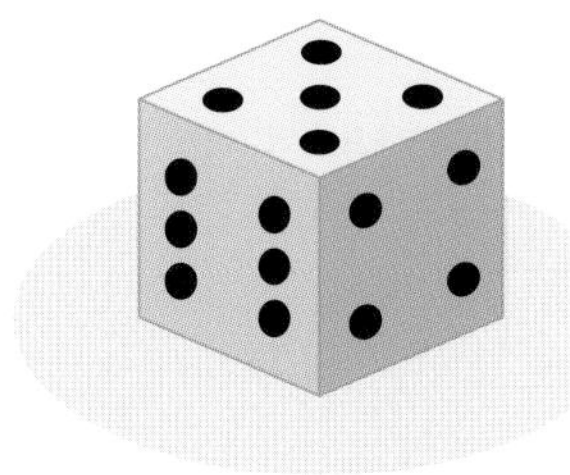

Q2 주사위를 굴릴 때 눈의 수가 6의 약수가 나올 가능성

➡ 6의 약수: □, □, □, □

➡ 6의 약수가 나올 가능성: □

Q3 주사위를 굴릴 때 눈의 수가 7이 나올 가능성

➡ 주사위에는 눈의 수가 7인 면이 (있습니다 , 없습니다).

➡ 7이 나올 가능성: □

3 다음을 읽고 맞으면 ○, 틀리면 ×를 (　) 안에 써넣고, 가능성을 수로 표현해 보시오.

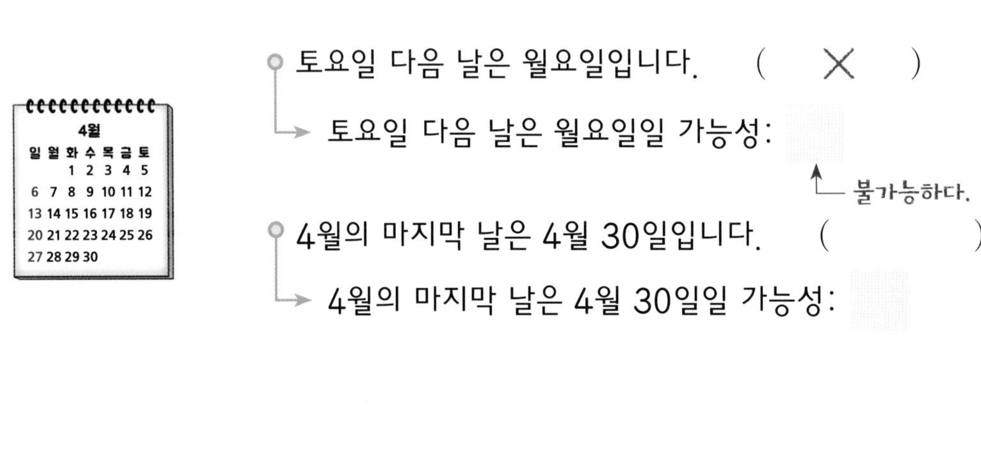

- 토요일 다음 날은 월요일입니다. (×)
  - → 토요일 다음 날은 월요일일 가능성: □ (↑ 불가능하다.)
- 4월의 마지막 날은 4월 30일입니다. (　　)
  - → 4월의 마지막 날은 4월 30일일 가능성: □

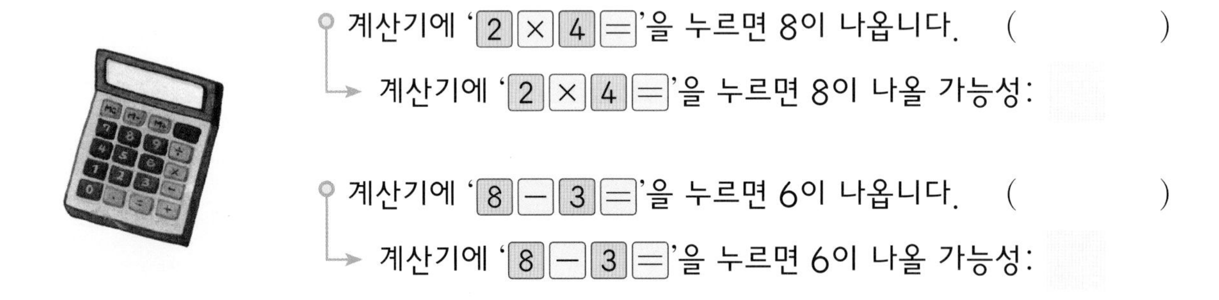

- 계산기에 '2 × 4 ='을 누르면 8이 나옵니다. (　　)
  - → 계산기에 '2 × 4 ='을 누르면 8이 나올 가능성: □
- 계산기에 '8 − 3 ='을 누르면 6이 나옵니다. (　　)
  - → 계산기에 '8 − 3 ='을 누르면 6이 나올 가능성: □

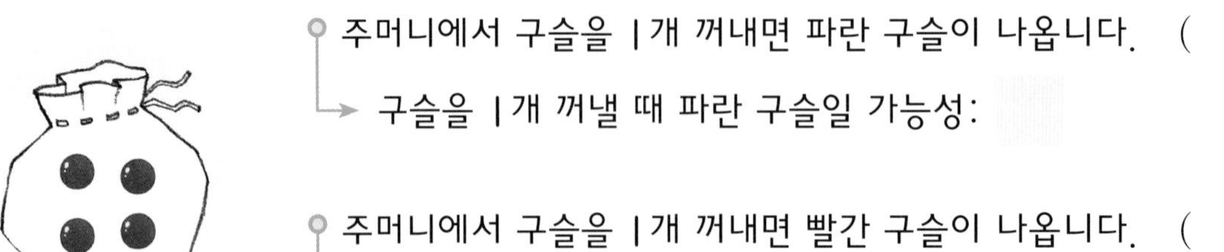

- 주머니에서 구슬을 1개 꺼내면 파란 구슬이 나옵니다. (　　)
  - → 구슬을 1개 꺼낼 때 파란 구슬일 가능성: □
- 주머니에서 구슬을 1개 꺼내면 빨간 구슬이 나옵니다. (　　)
  - → 구슬을 1개 꺼낼 때 빨간 구슬일 가능성: □

 4 일이 일어날 가능성을 수로 표현해 보시오.

확실하다: 1 반반이다: $\frac{1}{2}$ 불가능하다: 0

2월의 마지막 날이 2월 30일일 가능성

빨간 구슬 3개, 파란 구슬 3개가 들어 있는 주머니에서 구슬을 1개 꺼낼 때 파란 구슬일 가능성

계산기에 '5 + 5 ='을 누르면 10이 나올 가능성

주사위를 던질 때 짝수가 나올 가능성

노란 구슬 3개가 들어 있는 주머니에서 구슬을 1개 꺼낼 때 노란색일 가능성

화요일 다음 날은 수요일일 가능성

동전을 던질 때 숫자면이 나올 가능성

서울의 12월의 평균 기온이 30℃ 보다 높을 가능성

정답 45쪽

정국이는 기말 시험에서 국어 80점, 영어 89점, 수학 86점을 받았습니다. 세 과목의 평균은 몇 점입니까?

주어진 수에 ○표 하고, 구하는 것에 밑줄 치기

국어 점수: 80 점, 영어 점수: 점, 수학 점수: 점

문제 해결하기

세 과목의 점수를 모두 (더하고 , 곱하고), 그 값을 과목 수 3으로 (뺍니다 , 나눕니다).

문제 풀기

(세 과목의 평균) = (세 과목의 점수의 합) ÷ (과목 수)

= (+ +) ÷ = (점)

답 쓰기

세 과목의 평균은 점입니다.

영진이의 몸무게는 43 kg입니다. 어머니의 몸무게는 영진이보다 8 kg 무겁고, 아버지의 몸무게는 영진이보다 13 kg 무겁습니다. 세 사람의 몸무게의 평균은 몇 kg입니까?

주어진 수에 ○표 하고, 구하는 것에 밑줄 치기

영진이 몸무게: kg, 어머니 몸무게: (영진이) + kg, 아버지 몸무게: (영진이) + kg

문제 해결하기

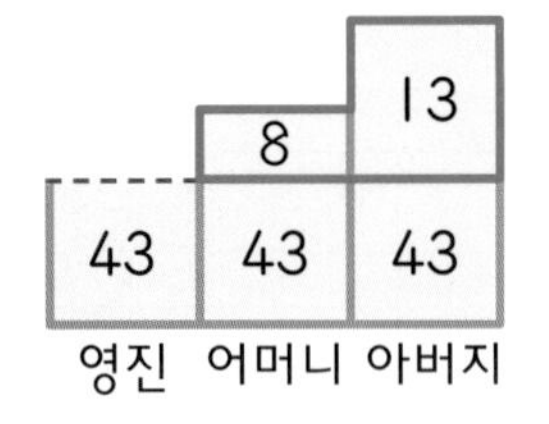

(8 + 13) ÷

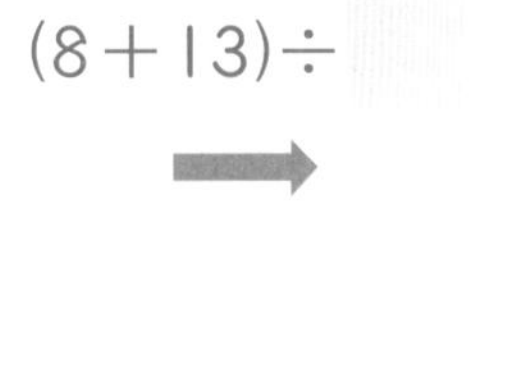

문제 풀기

(세 사람의 몸무게의 평균) = + $\frac{\quad + \quad}{\quad}$ = (kg)

답 쓰기

세 사람의 몸무게의 평균은 kg입니다.

지수는 하루에 평균 37쪽씩 책을 읽는다고 합니다. 일주일 동안 모두 몇 쪽을 읽겠습니까?

주어진 수에 ○표 하고, 구하는 것에 밑줄 치기

하루에 읽는 평균 쪽수: 쪽, 책을 읽는 날수: 일

문제 해결하기

일주일 동안 읽는 쪽수를 구하려면 하루에 읽는 평균 쪽수에 읽는 날수를 (더합니다 , 곱합니다).

문제 풀기

(일주일 동안 읽는 쪽수)=(평균 쪽수)×(읽는 날수)

= × = (쪽)

답 쓰기

일주일 동안 모두 쪽을 읽습니다.

현석이가 줄넘기를 3회 한 평균이 52번이라고 합니다. 1회에는 45번, 2회에는 58번 했다면 3회에는 줄넘기를 몇 번 했습니까?

주어진 수에 ○표 하고, 구하는 것에 밑줄 치기

3회 한 줄넘기 평균: 번, 줄넘기 기록: 1회 번, 2회 번

문제 해결하기

평균과 횟수를 (더하여 , 곱하여) 전체 줄넘기 수를 구한 후

그 값에서 1회, 2회에 한 줄넘기 수를 (뺍니다 , 나눕니다).

문제 풀기

(3회에 한 줄넘기 수)={(평균)×(횟수)}－{(1회 기록)+(2회 기록)}

=(×)－(+)= (번)

답 쓰기

3회에는 줄넘기를 번 했습니다.

● ▢ 안에 알맞은 수를 써넣고, 답을 구하시오.

1 Drill

고리 던지기를 하여 미라는 8개, 지혜는 6개, 정우는 4개 성공했습니다. 세 사람이 성공한 고리 수의 평균은 몇 개입니까?

풀이 (성공한 고리 수의 평균)=(성공한 고리 수의 합)÷(사람 수)

=(▢ + ▢ + ▢)÷ ▢ = ▢ (개)

답 개

2 Drill

윤기는 구슬을 25개 가지고 있습니다. 현주는 윤기보다 6개 더 많고, 우주는 윤기보다 3개 더 많습니다. 세 사람이 가지고 있는 구슬 수의 평균은 몇 개입니까?

풀이

(세 사람이 가진 구슬 수의 평균)= ▢ + $\frac{▢ + ▢}{▢}$ = ▢ (개)

답 개

3 Drill

모둠별로 대출한 도서의 평균이 6권일 때, 친구 수가 7명인 모둠이 대출한 도서는 몇 권입니까?

풀이 (7명인 모둠이 대출한 도서 수)=(대출한 도서의 평균)×(친구 수)

= ▢ × ▢ = ▢ (권)

답 권

4 Drill

호석이가 매달리기를 3회 한 평균이 25초라고 합니다. 1회에는 32초, 2회에는 21초 했다면 3회에는 매달리기를 몇 초 했습니까?

풀이 (3회의 매달리기 기록)={(평균)×(횟수)}−{(1회 기록)+(2회 기록)}

=(▢ × ▢)−(▢ + ▢)= ▢ (초)

답 초

● 서술형 문제를 읽고 풀이 과정과 답을 쓰시오.

도전 1

지나네 학교 5학년 학생은 1반 25명, 2반 26명, 3반 23명, 4반 26명입니다. 각 반 학생 수의 평균은 몇 명입니까?

풀이

답

도전 2

지수는 용돈을 3000원 받았습니다. 형은 지수보다 2000원 더 받고, 누나는 지수보다 4000원 더 받았습니다. 세 사람의 용돈의 평균은 얼마입니까?

풀이

답

도전 3

민호는 11월 한 달 동안 윗몸 일으키기를 했습니다. 그 결과 하루에 평균 23번씩 했다는 것을 알았습니다. 민호는 11월 한 달 동안 윗몸 일으키기를 모두 몇 번 했습니까?

풀이

답

도전 4

노래 동아리 회원 4명의 평균 나이가 12살이라고 합니다. 수지는 10살, 유나는 11살, 진우는 13살이라면 지민이는 몇 살입니까?

풀이

답

형성평가

정답 46쪽

걸린 시간: 분
점 수: 점

01 칸막이가 있는 수조에 담긴 물의 양을 고르게 하여 평균을 구하려고 합니다. ☐ 안에 알맞은 수를 써넣으시오.

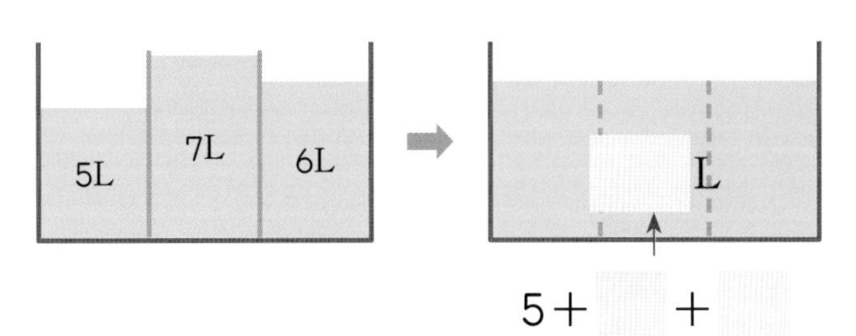

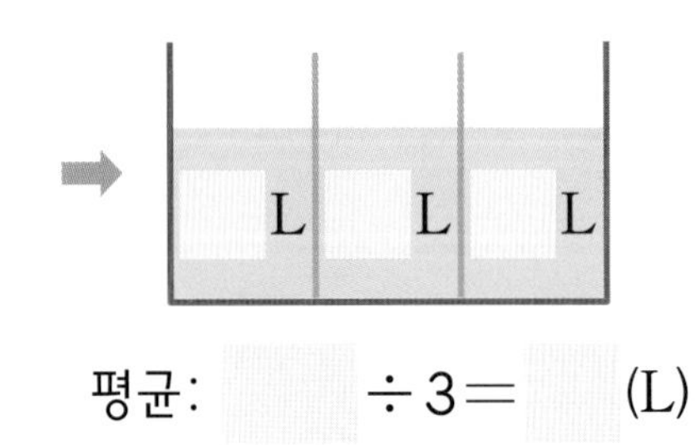

평균: ☐ ÷3= ☐ (L)

04 예상한 평균을 이용하여 평균을 구하려고 합니다. ☐ 안에 알맞은 수를 써넣으시오.

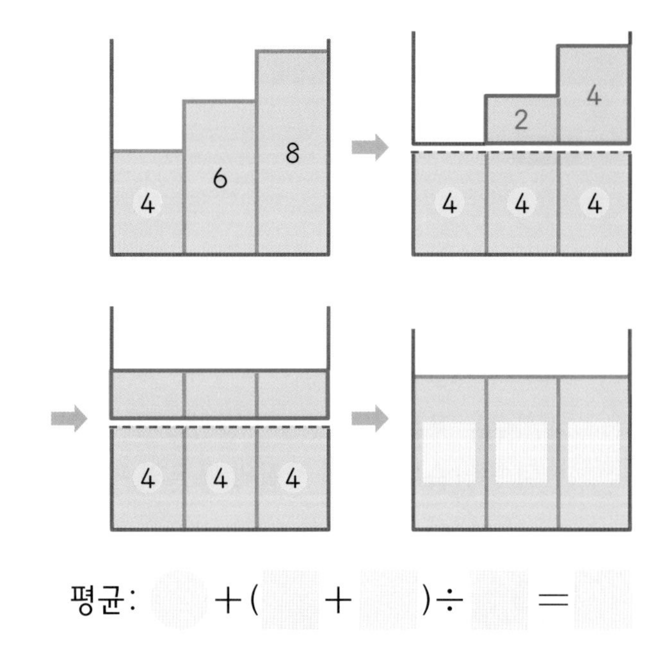

평균: ◯ +(☐ + ☐)÷ ☐ = ☐

[02~03] 표를 보고 평균을 구해 보시오.

02

먹은 사탕의 수

이름	영희	재석	성미	영철
사탕(개)	7	5	4	8

➡ 평균: ☐ ÷ ☐ = ☐ (개)

03

반별 학생 수

반	1반	2반	3반	4반
학생 수(명)	20	24	25	23

➡ 평균: ☐ ÷ ☐ = ☐ (명)

05 예상한 평균을 이용하여 평균을 구해 보시오.

명수의 점수

과목	국어	수학	사회	과학
점수(점)	80	84	78	82

↑ 예상한 평균(가장 작은

(평균)= ☐ + $\frac{☐ + ☐ + ☐}{☐}$

= ☐ (점)

06 예상한 평균을 이용하여 평균을 구해 보시오.

학생들의 몸무게

이름	재민	민철	성호	인수
몸무게(kg)	38	36	37	41

$$(\text{평균}) = \square + \frac{\square + \square + \square}{\square}$$

$$= \square \text{(kg)}$$

[07~08] 자료를 보고 평균을 구해 보시오.

07

고리 던지기 기록

10개 7개 6개

5개 8개 12개

➡ 평균: □개

08

줄넘기 기록

40번 44번 56번

45번 40번

➡ 평균: □번

09 평균을 구하여 표를 완성하고, □ 안에 알맞게 써넣으시오.

모둠 학생 수와 읽은 책 수

모둠	1모둠	2모둠	3모둠
모둠 학생 수(명)	5	7	6
읽은 책의 수(권)	30	35	42
읽은 책의 평균(권)			

➡ 평균이 가장 많은 모둠: □모둠

10 평균을 구하여 표를 완성하고, □ 안에 알맞게 써넣으시오.

(1) 과수원별 배나무 수와 배 수확량

과수원	싱싱	햇살	달빛
배나무 수(그루)	5	8	10
배 수확량(kg)	125	216	280
배 수확량의 평균(kg)			

➡ 평균이 가장 많은 과수원: □과수원

(2) 농장별 오리 수와 낳은 알 수

농장	풍성	튼튼	건강
오리 수(마리)	13	15	24
낳은 알 수(개)	65	90	96
낳은 알의 평균(개)			

➡ 평균이 가장 많은 농장: □농장

[11~13] 평균을 이용하여 자료 값을 구하고, 표를 완성하시오.

11

동아리 회원의 나이

이름	미주	성희	나연	영미	평균
나이(살)	15		14	13	13

❶ 나이의 합: ☐ × ☐ = ☐ (살)

❷ 성희의 나이: ☐ − ☐ = ☐ (살)

12

오래 매달리기 기록

이름	성환	영태	재민	정수	평균
기록(초)	14	18	19		17

❶ 기록의 합: ☐ × ☐ = ☐ (초)

❷ 정수의 기록: ☐ − ☐ = ☐ (초)

13

제기차기 기록

회	1회	2회	3회	4회	평균
기록(번)	23	30		27	26

❶ 기록의 합: ☐ × ☐ = ☐ (번)

❷ 3회의 기록: ☐ − ☐ = ☐ (번)

14 평균을 이용하여 자료 값을 구하고, 표를 완성하시오.

가지고 있는 구슬 수

이름	서인	현재	재인	서연	평균
구슬 수(개)	46		48	44	47

서인: 47 보다 ☐ 모자람
현재: 47 보다 ☐ 남음
재인: 47 보다 ☐ 남음
서연: 47 보다 ☐ 모자람

15 회전판 돌리기에서 화살이 연두색에 멈출 가능성을 비교하는 말을 찾아 알맞게 써넣으시오.

불가능하다 ~아닐 것 같다

반반이다 ~일 것 같다 확실하다

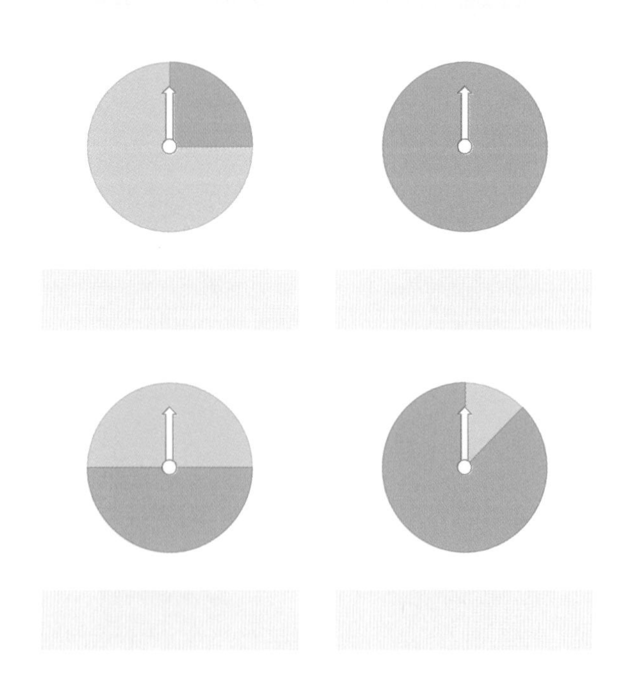

[16~17] 그림을 보고 ☐ 안에 알맞게 써넣으시오.

불가능하다　~아닐 것 같다

반반이다　~일 것 같다　확실하다

16

회전판의 화살이 짝수에 멈출 가능성

➡ 짝수: ☐, ☐, ☐

➡ 짝수에 멈출 가능성: ☐

17

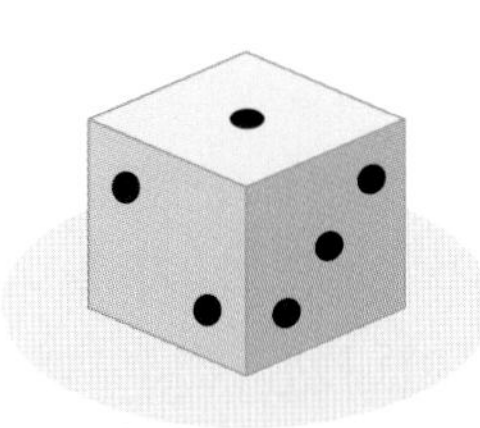

주사위를 굴릴 때 눈의 수가
3의 배수가 나올 가능성

➡ 3의 배수: ☐, ☐

➡ 3의 배수가 나올 가능성: ☐

[18~19] 다음을 읽고 맞으면 ○, 틀리면 ×를 (　) 안에 써넣고, 가능성을 수로 표현해 보시오.

확실하다: 1　반반이다: $\frac{1}{2}$　불가능하다: 0

18

월요일 다음 날은 화요일입니다. (　　)

→ 월요일 다음 날은 화요일일 가능성: ☐

19

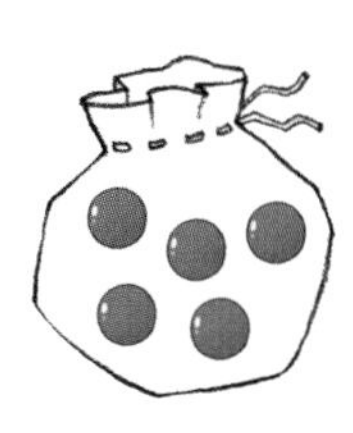

상자에서 구슬을 1개 꺼내면 빨간 구슬이 나옵니다. (　　)

→ 구슬을 1개 꺼낼 때 빨간 구슬일 가능성: ☐

20 일이 일어날 가능성을 수로 표현해 보시오.

확실하다: 1　반반이다: $\frac{1}{2}$　불가능하다: 0

(1) 동전을 던질 때 그림면이 나올 가능성

➡ ☐

(2) 12월의 마지막 날이 12월 31일일 가능성

 ☐

정답 47쪽

1 사과 4개의 무게를 조사한 것입니다. 사과 한 개의 평균 무게는 몇 g입니까?

185g 175g 179g 181g

( )g

2 민주의 과목별 시험 점수를 조사하여 나타낸 표입니다. 과목별 점수의 평균은 몇 점입니까?

시험 점수

과목	국어	수학	과학	사회
점수(점)	87	93	79	85

( )점

3 재석이네 모둠 학생들이 가지고 있는 구슬 수입니다. 재석이네 모둠 학생들이 가지고 있는 구슬 수의 평균은 몇 개입니까?

35개 20개 40개
46개 65개 64개

( )개

4 영수네 학교와 동호네 학교에서 5일 동안 결석한 학생 수를 요일별로 조사하여 나타낸 표입니다. 하루 평균 결석한 학생 수는 누구네 학교가 더 많습니까?

영수네 학교

요일	월	화	수	목	금
결석생 수(명)	5	6	5	6	3

동호네 학교

요일	월	화	수	목	금
결석생 수(명)	2	4	6	3	5

( )학교

5 농장별 가축 수를 조사하여 나타낸 표입니다. **가** 농장의 가축 수는 평균에 비해 많은 편입니까, 적은 편입니까?

농장별 가축 수

농장	가	나	다	라
가축 수(마리)	246	268	232	254

( )

[6~7] 호원이와 성호가 만든 종이학의 수를 나타낸 것입니다. 물음에 답하시오.

호원: 일주일 동안 종이학을 105개 만들었어.

성호: 12일 동안 종이학을 168개 만들었어.

6 호원이와 성호는 각각 하루에 평균 몇 개의 종이학을 만들었습니까?

호원 (　　　　　　　　)개

성호 (　　　　　　　　)개

7 호원이와 성호 중 누가 하루에 종이학을 더 많이 만들었습니까?

(　　　　　　　　)

8 지수는 하루에 책을 평균 32쪽 읽는다고 합니다. 15일 동안에는 몇 쪽을 읽겠습니까?

(　　　　　　　　)쪽

9 동주네 모둠 학생들의 제기차기 기록을 조사하여 나타낸 표입니다. 기록이 평균보다 많은 학생은 몇 명입니까?

제기차기 기록

이름	기록(번)	이름	기록(번)
동주	22	치범	18
선호	20	정수	20
재국	16	민철	24

(　　　　　　　　)명

10 미주와 선아의 과목별 성적을 나타낸 표입니다. 누구의 성적이 더 좋습니까?

과목별 성적

과목 \ 이름	미주	선아
국어	90점	78점
영어	82점	92점
수학	80점	85점
사회	82점	82점
과학	86점	88점

(　　　　　　　　)

11 어느 문구점에서는 지우개가 일주일에 644개 팔린다고 합니다. 하루 평균 몇 개가 팔리는 셈입니까?

( )개

12 가, 나, 다 세 공장에서 장난감을 만들었습니다. 가 공장은 1000개를 만들고, 나 공장은 가 공장보다 250개 더 많이 만들었습니다. 다 공장은 가 공장보다 500개를 더 많이 만들었다면, 가, 나, 다 세 공장에서 만든 장난감의 평균은 몇 개입니까?

( )개

13 민희네 모둠 단체 줄넘기 기록입니다. 평균 기록이 30번이 되려면 6회에는 몇 번을 넘어야 합니까?

단체 줄넘기 기록

회	1회	2회	3회	4회	5회	6회
기록(번)	28	30	29	34	26	

( )번

14 일이 일어날 가능성을 찾아 기호를 쓰시오.

㉠ 확실하다 ㉡ ~일 것 같다
㉢ 반반이다 ㉣ ~아닐 것 같다
㉤ 불가능하다

(1) 동전을 던져서 그림면이 나올 가능성

( )

(2) 내일 아침 해가 동쪽에서 뜰 가능성

( )

15 일이 일어날 가능성이 불가능한 것은 어느 것입니까? ( )

① 신생아가 여자 아이일 가능성

② 내일 비가 올 가능성

③ 주사위를 굴렸을 때 홀수의 눈이 나올 가능성

④ 우리 반에 11월 31일이 생일인 학생이 있을 가능성

⑤ 가위바위보를 하여 비길 가능성

16 일이 일어날 가능성을 수로 나타낼 때 ▒ 안에 알맞은 수를 써넣으시오.

불가능하다 — 반반이다 — 확실하다

▒ ▒ ▒

17 주사위 한 개를 굴렸을 때 3보다 큰 수의 눈이 나올 가능성을 수로 나타내시오.

( )

18 일이 일어날 가능성이 큰 것부터 차례로 기호를 쓰시오.

㉠ 8월 10일이 겨울 방학일 가능성

㉡ 검은색 공만 들어 있는 주머니에서 검은색 공을 꺼낼 가능성

㉢ 주사위를 굴릴 때 눈의 수가 홀수가 나올 가능성

( )

19 세찬이의 공 던지기 기록을 나타낸 표입니다. 3회의 기록은 몇 m인지 풀이 과정을 쓰고 답을 구하시오.

공 던지기 기록

회	1회	2회	3회	4회	평균
기록(m)	44	38		40	42

풀이

답

20 주머니에 빨간색 공 3개, 파란색 공 5개, 노란색 공 2개가 들어 있습니다. 그중에서 1개를 꺼낼 때, 꺼낸 공이 파란색 공일 가능성을 기약분수로 나타내면 얼마인지 풀이 과정을 쓰고 답을 구하시오.

풀이

답

memo

FACTO school

5-2

초등 수학 팩토

단원별 계산력 수학

매스티안

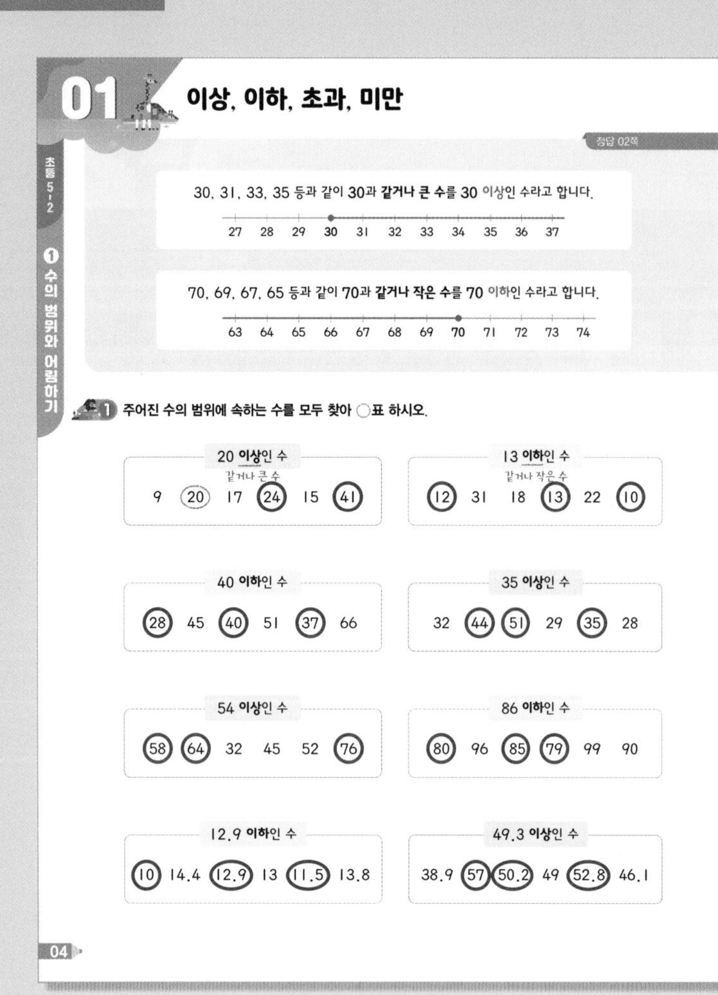
01 이상, 이하, 초과, 미만
정답 02쪽
30, 31, 33, 35 등과 같이 30과 같거나 큰 수를 30 이상인 수라고 합니다.
70, 69, 67, 65 등과 같이 70과 같거나 작은 수를 70 이하인 수라고 합니다.
1 주어진 수의 범위에 속하는 수를 모두 찾아 ○표 하시오.
20 이상인 수
13 이하인 수
40 이하인 수
35 이상인 수
54 이상인 수
86 이하인 수
12.9 이하인 수
49.3 이상인 수
04

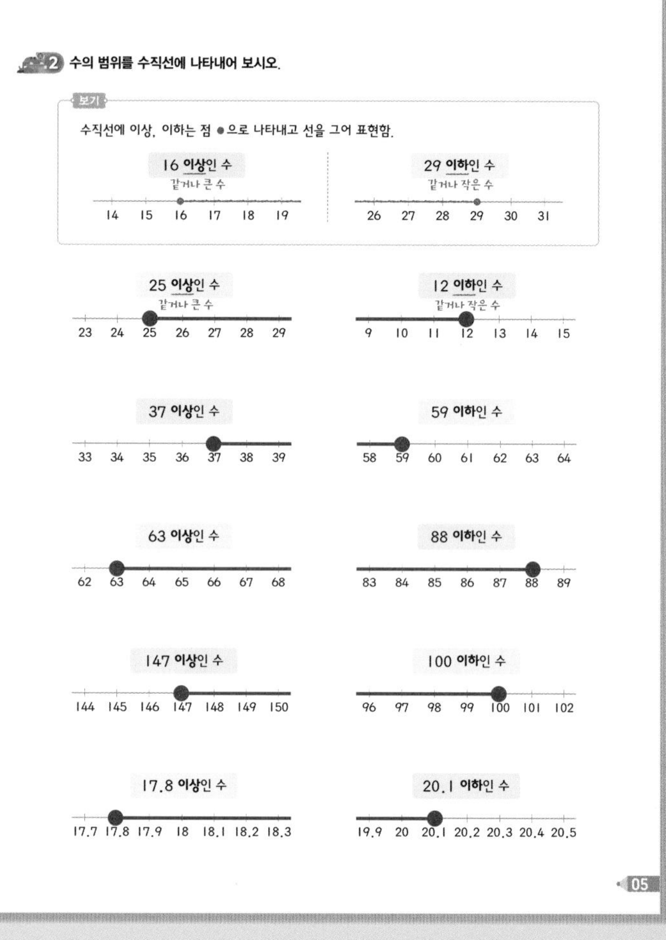
2 수의 범위를 수직선에 나타내어 보시오.
보기
수직선에 이상, 이하는 점 ●으로 나타내고 선을 그어 표현함.
16 이상인 수
29 이하인 수
25 이상인 수
12 이하인 수
37 이상인 수
59 이하인 수
63 이상인 수
88 이하인 수
147 이상인 수
100 이하인 수
17.8 이상인 수
20.1 이하인 수
05

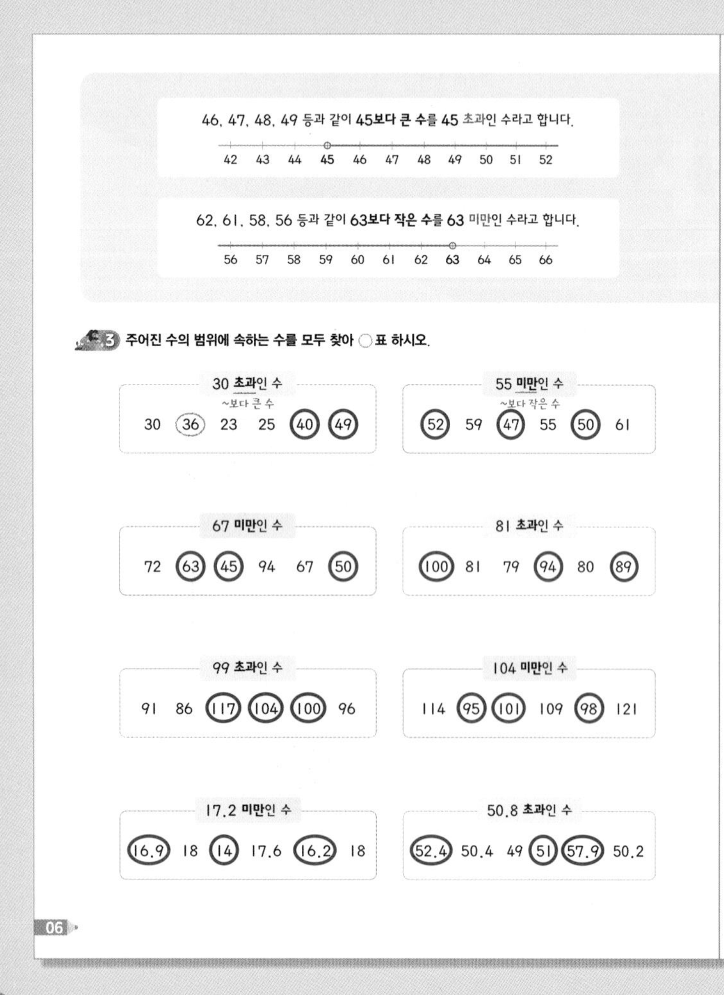
46, 47, 48, 49 등과 같이 45보다 큰 수를 45 초과인 수라고 합니다.
62, 61, 58, 56 등과 같이 63보다 작은 수를 63 미만인 수라고 합니다.
3 주어진 수의 범위에 속하는 수를 모두 찾아 ○표 하시오.
30 초과인 수
55 미만인 수
67 미만인 수
81 초과인 수
99 초과인 수
104 미만인 수
17.2 미만인 수
50.8 초과인 수
06

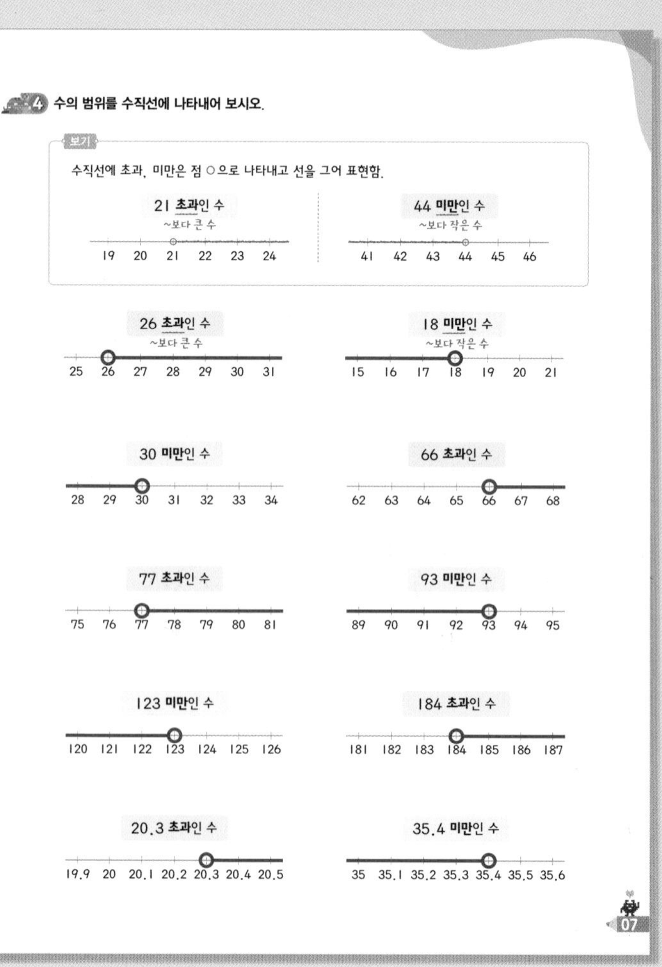
4 수의 범위를 수직선에 나타내어 보시오.
보기
수직선에 초과, 미만은 점 ○으로 나타내고 선을 그어 표현함.
21 초과인 수
44 미만인 수
26 초과인 수
18 미만인 수
30 미만인 수
66 초과인 수
77 초과인 수
93 미만인 수
123 미만인 수
184 초과인 수
20.3 초과인 수
35.4 미만인 수
07

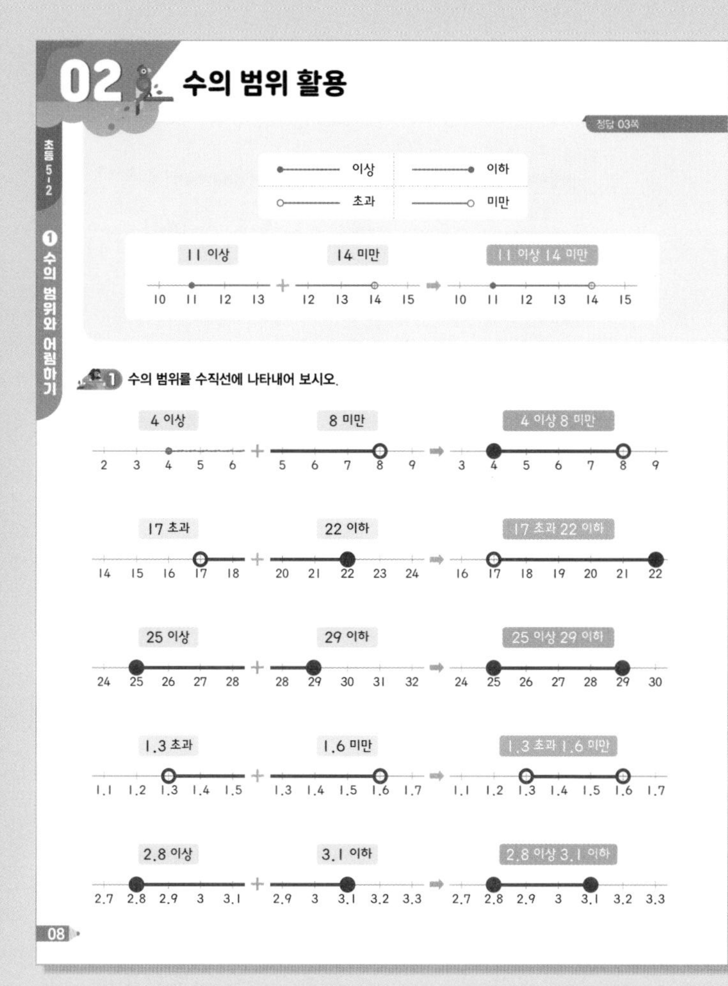

02 수의 범위 활용

정답 03쪽

●—— 이상　——● 이하
○—— 초과　——○ 미만

11 이상 + 14 미만 ➡ 11 이상 14 미만

1 수의 범위를 수직선에 나타내어 보시오.

4 이상 + 8 미만 ➡ 4 이상 8 미만

17 초과 + 22 이하 ➡ 17 초과 22 이하

25 이상 + 29 이하 ➡ 25 이상 29 이하

1.3 초과 + 1.6 미만 ➡ 1.3 초과 1.6 미만

2.8 이상 + 3.1 이하 ➡ 2.8 이상 3.1 이하

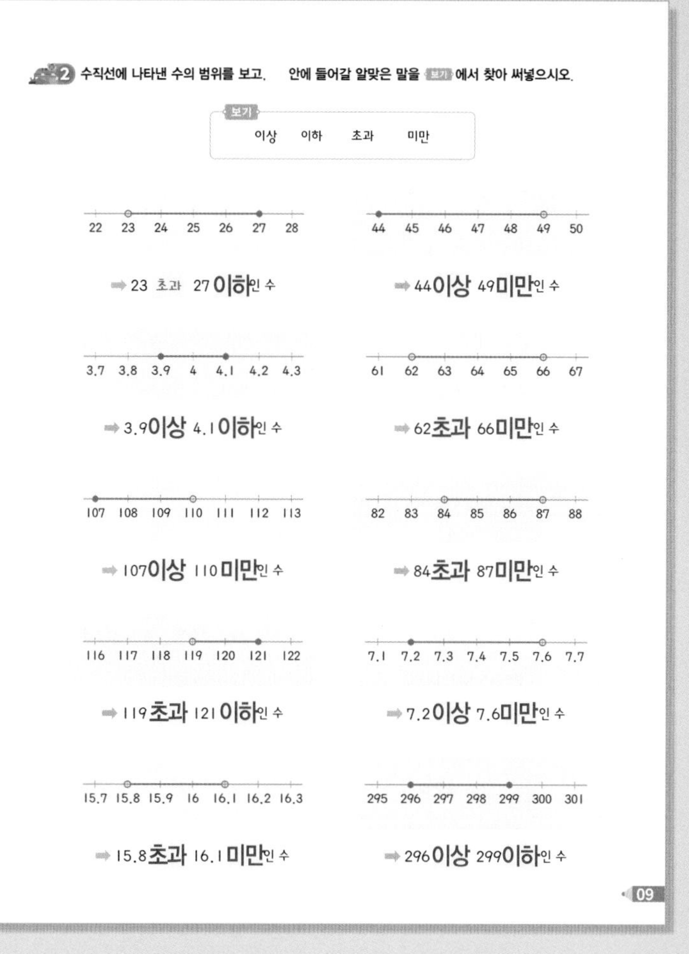

2 수직선에 나타낸 수의 범위를 보고, 안에 들어갈 알맞은 말을 보기 에서 찾아 써넣으시오.

보기: 이상　이하　초과　미만

➡ 23 초과 27 이하인 수

➡ 44 이상 49 미만인 수

➡ 3.9 이상 4.1 이하인 수

➡ 62 초과 66 미만인 수

➡ 107 이상 110 미만인 수

➡ 84 초과 87 미만인 수

➡ 119 초과 121 이하인 수

➡ 7.2 이상 7.6 미만인 수

➡ 15.8 초과 16.1 미만인 수

➡ 296 이상 299 이하인 수

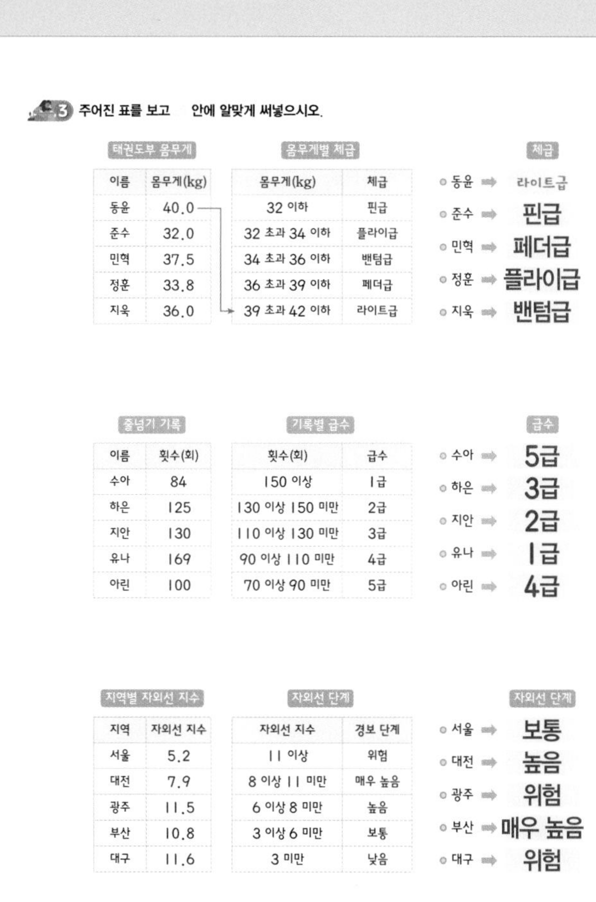

3 주어진 표를 보고 안에 알맞게 써넣으시오.

태권도부 몸무게

이름	몸무게(kg)
동윤	40.0
준수	32.0
민혁	37.5
정훈	33.8
지욱	36.0

몸무게별 체급

몸무게(kg)	체급
32 이하	핀급
32 초과 34 이하	플라이급
34 초과 36 이하	밴텀급
36 초과 39 이하	페더급
39 초과 42 이하	라이트급

체급
- 동윤 ➡ 라이트급
- 준수 ➡ 핀급
- 민혁 ➡ 페더급
- 정훈 ➡ 플라이급
- 지욱 ➡ 밴텀급

줄넘기 기록

이름	횟수(회)
수아	84
하은	125
지안	130
유나	169
아린	100

기록별 급수

횟수(회)	급수
150 이상	1급
130 이상 150 미만	2급
110 이상 130 미만	3급
90 이상 110 미만	4급
70 이상 90 미만	5급

급수
- 수아 ➡ 5급
- 하은 ➡ 3급
- 지안 ➡ 2급
- 유나 ➡ 1급
- 아린 ➡ 4급

지역별 자외선 지수

지역	자외선 지수
서울	5.2
대전	7.9
광주	11.5
부산	10.8
대구	11.6

자외선 단계

자외선 지수	경보 단계
11 이상	위험
8 이상 11 미만	매우 높음
6 이상 8 미만	높음
3 이상 6 미만	보통
3 미만	낮음

자외선 단계
- 서울 ➡ 보통
- 대전 ➡ 높음
- 광주 ➡ 위험
- 부산 ➡ 매우 높음
- 대구 ➡ 위험

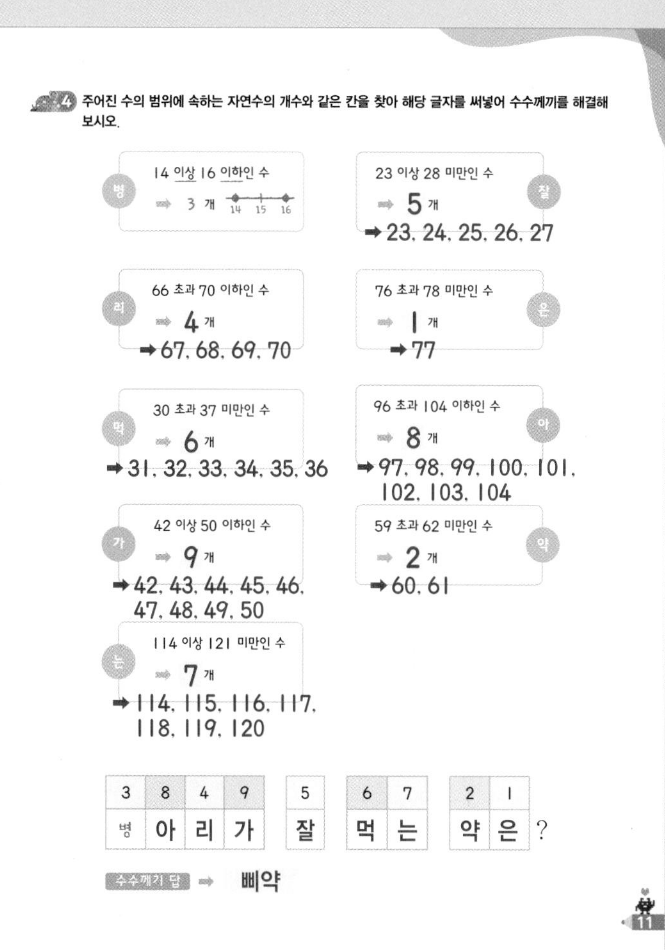

4 주어진 수의 범위에 속하는 자연수의 개수와 같은 칸을 찾아 해당 글자를 써넣어 수수께끼를 해결해 보시오.

- 병: 14 이상 16 이하인 수 ➡ 3 개
- 찰: 23 이상 28 미만인 수 ➡ 5 개 ➡ 23, 24, 25, 26, 27
- 리: 66 초과 70 이하인 수 ➡ 4 개 ➡ 67, 68, 69, 70
- 은: 76 초과 78 미만인 수 ➡ 1 개 ➡ 77
- 먹: 30 초과 37 미만인 수 ➡ 6 개 ➡ 31, 32, 33, 34, 35, 36
- 아: 96 초과 104 이하인 수 ➡ 8 개 ➡ 97, 98, 99, 100, 101, 102, 103, 104
- 가: 42 이상 50 이하인 수 ➡ 9 개 ➡ 42, 43, 44, 45, 46, 47, 48, 49, 50
- 약: 59 초과 62 미만인 수 ➡ 2 개 ➡ 60, 61
- 는: 114 이상 121 미만인 수 ➡ 7 개 ➡ 114, 115, 116, 117, 118, 119, 120

3	8	4	9	5	6	7	2	1
병	아	리	가	잘	먹	는	약	은

?

수수께끼 답 ➡ 삐약

03 올림, 버림, 반올림

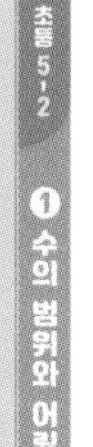

정답 04쪽

- **올림**: 구하려는 자리의 아래 수를 **올려서** 나타내는 방법
  - 올림하여 십의 자리까지 나타내기: 481 → 490, 130 → 130
  - 올림하여 백의 자리까지 나타내기: 481 → 500
- **버림**: 구하려는 자리의 아래 수를 **버려서** 나타내는 방법
  - 버림하여 십의 자리까지 나타내기: 269 → 260
  - 버림하여 백의 자리까지 나타내기: 269 → 200, 500 → 500

1 안에 알맞은 수를 써넣으시오.

보기
올림하여 **십의 자리까지** 나타내기
317 → 317 → 317 → 320

버림하여 **백의 자리까지** 나타내기
369 → 369 → 369 → 300

올림하여 **백의 자리까지** 나타내기
418 → 418 → 418 → 500

버림하여 **십의 자리까지** 나타내기
126 → 126 → 126 → 120

올림하여 **천의 자리까지** 나타내기
5287 → 5287 → 5287 → 6000

2 안에 알맞은 수를 써넣으시오.

보기
버림하여 **백의 자리까지** 나타내기
291 → 200

올림하여 **십의 자리까지** 나타내기
532 → 540

올림하여 **천의 자리까지** 나타내기
7183 → 8000

버림하여 **십의 자리까지** 나타내기
984 → 980

올림하여 **백의 자리까지** 나타내기
627 → 700

버림하여 **천의 자리까지** 나타내기
1469 → 1000

버림하여 **십의 자리까지** 나타내기
8625 → 8620

올림하여 **백의 자리까지** 나타내기
2094 → 2100

버림하여 **천의 자리까지** 나타내기
3178 → 3000

올림하여 **십의 자리까지** 나타내기
4456 → 4460

올림하여 **천의 자리까지** 나타내기
6702 → 7000

버림하여 **백의 자리까지** 나타내기
1994 → 1900

- **반올림**: 구하려는 자리 바로 아래 자리의 숫자가 0, 1, 2, 3, 4이면 버리고, 5, 6, 7, 8, 9이면 올려서 나타내는 방법
  - 반올림하여 십의 자리까지 나타내기: 6193 → 6190 (3이므로 버림)
  - 반올림하여 백의 자리까지 나타내기: 6193 → 6200 (9이므로 올림)

3 안에 알맞은 수를 써넣으시오.

보기
반올림하여 **십의 자리까지** 나타내기
608 → 608 (8이므로 올림) → 608 → 610

반올림하여 **백의 자리까지** 나타내기
237 → 237 (3이므로 버림) → 237 → 200

반올림하여 **천의 자리까지** 나타내기
4192 → 4192 (1이므로 버림) → 4192 → 4000

반올림하여 **백의 자리까지** 나타내기
5658 → 5658 (5이므로 올림) → 5658 → 5700

반올림하여 **천의 자리까지** 나타내기
8901 → 8901 (9이므로 올림) → 8901 → 9000

반올림하여 **만의 자리까지** 나타내기
14375 → 14375 (4이므로 버림) → 14375 → 10000

4 안에 알맞은 수를 써넣으시오.

보기
반올림하여 **소수 둘째 자리까지** 나타내기
1.471 → 1.47

반올림하여 **소수 첫째 자리까지** 나타내기
2.59 → 2.6

반올림하여 **소수 첫째 자리까지** 나타내기
10.632 → 10.6

반올림하여 **소수 둘째 자리까지** 나타내기
13.425 → 13.43

반올림하여 **소수 둘째 자리까지** 나타내기
8.157 → 8.16

반올림하여 **소수 첫째 자리까지** 나타내기
0.639 → 0.6

반올림하여 **소수 둘째 자리까지** 나타내기
5.149 → 5.15

반올림하여 **소수 첫째 자리까지** 나타내기
12.48 → 12.5

반올림하여 **소수 둘째 자리까지** 나타내기
7.652 → 7.65

반올림하여 **소수 첫째 자리까지** 나타내기
4.683 → 4.7

반올림하여 **소수 둘째 자리까지** 나타내기
19.114 → 19.11

반올림하여 **소수 첫째 자리까지** 나타내기
3.75 → 3.8

04 올림, 버림, 반올림 활용

정답 05쪽

● 올림하여 수의 범위를 초과, 이하로 나타내기

올림하여 십의 자리까지 나타냈을 때 330인 수

올림하여 십의 자리까지 나타내기: 320, 321, 322, …, 329, 330, 331
올림: 320, 330, 330, …, 330, 330, 340

올림하여 330이 되는 수의 범위: 320 초과 330 이하

1 수의 범위를 초과, 이하로 나타내려고 할 때, 안에 알맞은 수를 써넣으시오.

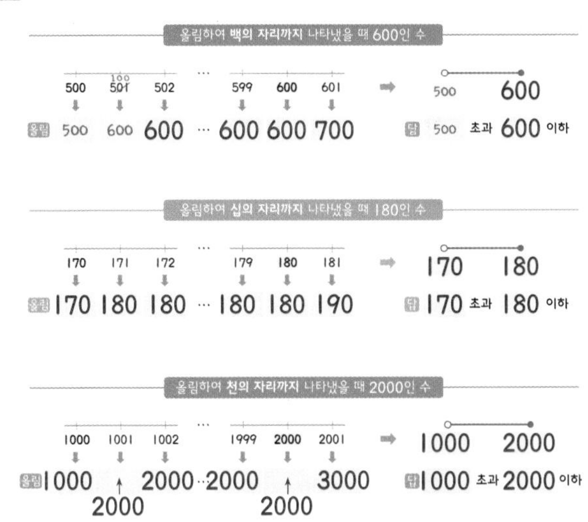

올림하여 백의 자리까지 나타냈을 때 600인 수
500, 501, 502, …, 599, 600, 601
올림: 500, 600, 600 … 600, 600, 700
답: 500 초과 600 이하

올림하여 십의 자리까지 나타냈을 때 180인 수
170, 171, 172, …, 179, 180, 181
올림: 170, 180, 180 … 180, 180, 190
답: 170 초과 180 이하

올림하여 천의 자리까지 나타냈을 때 2000인 수
1000, 1001, 1002, …, 1999, 2000, 2001
올림: 1000, 2000, 2000 … 2000, 2000, 3000
답: 1000 초과 2000 이하

● 버림하여 수의 범위를 이상, 미만으로 나타내기

버림하여 십의 자리까지 나타냈을 때 250인 수

버림하여 십의 자리까지 나타내기: 250, 251, 252, …, 259, 260, 261
버림: 250, 250, 250, …, 250, 260, 260

버림하여 250이 되는 수의 범위: 250 이상 260 미만

2 수의 범위를 이상, 미만으로 나타내려고 할 때, 안에 알맞은 수를 써넣으시오.

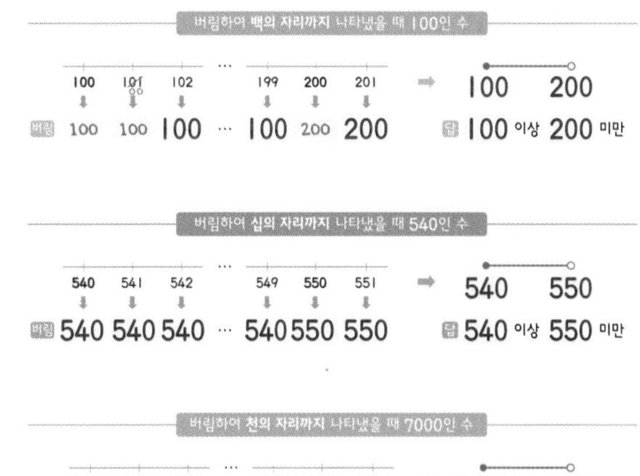

버림하여 백의 자리까지 나타냈을 때 100인 수
100, 101, 102, …, 199, 200, 201
버림: 100, 100, 100 … 100, 200, 200
답: 100 이상 200 미만

버림하여 십의 자리까지 나타냈을 때 540인 수
540, 541, 542, …, 549, 550, 551
버림: 540, 540, 540 … 540, 550, 550
답: 540 이상 550 미만

버림하여 천의 자리까지 나타냈을 때 7000인 수
7000, 7001, 7002, …, 7999, 8000, 8001
버림: 7000, 7000, 7000 … 7000, 8000, 8000
답: 7000 이상 8000 미만

● 반올림하여 수의 범위를 이상, 미만으로 나타내기

반올림하여 십의 자리까지 나타냈을 때 80인 수

반올림하여 십의 자리까지 나타내기: 74, 75, 76, …, 80, …, 84, 85, 86
반올림: 70, 80, 80, …, 80, 90, 90

반올림하여 80이 되는 수의 범위: 75 이상 85 미만

3 수의 범위를 이상, 미만으로 나타내려고 할 때, 안에 알맞은 수를 써넣으시오.

반올림하여 백의 자리까지 나타냈을 때 500인 수
449, 450, 451, …, 500, …, 548, 549, 550
반올림: 400, 500, 500 … 500, 500, 600
답: 450 이상 550 미만

반올림하여 십의 자리까지 나타냈을 때 470인 수
464, 465, 466, …, 470, …, 473, 474, 475
반올림: 460, 470, 470 … 470, 470, 480
답: 465 이상 475 미만

반올림하여 천의 자리까지 나타냈을 때 6000인 수
5499, 5500, 5501, …, 6000, …, 6498, 6499, 6500
반올림: 5000, 6000, 6000 … 6000, 6000, 7000
답: 5500 이상 6500 미만

4 안에 알맞은 수를 써넣으시오.

올림하여 십의 자리까지 나타냈을 때 20인 수 ➡ 10 초과 20 이하

올림하여 백의 자리까지 나타냈을 때 900인 수 ➡ 800 초과 900 이하

올림하여 천의 자리까지 나타냈을 때 8000인 수 ➡ 7000 초과 8000 이하

버림하여 십의 자리까지 나타냈을 때 140인 수 ➡ 140 이상 150 미만

버림하여 백의 자리까지 나타냈을 때 700인 수 ➡ 700 이상 800 미만

버림하여 천의 자리까지 나타냈을 때 3000인 수 ➡ 3000 이상 4000 미만

반올림하여 십의 자리까지 나타냈을 때 320인 수 ➡ 315 이상 325 미만

반올림하여 백의 자리까지 나타냈을 때 6200인 수 ➡ 6150 이상 6250 미만

반올림하여 천의 자리까지 나타냈을 때 4000인 수 ➡ 3500 이상 4500 미만

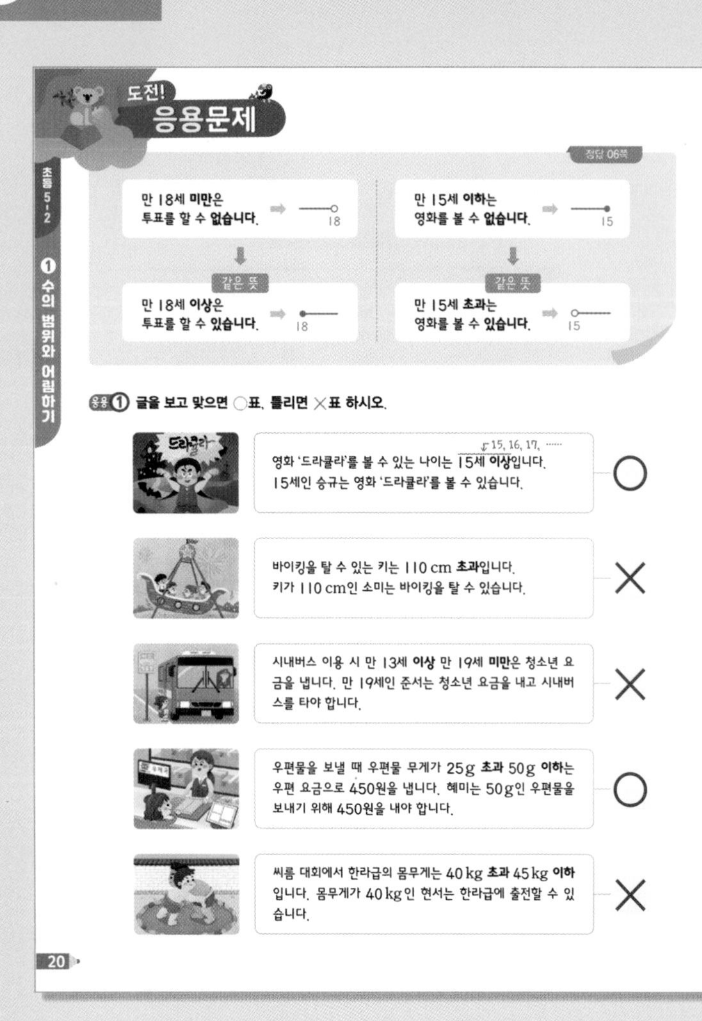
도전! 응용문제

정답 06쪽

만 18세 **미만**은 투표를 할 수 **없습니다**. → 18

같은 뜻

만 18세 **이상**은 투표를 할 수 **있습니다**. → 18

만 15세 **이하**는 영화를 볼 수 **없습니다**. → 15

같은 뜻

만 15세 **초과**는 영화를 볼 수 **있습니다**. → 15

응용 1 글을 보고 맞으면 ○표, 틀리면 ×표 하시오.

영화 '드라큘라'를 볼 수 있는 나이는 15세 **이상**입니다. 15세인 승규는 영화 '드라큘라'를 볼 수 있습니다. (15, 16, 17, ……) ○

바이킹을 탈 수 있는 키는 110 cm **초과**입니다. 키가 110 cm인 소미는 바이킹을 탈 수 있습니다. ×

시내버스 이용 시 만 13세 **이상** 만 19세 **미만**은 청소년 요금을 냅니다. 만 19세인 준서는 청소년 요금을 내고 시내버스를 타야 합니다. ×

우편물을 보낼 때 우편물 무게가 25 g **초과** 50 g **이하**는 우편 요금으로 450원을 냅니다. 혜미는 50 g인 우편물을 보내기 위해 450원을 내야 합니다. ○

씨름 대회에서 한라급의 몸무게는 40 kg **초과** 45 kg **이하**입니다. 몸무게가 40 kg인 현서는 한라급에 출전할 수 있습니다. ×

초등 5-2 1 수의 범위와 어림하기

20

응용 2 글을 보고 □ 안에 들어갈 말을 보기 에서 찾아 써넣으시오.

보기: 이상 이하 초과 미만

높이가 3 m **초과**인 차량은 지나갈 수 없습니다.
같은 뜻 높이가 3 m 이하 인 차량은 지나갈 수 있습니다.

11세 **이하**인 사람은 부모님 없이 박물관에 입장할 수 없습니다.
같은 뜻 11세 초과 인 사람은 부모님 없이 박물관에 입장할 수 있습니다.

만 16세 **미만**인 사람은 헌혈을 할 수 없습니다.
같은 뜻 만 16세 이상 인 사람은 헌혈을 할 수 있습니다.

이 놀이기구는 몸무게가 110 kg **이상**인 사람은 탑승할 수 없습니다.
같은 뜻 이 놀이기구는 몸무게가 110 kg 미만 인 사람은 탑승할 수 있습니다.

자동차는 어린이보호구역에서 시속 30 km **초과**로 운전할 수 없습니다.
같은 뜻 자동차는 어린이보호구역에서 시속 30 km 이하 로 운전할 수 있습니다.

21

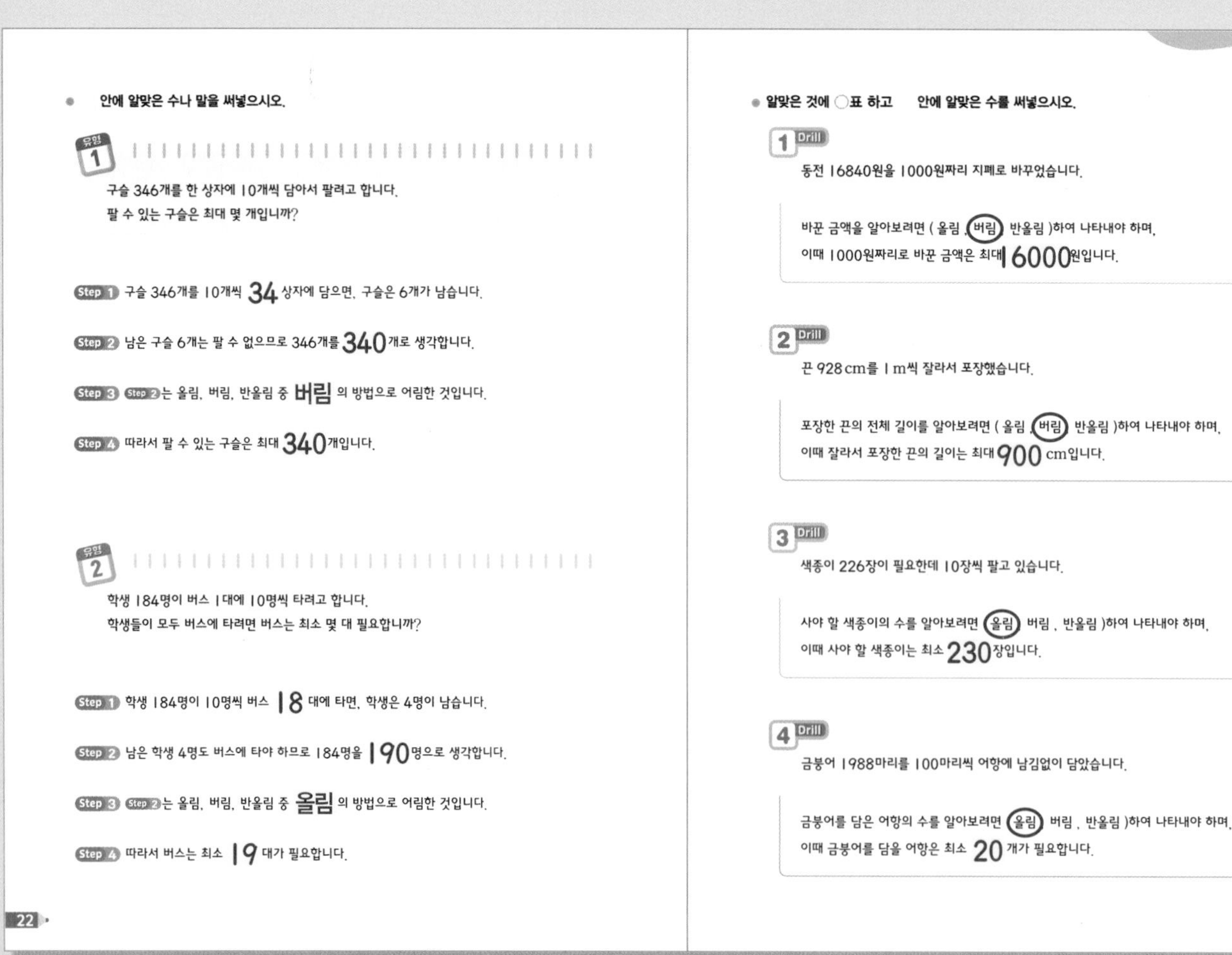
● □ 안에 알맞은 수나 말을 써넣으시오.

유형 1
구슬 346개를 한 상자에 10개씩 담아서 팔려고 합니다. 팔 수 있는 구슬은 최대 몇 개입니까?

Step 1 구슬 346개를 10개씩 34 상자에 담으면, 구슬은 6개가 남습니다.
Step 2 남은 구슬 6개는 팔 수 없으므로 346개를 340 개로 생각합니다.
Step 3 Step 2 는 올림, 버림, 반올림 중 버림 의 방법으로 어림한 것입니다.
Step 4 따라서 팔 수 있는 구슬은 최대 340 개입니다.

유형 2
학생 184명이 버스 1대에 10명씩 타려고 합니다. 학생들이 모두 버스에 타려면 버스는 최소 몇 대 필요합니까?

Step 1 학생 184명이 10명씩 버스 18 대에 타면, 학생은 4명이 남습니다.
Step 2 남은 학생 4명도 버스에 타야 하므로 184명을 190 명으로 생각합니다.
Step 3 Step 2 는 올림, 버림, 반올림 중 올림 의 방법으로 어림한 것입니다.
Step 4 따라서 버스는 최소 19 대가 필요합니다.

22

● 알맞은 것에 ○표 하고 □ 안에 알맞은 수를 써넣으시오.

1 Drill
동전 16840원을 1000원짜리 지폐로 바꾸었습니다.
바꾼 금액을 알아보려면 (올림 , (버림) , 반올림)하여 나타내야 하며, 이때 1000원짜리로 바꾼 금액은 최대 16000 원입니다.

2 Drill
끈 928 cm를 1 m씩 잘라서 포장했습니다.
포장한 끈의 전체 길이를 알아보려면 (올림 , (버림) , 반올림)하여 나타내야 하며, 이때 잘라서 포장한 끈의 길이는 최대 900 cm입니다.

3 Drill
색종이 226장이 필요한데 10장씩 팔고 있습니다.
사야 할 색종이의 수를 알아보려면 ((올림) , 버림 , 반올림)하여 나타내야 하며, 이때 사야 할 색종이는 최소 230 장입니다.

4 Drill
금붕어 1988마리를 100마리씩 어항에 남김없이 담았습니다.
금붕어를 담은 어항의 수를 알아보려면 ((올림) , 버림 , 반올림)하여 나타내야 하며, 이때 금붕어를 담을 어항은 최소 20 개가 필요합니다.

23

정답 07쪽 걸린 시간: 분 점수: 점

01 수의 범위에 속하는 수를 모두 찾아 ○표 하시오.

35 이상인 수

29 (37) 34 (35) 27 (36)

02 수의 범위에 속하는 수를 모두 찾아 ○표 하시오.

47 이하인 수

(43) 52 49 (47) (36) 64

03 수의 범위를 수직선에 나타내어 보시오.

(1) 23 이상인 수 (20 21 22 23 24 25 26)

(2) 12.7 이하인 수 (12.3 12.4 12.5 12.6 12.7 12.8 12.9)

04 수의 범위에 속하는 수를 모두 찾아 ○표 하시오.

40 초과인 수

40 (42) 38 (46) (52) 37

05 수의 범위에 속하는 수를 모두 찾아 ○표 하시오.

18.7 미만인 수

(18.5) 18.7 19.3 19.1 (18.6) 19.8

06 수의 범위를 수직선에 나타내어 보시오.

(1) 62 초과인 수 (60 61 62 63 64 65 66)

(2) 75 미만인 수 (71 72 73 74 75 76 77)

07 수의 범위를 수직선에 나타내어 보시오.

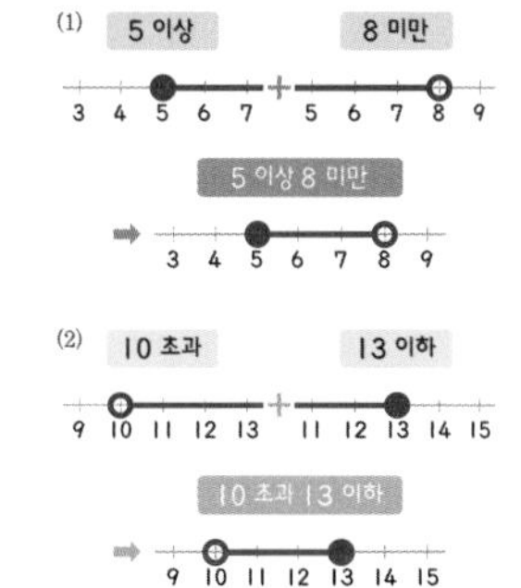

08 수직선에 나타낸 수의 범위를 보고, 안에 들어갈 알맞은 말을 보기에서 찾아 써넣으시오.

보기: 이상 이하 초과 미만

(1) ➡ 29 초과 32 미만인 수

(2) ➡ 44 이상 48 이하인 수

09 주어진 표를 보고 안에 알맞은 급수를 써넣으시오.

줄넘기 기록

이름	정태	은지	진수	유희	지나
횟수(회)	115	70	92	152	130

기록별 급수

횟수(회)	급수
150 이상	1급
130 이상 150 미만	2급
110 이상 130 미만	3급
90 이상 110 미만	4급
70 이상 90 미만	5급

- 정태 ➡ 3급
- 은지 ➡ 5급
- 진수 ➡ 4급
- 유희 ➡ 1급
- 지나 ➡ 2급

10 주어진 수의 범위에 속하는 자연수의 개수를 구하시오.

17 이상 23 미만인 수

(6)개

➡ 17, 18, 19, 20, 21, 22

11 안에 알맞은 수를 써넣으시오.

(1) 올림하여 십의 자리까지 나타내기

549 ➡ 549 ➡ 549 ➡ 550

(2) 버림하여 백의 자리까지 나타내기

734 ➡ 734 ➡ 734 ➡ 700

12 안에 알맞은 수를 써넣으시오.

(1) 올림하여 천의 자리까지 나타내기

4567 ➡ 5000

(2) 버림하여 백의 자리까지 나타내기

3964 ➡ 3900

13 안에 알맞은 수를 써넣으시오.

(1) 반올림하여 십의 자리까지 나타내기

284 ➡ 284 ➡ 284 ➡ 280

(2) 반올림하여 백의 자리까지 나타내기

652 ➡ 652 ➡ 652 ➡ 700

14 안에 알맞은 수를 써넣으시오.

(1) 반올림하여 소수 첫째 자리까지 나타내기

14.374 ➡ 14.4

(2) 반올림하여 소수 둘째 자리까지 나타내기

27.572 ➡ 27.57

15 수의 범위를 초과, 이하로 나타내려고 할 때, 안에 알맞은 수를 써넣으시오.

올림하여 천의 자리까지 나타냈을 때 6000인 수

5000 5001 5002 … 5999 6000 6001

올림 5000 6000 6000 7000

6000 6000

➡ 5000 6000

답 5000 초과 6000 이하

16 수의 범위를 이상, 미만으로 나타내려고 할 때, 안에 알맞은 수를 써넣으시오.

버림하여 백의 자리까지 나타냈을 때 1800인 수

1800 1801 1802 … 1899 1900 1901

버림 1800 1800 … 1800 1900

1800 1900

➡ 1800 1900

답 1800 이상 1900 미만

17 수의 범위를 이상, 미만으로 나타내려고 할 때, 안에 알맞은 수를 써넣으시오.

반올림하여 십의 자리까지 나타냈을 때 720인 수

714 715 716 … 720 … 723 724 725

반올림 710 720 … 720 730

720 720

➡ 715 725

답 715 이상 725 미만

18 안에 알맞은 수를 써넣으시오.

(1) 올림하여 십의 자리까지 나타냈을 때 30인 수

➡ 20 초과 30 이하

(2) 올림하여 천의 자리까지 나타냈을 때 2000인 수

➡ 1000 초과 2000 이하

19 안에 알맞은 수를 써넣으시오.

(1) 버림하여 백의 자리까지 나타냈을 때 700인 수

➡ 700 이상 800 미만

(2) 버림하여 천의 자리까지 나타냈을 때 4000인 수

➡ 4000 이상 5000 미만

20 안에 알맞은 수를 써넣으시오.

(1) 반올림하여 십의 자리까지 나타냈을 때 670인 수

➡ 665 이상 675 미만

(2) 반올림하여 백의 자리까지 나타냈을 때 3500인 수

➡ 3450 이상 3550 미만

단원 평가 1. 수의 범위와 어림하기

걸린 시간 분 점수 점

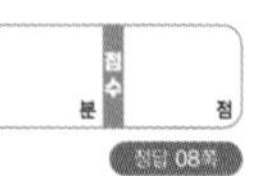

정답 08쪽

1 38 이상인 수를 모두 고르시오. (③, ⑤)

① 29 ② 37.5 ③ 38

④ $36\frac{1}{2}$ ⑤ $39\frac{1}{7}$

2 수를 보고 물음에 답하시오.

42 32 43.5 37 35

(1) 42 초과인 수를 찾아 쓰시오. (43.5)

(2) 37 미만인 수를 모두 찾아 쓰시오. (32, 35)

3 수직선에 나타낸 수의 범위를 쓰시오.

26 27 28 29 30 31 32 33 34

(27 이상 32 미만인 수)

4 수학 시험을 본 후에 점수가 60점 미만인 학생은 남아서 더 공부를 하기로 했습니다. 남아서 공부를 더 해야 하는 학생은 모두 몇 명입니까?

이름	점수(점)	이름	점수(점)
정태	76	명수	58
현석	60	지혜	92
미정	80	은지	59

(2)명

명수, 은지 → 2명

5 수의 범위에 속하는 자연수의 개수가 가장 많은 것을 찾아 기호를 쓰시오.

㉠ 10 이상 20 이하인 수
㉡ 10 이상 20 미만인 수
㉢ 10 초과 20 이하인 수
㉣ 10 초과 20 미만인 수

(㉠)

㉠ 11개
㉡ 10개
㉢ 10개
㉣ 9개

[6~8] 재석이네 학교 씨름부의 몸무게와 몸무게에 따른 선수들의 체급을 나타낸 표입니다. 물음에 답하시오.

씨름부의 몸무게

이름	몸무게(kg)	이름	몸무게(kg)
재석	45	명수	42
형돈	52	홍철	47
준하	65	성진	56
한수	71	영철	41

몸무게별 체급

몸무게(kg)	체급
40 이하	경장급
40 초과 45 이하	소장급
45 초과 50 이하	청장급
50 초과 55 이하	용장급
55 초과 60 이하	용사급
60 초과 70 이하	역사급
70 초과	장사급

6 재석이가 속한 체급의 몸무게 범위를 써 보시오.

(40 kg 초과 45 kg 이하)

7 준하가 속한 체급은 무엇입니까?

(역사급)

8 재석이네 학교 씨름부에서 없는 체급은 무엇입니까?

(경장급)

9 어느 백화점에서는 18.0℃ 이하일 때 난방기가 자동으로 작동됩니다. 어느 날 하루의 기온을 1시간 간격으로 조사한 것이 다음과 같을 때 난방기가 작동한 시각을 모두 쓰시오.

시각	1시	2시	3시	4시	5시
기온(℃)	19.8	18.5	17.9	20.0	18.0

(3시, 5시)

10 18 초과 30 미만인 자연수 중에서 짝수는 모두 몇 개인지 풀이 과정을 쓰고 답을 구하시오.

예 풀이 18 초과 30 미만인 수는 19, 20, ……, 28, 29입니다. 그 중 짝수는 20, 22, 24, 26, 28이므로 5개입니다.

답 5개

11 올림, 버림, 반올림하여 천의 자리까지 나타내시오.

46275 ➡ 올림 (47000), 버림 (46000), 반올림 (46000)

12 올림하여 십의 자리까지 나타낸 수가 80이 되는 자연수는 모두 몇 개입니까?

(10)개

70 초과 80 이하
➡ 71, 72, ……, 79, 80

13 60780을 버림하여 주어진 자리까지 나타내려고 합니다. 버림하여 나타낸 수가 가장 큰 것을 찾아 기호를 쓰시오.

㉠ 십의 자리까지 ㉡ 백의 자리까지
㉢ 천의 자리까지 ㉣ 만의 자리까지

(㉠)

㉠ 60780
㉡ 60700
㉢ 60000
㉣ 60000

14 십의 자리에서 반올림하여 500이 되는 수의 범위를 수직선에 나타내고, 수의 범위에 속하는 가장 큰 자연수와 가장 작은 자연수를 각각 구하시오.

400 450 500 550 600

가장 큰 자연수 (549)
가장 작은 자연수 (450)

15 어느 학교의 학년별 학생 수를 조사하여 나타낸 표입니다. 학생 수가 가장 적은 학년의 학생 수를 반올림하여 십의 자리까지 나타내시오.

학년별 학생 수

학년	학생 수(명)	학년	학생 수(명)
1학년	215	4학년	186
2학년	197	5학년	212
3학년	201	6학년	188

(190)명

4학년: 186명 → 190명

[16~18] 어느 터미널의 고속버스 요금을 나타낸 표입니다. 물음에 답하시오.

고속버스 요금

출발	도착	요금(원)
서울	대전	14500
서울	대구	24200
서울	부산	32800
서울	목포	29500

16 서울에서 목포까지 고속버스를 이용할 때 필요한 요금을 반올림하여 천의 자리까지 나타내시오.

(30000)원

17 서울에서 대구까지의 요금을 반올림하여 만의 자리까지 나타내면 약 몇만 원입니까?

약 (20000)원

18 서울에서 출발할 때 요금이 가장 많은 지역과 가장 적은 지역의 요금의 차를 버림하여 천의 자리까지 나타내시오.

(18000)원

32800 − 14500 = 18300(원)
버림: 18300원 ➡ 18000원

19 코끼리 열차는 한 번에 10명씩 탈 수 있습니다. 민주네 학교 학생 132명이 모두 타려면 코끼리 열차는 최소 몇 번 운행해야 합니까?

(14)번

20 주어진 수를 반올림하여 천의 자리까지 나타낸 수와 반올림하여 백의 자리까지 나타낸 수의 차는 얼마인지 풀이 과정을 쓰고 답을 구하시오.

18725

예 풀이 • 천의 자리까지 나타낸 수: 19000
• 백의 자리까지 나타낸 수: 18700
19000 − 18700 = 300

답 300

01 (진분수)×(자연수)

정답 09쪽

$\frac{1}{4}\times 3$

$\frac{1}{4}\times 3=\frac{1}{4}+\frac{1}{4}+\frac{1}{4}=\frac{1+1+1}{4}=\frac{1\times 3}{4}=\frac{3}{4}$

$\frac{1}{4}$을 3번 더한 것

1 안에 알맞은 수를 써넣고, 계산해 보시오.

$\frac{1}{5}\times 4=\frac{1\times 4}{5}=\frac{4}{5}$

$\frac{1}{3}\times 4=\frac{1\times 4}{3}=\frac{4}{3}=1\frac{1}{3}$ (가분수 → 대분수)

$\frac{1}{8}\times 5=\frac{1\times 5}{8}=\frac{5}{8}$

$\frac{4}{7}\times 2=\frac{4\times 2}{7}=\frac{8}{7}=1\frac{1}{7}$

$\frac{2}{9}\times 4=\frac{2\times 4}{9}=\frac{8}{9}$ $\quad \frac{1}{6}\times 5=\frac{1\times 5}{6}=\frac{5}{6}$ $\quad \frac{3}{10}\times 3=\frac{3\times 3}{10}=\frac{9}{10}$

$\frac{1}{11}\times 8=\frac{1\times 8}{11}=\frac{8}{11}$ $\quad \frac{5}{13}\times 2=\frac{5\times 2}{13}=\frac{10}{13}$ $\quad \frac{1}{12}\times 7=\frac{1\times 7}{12}=\frac{7}{12}$

$\frac{1}{2}\times 9=\frac{1\times 9}{2}=\frac{9}{2}=4\frac{1}{2}$ $\quad \frac{1}{4}\times 11=\frac{1\times 11}{4}=\frac{11}{4}=2\frac{3}{4}$ $\quad \frac{2}{3}\times 4=\frac{2\times 4}{3}=\frac{8}{3}=2\frac{2}{3}$

$\frac{2}{7}\times 5=\frac{2\times 5}{7}=\frac{10}{7}=1\frac{3}{7}$ $\quad \frac{3}{8}\times 7=\frac{3\times 7}{8}=\frac{21}{8}=2\frac{5}{8}$ $\quad \frac{4}{5}\times 3=\frac{4\times 3}{5}=\frac{12}{5}=2\frac{2}{5}$

2 보기 와 같은 방법으로 계산해 보시오.

보기: $\frac{3}{4}\times 6=\frac{3\times 6}{4}=\frac{18}{4}=\frac{9}{2}=4\frac{1}{2}$ (2로 약분)

$\frac{1}{9}\times 3=\frac{1\times 3}{9}=\frac{3}{9}=\frac{1}{3}$ (3으로 약분)

$\frac{1}{8}\times 4=\frac{1\times 4}{8}=\frac{4}{8}=\frac{1}{2}$ (4로 약분)

$\frac{4}{9}\times 6=\frac{24}{9}=\frac{8}{3}=2\frac{2}{3}$

$\frac{5}{6}\times 4=\frac{20}{6}=\frac{10}{3}=3\frac{1}{3}$

$\frac{7}{12}\times 8=\frac{56}{12}=\frac{14}{3}=4\frac{2}{3}$

$\frac{1}{10}\times 5=\frac{5}{10}=\frac{1}{2}$ $\quad \frac{1}{6}\times 2=\frac{2}{6}=\frac{1}{3}$ $\quad \frac{1}{14}\times 2=\frac{2}{14}=\frac{1}{7}$

$\frac{2}{5}\times 10=\frac{20}{5}=4$ $\quad \frac{3}{4}\times 12=\frac{36}{4}=9$ $\quad \frac{4}{7}\times 14=\frac{56}{7}=8$

$\frac{5}{14}\times 7=\frac{35}{14}=\frac{5}{2}=2\frac{1}{2}$ $\quad \frac{13}{18}\times 2=\frac{26}{18}=\frac{13}{9}=1\frac{4}{9}$ $\quad \frac{3}{10}\times 15=\frac{45}{10}=\frac{9}{2}=4\frac{1}{2}$

$\frac{2}{15}\times 9=\frac{18}{15}=\frac{6}{5}=1\frac{1}{5}$ $\quad \frac{8}{21}\times 6=\frac{48}{21}=\frac{16}{7}=2\frac{2}{7}$ $\quad \frac{9}{32}\times 8=\frac{72}{32}=\frac{9}{4}=2\frac{1}{4}$

3 보기 와 같은 방법으로 계산해 보시오.

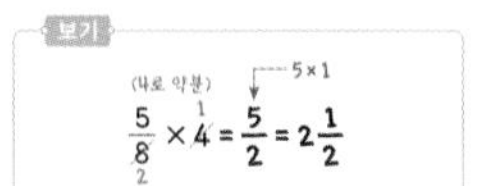

$\frac{3}{4}\times 10=\frac{15}{2}=7\frac{1}{2}$ (2로 약분)

$\frac{2}{9}\times 6=\frac{4}{3}=1\frac{1}{3}$ (3으로 약분) $\quad \frac{5}{6}\times 8=\frac{20}{3}=6\frac{2}{3}$

$\frac{3}{5}\times 25=3\times 5=15$ $\quad \frac{4}{7}\times 28=4\times 4=16$

$\frac{1}{6}\times 4=\frac{2}{3}$ $\quad \frac{2}{9}\times 3=\frac{2}{3}$ $\quad \frac{3}{8}\times 2=\frac{3}{4}$

$\frac{3}{4}\times 8=6$ $\quad \frac{7}{8}\times 8=7$ $\quad \frac{5}{6}\times 12=10$

$\frac{11}{12}\times 9=\frac{33}{4}=8\frac{1}{4}$ $\quad \frac{5}{16}\times 14=\frac{35}{8}=4\frac{3}{8}$ $\quad \frac{7}{18}\times 12=\frac{14}{3}=4\frac{2}{3}$

$\frac{8}{21}\times 28=\frac{32}{3}=10\frac{2}{3}$ $\quad \frac{13}{20}\times 8=\frac{26}{5}=5\frac{1}{5}$ $\quad \frac{11}{27}\times 15=\frac{55}{9}=6\frac{1}{9}$

4 빈칸에 두 수의 곱을 써넣으시오.

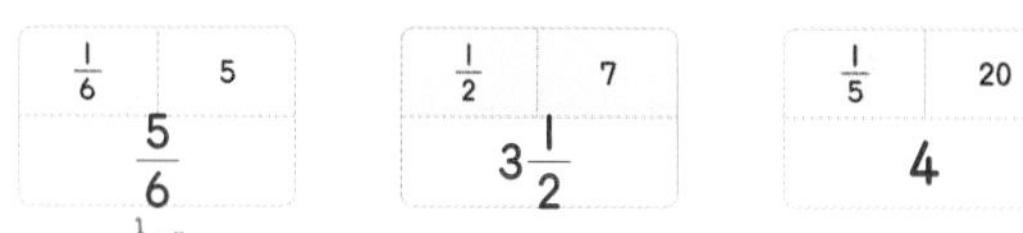
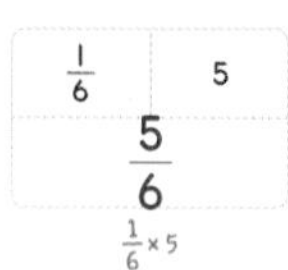

$\frac{1}{6}\times 5$

$\frac{1}{2}$	7		$\frac{1}{5}$	20	
$3\frac{1}{2}$			4		

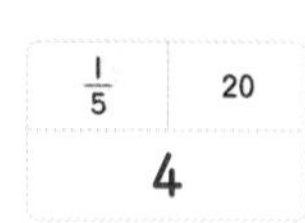

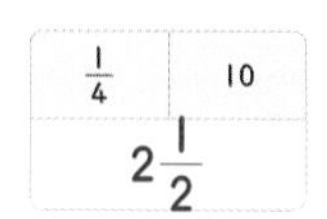

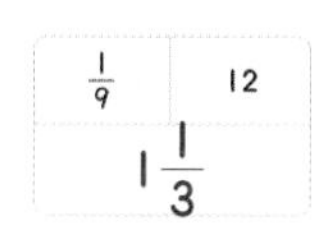

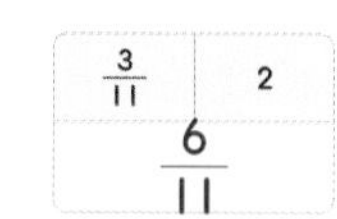

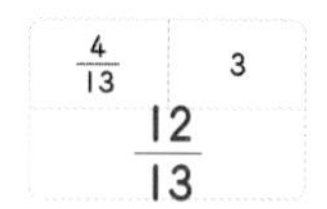

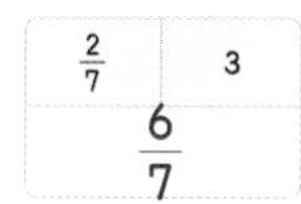

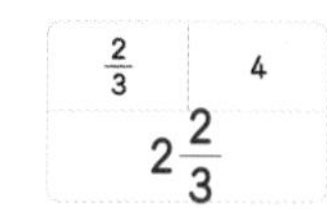

$\frac{4}{5}$	6	$4\frac{4}{5}$

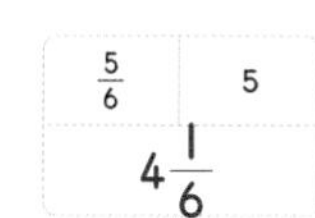

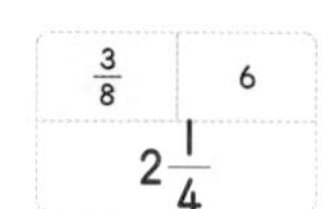

$\frac{7}{10}$	25	$17\frac{1}{2}$
$\frac{3}{4}$	16	12
$\frac{4}{15}$	12	$3\frac{1}{5}$

02 (대분수)×(자연수)

정답 10쪽

● 대분수를 자연수와 진분수로 나누어 계산하기

$1\frac{1}{3}\times 2$

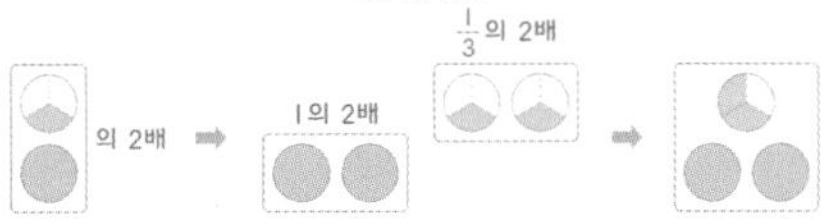

의 2배 ➡ 1의 2배, $\frac{1}{3}$의 2배 ➡

$1\frac{1}{3}\times 2 = (1\times 2) + (\frac{1}{3}\times 2) = 2+\frac{2}{3}=2\frac{2}{3}$

1 안에 알맞은 수를 써넣으시오.

$1\frac{1}{4}$의 3배 ➡ 1의 3배 + $\frac{1}{4}$의 3배

$1\frac{1}{4}\times 3=(1\times 3)+(\frac{1}{4}\times 3)=3+\frac{3}{4}=3\frac{3}{4}$

$1\frac{2}{7}$의 2배 ➡ 1의 2배 + $\frac{2}{7}$의 2배

$1\frac{2}{7}\times 2=(1\times 2)+(\frac{2}{7}\times 2)=2+\frac{4}{7}=2\frac{4}{7}$

$1\frac{1}{6}$의 7배 ➡ 1의 7배 + $\frac{1}{6}$의 7배

$1\frac{1}{6}\times 7=(1\times 7)+(\frac{1}{6}\times 7)=7+\frac{7}{6}=7+1\frac{1}{6}=8\frac{1}{6}$

$2\frac{3}{5}$의 4배 ➡ 2의 4배 + $\frac{3}{5}$의 4배

$2\frac{3}{5}\times 4=(2\times 4)+(\frac{3}{5}\times 4)=8+\frac{12}{5}=8+2\frac{2}{5}=10\frac{2}{5}$

2 보기 와 같은 방법으로 계산해 보시오.

보기

$1\frac{2}{7}\times 4 = 4 + \frac{8}{7} = 5\frac{1}{7}$ (1×4, $\frac{2}{7}$×4, $1\frac{1}{7}$)

$1\frac{2}{5}\times 2=2+\frac{4}{5}=2\frac{4}{5}$

$2\frac{1}{3}\times 2=4+\frac{2}{3}=4\frac{2}{3}$

$3\frac{1}{4}\times 3=9+\frac{3}{4}=9\frac{3}{4}$

$1\frac{1}{4}\times 5=5+\frac{5}{4}=6\frac{1}{4}$

$2\frac{1}{3}\times 4=8+\frac{4}{3}=9\frac{1}{3}$

$2\frac{2}{5}\times 3=6+\frac{6}{5}=7\frac{1}{5}$

$3\frac{3}{7}\times 3=9+\frac{9}{7}=10\frac{2}{7}$

$1\frac{2}{9}\times 7=7+\frac{14}{9}=8\frac{5}{9}$

$2\frac{4}{5}\times 3=6+\frac{12}{5}=8\frac{2}{5}$

$3\frac{1}{6}\times 5=15+\frac{5}{6}=15\frac{5}{6}$

$2\frac{3}{8}\times 5=10+\frac{15}{8}=11\frac{7}{8}$

$4\frac{5}{7}\times 4=16+\frac{20}{7}=18\frac{6}{7}$

$5\frac{2}{9}\times 5=25+\frac{10}{9}=26\frac{1}{9}$

● 대분수를 가분수로 바꾸어 계산하기

$2\frac{3}{4}\times 2=\frac{11}{4}\times 2=\frac{11\times 2}{4}=\frac{11}{2}=5\frac{1}{2}$

(2로 약분) 대분수 → 가분수

3 대분수를 가분수로 바꾸어 계산해 보시오.

보기

대분수 → 가분수

$2\frac{1}{6}\times 4=\frac{13}{6}\times 4=\frac{26}{3}=8\frac{2}{3}$

$1\frac{1}{4}\times 2=\frac{5}{4}\times 2=\frac{5}{2}=2\frac{1}{2}$

$3\frac{1}{8}\times 4=\frac{25}{8}\times 4=\frac{25}{2}=12\frac{1}{2}$

$2\frac{2}{9}\times 3=\frac{20}{9}\times 3=\frac{20}{3}=6\frac{2}{3}$

$1\frac{5}{12}\times 8=\frac{17}{12}\times 8=\frac{34}{3}=11\frac{1}{3}$

$3\frac{9}{10}\times 5=\frac{39}{10}\times 5=\frac{39}{2}=19\frac{1}{2}$

$4\frac{5}{6}\times 2=\frac{29}{6}\times 2=\frac{29}{3}=9\frac{2}{3}$

$2\frac{1}{12}\times 8=\frac{25}{12}\times 8=\frac{50}{3}=16\frac{2}{3}$

$1\frac{4}{9}\times 6=\frac{13}{9}\times 6=\frac{26}{3}=8\frac{2}{3}$

$3\frac{1}{6}\times 8=\frac{19}{6}\times 8=\frac{76}{3}=25\frac{1}{3}$

$2\frac{3}{8}\times 12=\frac{19}{8}\times 12=\frac{57}{2}=28\frac{1}{2}$

$2\frac{3}{10}\times 15=\frac{23}{10}\times 15=\frac{69}{2}=34\frac{1}{2}$

4 분수의 곱셈 실력을 점검해 보시오.

실력평가 맞힌 개수 개 / 제한 시간 10 분

1. $1\frac{1}{3}\times 2=2\frac{2}{3}$
2. $2\frac{1}{6}\times 5=10\frac{5}{6}$
3. $3\frac{1}{8}\times 3=9\frac{3}{8}$
4. $5\frac{1}{4}\times 3=15\frac{3}{4}$
5. $8\frac{1}{3}\times 2=16\frac{2}{3}$
6. $3\frac{1}{2}\times 5=17\frac{1}{2}$
7. $2\frac{4}{5}\times 3=8\frac{2}{5}$
8. $1\frac{2}{7}\times 4=5\frac{1}{7}$
9. $4\frac{3}{5}\times 2=9\frac{1}{5}$
10. $1\frac{3}{4}\times 3=5\frac{1}{4}$
11. $1\frac{3}{5}\times 10=16$
12. $2\frac{2}{3}\times 6=16$
13. $2\frac{5}{6}\times 8=22\frac{2}{3}$
14. $3\frac{1}{4}\times 2=6\frac{1}{2}$
15. $4\frac{3}{8}\times 12=52\frac{1}{2}$
16. $5\frac{7}{10}\times 5=28\frac{1}{2}$
17. $2\frac{5}{9}\times 6=15\frac{1}{3}$
18. $1\frac{8}{21}\times 7=9\frac{2}{3}$
19. $1\frac{1}{14}\times 4=4\frac{2}{7}$
20. $2\frac{1}{12}\times 8=16\frac{2}{3}$

수고하셨습니다!

03 (자연수)×(진분수)

정답 11쪽

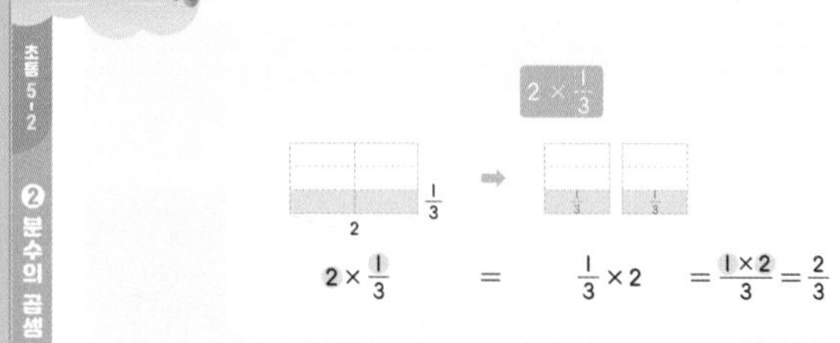

$2\times\frac{1}{3} = \frac{1}{3}\times2 = \frac{1\times2}{3}=\frac{2}{3}$

1 □ 안에 알맞은 수를 써넣고, 계산해 보시오.

$4\times\frac{1}{5}=\frac{4\times1}{5}=\frac{4}{5}$ $3\times\frac{2}{7}=\frac{3\times2}{7}=\frac{6}{7}$

$5\times\frac{1}{6}=\frac{5\times1}{6}=\frac{5}{6}$ $2\times\frac{2}{5}=\frac{2\times2}{5}=\frac{4}{5}$

$8\times\frac{1}{9}=\frac{8\times1}{9}=\frac{8}{9}$ $7\times\frac{1}{10}=\frac{7\times1}{10}=\frac{7}{10}$ $6\times\frac{1}{11}=\frac{6\times1}{11}=\frac{6}{11}$

$2\times\frac{3}{7}=\frac{2\times3}{7}=\frac{6}{7}$ $2\times\frac{4}{9}=\frac{2\times4}{9}=\frac{8}{9}$ $4\times\frac{3}{13}=\frac{4\times3}{13}=\frac{12}{13}$

$3\times\frac{1}{2}=\frac{3\times1}{2}=\frac{3}{2}=1\frac{1}{2}$ $9\times\frac{1}{4}=\frac{9\times1}{4}=\frac{9}{4}=2\frac{1}{4}$ $10\times\frac{1}{3}=\frac{10\times1}{3}=\frac{10}{3}=3\frac{1}{3}$

$5\times\frac{5}{6}=\frac{5\times5}{6}=\frac{25}{6}=4\frac{1}{6}$ $7\times\frac{3}{8}=\frac{7\times3}{8}=\frac{21}{8}=2\frac{5}{8}$ $11\times\frac{2}{5}=\frac{11\times2}{5}=\frac{22}{5}=4\frac{2}{5}$

2 보기 와 같은 방법으로 계산해 보시오.

보기

$6\times\frac{3}{4}=\frac{6\times3}{4}=\frac{18}{4}=\frac{9}{2}=4\frac{1}{2}$ (2로 약분)

$3\times\frac{1}{6}=\frac{3\times1}{6}=\frac{3}{6}=\frac{1}{2}$ (3으로 약분)

$5\times\frac{3}{10}=\frac{5\times3}{10}=\frac{15}{10}=\frac{3}{2}=1\frac{1}{2}$ (5로 약분)

$6\times\frac{2}{9}=\frac{12}{9}=\frac{4}{3}=1\frac{1}{3}$ (6×2)

$8\times\frac{5}{6}=\frac{40}{6}=\frac{20}{3}=6\frac{2}{3}$ (8×5)

$4\times\frac{3}{8}=\frac{12}{8}=\frac{3}{2}=1\frac{1}{2}$

$2\times\frac{1}{6}=\frac{2}{6}=\frac{1}{3}$ $4\times\frac{1}{8}=\frac{4}{8}=\frac{1}{2}$ $3\times\frac{2}{9}=\frac{6}{9}=\frac{2}{3}$

$6\times\frac{2}{3}=\frac{12}{3}=4$ $10\times\frac{3}{5}=\frac{30}{5}=6$ $20\times\frac{3}{4}=\frac{60}{4}=15$

$9\times\frac{5}{6}=\frac{45}{6}=\frac{15}{2}=7\frac{1}{2}$ $5\times\frac{7}{10}=\frac{35}{10}=\frac{7}{2}=3\frac{1}{2}$ $7\times\frac{4}{21}=\frac{28}{21}=\frac{4}{3}=1\frac{1}{3}$

$4\times\frac{7}{20}=\frac{28}{20}=\frac{7}{5}=1\frac{2}{5}$ $9\times\frac{5}{36}=\frac{45}{36}=\frac{5}{4}=1\frac{1}{4}$ $15\times\frac{2}{25}=\frac{30}{25}=\frac{6}{5}=1\frac{1}{5}$

3 보기 와 같은 방법으로 계산해 보시오.

보기

$4\times\frac{5}{6}=\frac{10}{3}=3\frac{1}{3}$ (2로 약분, 2×5)

$6\times\frac{3}{8}=\frac{9}{4}=2\frac{1}{4}$ (2로 약분, 3×3)

$3\times\frac{7}{9}=\frac{7}{3}=2\frac{1}{3}$ (3으로 약분, 1×7)

$10\times\frac{2}{15}=\frac{4}{3}=1\frac{1}{3}$

$21\times\frac{9}{14}=\frac{27}{2}=13\frac{1}{2}$ $18\times\frac{5}{24}=\frac{15}{4}=3\frac{3}{4}$

$8\times\frac{1}{10}=\frac{4}{5}$ $9\times\frac{1}{12}=\frac{3}{4}$ $10\times\frac{2}{25}=\frac{4}{5}$

$8\times\frac{3}{4}=6$ $14\times\frac{3}{7}=6$ $20\times\frac{4}{5}=16$

$9\times\frac{11}{18}=\frac{11}{2}=5\frac{1}{2}$ $12\times\frac{7}{10}=\frac{42}{5}=8\frac{2}{5}$ $15\times\frac{9}{25}=\frac{27}{5}=5\frac{2}{5}$

$16\times\frac{7}{24}=\frac{14}{3}=4\frac{2}{3}$ $24\times\frac{4}{27}=\frac{32}{9}=3\frac{5}{9}$ $28\times\frac{3}{49}=\frac{12}{7}=1\frac{5}{7}$

4 갈림길에서 계산한 값이 맞는 길을 따라가시오.

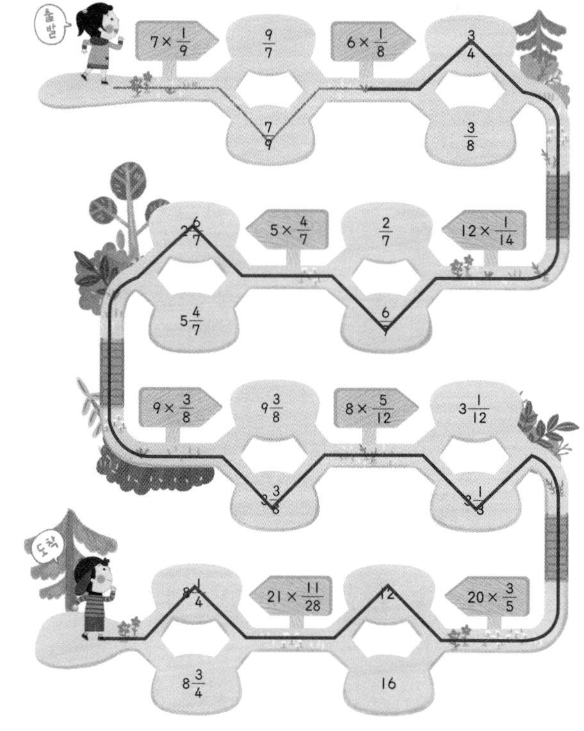

04 (자연수)×(대분수)

정답 12쪽

● 대분수를 자연수와 진분수로 나누어 계산하기

$2\times1\frac{1}{3}$

의 $1\frac{1}{3}$배 → 2의 1배, 2의 $\frac{1}{3}$배

$2\times1\frac{1}{3} = (2\times1)+\left(2\times\frac{1}{3}\right) = 2+\frac{2}{3}=2\frac{2}{3}$

1 □ 안에 알맞은 수를 써넣으시오.

4의 $1\frac{1}{5}$배 → 4의 1배 + 4의 $\frac{1}{5}$배

$4\times1\frac{1}{5}=(4\times1)+\left(4\times\frac{1}{5}\right)=4+\frac{4}{5}=4\frac{4}{5}$

3의 $2\frac{1}{4}$배 → 3의 2배 + 3의 $\frac{1}{4}$배

$3\times2\frac{1}{4}=(3\times2)+\left(3\times\frac{1}{4}\right)=6+\frac{3}{4}=6\frac{3}{4}$

6의 $1\frac{1}{2}$배 → 6의 1배 + 6의 $\frac{1}{2}$배

$6\times1\frac{1}{2}=(6\times1)+\left(6\times\frac{1}{2}\right)=6+3=9$

8의 $1\frac{5}{9}$배 → 8의 1배 + 8의 $\frac{5}{9}$배

$8\times1\frac{5}{9}=(8\times1)+\left(8\times\frac{5}{9}\right)=8+\frac{40}{9}=8+4\frac{4}{9}=12\frac{4}{9}$

2 보기 와 같은 방법으로 계산해 보시오.

보기: $4\times1\frac{3}{5}=4+\frac{12}{5}=6\frac{2}{5}$ (4×1, $4\times\frac{3}{5}$, $2\frac{2}{5}$)

$3\times1\frac{2}{7}=3+\frac{6}{7}=3\frac{6}{7}$

$2\times1\frac{3}{11}=2+\frac{6}{11}=2\frac{6}{11}$

$5\times2\frac{1}{4}=10+\frac{5}{4}=11\frac{1}{4}$

$6\times2\frac{1}{7}=12+\frac{6}{7}=12\frac{6}{7}$

$7\times1\frac{2}{5}=7+\frac{14}{5}=9\frac{4}{5}$

$4\times2\frac{1}{3}=8+\frac{4}{3}=9\frac{1}{3}$

$9\times3\frac{1}{2}=27+\frac{9}{2}=31\frac{1}{2}$

$8\times1\frac{2}{7}=8+\frac{16}{7}=10\frac{2}{7}$

$3\times2\frac{4}{5}=6+\frac{12}{5}=8\frac{2}{5}$

$7\times3\frac{1}{4}=21+\frac{7}{4}=22\frac{3}{4}$

$10\times1\frac{2}{9}=10+\frac{20}{9}=12\frac{2}{9}$

$6\times4\frac{3}{5}=24+\frac{18}{5}=27\frac{3}{5}$

$5\times2\frac{4}{7}=10+\frac{20}{7}=12\frac{6}{7}$

● 대분수를 가분수로 바꾸어 계산하기

$3\times1\frac{1}{6}=3\times\frac{7}{6}=\frac{\overset{1}{\cancel{3}}\times7}{\underset{2}{\cancel{6}}}=\frac{7}{2}=3\frac{1}{2}$ (3으로 약분) (대분수 → 가분수)

3 대분수를 가분수로 바꾸어 계산해 보시오.

보기: $6\times1\frac{3}{4}=\overset{3}{\cancel{6}}\times\frac{7}{\underset{2}{\cancel{4}}}=\frac{21}{2}=10\frac{1}{2}$ (대분수 → 가분수)

$4\times2\frac{3}{8}=\overset{1}{\cancel{4}}\times\frac{19}{\underset{2}{\cancel{8}}}=\frac{19}{2}=9\frac{1}{2}$

$3\times1\frac{5}{9}=\overset{1}{\cancel{3}}\times\frac{14}{\underset{3}{\cancel{9}}}=\frac{14}{3}=4\frac{2}{3}$

$10\times1\frac{2}{15}=\overset{2}{\cancel{10}}\times\frac{17}{\underset{3}{\cancel{15}}}=\frac{34}{3}=11\frac{1}{3}$

$7\times2\frac{5}{14}=\overset{1}{\cancel{7}}\times\frac{33}{\underset{2}{\cancel{14}}}=\frac{33}{2}=16\frac{1}{2}$

$9\times1\frac{1}{12}=\overset{3}{\cancel{9}}\times\frac{13}{\underset{4}{\cancel{12}}}=\frac{39}{4}=9\frac{3}{4}$

$2\times4\frac{7}{8}=\overset{1}{\cancel{2}}\times\frac{39}{\underset{4}{\cancel{8}}}=\frac{39}{4}=9\frac{3}{4}$

$18\times3\frac{7}{9}=\overset{2}{\cancel{18}}\times\frac{34}{\underset{1}{\cancel{9}}}=68$

$5\times2\frac{1}{10}=\overset{1}{\cancel{5}}\times\frac{21}{\underset{2}{\cancel{10}}}=\frac{21}{2}=10\frac{1}{2}$

$8\times3\frac{1}{12}=\overset{2}{\cancel{8}}\times\frac{37}{\underset{3}{\cancel{12}}}=\frac{74}{3}=24\frac{2}{3}$

$14\times1\frac{4}{21}=\overset{2}{\cancel{14}}\times\frac{25}{\underset{3}{\cancel{21}}}=\frac{50}{3}=16\frac{2}{3}$

$12\times1\frac{11}{18}=\overset{2}{\cancel{12}}\times\frac{29}{\underset{3}{\cancel{18}}}=\frac{58}{3}=19\frac{1}{3}$

4 분수의 곱셈을 하시오.

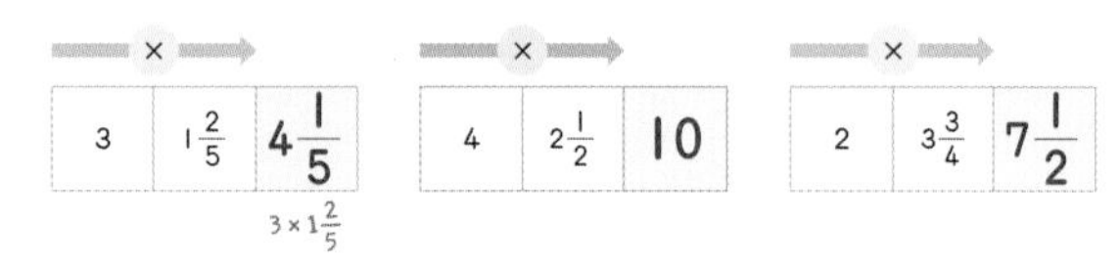

×		
3	$1\frac{2}{5}$	$4\frac{1}{5}$
4	$2\frac{1}{2}$	10
2	$3\frac{3}{4}$	$7\frac{1}{2}$

$3\times1\frac{2}{5}$

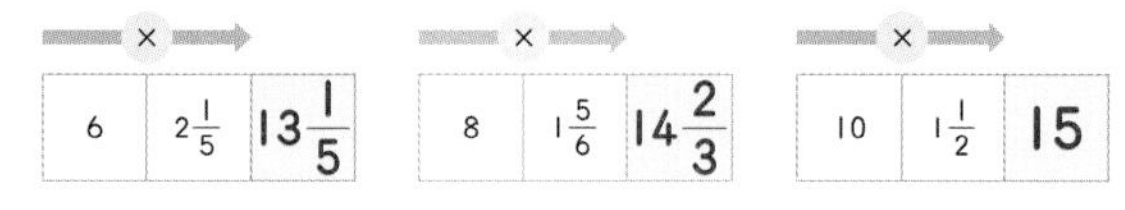

×		
6	$2\frac{1}{5}$	$13\frac{1}{5}$
8	$1\frac{5}{6}$	$14\frac{2}{3}$
10	$1\frac{1}{2}$	15
5	$3\frac{2}{3}$	$18\frac{1}{3}$
7	$1\frac{4}{21}$	$8\frac{1}{3}$
14	$1\frac{5}{6}$	$25\frac{2}{3}$
12	$1\frac{5}{8}$	$19\frac{1}{2}$
9	$2\frac{2}{5}$	$21\frac{3}{5}$
20	$2\frac{1}{15}$	$41\frac{1}{3}$
18	$3\frac{7}{9}$	68
15	$2\frac{3}{5}$	39
11	$1\frac{2}{7}$	$14\frac{1}{7}$

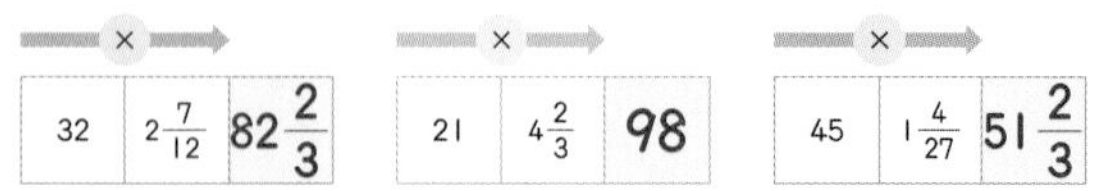

×		
32	$2\frac{7}{12}$	$82\frac{2}{3}$
21	$4\frac{2}{3}$	98
45	$1\frac{4}{27}$	$51\frac{2}{3}$

05 진분수의 곱셈

정답 13쪽

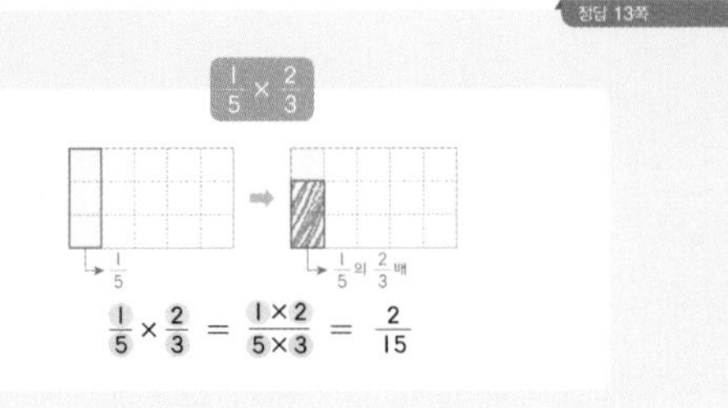

1 안에 알맞은 수를 써넣으시오.

$\frac{1}{4}\times\frac{1}{2}=\frac{1\times1}{4\times2}=\frac{1}{8}$ | $\frac{2}{3}\times\frac{5}{7}=\frac{2\times5}{3\times7}=\frac{10}{21}$

$\frac{1}{6}\times\frac{5}{8}=\frac{1\times5}{6\times8}=\frac{5}{48}$ | $\frac{4}{9}\times\frac{1}{3}=\frac{4}{27}$ (4×1, 9×3)

$\frac{3}{4}\times\frac{3}{7}=\frac{9}{28}$ | $\frac{5}{11}\times\frac{4}{9}=\frac{20}{99}$ | $\frac{3}{8}\times\frac{3}{5}=\frac{9}{40}$

$\frac{5}{6}\times\frac{7}{9}=\frac{35}{54}$ | $\frac{2}{9}\times\frac{4}{7}=\frac{8}{63}$ | $\frac{4}{5}\times\frac{6}{13}=\frac{24}{65}$

2 보기 와 같은 방법으로 계산해 보시오.

보기

$\frac{3}{4}\times\frac{5}{6}$ ➡ (3으로 약분) $\frac{3}{4}\times\frac{5}{6}$ ➡ $\frac{3}{4}\times\frac{5}{6}=\frac{5}{8}$ (1×5, 4×2)

$\frac{1}{7}\times\frac{7}{9}=\frac{1}{9}$ (1×1, 1×9) | $\frac{15}{16}\times\frac{1}{3}=\frac{5}{16}$ | $\frac{2}{5}\times\frac{3}{8}=\frac{3}{20}$

$\frac{2}{3}\times\frac{1}{16}=\frac{1}{24}$ | $\frac{1}{24}\times\frac{16}{21}=\frac{2}{63}$ | $\frac{5}{6}\times\frac{4}{9}=\frac{10}{27}$

$\frac{1}{4}\times\frac{8}{15}=\frac{2}{15}$ | $\frac{4}{17}\times\frac{1}{16}=\frac{1}{68}$ | $\frac{7}{10}\times\frac{5}{8}=\frac{7}{16}$

$\frac{21}{22}\times\frac{1}{7}=\frac{3}{22}$ | $\frac{1}{12}\times\frac{9}{11}=\frac{3}{44}$ | $\frac{7}{9}\times\frac{3}{4}=\frac{7}{12}$

$\frac{8}{15}\times\frac{20}{21}=\frac{32}{63}$ | $\frac{7}{8}\times\frac{31}{42}=\frac{31}{48}$ | $\frac{3}{4}\times\frac{5}{18}=\frac{5}{24}$

3 보기 와 같은 방법으로 계산해 보시오.

보기

(4로 약분) $\frac{4}{9}\times\frac{3}{8}$ ➡ (3으로 약분) $\frac{4}{9}\times\frac{3}{8}$ ➡ $\frac{4}{9}\times\frac{3}{8}=\frac{1}{6}$ (1×1, 3×2)

$\frac{2}{5}\times\frac{5}{6}=\frac{1}{3}$ | $\frac{7}{8}\times\frac{4}{21}=\frac{1}{6}$ | $\frac{9}{16}\times\frac{4}{27}=\frac{1}{12}$

$\frac{3}{17}\times\frac{17}{18}=\frac{1}{6}$ | $\frac{8}{9}\times\frac{3}{4}=\frac{2}{3}$ | $\frac{5}{6}\times\frac{3}{10}=\frac{1}{4}$

$\frac{7}{18}\times\frac{6}{7}=\frac{1}{3}$ | $\frac{5}{7}\times\frac{14}{25}=\frac{2}{5}$ | $\frac{8}{15}\times\frac{3}{4}=\frac{2}{5}$

$\frac{21}{49}\times\frac{7}{9}=\frac{3}{7}$ | $\frac{7}{12}\times\frac{9}{14}=\frac{3}{8}$ | $\frac{16}{27}\times\frac{15}{32}=\frac{5}{18}$

$\frac{28}{33}\times\frac{3}{8}=\frac{7}{22}$ | $\frac{21}{50}\times\frac{45}{56}=\frac{27}{80}$ | $\frac{12}{65}\times\frac{25}{36}=\frac{5}{39}$

4 세 분수의 곱셈을 하시오.

보기

(3으로 약분) $\frac{3}{8}\times\frac{5}{9}\times\frac{4}{5}$ ➡ (5로 약분) $\frac{3}{8}\times\frac{5}{9}\times\frac{4}{5}$ ➡ (4로 약분) $\frac{3}{8}\times\frac{5}{9}\times\frac{4}{5}$ ➡ $\frac{3}{8}\times\frac{5}{9}\times\frac{4}{5}=\frac{1}{6}$ (1×1×1, 2×3×1)

$\frac{2}{3}\times\frac{1}{5}\times\frac{6}{7}=\frac{4}{35}$ | $\frac{3}{4}\times\frac{2}{5}\times\frac{7}{8}=\frac{21}{80}$ | $\frac{3}{5}\times\frac{1}{6}\times\frac{3}{4}=\frac{3}{40}$

$\frac{1}{2}\times\frac{3}{5}\times\frac{2}{9}=\frac{1}{15}$ | $\frac{2}{5}\times\frac{1}{7}\times\frac{5}{6}=\frac{1}{21}$ | $\frac{3}{10}\times\frac{2}{5}\times\frac{1}{6}=\frac{1}{50}$

$\frac{5}{6}\times\frac{7}{9}\times\frac{3}{5}=\frac{7}{18}$ | $\frac{17}{18}\times\frac{6}{11}\times\frac{5}{17}=\frac{5}{33}$ | $\frac{7}{9}\times\frac{5}{8}\times\frac{27}{49}=\frac{15}{56}$

$\frac{2}{9}\times\frac{5}{6}\times\frac{3}{5}=\frac{1}{9}$ | $\frac{2}{3}\times\frac{5}{8}\times\frac{9}{10}=\frac{3}{8}$ | $\frac{4}{7}\times\frac{3}{8}\times\frac{7}{9}=\frac{1}{6}$

$\frac{5}{7}\times\frac{11}{20}\times\frac{21}{22}=\frac{3}{8}$ | $\frac{7}{12}\times\frac{5}{7}\times\frac{6}{15}=\frac{1}{6}$ | $\frac{11}{20}\times\frac{15}{16}\times\frac{8}{11}=\frac{3}{8}$

06 대분수의 곱셈

정답 14쪽

초등 5-2 ② 분수의 곱셈

● 대분수를 가분수로 바꾸어 계산하기

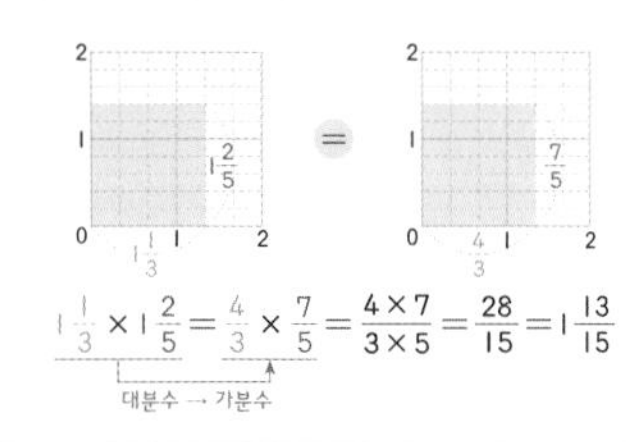

$1\frac{1}{3}\times1\frac{2}{5}=\frac{4}{3}\times\frac{7}{5}=\frac{4\times7}{3\times5}=\frac{28}{15}=1\frac{13}{15}$

대분수 → 가분수

1 안에 알맞은 수를 써넣으시오.

대분수 → 가분수, 8×2, 5×7

$1\frac{3}{5}\times\frac{2}{7}=\frac{8}{5}\times\frac{2}{7}=\frac{16}{35}$

대분수 → 가분수, 3×3, 4×2

$\frac{3}{4}\times1\frac{1}{2}=\frac{3}{4}\times\frac{3}{2}=\frac{9}{8}=1\frac{1}{8}$

$4\frac{1}{3}\times\frac{1}{8}=\frac{13}{3}\times\frac{1}{8}=\frac{13}{24}$

$\frac{5}{6}\times2\frac{1}{3}=\frac{5}{6}\times\frac{7}{3}=\frac{35}{18}=1\frac{17}{18}$

$\frac{4}{7}\times1\frac{4}{9}=\frac{4}{7}\times\frac{13}{9}=\frac{52}{63}$

$5\frac{3}{7}\times\frac{2}{9}=\frac{38}{7}\times\frac{2}{9}=\frac{76}{63}=1\frac{13}{63}$

$2\frac{1}{4}\times\frac{3}{11}=\frac{9}{4}\times\frac{3}{11}=\frac{27}{44}$

$\frac{3}{5}\times2\frac{1}{10}=\frac{3}{5}\times\frac{21}{10}=\frac{63}{50}=1\frac{13}{50}$

2 보기 와 같은 방법으로 계산해 보시오.

보기 (대분수 → 가분수, 2×7, 3×1)

$2\frac{2}{3}\times1\frac{3}{4}=\frac{8}{3}\times\frac{7}{4}=\frac{14}{3}=4\frac{2}{3}$

1×2, 5×1

$1\frac{2}{5}\times\frac{2}{7}=\frac{7}{5}\times\frac{2}{7}=\frac{2}{5}$

3×3, 1×5

$\frac{3}{4}\times2\frac{2}{5}=\frac{3}{4}\times\frac{12}{5}=\frac{9}{5}=1\frac{4}{5}$

$3\frac{1}{3}\times1\frac{2}{5}=\frac{10}{3}\times\frac{7}{5}=\frac{14}{3}=4\frac{2}{3}$

$2\frac{6}{7}\times\frac{4}{5}=\frac{20}{7}\times\frac{4}{5}=\frac{16}{7}=2\frac{2}{7}$

$1\frac{1}{2}\times3\frac{2}{9}=\frac{3}{2}\times\frac{29}{9}=\frac{29}{6}=4\frac{5}{6}$

$\frac{5}{7}\times3\frac{1}{2}=\frac{5}{7}\times\frac{7}{2}=\frac{5}{2}=2\frac{1}{2}$

$1\frac{2}{5}\times\frac{10}{11}=\frac{7}{5}\times\frac{10}{11}=\frac{14}{11}=1\frac{3}{11}$

$3\frac{2}{7}\times2\frac{1}{10}=\frac{23}{7}\times\frac{21}{10}=\frac{69}{10}=6\frac{9}{10}$

$\frac{7}{8}\times2\frac{4}{5}=\frac{7}{8}\times\frac{14}{5}=\frac{49}{20}=2\frac{9}{20}$

$4\frac{2}{9}\times\frac{18}{19}=\frac{38}{9}\times\frac{18}{19}=4$

$1\frac{4}{5}\times11\frac{1}{4}=\frac{9}{5}\times\frac{45}{4}=\frac{81}{4}=20\frac{1}{4}$

$\frac{12}{13}\times1\frac{1}{4}=\frac{12}{13}\times\frac{5}{4}=\frac{15}{13}=1\frac{2}{13}$

$3\frac{1}{6}\times\frac{3}{17}=\frac{19}{6}\times\frac{3}{17}=\frac{19}{34}$

$4\frac{5}{8}\times3\frac{1}{5}=\frac{37}{8}\times\frac{16}{5}=\frac{74}{5}=14\frac{4}{5}$

3 계산이 잘못된 이유를 쓰고, 바르게 고쳐 보시오.

잘못된 계산: $\frac{2}{5}\times1\frac{1}{4}=\frac{1}{5}\times\frac{3}{2}=\frac{3}{10}$

바른 계산: $\frac{2}{5}\times1\frac{1}{4}=\frac{2}{5}\times\frac{5}{4}=\frac{1}{2}$

틀린 이유: 약분을 하기 전에 대분수인 $1\frac{1}{4}$을 가분수로 고치지 않았습니다.

잘못된 계산: $1\frac{3}{5}\times2\frac{2}{3}=2\frac{6}{15}$

바른 계산: $1\frac{3}{5}\times2\frac{2}{3}=\frac{8}{5}\times\frac{8}{3}=\frac{64}{15}=4\frac{4}{15}$

틀린 이유: 대분수끼리의 곱셈은 대분수를 가분수로 고친 후 계산해야 합니다.

잘못된 계산: $4\frac{1}{6}\times\frac{3}{7}=\frac{9}{2}\times\frac{1}{7}=\frac{9}{14}$

바른 계산: $4\frac{1}{6}\times\frac{3}{7}=\frac{25}{6}\times\frac{3}{7}=\frac{25}{14}=1\frac{11}{14}$

예 틀린 이유: 약분을 하기 전에 대분수인 $4\frac{1}{6}$을 가분수로 고치지 않았습니다.

잘못된 계산: $2\frac{1}{4}\times1\frac{5}{9}=2\frac{5}{36}$

바른 계산: $2\frac{1}{4}\times1\frac{5}{9}=\frac{9}{4}\times\frac{14}{9}=\frac{7}{2}=3\frac{1}{2}$

예 틀린 이유: 대분수끼리의 곱셈은 대분수를 가분수로 고친 후 계산해야 합니다.

4 분수의 곱셈 실력을 점검해 보시오.

실력평가

맞힌 개수 개 / 제한 시간 10 분

1. $1\frac{1}{6}\times\frac{7}{9}=\frac{49}{54}$
2. $2\frac{3}{5}\times\frac{3}{4}=1\frac{19}{20}$
3. $3\frac{1}{2}\times\frac{3}{5}=2\frac{1}{10}$
4. $2\frac{2}{3}\times1\frac{2}{5}=3\frac{11}{15}$
5. $3\frac{1}{4}\times2\frac{1}{2}=8\frac{1}{8}$
6. $4\frac{5}{6}\times1\frac{5}{7}=8\frac{2}{7}$
7. $\frac{4}{9}\times1\frac{2}{7}=\frac{4}{7}$
8. $\frac{3}{7}\times2\frac{4}{5}=1\frac{1}{5}$
9. $\frac{8}{11}\times3\frac{1}{4}=2\frac{4}{11}$
10. $2\frac{2}{5}\times\frac{5}{13}=\frac{12}{13}$
11. $1\frac{8}{9}\times\frac{3}{4}=1\frac{5}{12}$
12. $3\frac{1}{8}\times\frac{3}{5}=1\frac{7}{8}$
13. $1\frac{1}{6}\times5\frac{1}{4}=6\frac{1}{8}$
14. $2\frac{8}{11}\times2\frac{3}{4}=7\frac{1}{2}$
15. $4\frac{2}{7}\times3\frac{1}{6}=13\frac{4}{7}$
16. $2\frac{4}{5}\times3\frac{4}{7}=10$
17. $7\frac{1}{2}\times2\frac{4}{5}=21$

수고하셨습니다!

정답 15쪽

유형 1

한 명이 피자 한 판의 $\frac{1}{8}$씩을 먹으려고 합니다. 16명이 먹으려면 피자는 모두 몇 판이 필요합니까?

▶ 주어진 수에 ○표 하고, 구하는 것에 밑줄 치기

한 명이 먹는 피자의 양: 피자 한 판의 $\frac{1}{8}$, 먹는 사람의 수: 16 명

▶ 문제 해결하기

한 명이 먹는 피자의 양에 먹는 사람의 수를 (더합니다 , 곱합니다).

▶ 문제 풀기

(필요한 피자의 양)$=\frac{1}{8}\times16=2$ (판)

▶ 답 쓰기

피자는 모두 2 판이 필요합니다.

유형 1+

우영이는 미술 시간에 길이가 3 m인 색 테이프의 $\frac{4}{5}$를 사용했습니다. 사용한 색 테이프의 길이는 몇 m입니까?

▶ 주어진 수에 ○표 하고, 구하는 것에 밑줄 치기

전체 색 테이프의 길이: 3 m, 사용한 색 테이프의 양: 전체의 $\frac{4}{5}$

▶ 문제 해결하기

전체 색 테이프의 길이에 사용한 색 테이프의 양을 (뺍니다 , 곱합니다).

▶ 문제 풀기

(사용한 색 테이프의 길이)$=3\times\frac{4}{5}=\frac{12}{5}=2\frac{2}{5}$ (m)

▶ 답 쓰기

사용한 색 테이프의 길이는 $2\frac{2}{5}$ m입니다.

유형 2

정호네 밭에서 어제 옥수수를 전체의 $\frac{2}{5}$만큼 수확하였고, 오늘은 어제 수확한 양의 $\frac{5}{6}$만큼 수확하였습니다. 오늘 수확한 옥수수의 양은 전체의 얼마입니까?

▶ 주어진 수에 ○표 하고, 구하는 것에 밑줄 치기

어제 수확한 옥수수의 양: 전체의 $\frac{2}{5}$, 오늘 수확한 옥수수의 양: 어제 수확한 양의 $\frac{5}{6}$

▶ 문제 해결하기

어제 수확한 옥수수의 양에 $\frac{5}{6}$를 (더합니다 , 곱합니다).

▶ 문제 풀기

(오늘 수확한 옥수수의 양)$=\frac{2}{5}\times\frac{5}{6}=\frac{1}{3}$

▶ 답 쓰기

오늘 수확한 옥수수의 양은 전체의 $\frac{1}{3}$입니다.

유형 2+

1L의 휘발유로 $6\frac{2}{5}$ km를 가는 자동차가 있습니다. 이 자동차에 휘발유가 $12\frac{1}{2}$ L 있다면 몇 km를 갈 수 있습니까?

▶ 주어진 수에 ○표 하고, 구하는 것에 밑줄 치기

1L의 휘발유로 갈 수 있는 거리: $6\frac{2}{5}$ km, 자동차에 있는 휘발유의 양: $12\frac{1}{2}$ L

▶ 문제 해결하기

1L의 휘발유로 갈 수 있는 거리에 자동차에 있는 휘발유의 양을 (뺍니다 , 곱합니다).

▶ 문제 풀기

(휘발유 $12\frac{1}{2}$ L로 갈 수 있는 거리)$=6\frac{2}{5}\times12\frac{1}{2}=\frac{32}{5}\times\frac{25}{2}=80$ (km)

▶ 답 쓰기

휘발유 $12\frac{1}{2}$ L로 갈 수 있는 거리는 80 km입니다.

● 안에 알맞은 수를 써넣고, 답을 구하시오.

1 Drill

태민이네 반 학생들에게 철사를 $\frac{4}{5}$ m씩 나누어 주려고 합니다. 25명에게 나누어 주려면 필요한 철사는 모두 몇 m입니까?

주어진 수에 ○표 하고, 구하는 것에 밑줄 쫙!

풀이 (필요한 철사의 길이)$=\frac{4}{5}\times25=20$ (m)

답 20 m

2 Drill

윤지의 몸무게는 42 kg입니다. 윤지의 언니는 윤지 몸무게의 $1\frac{1}{7}$배라면 언니의 몸무게는 몇 kg입니까?

풀이 (윤지 언니의 몸무게)$=42\times1\frac{1}{7}=48$ (kg)

답 48 kg

3 Drill

학교 도서관에 있는 책의 $\frac{3}{5}$은 아동 도서이고, 그중에서 $\frac{5}{9}$는 동화책입니다. 동화책은 학교 도서관에 있는 전체 책의 얼마입니까?

풀이 (학교 도서관에 있는 동화책의 양)$=\frac{3}{5}\times\frac{5}{9}=\frac{1}{3}$

답 $\frac{1}{3}$

4 Drill

한 변의 길이가 $4\frac{1}{2}$ cm인 정사각형이 있습니다. 이 정사각형의 넓이는 몇 cm^2입니까?

풀이 (정사각형의 넓이)$=4\frac{1}{2}\times4\frac{1}{2}=20\frac{1}{4}$ (cm^2)

답 $20\frac{1}{4}$ cm^2

● 서술형 문제를 읽고 풀이 과정과 답을 쓰시오.

도전 1

과일 가게에 한 상자에 $5\frac{3}{4}$ kg씩 담은 포도가 20상자 있습니다. 과일 가게에 있는 포도는 모두 몇 kg입니까?

예 풀이 (과일 가게에 있는 포도의 양)

$=5\frac{3}{4}\times20=115$ (kg)

답 115 kg

도전 2

주호는 구슬을 36개 가지고 있습니다. 그중에서 $\frac{5}{6}$를 동생에게 주었습니다. 동생에게 준 구슬은 몇 개입니까?

예 풀이 (동생에게 준 구슬의 수)

$=36\times\frac{5}{6}=30$ (개)

답 30 개

도전 3

수아네 반 학생의 $\frac{3}{5}$은 여학생이고, 이 중 $\frac{1}{6}$은 안경을 썼습니다. 수아네 반에서 안경을 쓴 여학생은 전체의 얼마입니까?

예 풀이 (안경을 쓴 여학생)

$=\frac{3}{5}\times\frac{1}{6}=\frac{1}{10}$

답 $\frac{1}{10}$

도전 4

직사각형의 가로는 $3\frac{2}{13}$ cm이고, 세로는 $2\frac{3}{5}$ cm입니다. 이 직사각형의 넓이는 몇 cm^2입니까?

예 풀이 (직사각형의 넓이)

$=3\frac{2}{13}\times2\frac{3}{5}=8\frac{1}{5}$ (cm^2)

답 $8\frac{1}{5}$ cm^2

형성평가

정답 16쪽 걸린 시간: 분 점수: 점

01 안에 알맞은 수를 써넣으시오.

(1) $\frac{2}{7}\times2=\frac{2\times2}{7}=\frac{4}{7}$

(2) $\frac{3}{13}\times4=\frac{3\times4}{13}=\frac{12}{13}$

02 안에 알맞은 수를 써넣으시오.

(1) $\frac{5}{6}\times2=\frac{10}{6}=\frac{5}{3}=1\frac{2}{3}$

(2) $\frac{3}{10}\times4=\frac{6}{5}=1\frac{1}{5}$

03 빈칸에 두 수의 곱을 써넣으시오.

(1)

$\frac{1}{3}$	7
$2\frac{1}{3}$	

(2)

$\frac{7}{12}$	8
$4\frac{2}{3}$	

04 안에 알맞은 수를 써넣으시오.

(1) $2\frac{2}{7}\times2=(2\times2)+(\frac{2}{7}\times2)=4+\frac{4}{7}=4\frac{4}{7}$

(2) $1\frac{2}{5}\times3=(1\times3)+(\frac{2}{5}\times3)=3+\frac{6}{5}=4\frac{1}{5}$

05 안에 알맞은 수를 써넣으시오.

(1) $2\frac{1}{4}\times3=6+\frac{3}{4}=6\frac{3}{4}$

(2) $1\frac{3}{8}\times5=5+\frac{15}{8}=6\frac{7}{8}$

06 대분수를 가분수로 바꾸어 계산해 보시오.

(1) $2\frac{3}{7}\times3=\frac{17}{7}\times3=\frac{51}{7}=7\frac{2}{7}$

(2) $1\frac{5}{9}\times6=\frac{14}{9}\times6=\frac{28}{3}=9\frac{1}{3}$

07 분수의 곱셈을 하시오.

(1) $5\frac{2}{3}\times3=17$

(2) $4\frac{3}{5}\times6=27\frac{3}{5}$

(3) $3\frac{4}{7}\times4=14\frac{2}{7}$

(4) $2\frac{3}{10}\times2=4\frac{3}{5}$

(5) $3\frac{2}{11}\times3=9\frac{6}{11}$

08 안에 알맞은 수를 써넣으시오.

(1) $5\times\frac{1}{7}=\frac{5\times1}{7}=\frac{5}{7}$

(2) $2\times\frac{4}{5}=\frac{2\times4}{5}=\frac{8}{5}=1\frac{3}{5}$

09 보기 와 같은 방법으로 계산해 보시오.

보기

$4\times\frac{5}{6}=\frac{4\times5}{6}=\frac{20}{6}=\frac{10}{3}=3\frac{1}{3}$

(1) $6\times\frac{4}{9}=\frac{6\times4}{9}=\frac{24}{9}=\frac{8}{3}=2\frac{2}{3}$

(2) $8\times\frac{3}{10}=\frac{8\times3}{10}=\frac{24}{10}=\frac{12}{5}=2\frac{2}{5}$

10 보기 와 같은 방법으로 계산해 보시오.

보기

$2\times\frac{3}{4}=\frac{3}{2}=1\frac{1}{2}$

(1) $9\times\frac{5}{6}=\frac{15}{2}=7\frac{1}{2}$

(2) $14\times\frac{4}{7}=8$

11 안에 알맞은 수를 써넣으시오.

$4\times2\frac{1}{5}=(4\times2)+(4\times\frac{1}{5})=8+\frac{4}{5}=8\frac{4}{5}$

12 안에 알맞은 수를 써넣으시오.

(1) $3\times1\frac{4}{5}=3+\frac{12}{5}=5\frac{2}{5}$

(2) $7\times2\frac{2}{3}=14+\frac{14}{3}=18\frac{2}{3}$

13 대분수를 가분수로 바꾸어 계산해 보시오.

(1) $2\times1\frac{1}{8}=2\times\frac{9}{8}=\frac{9}{4}=2\frac{1}{4}$

(2) $6\times2\frac{1}{4}=6\times\frac{9}{4}=\frac{27}{2}=13\frac{1}{2}$

14 분수의 곱셈을 하시오.

(1) ×

4	$1\frac{2}{7}$	$5\frac{1}{7}$

(2) ×

5	$2\frac{3}{10}$	$11\frac{1}{2}$

15 안에 알맞은 수를 써넣으시오.

(1) $\frac{3}{4}\times\frac{3}{5}=\frac{9}{20}$

(2) $\frac{4}{5}\times\frac{1}{7}=\frac{4}{35}$

(3) $\frac{2}{3}\times\frac{2}{9}=\frac{4}{27}$

(4) $\frac{7}{10}\times\frac{7}{8}=\frac{49}{80}$

(5) $\frac{4}{9}\times\frac{2}{5}=\frac{8}{45}$

16 계산해 보시오.

(1) $\frac{7}{10}\times\frac{2}{3}=\frac{7}{15}$

(2) $\frac{15}{16}\times\frac{8}{9}=\frac{5}{6}$

17 세 분수의 곱셈을 하시오.

(1) $\frac{3}{4}\times\frac{2}{5}\times\frac{3}{7}=\frac{9}{70}$

(2) $\frac{5}{6}\times\frac{4}{5}\times\frac{7}{9}=\frac{14}{27}$

18 안에 알맞은 수를 써넣으시오.

(1) $3\frac{2}{5}\times\frac{1}{4}=\frac{17}{5}\times\frac{1}{4}=\frac{17}{20}$

(2) $\frac{3}{5}\times1\frac{2}{7}=\frac{3}{5}\times\frac{9}{7}=\frac{27}{35}$

19 안에 알맞은 수를 써넣으시오.

(1) $1\frac{2}{3}\times1\frac{1}{5}=\frac{5}{3}\times\frac{6}{5}=2$

(2) $2\frac{5}{6}\times2\frac{2}{5}=\frac{17}{6}\times\frac{12}{5}=\frac{34}{5}=6\frac{4}{5}$

20 분수의 곱셈을 하시오.

(1) $2\frac{3}{4}\times1\frac{2}{5}=3\frac{17}{20}$

(2) $1\frac{3}{4}\times2\frac{1}{3}=4\frac{1}{12}$

(3) $1\frac{8}{9}\times2\frac{1}{4}=4\frac{1}{4}$

(4) $4\frac{3}{8}\times1\frac{3}{5}=7$

(5) $5\frac{1}{2}\times2\frac{7}{11}=14\frac{1}{2}$

단원 평가 2. 분수의 곱셈

정답 17쪽

1 그림을 보고 □ 안에 알맞은 수를 써넣으시오.

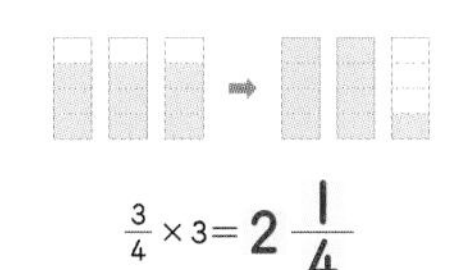

$\frac{3}{4}\times3=2\frac{1}{4}$

2 □ 안에 알맞은 수를 써넣으시오.

$24\times\frac{5}{6}=\frac{\overset{4}{24}\times5}{\underset{1}{6}}=20$

3 계산해 보시오.

(1) $1\frac{3}{5}\times2=3\frac{1}{5}$

(2) $4\times2\frac{1}{6}=8\frac{2}{3}$

4 빈칸에 두 수의 곱을 써넣으시오.

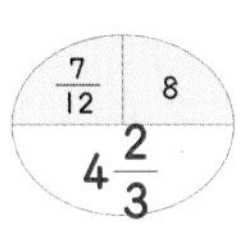

$\frac{7}{12}$, 8 → $4\frac{2}{3}$

5 □ 안에 알맞은 수를 써넣으시오.

(1) 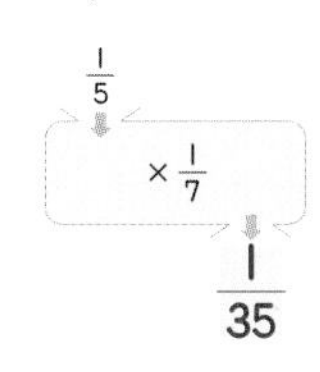

$\frac{1}{5}$ → $\times\frac{1}{7}$ → $\frac{1}{35}$

(2) 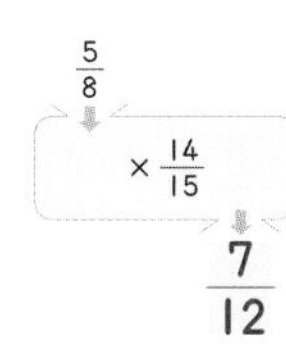

$\frac{5}{8}$ → $\times\frac{14}{15}$ → $\frac{7}{12}$

6 관계있는 것끼리 선으로 이어 보시오.

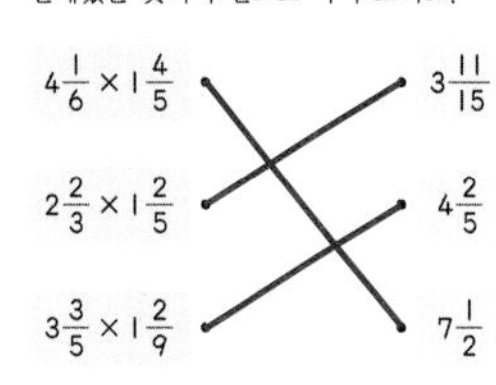

$4\frac{1}{6}\times1\frac{4}{5}$, $2\frac{2}{3}\times1\frac{2}{5}$, $3\frac{3}{5}\times1\frac{2}{9}$ / $3\frac{11}{15}$, $4\frac{2}{5}$, $7\frac{1}{2}$

7 세 분수의 곱을 구해 보시오.

$\frac{3}{4}\times\frac{2}{5}\times\frac{5}{6}$

($\frac{1}{4}$)

8 빈 곳에 알맞은 수를 써넣으시오.

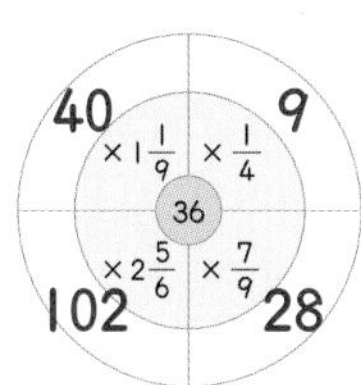

36: $\times1\frac{1}{9}$ → 40, $\times\frac{1}{4}$ → 9, $\times2\frac{5}{6}$ → 102, $\times\frac{7}{9}$ → 28

9 계산이 잘못된 것을 찾아 기호를 쓰시오.

㉠ $\frac{3}{10}\times6=1\frac{4}{5}$

㉡ $2\frac{1}{5}\times3=6\frac{3}{5}$

㉢ $6\times\frac{2}{9}=1\frac{2}{3}$

㉣ $4\times3\frac{1}{16}=12\frac{1}{4}$

(㉢)

㉢ $\overset{2}{\cancel{6}}\times\frac{2}{\underset{3}{\cancel{9}}}=\frac{4}{3}=1\frac{1}{3}$

10 정오각형의 한 변의 길이는 $3\frac{1}{4}$ cm입니다. 이 정오각형의 둘레는 몇 cm입니까?

($16\frac{1}{4}$) cm

(정오각형의 둘레)

$=3\frac{1}{4}\times5=16\frac{1}{4}$(cm)

11 ㉠과 ㉡의 차를 구하시오.

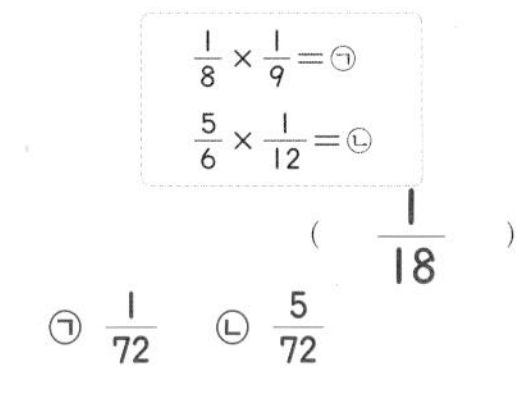

$\frac{1}{8}\times\frac{1}{9}=$㉠

$\frac{5}{6}\times\frac{1}{12}=$㉡

($\frac{1}{18}$)

㉠ $\frac{1}{72}$ ㉡ $\frac{5}{72}$

12 계산 결과가 더 큰 것에 ○표 하시오.

(1) 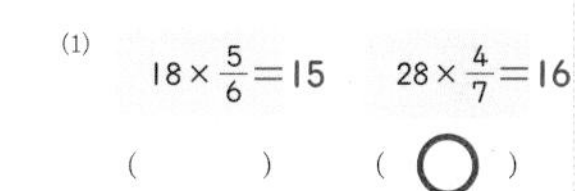

$18\times\frac{5}{6}=15$ ( ) $28\times\frac{4}{7}=16$ (○)

(2) 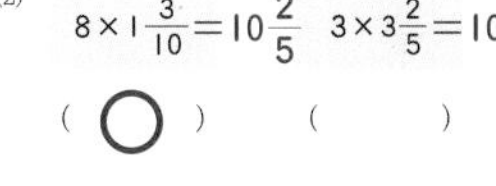

$8\times1\frac{3}{10}=10\frac{2}{5}$ (○) $3\times3\frac{2}{5}=10\frac{1}{5}$ ( )

13 계산 결과가 가장 큰 것을 찾아 기호를 쓰시오.

㉠ $\frac{1}{4}\times\frac{1}{11}$ ㉡ $\frac{1}{5}\times\frac{1}{9}$

㉢ $\frac{1}{10}\times\frac{1}{3}$ ㉣ $\frac{1}{6}\times\frac{1}{7}$

(㉢)

㉠ $\frac{1}{44}$ ㉡ $\frac{1}{45}$

㉢ $\frac{1}{30}$ ㉣ $\frac{1}{42}$

14 ㉠과 ㉡의 합을 구하시오.

㉠ $\frac{9}{10}\times\frac{2}{3}$ ㉡ $\frac{11}{20}\times\frac{8}{11}$

(1)

㉠ $\frac{3}{5}$ ㉡ $\frac{2}{5}$

15 계산 결과가 가장 큰 것부터 차례로 기호를 쓰시오.

㉠ $2\frac{2}{3}\times1\frac{7}{8}=5$

㉡ $2\frac{8}{11}\times2\frac{1}{5}=6$

㉢ $2\frac{1}{3}\times1\frac{2}{7}=3$

(㉡, ㉠, ㉢)

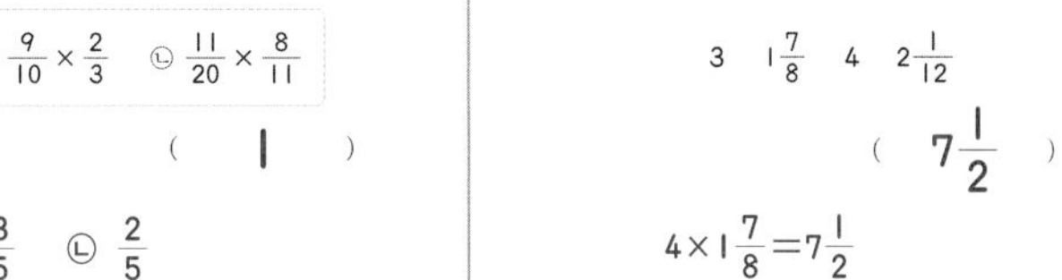

16 가장 큰 수와 가장 작은 수의 곱을 구하시오.

3 $1\frac{7}{8}$ 4 $2\frac{1}{12}$

($7\frac{1}{2}$)

$4\times1\frac{7}{8}=7\frac{1}{2}$

17 다음 3장의 숫자 카드를 사용하여 만들 수 있는 가장 큰 대분수와 가장 작은 대분수의 곱을 구하시오.

2 3 4

($12\frac{5}{6}$)

가장 큰 대분수: $4\frac{2}{3}$

가장 작은 대분수: $2\frac{3}{4}$

→ $4\frac{2}{3}\times2\frac{3}{4}=12\frac{5}{6}$

18 종이 테이프를 똑같이 8등분 하였습니다. 색칠한 부분의 길이는 몇 m입니까?

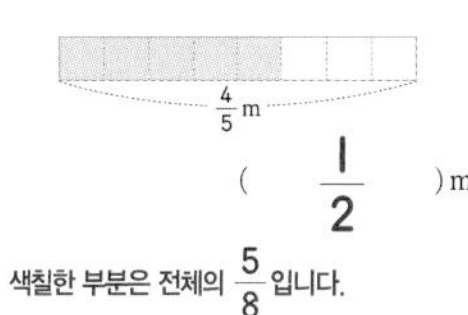

$\frac{4}{5}$ m

($\frac{1}{2}$) m

색칠한 부분은 전체의 $\frac{5}{8}$입니다.

→ $\frac{4}{5}\times\frac{5}{8}=\frac{1}{2}$(m)

19 물통에 물이 $2\frac{2}{5}$ L 들어 있습니다. 이 물통의 물을 $\frac{3}{4}$만큼 사용했다면 남은 물의 양은 몇 L인지 풀이 과정을 쓰고 답을 구하시오.

풀이 예 남은 물의 양은 전체의 $1-\frac{3}{4}=\frac{1}{4}$입니다.
따라서 남은 물의 양은 $2\frac{2}{5}\times\frac{1}{4}=\frac{3}{5}$(L)입니다.

답 $\frac{3}{5}$ L

20 바닥에 한 변이 $5\frac{1}{4}$ cm인 정사각형 모양의 타일 32장을 겹치지 않게 이어 붙였습니다. 타일이 붙어 있는 바닥의 넓이는 몇 cm^2인지 풀이 과정을 쓰고 답을 구하시오.

풀이 예 타일 한 장의 넓이는 $(5\frac{1}{4}\times5\frac{1}{4})cm^2$ 이므로
타일 32장이 붙어 있는 바닥의 넓이는
$5\frac{1}{4}\times5\frac{1}{4}\times32$
$=882(cm^2)$입니다.

답 882 cm^2

01 도형의 합동

정답 18쪽

● **합동:** 모양과 크기가 같아서 포개었을 때 완전히 겹치는 두 도형

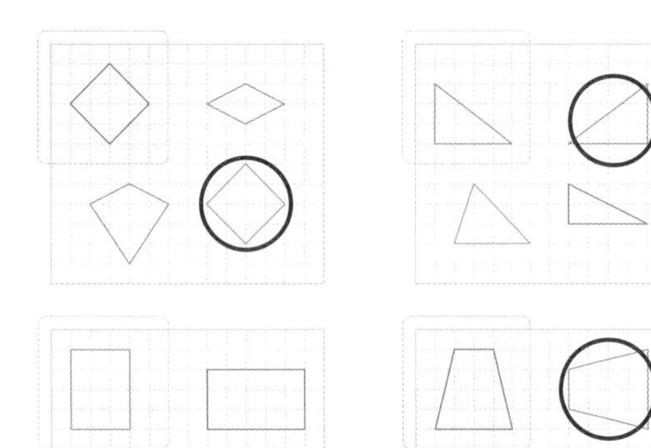

1 주어진 도형과 합동인 도형을 찾아 ○표 하시오.

● 합동인 도형의 대응점, 대응변, 대응각 알아보기

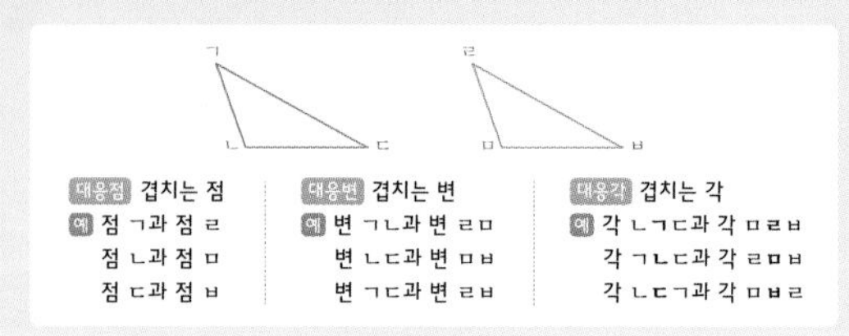

대응점 겹치는 점	대응변 겹치는 변	대응각 겹치는 각
예 점 ㄱ과 점 ㄹ	예 변 ㄱㄴ과 변 ㄹㅁ	예 각 ㄴㄱㄷ과 각 ㅁㄹㅂ
점 ㄴ과 점 ㅁ	변 ㄴㄷ과 변 ㅁㅂ	각 ㄱㄴㄷ과 각 ㄹㅁㅂ
점 ㄷ과 점 ㅂ	변 ㄱㄷ과 변 ㄹㅂ	각 ㄴㄷㄱ과 각 ㅁㅂㄹ

2 주어진 두 도형은 서로 합동입니다. □ 안에 알맞게 써넣으시오.

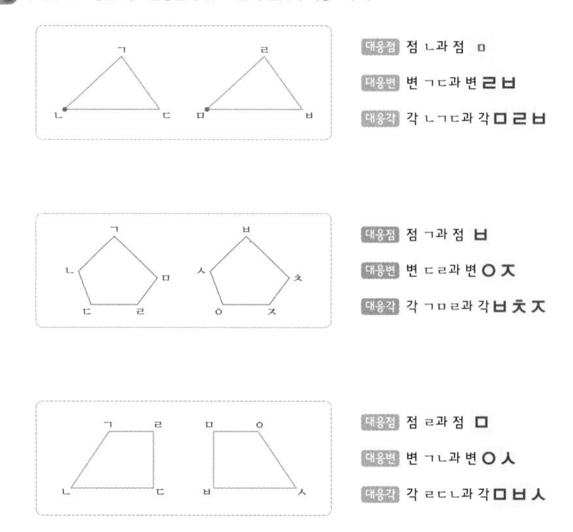

대응점 점 ㄴ과 점 ㅁ
대응변 변 ㄱㄷ과 변 ㄹㅂ
대응각 각 ㄴㄱㄷ과 각 ㅁㄹㅂ

대응점 점 ㄱ과 점 ㅂ
대응변 변 ㄷㄹ과 변 ㅇㅈ
대응각 각 ㄱㅁㄹ과 각 ㅂㅊㅈ

대응점 점 ㄹ과 점 ㅁ
대응변 변 ㄱㄴ과 변 ㅇㅅ
대응각 각 ㄹㄷㄴ과 각 ㅁㅂㅅ

3 주어진 두 도형은 서로 합동입니다. □ 안에 알맞은 수를 써넣으시오.

보기

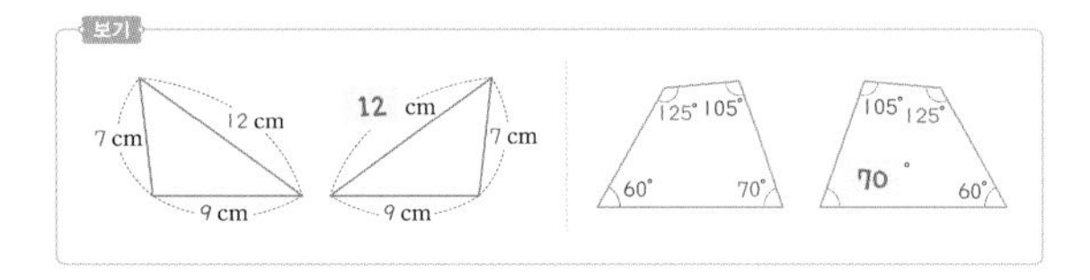

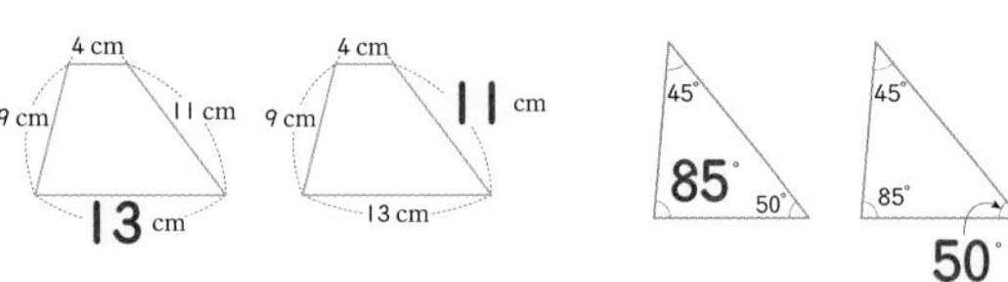

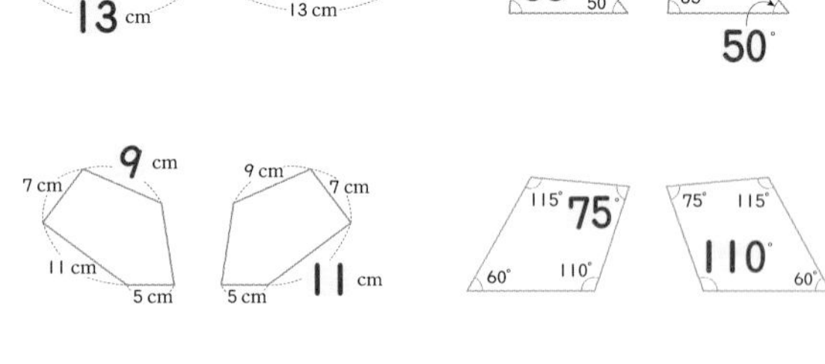

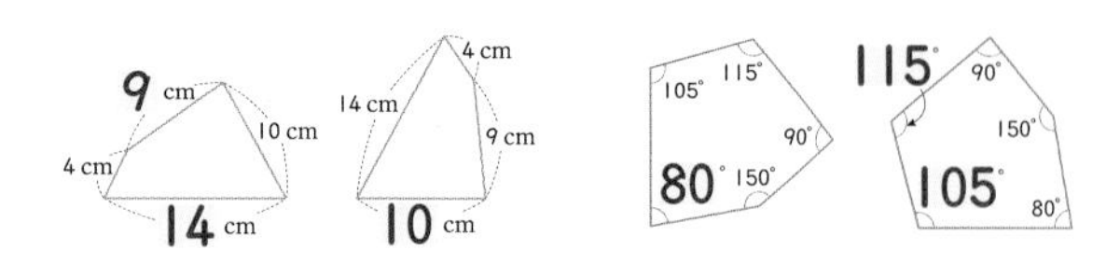

4 주어진 두 도형은 서로 합동입니다. □ 안에 알맞은 수를 써넣으시오.

보기

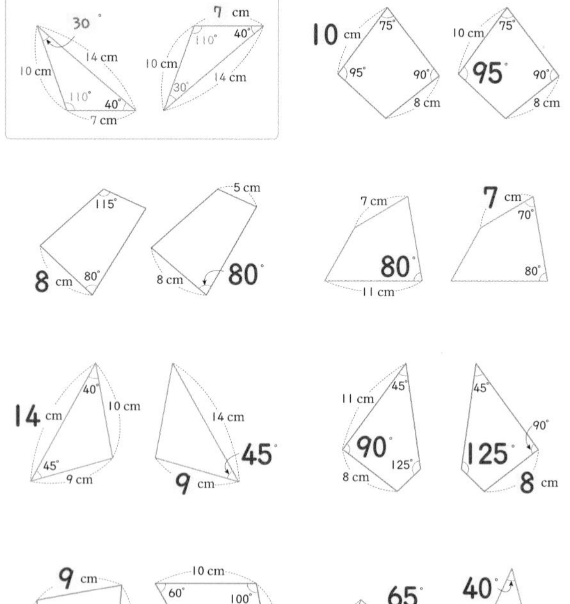

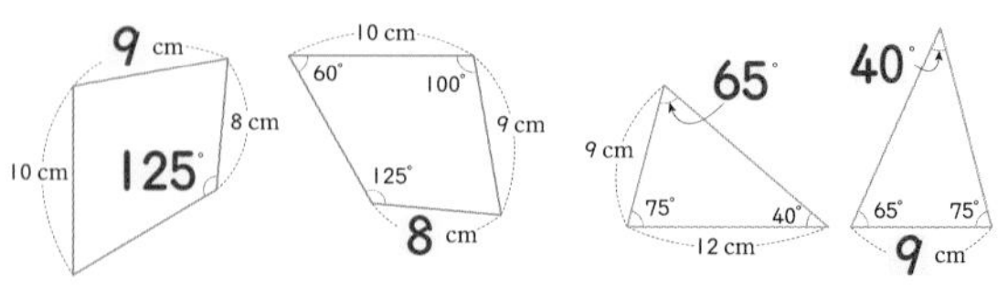

02 선대칭도형

정답 19쪽

● **선대칭도형:** 한 직선을 따라 접었을 때 완전히 겹치는 도형

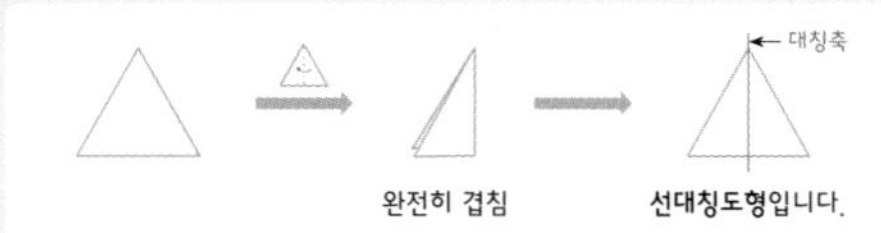

1 주어진 도형을 점선을 따라 접었을 때, 알맞은 말에 ○표 하시오.

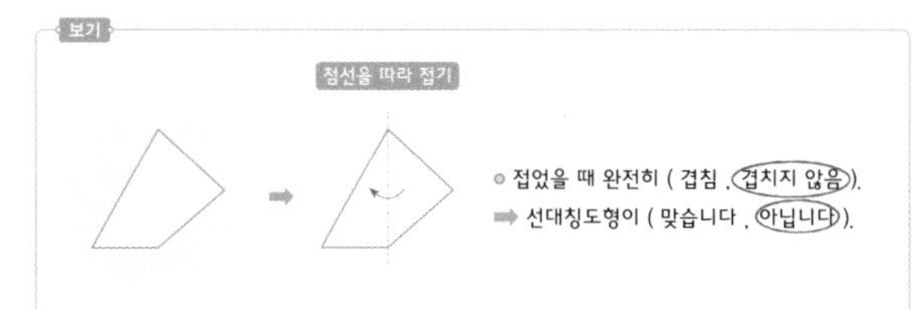

보기
점선을 따라 접기
○ 접었을 때 완전히 (겹침 , 겹치지 않음).
➡ 선대칭도형이 (맞습니다 , 아닙니다).

점선을 따라 접기

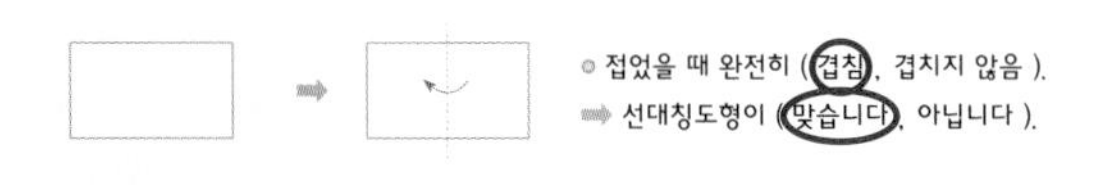

○ 접었을 때 완전히 (겹침 , 겹치지 않음).
➡ 선대칭도형이 (맞습니다 , 아닙니다).

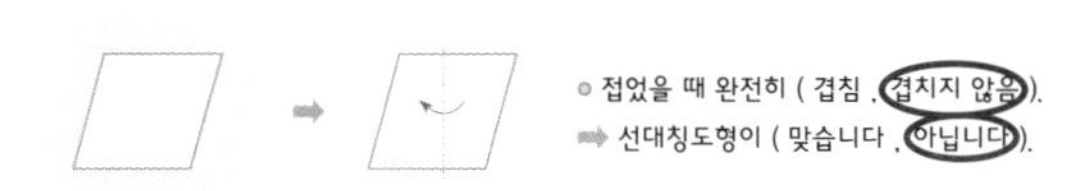

○ 접었을 때 완전히 (겹침 , 겹치지 않음).
➡ 선대칭도형이 (맞습니다 , 아닙니다).

2 선대칭도형을 모두 찾아 ○표 하시오.

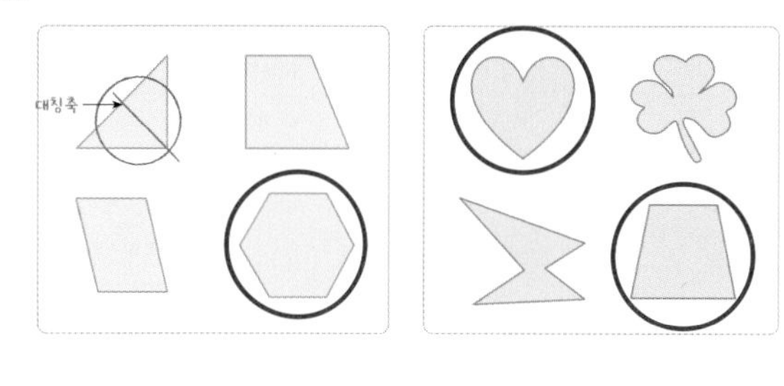

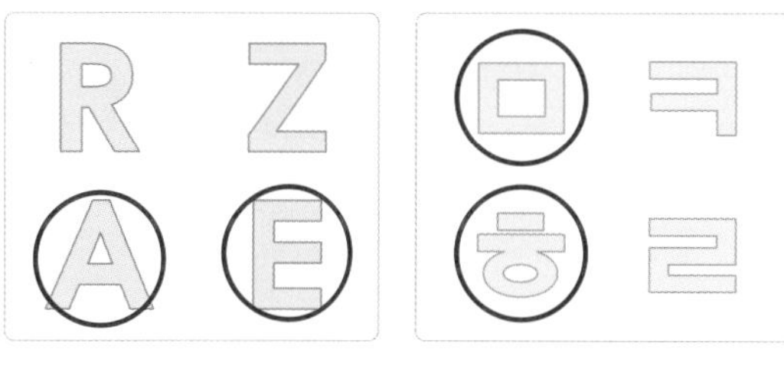

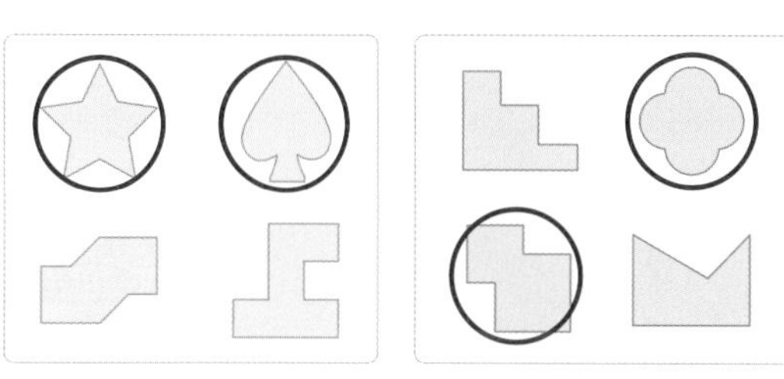

● 선대칭도형의 대응점, 대응변, 대응각 알아보기

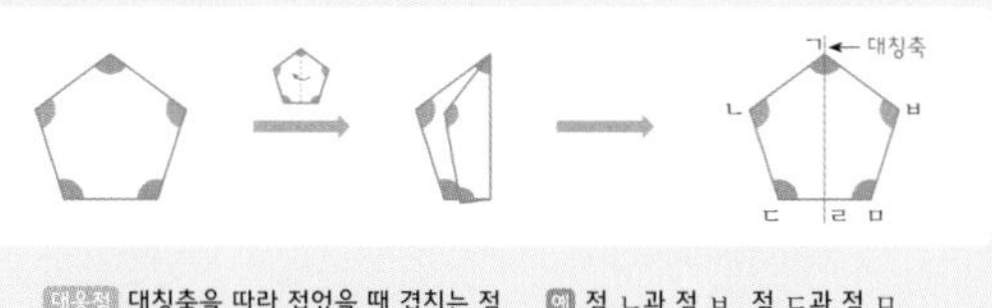

대응점 대칭축을 따라 접었을 때 겹치는 점 예 점 ㄴ과 점 ㅂ, 점 ㄷ과 점 ㅁ

대응변 대칭축을 따라 접었을 때 겹치는 변 예 변 ㄱㄴ과 변 ㄱㅂ

대응각 대칭축을 따라 접었을 때 겹치는 각 예 각 ㄱㄴㄷ과 각 ㄱㅂㅁ

3 직선 ㄱㄴ을 대칭축으로 하는 선대칭도형입니다. 안에 알맞게 써넣으시오.

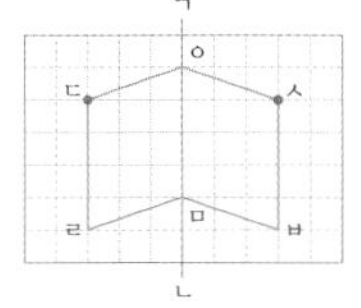

대응점 점 ㄷ과 점 ㅅ　대응점 점 ㅂ과 점 ㄹ

대응변 변 ㄷㄹ과 변 ㅅㅂ　대응변 변 ㅂㅁ과 변 ㄹㅁ

대응각 각 ㄷㄹㅁ과 각 ㅅㅂㅁ　대응각 각 ㅂㅅㅇ과 각 ㄹㄷㅇ

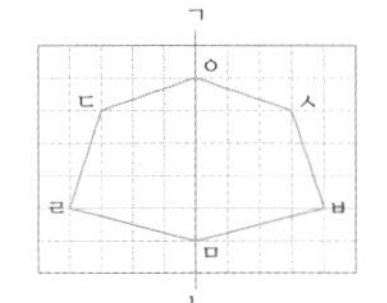

대응점 점 ㅂ과 점 ㄹ　대응점 점 ㄷ과 점 ㅅ

대응변 변 ㅂㅁ과 변 ㄹㅁ　대응변 변 ㄷㄹ과 변 ㅅㅂ

대응각 각 ㅇㅅㅂ과 각 ㅇㄷㄹ　대응각 각 ㅁㄹㄷ과 각 ㅁㅂㅅ

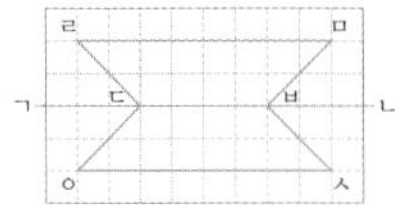

대응점 점 ㅇ과 점 ㄹ　대응점 점 ㅁ과 점 ㅅ

대응변 변 ㅁㅂ과 변 ㅅㅂ　대응변 변 ㅇㅅ과 변 ㄹㅁ

대응각 각 ㄷㄹㅁ과 각 ㄷㅇㅅ　대응각 각 ㅂㅅㅇ과 각 ㅂㅁㄹ

4 직선 ㄱㄴ을 대칭축으로 하는 선대칭도형입니다. 안에 알맞은 수를 써넣으시오.

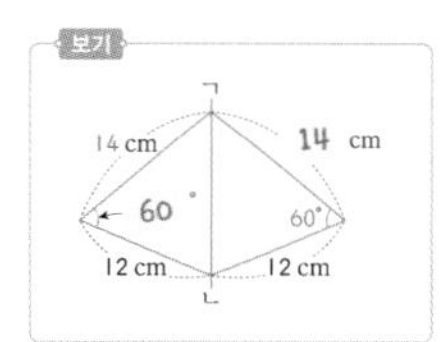

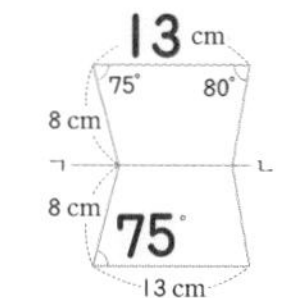

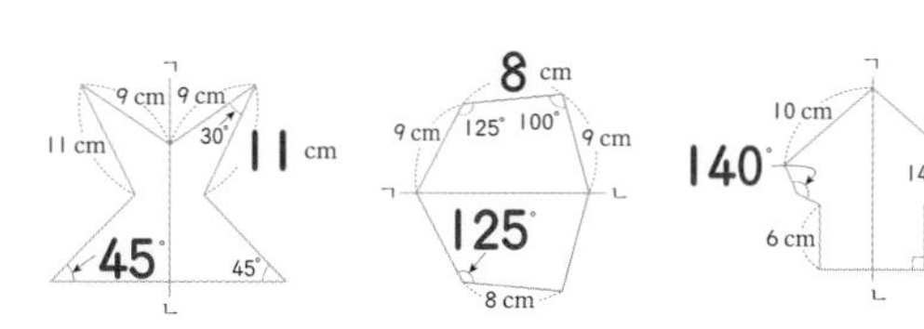

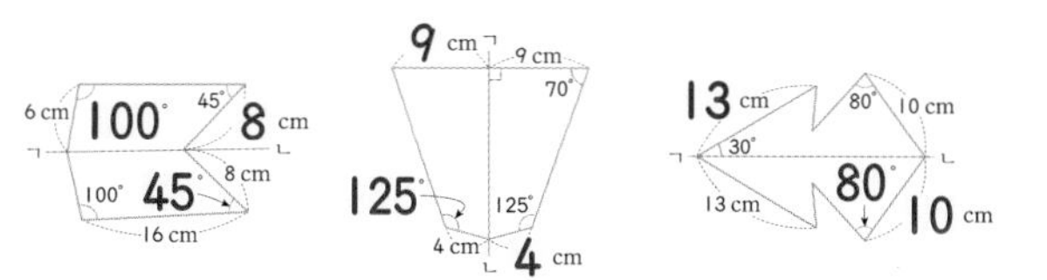

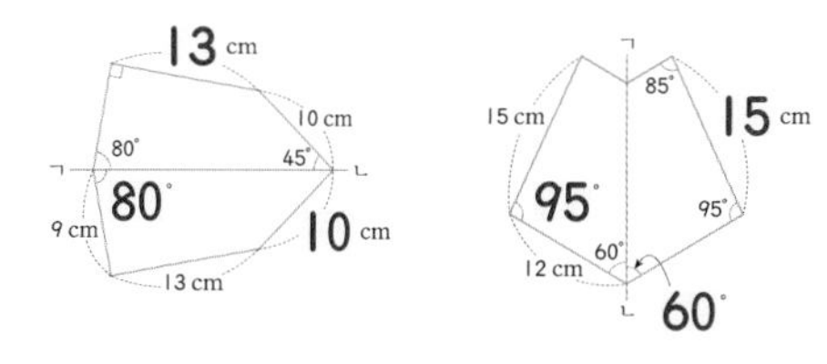

03 점대칭도형

정답 20쪽

초등 5-2 ③ 합동과 대칭

● **점대칭도형**: 한 도형을 어떤 점을 중심으로 180° 돌렸을 때 처음 도형과 완전히 겹치는 도형

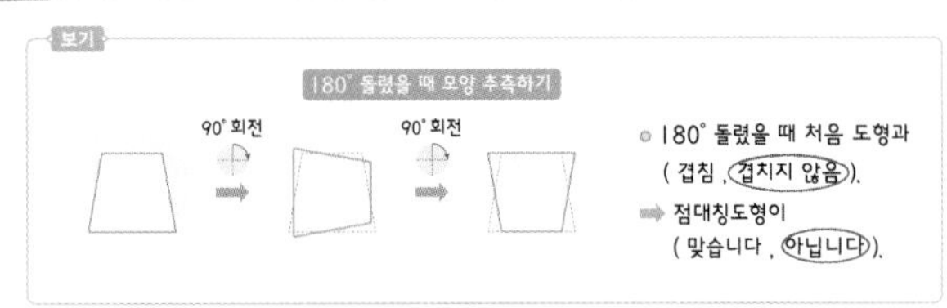

1 주어진 도형을 180° 돌렸을 때 모양을 추측하고, 알맞은 말에 ○표 하시오.

보기

180° 돌렸을 때 모양 추측하기

90° 회전 → 90° 회전

○ 180° 돌렸을 때 처음 도형과 (겹침 , (겹치지 않음)).
➡ 점대칭도형이 (맞습니다 , (아닙니다)).

180° 돌렸을 때 모양 추측하기

90° 회전 → 90° 회전 → ?

○ 180° 돌렸을 때 처음 도형과 ((겹침) , 겹치지 않음).
➡ 점대칭도형이 ((맞습니다) , 아닙니다).

90° 회전 → 90° 회전 → ?

○ 180° 돌렸을 때 처음 도형과 (겹침 , (겹치지 않음)).
➡ 점대칭도형이 (맞습니다 , (아닙니다)).

2 점대칭도형을 모두 찾아 ○표 하시오.

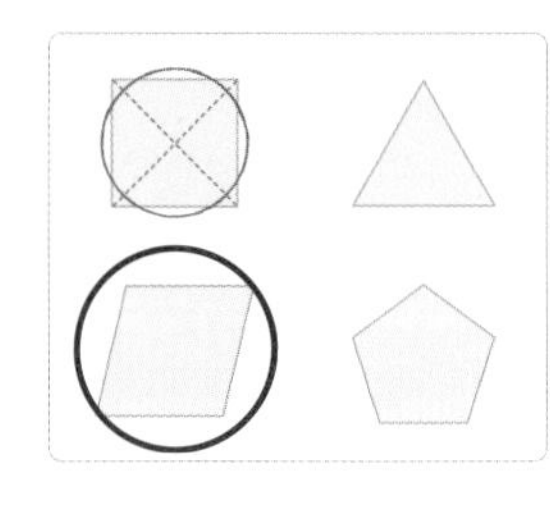

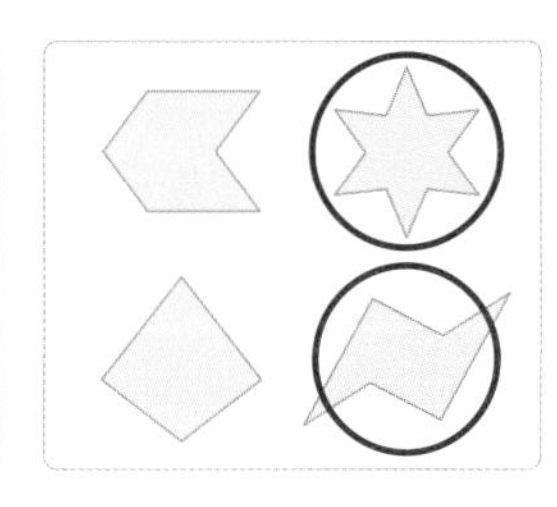

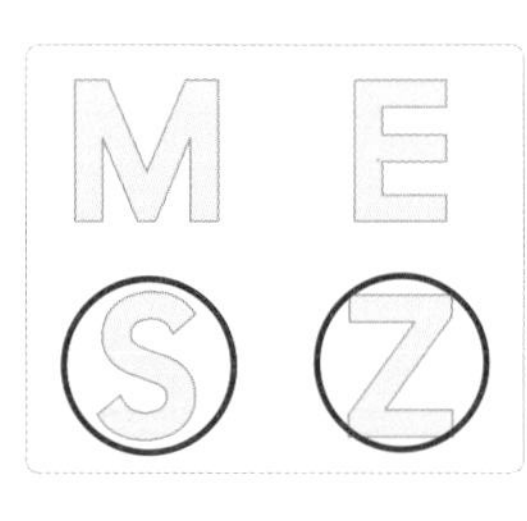

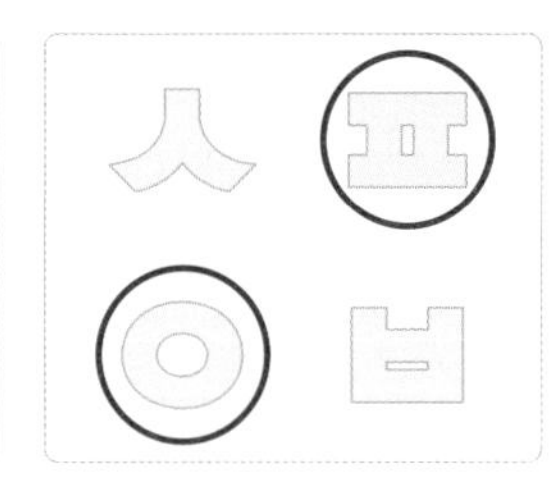

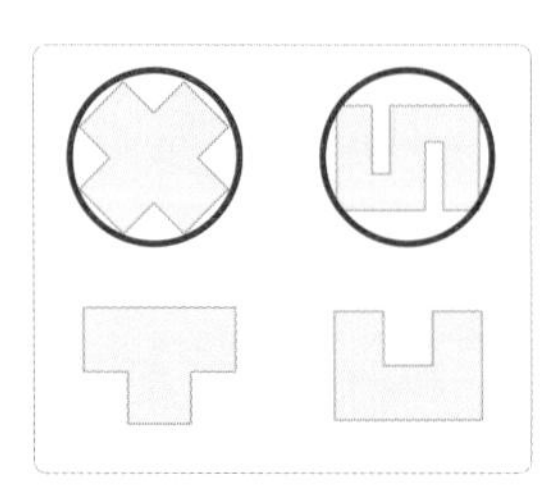

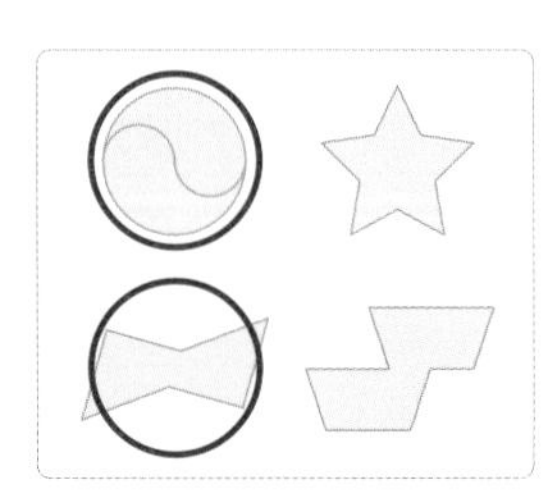

● 점대칭도형의 대응점, 대응변, 대응각 알아보기

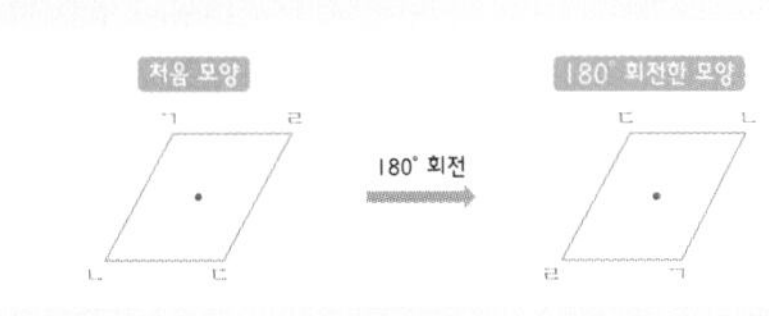

대응점	대칭의 중심을 중심으로 180° 돌렸을 때 겹치는 점	예 점 ㄱ과 점 ㄷ
대응변	대칭의 중심을 중심으로 180° 돌렸을 때 겹치는 변	예 변 ㄱㄴ과 변 ㄷㄹ
대응각	대칭의 중심을 중심으로 180° 돌렸을 때 겹치는 각	예 각 ㄱㄴㄷ과 각 ㄷㄹㄱ

3 점 ㅇ을 대칭의 중심으로 하는 점대칭도형입니다. 안에 알맞게 써넣으시오.

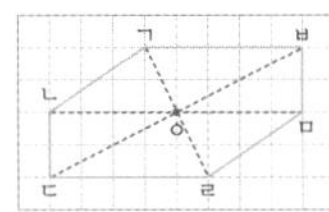

대응점 점 ㄱ과 점 ㄹ　　대응점 점 ㄷ과 점 ㅂ
대응변 변 ㄱㅂ과 변 ㄹㄷ　　대응변 변 ㄴㄷ과 변 ㅁㅂ
대응각 각 ㄴㄷㄹ과 각 ㅁㅂㄱ　　대응각 각 ㄱㄴㄷ과 각 ㄹㅁㅂ

대응점 점 ㄷ과 점 ㅂ　　대응점 점 ㄴ과 점 ㅁ
대응변 변 ㄹㅁ과 변 ㄱㄴ　　대응변 변 ㄷㄹ과 변 ㅂㄱ
대응각 각 ㄱㄴㄷ과 각 ㄹㅁㅂ　　대응각 각 ㅁㅂㄱ과 각 ㄴㄷㄹ

대응점 점 ㅅ과 점 ㄷ　　대응점 점 ㄹ과 점 ㅈ
대응변 변 ㄴㄷ과 변 ㅂㅅ　　대응변 변 ㅈㅅ과 변 ㄹㄷ
대응각 각 ㄱㅈㅅ과 각 ㅁㄹㄷ　　대응각 각 ㄴㄷㄹ과 각 ㅂㅅㅈ

4 점 ㅇ을 대칭의 중심으로 하는 점대칭도형입니다. 안에 알맞은 수를 써넣으시오.

보기

13 cm, 14 cm, 135°, 45, 13 cm, 45°, 14 cm

15 cm, 120°, 12 cm, 12 cm, 15 cm, 120°

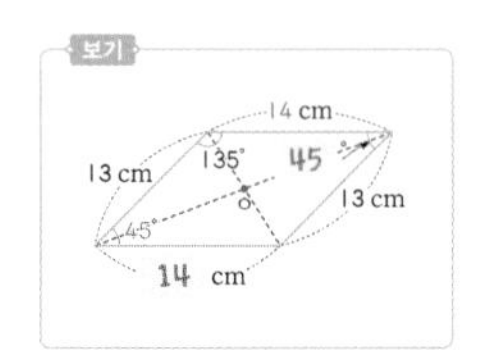

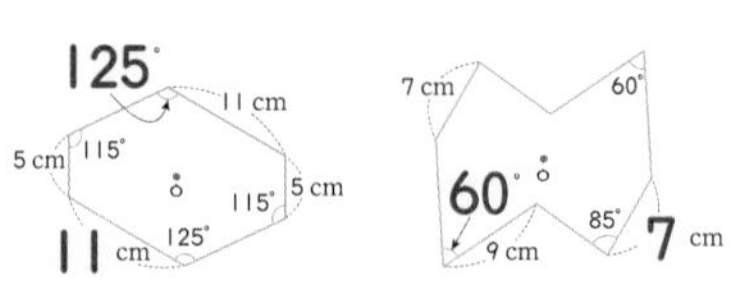

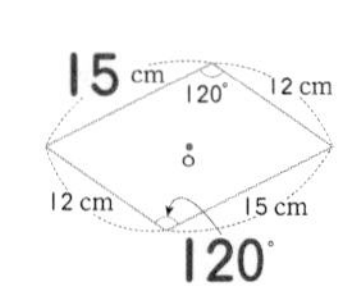

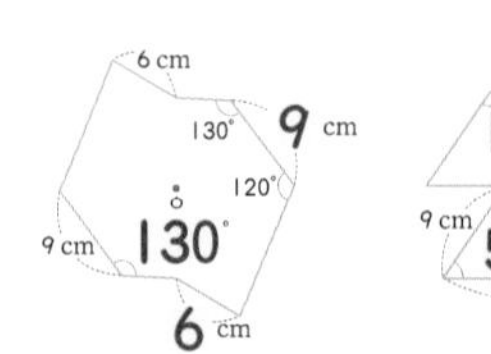

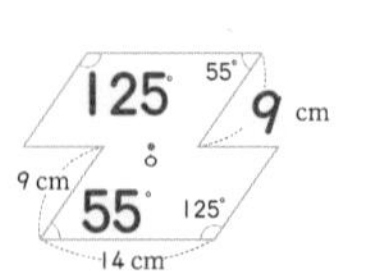

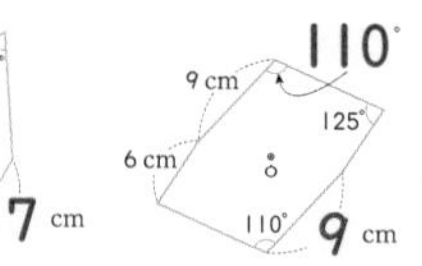

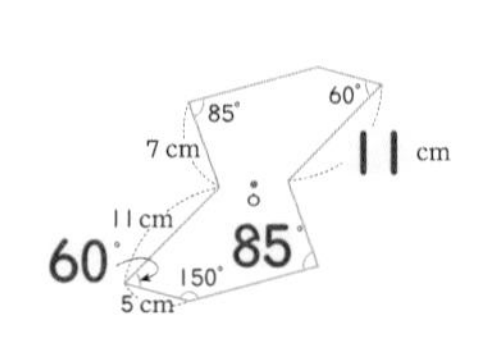

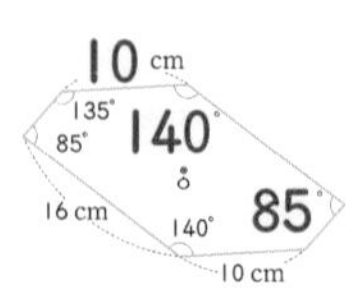

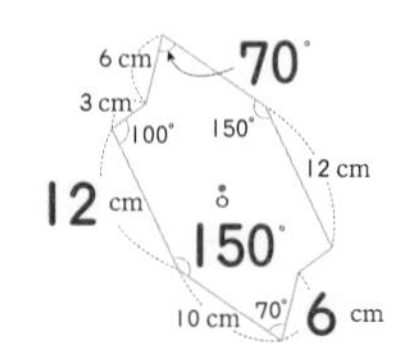

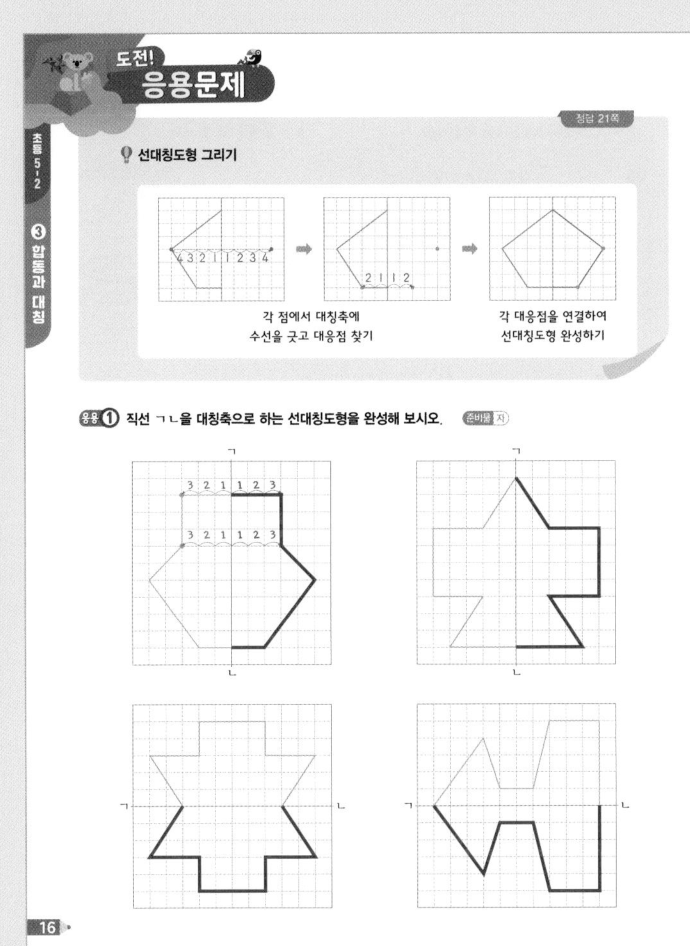
도전! 응용문제
정답 21쪽
선대칭도형 그리기
각 점에서 대칭축에 수선을 긋고 대응점 찾기
각 대응점을 연결하여 선대칭도형 완성하기
응용 ① 직선 ㄱㄴ을 대칭축으로 하는 선대칭도형을 완성해 보시오.
ㄱ
ㄴ

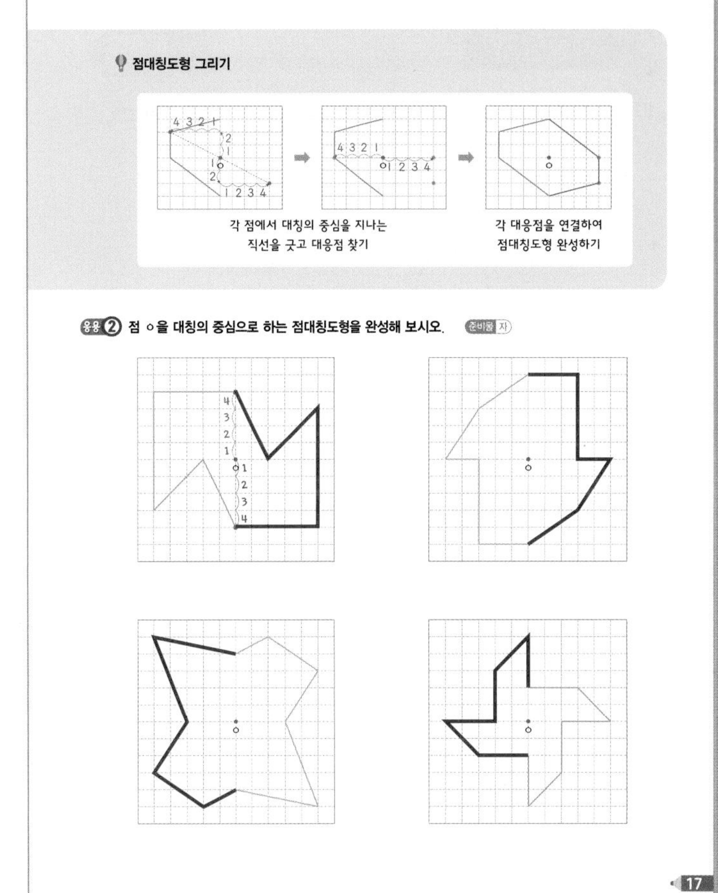
점대칭도형 그리기
각 점에서 대칭의 중심을 지나는 직선을 긋고 대응점 찾기
각 대응점을 연결하여 점대칭도형 완성하기
응용 ② 점 ㅇ을 대칭의 중심으로 하는 점대칭도형을 완성해 보시오.
ㅇ

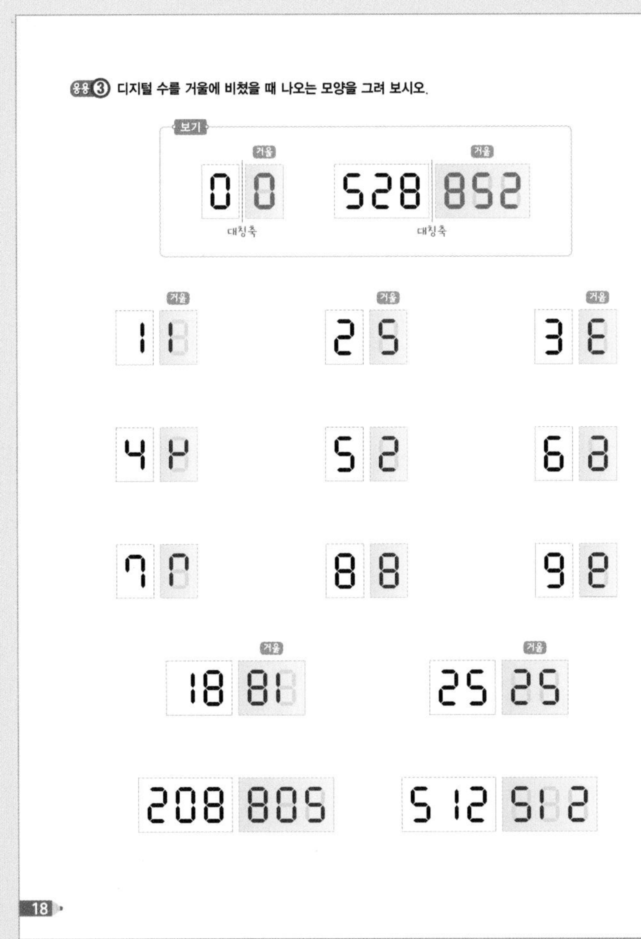
응용 ③ 디지털 수를 거울에 비쳤을 때 나오는 모양을 그려 보시오.
보기
거울
대칭축
0
528
1
2
3
4
5
6
7
8
9
18
25
208
512

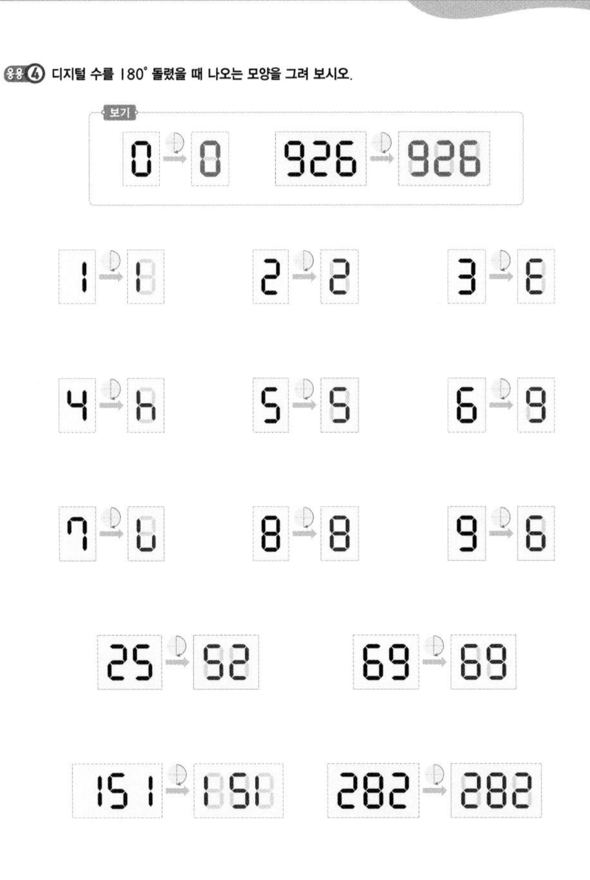
응용 ④ 디지털 수를 180° 돌렸을 때 나오는 모양을 그려 보시오.
보기
0
926
1
2
3
4
5
6
7
8
9
25
69
151
282

형성평가

걸린 시간: 분 / 정답 22쪽 점

01 주어진 도형과 합동인 도형을 찾아 ○표 하시오.

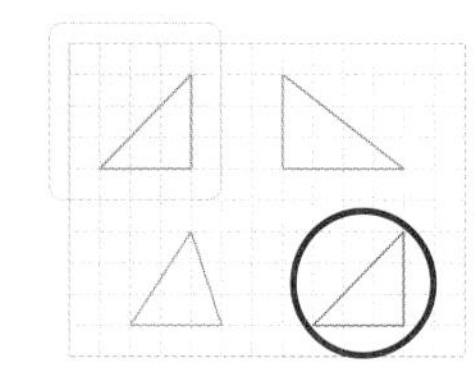

02 주어진 두 도형은 서로 합동입니다. 안에 알맞게 써넣으시오.

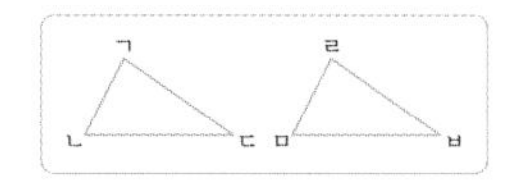

대응점 점 ㄷ과 점 ㅂ

대응변 변 ㄱㄴ과 변 ㄹㅁ

대응각 각 ㄴㄷㄱ과 각 ㅁㅂㄹ

03 주어진 두 도형은 서로 합동입니다. 안에 알맞게 써넣으시오.

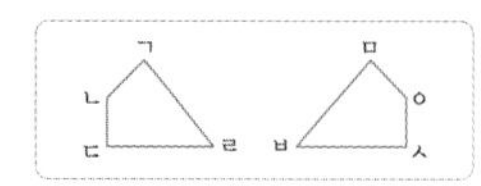

대응점 점 ㄴ과 점 ㅇ

대응변 변 ㄷㄹ과 변 ㅅㅂ

대응각 각 ㄴㄱㄹ과 각 ㅇㅁㅂ

[04~05] 주어진 두 도형은 서로 합동입니다. 안에 알맞은 수를 써넣으시오.

04

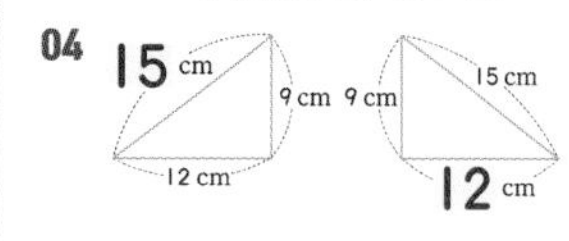

05

100° 120° 80° 60° / 120° 100° 60° 80°

[06~07] 주어진 두 도형은 서로 합동입니다. 안에 알맞은 수를 써넣으시오.

06

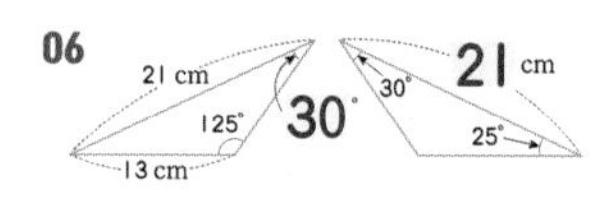

07

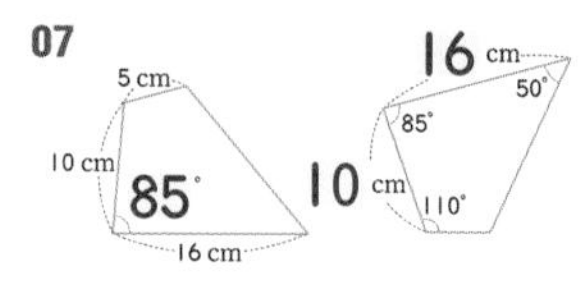

08 주어진 도형을 점선을 따라 접었을 때, 알맞은 말에 ○표 하시오.

점선을 따라 접기

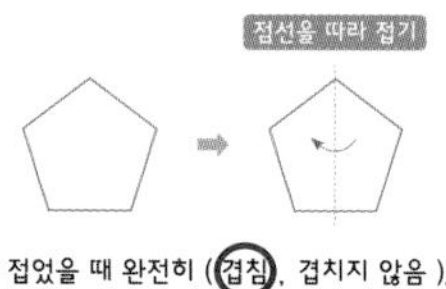

- 접었을 때 완전히 (겹침 , 겹치지 않음).
- ⇒ 선대칭도형이 (맞습니다 , 아닙니다).

09 주어진 도형을 점선을 따라 접었을 때, 알맞은 말에 ○표 하시오.

점선을 따라 접기

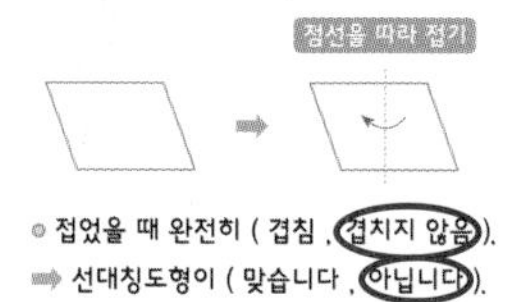

- 접었을 때 완전히 (겹침 , 겹치지 않음).
- ⇒ 선대칭도형이 (맞습니다 , 아닙니다).

10 선대칭도형을 모두 찾아 ○표 하시오.

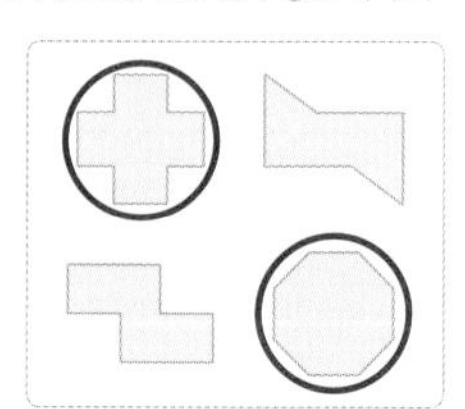

[11~12] 직선 ㄱㄴ을 대칭축으로 하는 선대칭도형입니다. 안에 알맞게 써넣으시오.

11

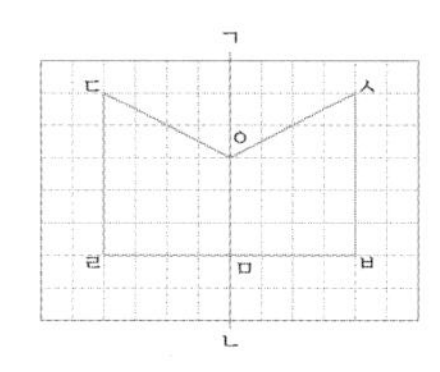

대응점 점 ㄹ과 점 ㅂ

대응변 변 ㄷㄹ과 변 ㅅㅂ

대응각 각 ㄷㄹㅁ과 각 ㅅㅂㅁ

12

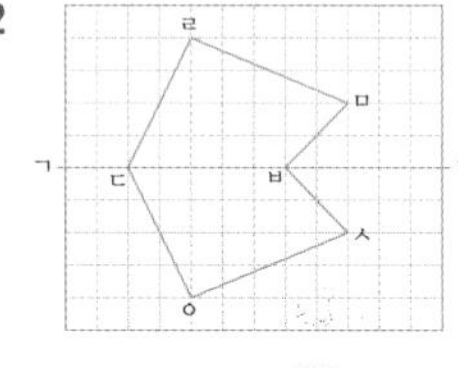

대응점 점 ㅁ과 점 ㅅ

대응변 변 ㄷㄹ과 변 ㄷㅇ

대응각 각 ㄹㅁㅂ과 각 ㅇㅅㅂ

[13~14] 직선 ㄱㄴ을 대칭축으로 하는 선대칭도형입니다. 안에 알맞은 수를 써넣으시오.

13

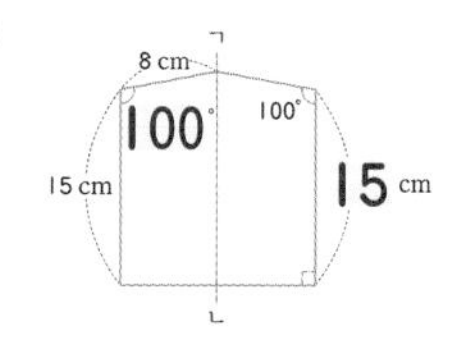

14

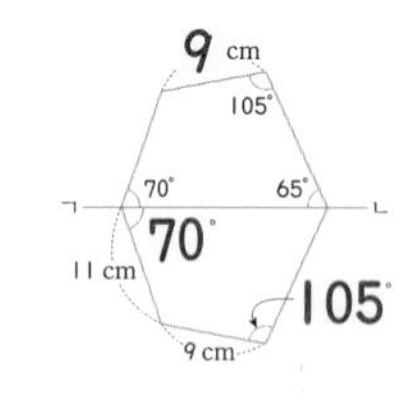

15 주어진 도형을 180° 돌렸을 때 모양을 추측하고, 알맞은 말에 ○표 하시오.

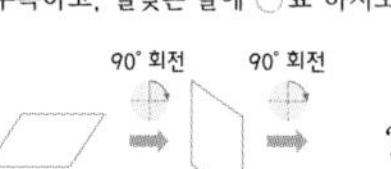

- 180° 돌렸을 때 처음 도형과 (겹침 , 겹치지 않음).
- ⇒ 점대칭도형이 (맞습니다 , 아닙니다).

16 점대칭도형을 모두 찾아 ○표 하시오.

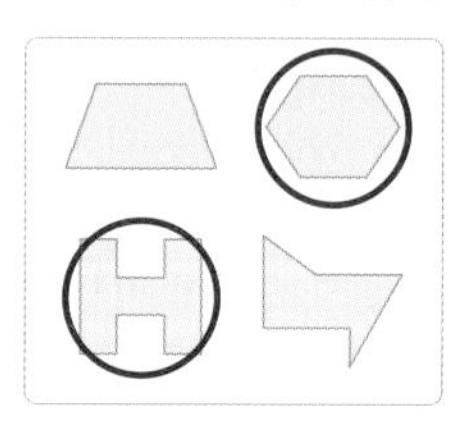

17 점 ㅇ을 대칭의 중심으로 하는 점대칭도형입니다. 안에 알맞게 써넣으시오.

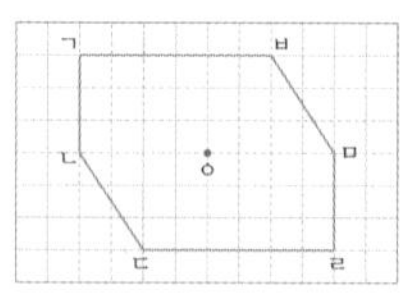

대응점 점 ㄴ과 점 ㅁ

대응변 변 ㄷㄹ과 변 ㅂㄱ

대응각 각 ㄴㄱㅂ과 각 ㅁㄹㄷ

18 점 ㅇ을 대칭의 중심으로 하는 점대칭도형입니다. 안에 알맞게 써넣으시오.

대응점 점 ㄴ과 점 ㅂ

대응변 변 ㄷㄹ과 변 ㅅㅈ

대응각 각 ㄹㅁㅂ과 각 ㅈㄱㄴ

[19~20] 점 ㅇ을 대칭의 중심으로 하는 점대칭도형입니다. 안에 알맞은 수를 써넣으시오.

19

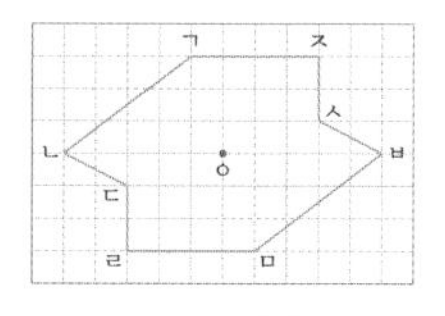

20

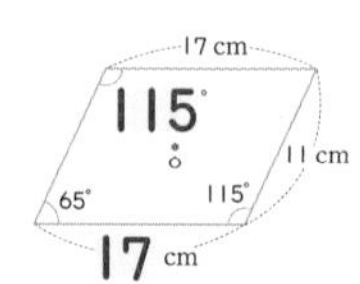

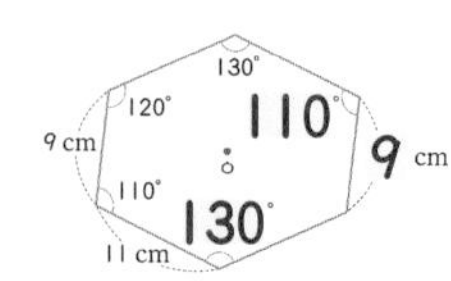

단원 평가 3. 합동과 대칭

걸린 시간 분 점수 점

정답 23쪽

1 오른쪽 도형과 합동인 도형을 찾아 기호를 쓰시오.

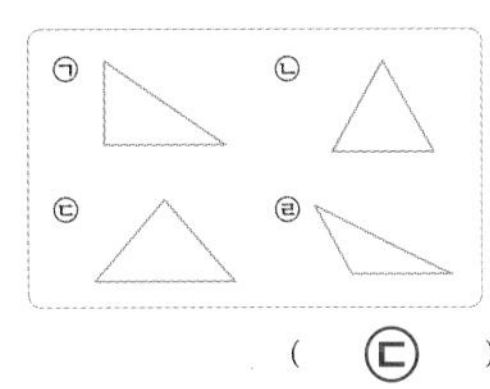

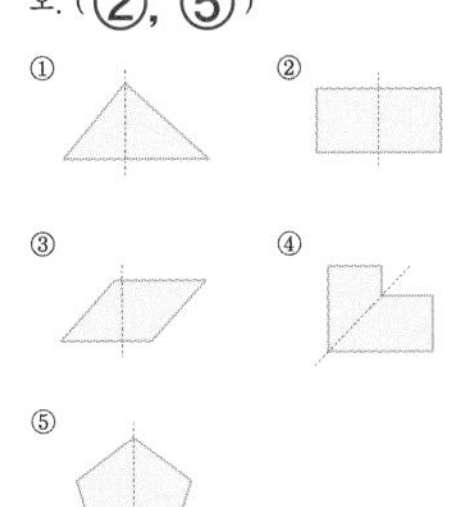

(㉢)

2 도형을 점선을 따라 잘랐을 때, 만들어진 두 도형이 합동이 되는 것을 모두 고르시오. (②, ⑤)

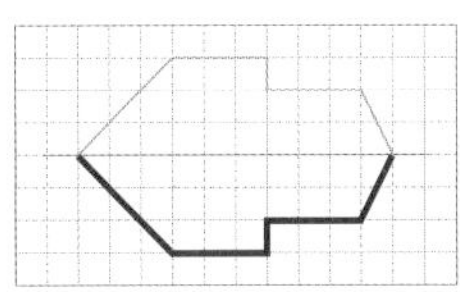

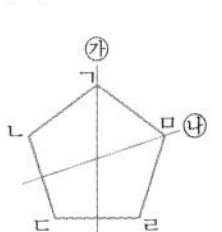

3 두 삼각형은 서로 합동입니다. 물음에 답하시오.

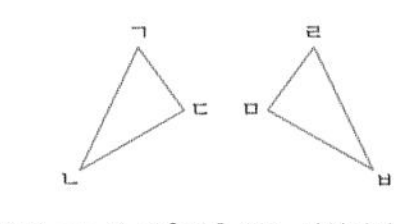

(1) 변 ㄱㄴ의 대응변은 어느 것입니까?

(변 ㄹㅂ)

(2) 각 ㄹㅁㅂ의 대응각은 어느 것입니까?

(각 ㄱㄷㄴ)

4 두 삼각형은 서로 합동입니다. 물음에 답하시오.

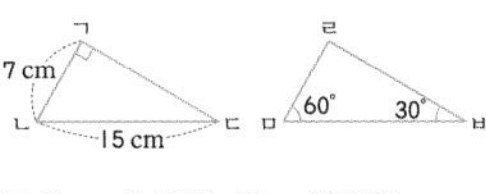

(1) 변 ㅁㅂ의 길이는 몇 cm입니까?

(15)cm

(2) 각 ㄱㄴㄷ의 크기는 몇 도입니까?

(60°)

5 두 사각형은 서로 합동입니다. □ 안에 알맞은 수를 써넣으시오.

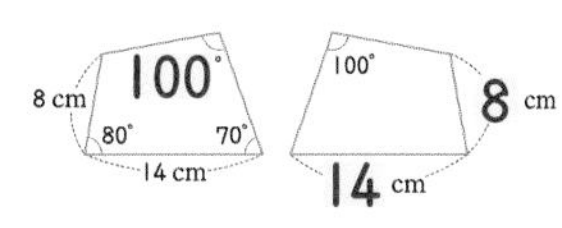

100, 8, 14

6 항상 합동이 되는 것을 찾아 기호를 쓰시오.

㉠ 둘레가 같은 두 직사각형
㉡ 넓이가 같은 두 마름모
㉢ 세 변의 길이가 각각 같은 두 삼각형

(㉢)

7 선대칭도형을 모두 찾아 기호를 쓰시오.

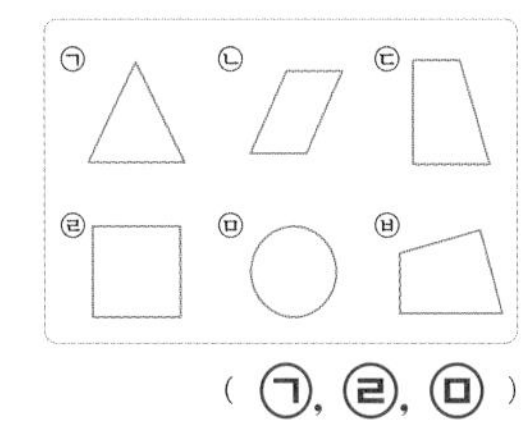

(㉠, ㉣, ㉤)

8 다음 도형은 선대칭도형입니다. 대칭축을 찾아 기호를 쓰시오.

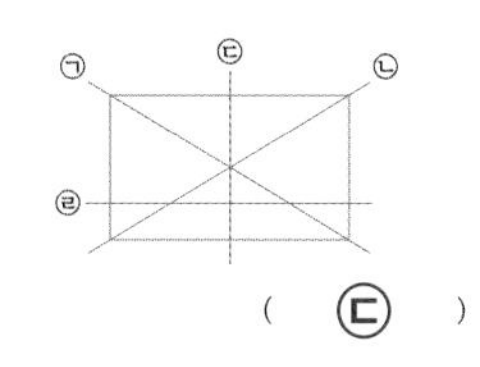

(㉢)

9 다음 도형은 선대칭도형입니다. 대칭축을 모두 그려 보시오.

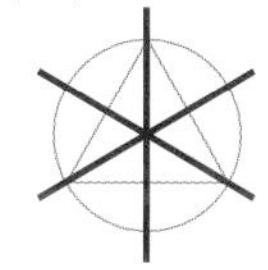

10 직선 ㄱㄴ을 대칭축으로 하는 선대칭도형입니다. □ 안에 알맞은 수를 써넣으시오.

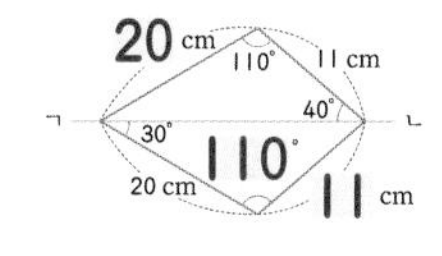

20, 110, 11

11 선대칭도형이 되도록 그림을 완성해 보시오.

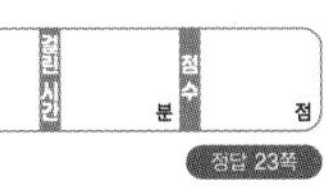

12 선대칭도형에서 대칭축이 직선 ㉮일 때와 직선 ㉯일 때, 변 ㄱㄴ의 대응변을 각각 찾아 쓰시오.

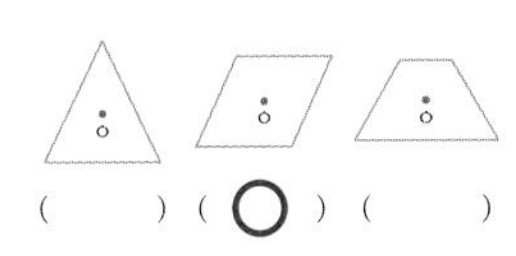

대칭축이 직선 ㉮일 경우 (변 ㄱㅁ)
대칭축이 직선 ㉯일 경우 (변 ㄹㄷ)

13 점 ㅇ을 중심으로 180° 돌렸을 때 처음 도형과 완전히 겹치는 도형을 찾아 ○표 하시오.

( ) (○) ( )

14 선대칭도형도 되고 점대칭도형도 되는 것은 어느 것입니까? (③)

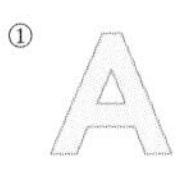

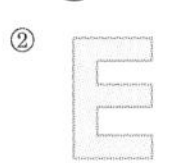

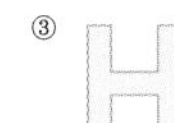

15 점 ㅇ을 대칭의 중심으로 하는 점대칭도형입니다. □ 안에 알맞은 수를 써넣으시오.

(1)

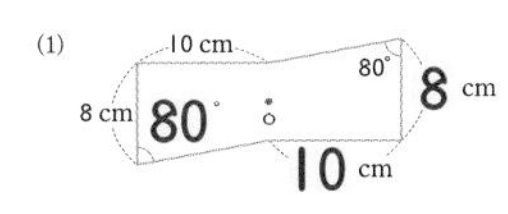

80, 8, 10

(2)

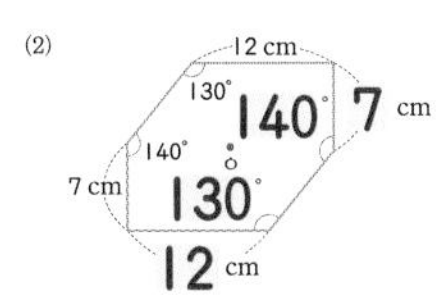

140, 7, 130, 12

16 점대칭도형에서 주어진 선분과 길이가 같은 선분을 찾아 쓰시오.

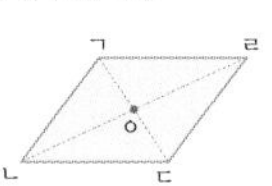

선분 ㄱㅇ과 선분 (ㄷㅇ)
선분 ㄴㅇ과 선분 (ㄹㅇ)

17 다음 도형은 점 ㅇ을 대칭의 중심으로 하는 점대칭도형입니다. 선분 ㄹㅈ의 길이가 18 cm일 때, 선분 ㄹㅇ의 길이는 몇 cm입니까?

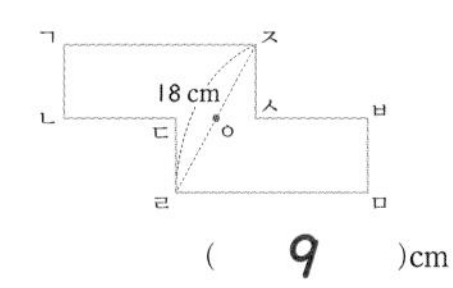

(9)cm

$18 \div 2 = 9$(cm)

18 점대칭도형이 되도록 그림을 완성해 보시오.

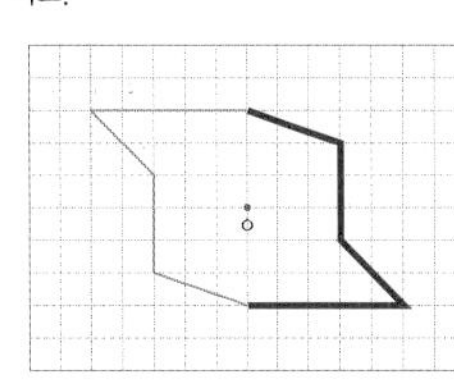

19 두 삼각형은 서로 합동입니다. 삼각형 ㄱㄴㄷ의 둘레는 몇 cm인지 풀이 과정을 쓰고 답을 구하시오.

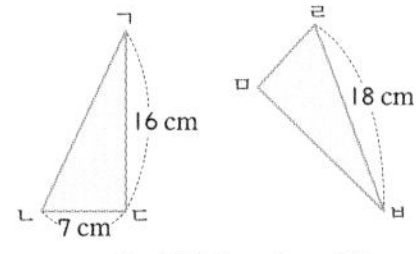

예 풀이 두 삼각형은 서로 합동이므로 (변 ㄱㄴ)=(변 ㅂㄹ)=18 cm
(삼각형 ㄱㄴㄷ의 둘레)=18+7+16=41(cm) 답 41 cm

20 다음 그림에서 직선 ㄱㄴ을 대칭축으로 하는 선대칭도형을 완성했을 때, 완성한 선대칭도형의 넓이는 몇 cm^2인지 풀이 과정을 쓰고 답을 구하시오.

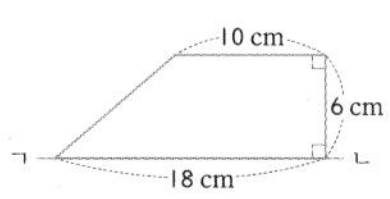

예 풀이 완성한 선대칭도형의 넓이는 주어진 사다리꼴 넓이의 2배입니다.
$\{(10+18)\times 6 \div 2\}\times 2$
$=168(cm^2)$ 답 $168 cm^2$

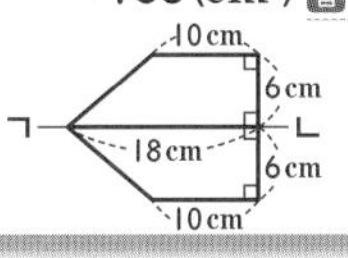

01 0.1의 개수를 생각하여 계산하기

정답 24쪽

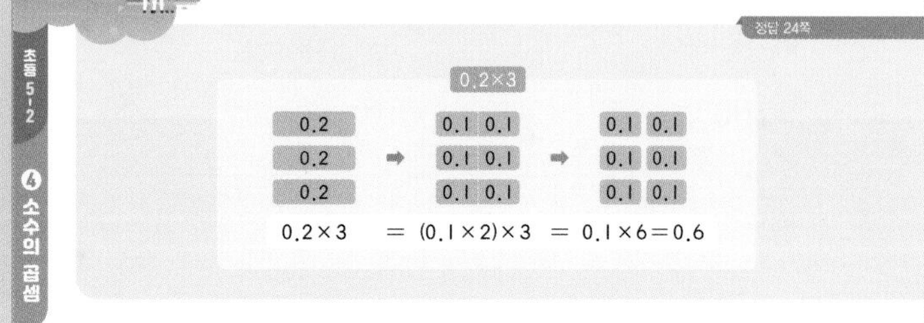

$$0.2 \times 3 = (0.1 \times 2) \times 3 = 0.1 \times 6 = 0.6$$

1 안에 알맞은 수를 써넣으시오.

보기

0.1×6 ➡ 0.1을 **6** 번 더한 것
➡ 0.6

0.1×7 ➡ 0.1을 **7** 번 더한 것
➡ **0.7**

0.1×8 ➡ 0.1을 **8** 번 더한 것
➡ **0.8**

0.1×9 ➡ 0.1을 **9** 번 더한 것
➡ **0.9**

0.1×10 ➡ 0.1을 **10** 번 더한 것
➡ **1**

0.1×20 ➡ 0.1을 **20** 번 더한 것
➡ **2**

0.1×30 ➡ 0.1을 **30** 번 더한 것
➡ **3**

0.1×40 ➡ 0.1을 **40** 번 더한 것
➡ **4**

0.1×54 ➡ 0.1을 **54** 번 더한 것
➡ **5.4**

0.1×76 ➡ 0.1을 **76** 번 더한 것
➡ **7.6**

2 안에 알맞은 수를 써넣으시오.

보기

$1.6 = 0.1 \times$ **16**
↳ 1.6은 0.1이 16개

$0.7 = 0.1 \times$ **7**
↳ 0.7은 0.1이 7개

$0.8 = 0.1 \times$ **8**
↳ 0.8은 0.1이 8개

$0.9 = 0.1 \times$ **9**　　$1 = 0.1 \times$ **10**　　$1.2 = 0.1 \times$ **12**

$1.5 = 0.1 \times$ **15**　　$1.8 = 0.1 \times$ **18**　　$2 = 0.1 \times$ **20**

$2.4 = 0.1 \times$ **24**　　$3 = 0.1 \times$ **30**　　$4 = 0.1 \times$ **40**

$3.2 = 0.1 \times$ **32**　　$4.1 = 0.1 \times$ **41**　　$7.5 = 0.1 \times$ **75**

$5.8 = 0.1 \times$ **58**　　$6 = 0.1 \times$ **60**　　$8.4 = 0.1 \times$ **84**

$1.9 = 0.1 \times$ **19**　　$3.7 = 0.1 \times$ **37**　　$9.2 = 0.1 \times$ **92**

$8 = 0.1 \times$ **80**　　$6.3 = 0.1 \times$ **63**　　$4.5 = 0.1 \times$ **45**

3 안에 알맞은 수를 써넣으시오.

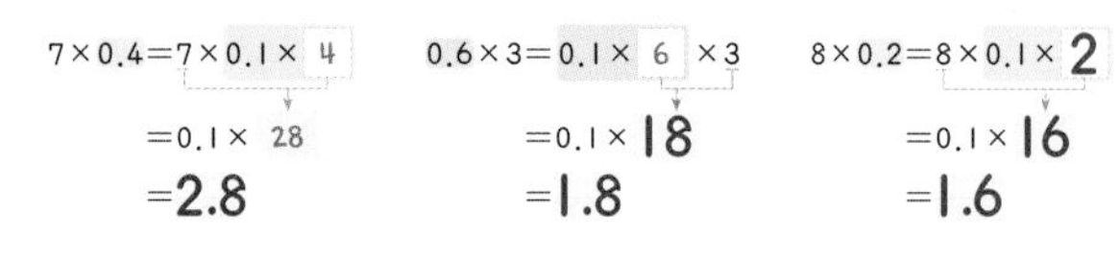

$7 \times 0.4 = 7 \times 0.1 \times$ 4
$= 0.1 \times$ **28**
$= 2.8$

$0.6 \times 3 = 0.1 \times$ **6** $\times 3$
$= 0.1 \times$ **18**
$= 1.8$

$8 \times 0.2 = 8 \times 0.1 \times$ **2**
$= 0.1 \times$ **16**
$= 1.6$

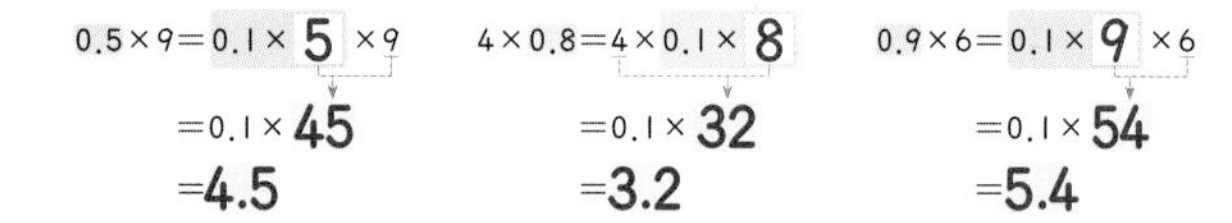

$0.5 \times 9 = 0.1 \times$ **5** $\times 9$
$= 0.1 \times$ **45**
$= 4.5$

$4 \times 0.8 = 4 \times 0.1 \times$ **8**
$= 0.1 \times$ **32**
$= 3.2$

$0.9 \times 6 = 0.1 \times$ **9** $\times 6$
$= 0.1 \times$ **54**
$= 5.4$

$3 \times 0.7 = 3 \times 0.1 \times$ **7**
$= 0.1 \times$ **21**
$= 2.1$

$0.4 \times 6 = 0.1 \times$ **4** $\times 6$
$= 0.1 \times$ **24**
$= 2.4$

$5 \times 0.5 = 5 \times 0.1 \times$ **5**
$= 0.1 \times$ **25**
$= 2.5$

$1.2 \times 3 = 0.1 \times$ **12** $\times 3$
$= 0.1 \times$ **36**
$= 3.6$

$5 \times 1.3 = 5 \times 0.1 \times$ **13**
$= 0.1 \times$ **65**
$= 6.5$

$1.6 \times 4 = 0.1 \times$ **16** $\times 4$
$= 0.1 \times$ **64**
$= 6.4$

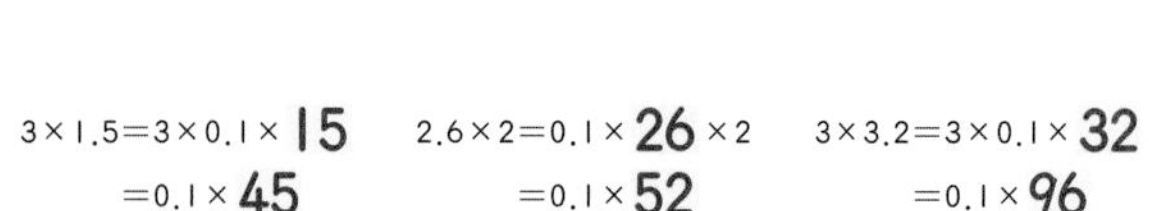

$3 \times 1.5 = 3 \times 0.1 \times$ **15**
$= 0.1 \times$ **45**
$= 4.5$

$2.6 \times 2 = 0.1 \times$ **26** $\times 2$
$= 0.1 \times$ **52**
$= 5.2$

$3 \times 3.2 = 3 \times 0.1 \times$ **32**
$= 0.1 \times$ **96**
$= 9.6$

4 소수의 곱셈을 하시오.

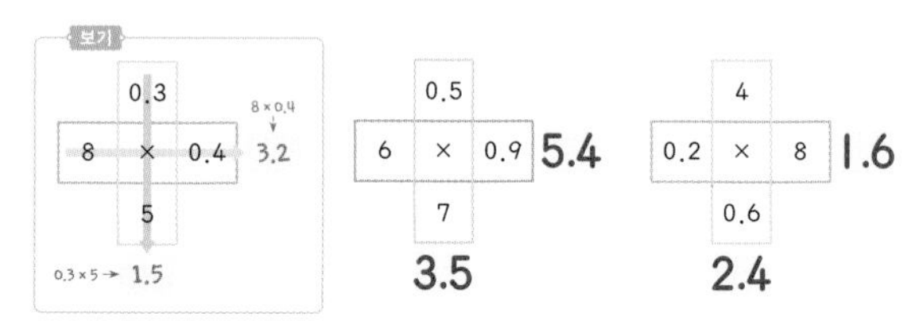

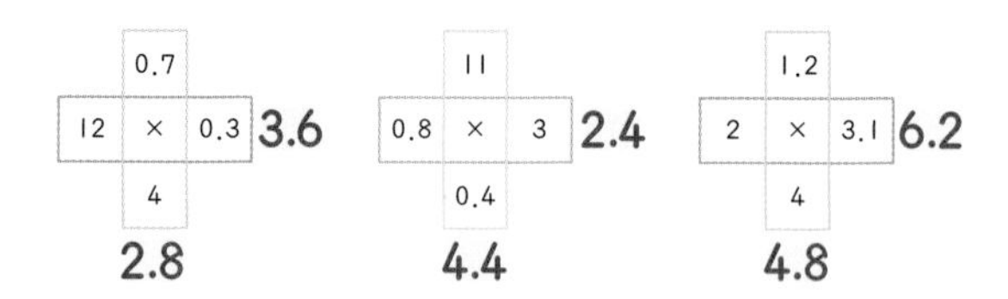

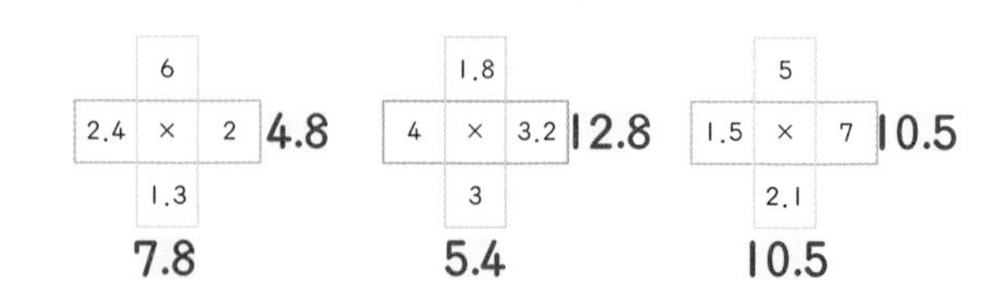

보기

6×0.9 → **5.4**　$0.3 \times 5 \to 1.5$

3.5

0.2×8 → **1.6**

2.4

12×0.3 → **3.6**
2.8

0.8×3 → **2.4**
4.4

2×3.1 → **6.2**
4.8

2.4×2 → **4.8**
7.8

4×3.2 → **12.8**
5.4

1.5×7 → **10.5**
10.5

02 소수를 분수로 고쳐서 계산하기

정답 25쪽

분수 → 소수 (분자 쓰기, 소수점 찍기)

- $\frac{27}{10}$ → 27 → 2.7 → 2.7 (분모에 0이 1개, 소수 1자리 수)
- $\frac{12}{100}$ → 12 → 1.2 → 0.12 (분모에 0이 2개, 소수 2자리 수)
- $\frac{43}{1000}$ → 43 → 0.43 → 0.043 (분모에 0이 3개, 소수 3자리 수)

소수 → 분수 (분자 쓰기, 분모 쓰기)

- 0.5 → 5 → $\frac{5}{10}$ (소수 1자리 수, 분모에 0이 1개)
- 1.29 → 129 → $\frac{129}{100}$ (소수 2자리 수, 분모에 0이 2개)
- 0.063 → 63 → $\frac{63}{1000}$ (소수 3자리 수, 분모에 0이 3개)

1 분수를 소수로 나타내어 보시오.

보기: $\frac{9}{10}=0.9$ (분모에 0이 1개, 소수 1자리 수)

$\frac{47}{100}=0.47$ (분모에 0이 2개, 소수 2자리 수)

$\frac{121}{1000}=0.121$ (분모에 0이 3개, 소수 3자리 수)

$\frac{7}{10}=0.7$	$\frac{9}{100}=0.09$	$\frac{36}{1000}=0.036$
$\frac{11}{10}=1.1$	$\frac{125}{100}=1.25$	$\frac{2038}{1000}=2.038$
$\frac{54}{10}=5.4$	$\frac{379}{100}=3.79$	$\frac{4107}{1000}=4.107$
$\frac{121}{10}=12.1$	$\frac{2008}{100}=20.08$	$\frac{9315}{1000}=9.315$

2 소수를 분수로 나타내어 보시오.

보기: $0.2=\frac{2}{10}$ (소수 1자리 수, 분모에 0이 1개)

$0.45=\frac{45}{100}$ (소수 2자리 수, 분모에 0이 2개)

$2.183=\frac{2183}{1000}$ (소수 3자리 수, 분모에 0이 3개)

$0.5=\frac{5}{10}$	$0.28=\frac{28}{100}$	$0.461=\frac{461}{1000}$
$0.7=\frac{7}{10}$	$0.63=\frac{63}{100}$	$0.109=\frac{109}{1000}$
$0.9=\frac{9}{10}$	$0.08=\frac{8}{100}$	$0.014=\frac{14}{1000}$
$1.3=\frac{13}{10}$	$2.11=\frac{211}{100}$	$4.713=\frac{4713}{1000}$
$5.7=\frac{57}{10}$	$3.89=\frac{389}{100}$	$6.016=\frac{6016}{1000}$

● 소수를 분수로 고쳐서 계산하기

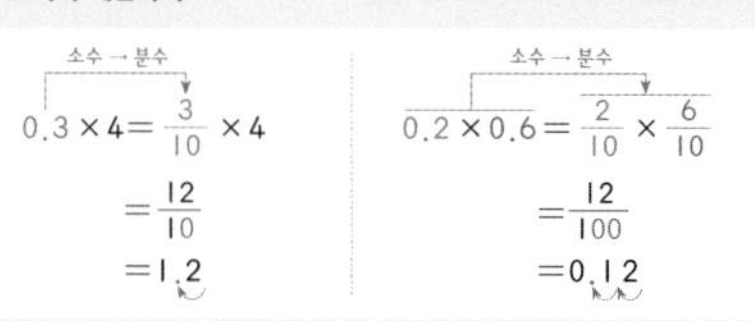

$0.3\times4=\frac{3}{10}\times4=\frac{12}{10}=1.2$ (소수 → 분수)

$0.2\times0.6=\frac{2}{10}\times\frac{6}{10}=\frac{12}{100}=0.12$ (소수 → 분수)

3 보기 와 같이 소수를 분수로 고쳐서 계산해 보시오.

보기: $0.2\times7=\frac{2}{10}\times7=\frac{14}{10}=1.4$ (소수 → 분수)

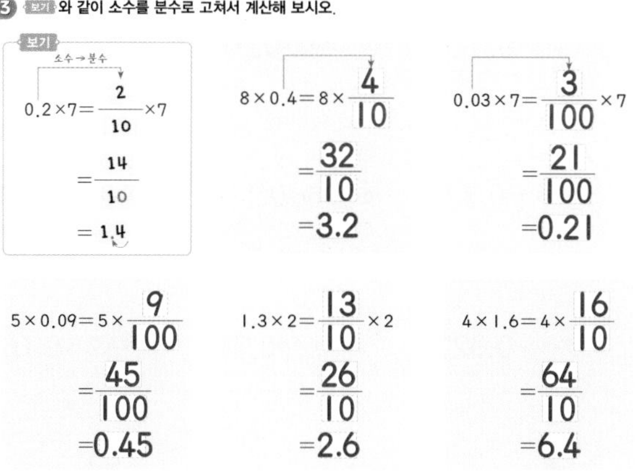

- $8\times0.4=8\times\frac{4}{10}=\frac{32}{10}=3.2$
- $0.03\times7=\frac{3}{100}\times7=\frac{21}{100}=0.21$
- $5\times0.09=5\times\frac{9}{100}=\frac{45}{100}=0.45$
- $1.3\times2=\frac{13}{10}\times2=\frac{26}{10}=2.6$
- $4\times1.6=4\times\frac{16}{10}=\frac{64}{10}=6.4$
- $2.01\times3=\frac{201}{100}\times3=\frac{603}{100}=6.03$
- $5\times3.01=5\times\frac{301}{100}=\frac{1505}{100}=15.05$
- $1.8\times6=\frac{18}{10}\times6=\frac{108}{10}=10.8$

4 보기 와 같이 소수를 분수로 고쳐서 계산해 보시오.

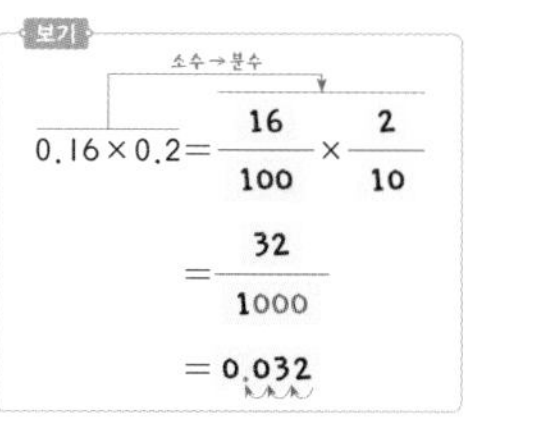

보기: $0.16\times0.2=\frac{16}{100}\times\frac{2}{10}=\frac{32}{1000}=0.032$ (소수 → 분수)

- $0.3\times0.15=\frac{3}{10}\times\frac{15}{100}=\frac{45}{1000}=0.045$
- $0.4\times0.7=\frac{4}{10}\times\frac{7}{10}=\frac{28}{100}=0.28$
- $0.08\times0.6=\frac{8}{100}\times\frac{6}{10}=\frac{48}{1000}=0.048$
- $1.2\times0.6=\frac{12}{10}\times\frac{6}{10}=\frac{72}{100}=0.72$
- $1.5\times1.3=\frac{15}{10}\times\frac{13}{10}=\frac{195}{100}=1.95$
- $1.05\times3.2=\frac{105}{100}\times\frac{32}{10}=\frac{3360}{1000}=3.36$
- $10.4\times2.01=\frac{104}{10}\times\frac{201}{100}=\frac{20904}{1000}=20.904$

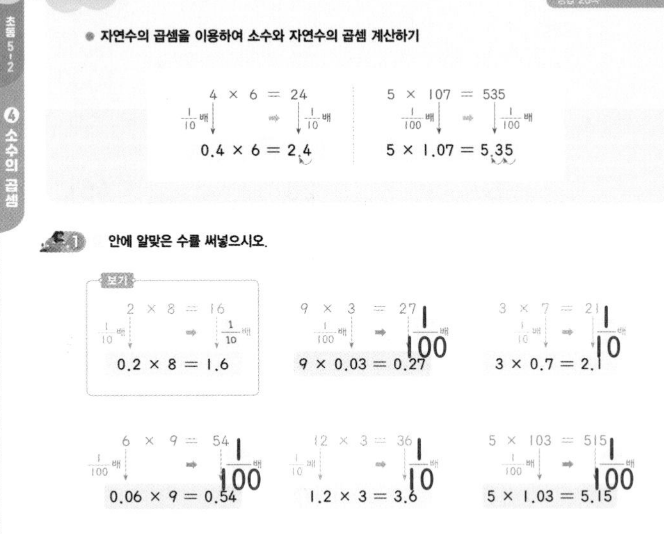

03 자연수의 곱셈으로 계산하기

정답 26쪽

초등 5-2 / 4 소수의 곱셈

● 자연수의 곱셈을 이용하여 소수와 자연수의 곱셈 계산하기

$4 \times 6 = 24$ → $\frac{1}{10}$배 → $0.4 \times 6 = 2.4$

$5 \times 107 = 535$ → $\frac{1}{100}$배 → $5 \times 1.07 = 5.35$

1 □ 안에 알맞은 수를 써넣으시오.

보기: $2 \times 8 = 16$ → $\frac{1}{10}$배 → $0.2 \times 8 = 1.6$

- $9 \times 3 = 27$ → $\frac{1}{100}$배 → $9 \times 0.03 = 0.27$
- $3 \times 7 = 21$ → $\frac{1}{10}$배 → $3 \times 0.7 = 2.1$
- $6 \times 9 = 54$ → $\frac{1}{100}$배 → $0.06 \times 9 = 0.54$
- $12 \times 3 = 36$ → $\frac{1}{10}$배 → $1.2 \times 3 = 3.6$
- $5 \times 103 = 515$ → $\frac{1}{100}$배 → $5 \times 1.03 = 5.15$
- $3 \times 16 = 48$ → $\frac{1}{10}$배 → $3 \times 1.6 = 4.8$
- $114 \times 4 = 456$ → $\frac{1}{100}$배 → $1.14 \times 4 = 4.56$
- $26 \times 2 = 52$ → $\frac{1}{10}$배 → $2.6 \times 2 = 5.2$
- $8 \times 102 = 816$ → $\frac{1}{100}$배 → $8 \times 1.02 = 8.16$
- $7 \times 36 = 252$ → $\frac{1}{10}$배 → $7 \times 3.6 = 25.2$
- $203 \times 3 = 609$ → $\frac{1}{100}$배 → $2.03 \times 3 = 6.09$

12

2 자연수의 곱셈을 이용하여 계산해 보시오.

보기: $5 \times 3 = 15$ → $\frac{1}{10}$배 → $0.5 \times 3 = 1.5$

- $7 \times 4 = 28$, $7 \times 0.04 = 0.28$
- $9 \times 8 = 72$, $9 \times 0.8 = 7.2$
- $13 \times 2 = 26$, $0.13 \times 2 = 0.26$
- $6 \times 8 = 48$, $6 \times 0.8 = 4.8$
- $32 \times 4 = 128$, $0.32 \times 4 = 1.28$
- $7 \times 12 = 84$, $0.7 \times 12 = 8.4$
- $5 \times 25 = 125$, $5 \times 0.25 = 1.25$
- $18 \times 7 = 126$, $18 \times 0.7 = 12.6$
- $43 \times 3 = 129$, $0.43 \times 3 = 1.29$
- $6 \times 13 = 78$, $0.6 \times 13 = 7.8$
- $2 \times 301 = 602$, $2 \times 3.01 = 6.02$
- $4 \times 24 = 96$, $4 \times 2.4 = 9.6$
- $307 \times 8 = 2456$, $3.07 \times 8 = 24.56$
- $91 \times 3 = 273$, $9.1 \times 3 = 27.3$
- $6 \times 241 = 1446$, $6 \times 2.41 = 14.46$

13

● 자연수의 곱셈을 이용하여 소수끼리의 곱셈 계산하기

$8 \times 2 = 16$ → $\frac{1}{100}$배, $\frac{1}{10}$배 → $\frac{1}{1000}$배 → $0.08 \times 0.2 = 0.016$

3 □ 안에 알맞은 수를 써넣으시오.

보기: $6 \times 8 = 48$ → $\frac{1}{100}$배 → $0.6 \times 0.8 = 0.48$

- $9 \times 5 = 45$ → $\frac{1}{1000}$배 → $0.9 \times 0.05 = 0.045$
- $12 \times 7 = 84$ → $\frac{1}{1000}$배 → $0.12 \times 0.7 = 0.084$
- $43 \times 2 = 86$ → $\frac{1}{10000}$배 → $0.43 \times 0.02 = 0.0086$
- $7 \times 9 = 63$ → $\frac{1}{100}$배 → $0.7 \times 0.9 = 0.63$
- $5 \times 13 = 65$ → $\frac{1}{1000}$배 → $0.5 \times 0.13 = 0.065$
- $27 \times 3 = 81$ → $\frac{1}{1000}$배 → $0.27 \times 0.3 = 0.081$
- $102 \times 4 = 408$ → $\frac{1}{10000}$배 → $1.02 \times 0.04 = 0.0408$
- $26 \times 14 = 364$ → $\frac{1}{100}$배 → $2.6 \times 1.4 = 3.64$
- $11 \times 203 = 2233$ → $\frac{1}{1000}$배 → $1.1 \times 2.03 = 2.233$
- $315 \times 8 = 2520$ → $\frac{1}{1000}$배 → $3.15 \times 0.8 = 2.52$
- $6 \times 416 = 2496$ → $\frac{1}{10000}$배 → $0.06 \times 4.16 = 0.2496$

14

4 자연수의 곱셈을 이용하여 계산해 보시오.

보기: $6 \times 9 = 54$ → $\frac{1}{100}$배 → $0.6 \times 0.9 = 0.54$

- $3 \times 7 = 21$, $0.3 \times 0.07 = 0.021$
- $14 \times 8 = 112$, $0.14 \times 0.8 = 0.112$
- $29 \times 15 = 435$, $0.29 \times 0.15 = 0.0435$
- $4 \times 8 = 32$, $0.4 \times 0.8 = 0.32$
- $7 \times 16 = 112$, $0.7 \times 0.16 = 0.112$
- $34 \times 9 = 306$, $0.34 \times 0.9 = 0.306$
- $25 \times 9 = 225$, $0.25 \times 0.09 = 0.0225$
- $6 \times 13 = 78$, $0.6 \times 1.3 = 0.78$
- $12 \times 14 = 168$, $1.2 \times 0.14 = 0.168$
- $516 \times 7 = 3612$, $5.16 \times 0.7 = 3.612$
- $284 \times 4 = 1136$, $2.84 \times 0.04 = 0.1136$
- $37 \times 29 = 1073$, $3.7 \times 2.9 = 10.73$
- $49 \times 8 = 392$, $4.9 \times 0.08 = 0.392$
- $214 \times 35 = 7490$, $2.14 \times 3.5 = 7.49$
- $308 \times 112 = 34496$, $3.08 \times 1.12 = 3.4496$

15

04 곱의 소수점 위치의 규칙 찾기

정답 27쪽

	0.32 쓰기	소수점 이동	
0.32×10 (0이 1개)	0.32	0.32 (소수점 1칸 이동)	3.2
0.32×100 (0이 2개)	0.32	0.32 (소수점 2칸 이동)	32
0.32×1000 (0이 3개)	0.32	0.32 (소수점 3칸 이동)	320

1 소수점 위치를 생각하여 소수점을 바르게 찍어 보시오.

보기: 0.15×10 (0이 1개) ➡ 0.15×10 (1칸 이동 ← 0이 1개) ➡ 0.15×10=1.5 (1칸 이동 ← 0이 1개)

0.562×10=5.62 (1칸 이동 ← 0이 1개)
0.302×100=30.2 (2칸 이동 ← 0이 2개)
0.117×1000=117. (3칸 이동 ← 0이 3개)
0.194×10=1.94 (← 0이 1개)
0.273×100=27.3 (← 0이 2개)
0.8751×1000=875.1
1.64×10=16.4
2.853×100=285.3
6.72×100=672.
4.719×1000=4719.

2 □ 안에 알맞은 수를 써넣으시오.

보기: 0.32×1000 (0이 3개) ➡ 0.32×1000 (3칸 이동 ← 0이 3개) ➡ 0.32×1000=320 (3칸 이동 ← 0이 3개)

0.46×10=4.6 (1칸 이동 ← 0이 1개)
0.571×100=57.1 (2칸 이동 ← 0이 2개)
0.2903×1000=290.3 (3칸 이동 ← 0이 3개)
0.83×10=8.3 (← 0이 1개)
0.475×100=47.5 (← 0이 2개)
0.16×1000=160
0.9×10=9
0.7×100=70
0.5×1000=500
2.34×10=23.4
1.732×100=173.2
5.816×1000=5816
4.7×10=47
1.8×100=180
3.54×1000=3540
6.2×10=62
9.3×100=930
1.863×1000=1863
3.25×10=32.5
7.01×100=701
2.56×1000=2560

3 소수점 위치를 생각하여 소수점을 바르게 찍어 보시오.

보기: 4.12×0.1 (소수 1자리) ➡ 4.12×0.1 (1칸 이동 ← 소수 1자리) ➡ 4.12×0.1=0.412 (1칸 이동 ← 소수 1자리)

32×0.1=3.2 (1칸 이동 ← 소수 1자리)
16×0.01=0.16 (2칸 이동 ← 소수 2자리)
1245×0.001=1.245 (3칸 이동 ← 소수 3자리)
43×0.1=4.3 (← 소수 1자리)
211×0.01=2.11 (← 소수 2자리)
379×0.001=0.379
10.6×0.1=1.06
21.7×0.01=0.217
306.5×0.001=0.3065
628.4×0.1=62.84
58.03×0.01=0.5803
187.43×0.001=0.18743

4 □ 안에 알맞은 수를 써넣으시오.

보기: 960×0.1 (소수 1자리) ➡ 960×0.1 (1칸 이동 ← 소수 1자리) ➡ 960×0.1=96.0 (1칸 이동 ← 소수 1자리) 소수점 아래 0은 생략합니다.

59×0.1=5.9 (1칸 이동 ← 소수 1자리)
237×0.01=2.37 (2칸 이동 ← 소수 2자리)
3965×0.001=3.965 (3칸 이동 ← 소수 3자리)
18×0.1=1.8 (← 소수 1자리)
64×0.01=0.64 (← 소수 2자리)
438×0.001=0.438
7×0.1=0.7
60×0.01=0.6
57×0.001=0.057
32.5×0.1=3.25
10.3×0.01=0.103
5004×0.001=5.004
2.8×0.1=0.28
1.6×0.01=0.016
42.7×0.001=0.0427
51.6×0.1=5.16
9.8×0.01=0.098
3.2×0.001=0.0032
147×0.1=14.7
70×0.01=0.7
29×0.001=0.029

05 곱의 소수점 위치를 이용한 자연수와 소수의 곱셈

정답 28쪽

$2 \times 9 = 18$ → $\frac{1}{10}$배, $\frac{1}{10}$배 → $0.2 \times 9 = 1.8$

(소수 1자리 수) × (자연수) → (소수 1자리 수)

$18 \times 7 = 126$ → $\frac{1}{100}$배, $\frac{1}{100}$배 → $18 \times 0.07 = 1.26$

(자연수) × (소수 2자리 수) → (소수 2자리 수)

1 □ 안에 알맞은 수를 써넣고, 계산 결과에 소수점을 바르게 찍어 보시오.

보기

0.5 × 7 = 35 → 0.5 × 7 = 3.5

(소수 1 자리 수) × (자연수) → (소수 1 자리 수)

9 × 0.6 = 5.4
(자연수) × (소수 1 자리 수) → (소수 1 자리 수)

0.14 × 8 = 1.12
(소수 2 자리 수) × (자연수) → (소수 2 자리 수)

3 × 0.112 = 0.336
(자연수) × (소수 3 자리 수) → (소수 3 자리 수)

0.9 × 7 = 6.3
(소수 1 자리 수) × (자연수) → (소수 1 자리 수)

6 × 1.02 = 6.12
(자연수) × (소수 2 자리 수) → (소수 2 자리 수)

0.145 × 9 = 1.305
(소수 3 자리 수) × (자연수) → (소수 3 자리 수)

2 소수점 위치를 생각하여 계산해 보시오.

보기

15×0.03= 45 → 15×0.03= 45 (소수 2자리) → (소수 2자리) → 15×0.03= 0.45

0.3×3= 0.9 (3×3) (소수 1자리) → (소수 1자리)	4×0.06=0.24 (4×6) (소수 2자리) → (소수 2자리)	0.024×2=0.048 (24×2) (소수 3자리) → (소수 3자리)
13×0.2= 2.6 (소수 1자리) → (소수 1자리)	0.07×8=0.56 (소수 2자리) → (소수 2자리)	3×0.032=0.096 (소수 3자리) → (소수 3자리)
0.7×11= 7.7	3×0.24=0.72	0.016×4=0.064
5×1.2= 6	1.06×8=8.48	4×2.001=8.004
3.2×7=22.4	5×2.03=10.15	1.005×9=9.045
8×11.2=89.6	3.12×4=12.48	3×2.012=6.036

보기

0.4 × 9 → 0.4 × 9 = 36 → 0.4 (소수 1자리 수) × 9 = 3.6 (소수 1자리 수) → 0.4 × 9 = 3.6

3 □ 안에 알맞은 수를 써넣고, 계산 결과에 소수점을 바르게 찍어 보시오.

보기

0.8 ← 소수 1 자리 수
× 7
5.6 ← 소수 1 자리 수

0.12 ← 소수 2 자리 수 × 9 1.08 ← 소수 2 자리 수	813 × 0.002 ← 소수 3 자리 수 1.626 ← 소수 3 자리 수	
0.6 ← 소수 1 자리 수 × 4 2.4 ← 소수 1 자리 수	14 × 0.08 ← 소수 2 자리 수 1.12 ← 소수 2 자리 수	1.026 ← 소수 3 자리 수 × 9 9.234 ← 소수 3 자리 수
0.5 ← 소수 1 자리 수 × 11 5.5 ← 소수 1 자리 수	1.25 ← 소수 2 자리 수 × 7 8.75 ← 소수 2 자리 수	3 × 1.009 ← 소수 3 자리 수 3.027 ← 소수 3 자리 수
24 × 0.3 ← 소수 1 자리 수 7.2 ← 소수 1 자리 수	7.06 ← 소수 2 자리 수 × 9 63.54 ← 소수 2 자리 수	2.003 ← 소수 3 자리 수 × 4 8.012 ← 소수 3 자리 수

4 소수점 위치를 생각하여 계산해 보시오.

보기

0.04 × 6 → 0.04 × 6 = 24 → 0.04 (소수 2자리 수) × 6 = 2.4 → (소수 2자리 수) → 0.04 × 6 = 0.24

0.3 ← 소수 1자리 수 × 7 2.1 ← 소수 1자리 수	8 × 0.09 ← 소수 2자리 수 0.72 ← 소수 2자리 수	0.006 ← 소수 3자리 수 × 2 0.012 ← 소수 3자리 수
12 × 0.4 ← 소수 1자리 수 4.8 ← 소수 1자리 수	0.13 ← 소수 2자리 수 × 3 0.39 ← 소수 2자리 수	42 × 0.002 ← 소수 3자리 수 0.084 ← 소수 3자리 수
0.9 × 21 18.9	17 × 0.06 1.02	1.203 × 3 3.609
1.5 × 9 13.5	3.04 × 6 18.24	1031 × 0.005 5.155
2.6 × 3 7.8	139 × 0.02 2.78	4.018 × 4 16.072

06 곱의 소수점 위치를 이용한 소수끼리의 곱셈

정답 29쪽

2 × 13 = 26

$\frac{1}{10}$배, $\frac{1}{100}$배 ➡ $\frac{1}{1000}$배

0.2 × 0.13 = 0.026

(소수 1자리 수) × (소수 2자리 수) → (소수 3자리 수)

1 안에 알맞은 수를 써넣고, 계산 결과에 소수점을 바르게 찍어 보시오.

보기

0.4 × 0.9 = 36 ➡ 0.4 × 0.9 = 0.36

(소수 1 자리 수) × (소수 1 자리 수) → (소수 2 자리 수)

0.3 × 0.7 = 0.21
(소수 1 자리 수) × (소수 1 자리 수) → (소수 2 자리 수)

0.8 × 0.31 = 0.248
(소수 1 자리 수) × (소수 2 자리 수) → (소수 3 자리 수)

0.12 × 0.9 = 0.108
(소수 2 자리 수) × (소수 1 자리 수) → (소수 3 자리 수)

1.9 × 0.6 = 1.14
(소수 1 자리 수) × (소수 1 자리 수) → (소수 2 자리 수)

0.5 × 1.03 = 0.515
(소수 1 자리 수) × (소수 2 자리 수) → (소수 3 자리 수)

0.24 × 1.2 = 0.288
(소수 2 자리 수) × (소수 1 자리 수) → (소수 3 자리 수)

2 소수점 위치를 생각하여 계산해 보시오.

보기

0.08 × 0.5 = 40 ➡ 0.08 × 0.5 = 0.040 ➡ 0.08 × 0.5 = 0.040

(소수 2자리) × (소수 1자리) ➡ (소수 3자리)

0.7 × 0.9 = 0.63 (7×9) (소수 1자리) × (소수 1자리) ➡ (소수 2자리)

0.8 × 0.14 = 0.112 (8×14) (소수 1자리) × (소수 2자리) ➡ (소수 3자리)

0.36 × 4.2 = 1.512 (36×42) (소수 2자리) × (소수 1자리) ➡ (소수 3자리)

0.25 × 0.93 = 0.2325 (25×93) (소수 2자리) × (소수 2자리) ➡ (소수 4자리)

1.3 × 0.5 = 0.65 (소수 1자리) × (소수 1자리) ➡ (소수 2자리)

1.7 × 0.03 = 0.051 (소수 1자리) × (소수 2자리) ➡ (소수 3자리)

2.12 × 0.4 = 0.848

0.106 × 0.3 = 0.0318

5.4 × 0.6 = 3.24

1.5 × 0.09 = 0.135

1.46 × 0.8 = 1.168

2.03 × 0.07 = 0.1421

6.8 × 1.2 = 8.16

3.4 × 0.09 = 0.306

0.75 × 8.6 = 6.45

1.06 × 0.4 = 0.424

2.7 × 0.03 = 0.081

0.32 × 1.2 = 0.384

4.7 × 1.2 ➡ 4.7 × 1.2 = 564 ➡ 4.7 (소수 1자리 수) × 1.2 (소수 1자리 수) = 5.64 (소수 2자리 수) ➡ 4.7 × 1.2 = 5.64

3 안에 알맞은 수를 써넣고, 계산 결과에 소수점을 바르게 찍어 보시오.

보기

1.2 ← 소수 1 자리 수
× 0.4 ← 소수 1 자리 수
0.48 ← 소수 2 자리 수

1.5 (소수 1 자리 수) × 1.49 (소수 2 자리 수) = 2.235 (소수 3 자리 수)

2.36 (소수 2 자리 수) × 0.7 (소수 1 자리 수) = 1.652 (소수 3 자리 수)

3.02 (소수 2 자리 수) × 0.48 (소수 2 자리 수) = 1.4496 (소수 4 자리 수)

4.9 (소수 1 자리 수) × 0.6 (소수 1 자리 수) = 2.94 (소수 2 자리 수)

0.9 (소수 1 자리 수) × 1.75 (소수 2 자리 수) = 1.575 (소수 3 자리 수)

2.05 (소수 2 자리 수) × 1.3 (소수 1 자리 수) = 2.665 (소수 3 자리 수)

6.43 (소수 2 자리 수) × 0.56 (소수 2 자리 수) = 3.6008 (소수 4 자리 수)

9.2 (소수 1 자리 수) × 3.4 (소수 1 자리 수) = 31.28 (소수 2 자리 수)

1.7 (소수 1 자리 수) × 0.96 (소수 2 자리 수) = 1.632 (소수 3 자리 수)

3.84 (소수 2 자리 수) × 0.7 (소수 1 자리 수) = 2.688 (소수 3 자리 수)

2.39 (소수 2 자리 수) × 1.24 (소수 2 자리 수) = 2.9636 (소수 4 자리 수)

4 소수점 위치를 생각하여 계산해 보시오.

보기

0.06 × 0.3 ➡ 0.06 × 0.3 = 18 ➡ 0.06 (소수 2자리 수) × 0.3 (소수 1자리 수) = 0.018 (소수 3자리 수) ➡ 0.06 × 0.3 = 0.018

0.4 (소수 1자리 수) × 0.8 (소수 1자리 수) = 0.32 (소수 2자리 수)

0.8 (소수 1자리 수) × 0.09 (소수 2자리 수) = 0.072 (소수 3자리 수)

0.006 (소수 3자리 수) × 0.7 (소수 1자리 수) = 0.0042 (소수 4자리 수)

0.12 (소수 2자리 수) × 0.03 (소수 2자리 수) = 0.0036 (소수 4자리 수)

3.4 (소수 1자리 수) × 0.7 (소수 1자리 수) = 2.38 (소수 2자리 수)

1.5 (소수 1자리 수) × 0.09 (소수 2자리 수) = 0.135 (소수 3자리 수)

1.03 × 0.5 = 0.515

1.2 × 0.016 = 0.0192

0.37 × 0.08 = 0.0296

3.4 × 0.05 = 0.170

2.06 × 0.7 = 1.442

4.31 × 0.09 = 0.3879

8.2 × 1.6 = 13.12

1.03 × 0.14 = 0.1442

5.02 × 0.04 = 0.2008

07 소수의 곱셈 연습

정답 30쪽

1 소수의 곱셈을 하시오.

×		
0.3	5	1.5 (0.3×5)
0.04	7	0.28
0.12	3	0.36
4	0.9	3.6
8	0.03	0.24
3	0.21	0.63
1.2	4	4.8
2.6	3	7.8
5.4	2	10.8

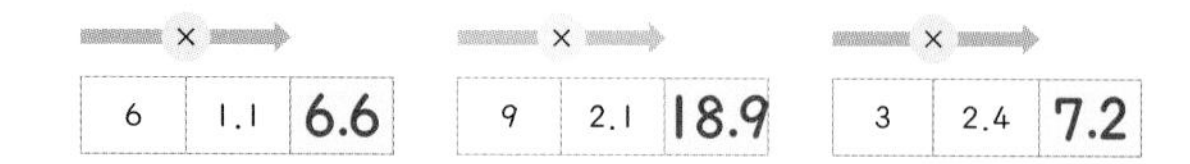

×		
6	1.1	6.6
9	2.1	18.9
3	2.4	7.2

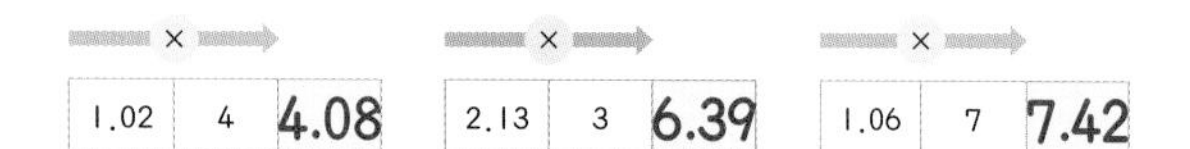

×		
1.02	4	4.08
2.13	3	6.39
1.06	7	7.42

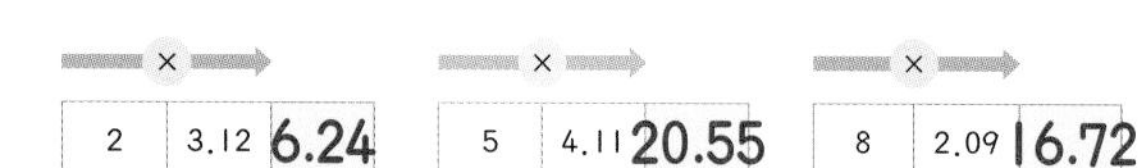

×		
2	3.12	6.24
5	4.11	20.55
8	2.09	16.72

2 바르게 계산한 식을 찾아 ○표 하고, 틀린 답을 맞게 고쳐 보시오.

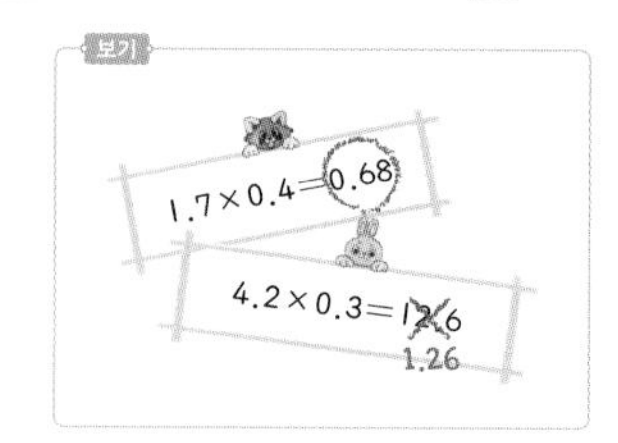

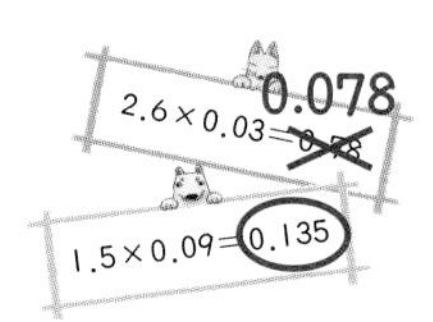

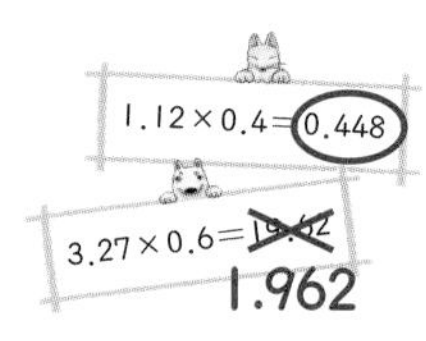

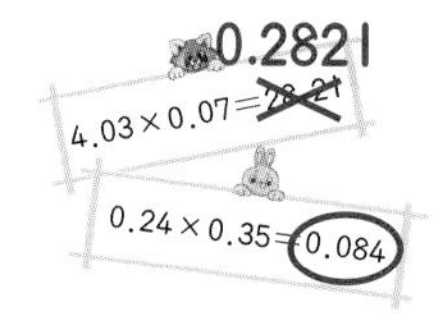

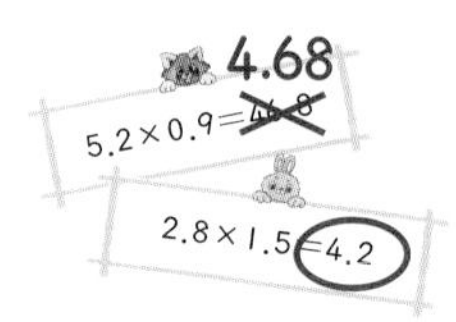

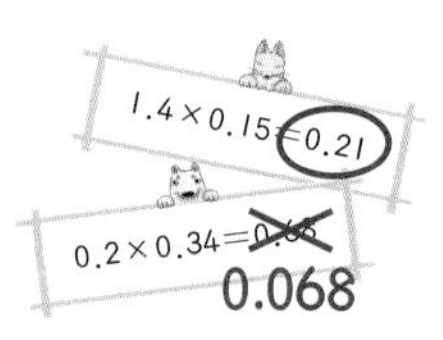

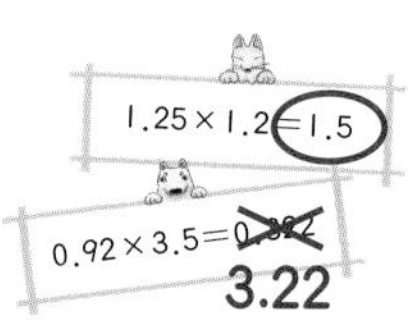

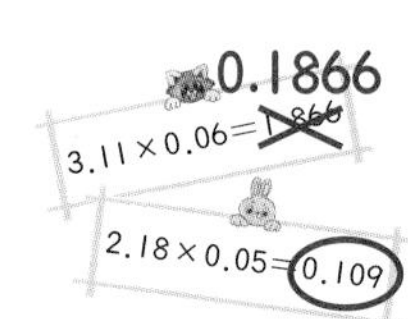

3 계산한 결과와 같은 칸을 찾아 해당 글자를 써넣어 수수께끼를 해결해 보시오.

- 세: 0.5 × 7 = 3.5
- 서: 0.4 × 3 = 1.2

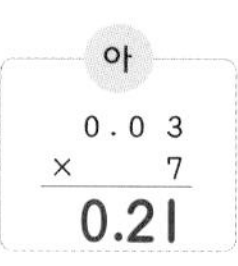

- 아: 0.03 × 7 = 0.21

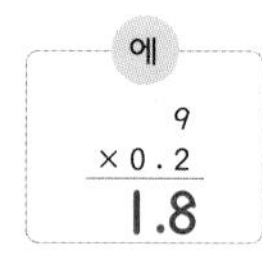

- 에: 9 × 0.2 = 1.8
- 다: 0.3 × 0.6 = 0.18
- 가: 1.4 × 0.2 = 0.28
- 름: 0.7 × 0.6 = 0.42
- 는: 1.2 × 0.5 = 0.60
- 상: 0.35 × 2.8 = 0.980
- 장: 13 × 0.09 = 1.17
- 개: 4.8 × 1.5 = 7.20
- 운: 16 × 0.7 = 11.2

3.5	0.98	1.8	1.2	0.28	1.17
세	상	에	서	가	장

0.21	0.42	0.18	11.2	7.2	0.6
아	름	다	운	개	는

?

수수께끼 답 ➡ 무지개

4 소수의 곱셈 실력을 점검해 보시오.

실력평가

맞힌 개수 개 / 제한 시간 10 분

1. 0.8×4 =3.2
2. 0.9×7 =6.3
3. 5×0.3 =1.5
4. 0.06×9 =0.54
5. 0.07×5 =0.35
6. 12×0.04 =0.48
7. 1.3×4 =5.2
8. 2.6×3 =7.8
9. 16×1.2 =19.2
10. 2.01×5 =10.05
11. 3.25×2 =6.5
12. 13×1.02 =13.26
13. 0.4×0.6 =0.24
14. 0.08×0.7 =0.056
15. 3.2×0.4 =1.28
16. 1.3×0.8 =1.04
17. 1.23×0.5 =0.615
18. 0.7×2.4 =1.68
19. 0.05×6.3 =0.315
20. 1.4×9.02 =12.628

수고하셨습니다!

도전! 응용문제

정답 31쪽

유형 1

새롬이는 매일 우유를 0.5 L씩 마십니다. 새롬이가 5일 동안 마시는 우유의 양은 몇 L입니까?

- 주어진 수에 ○표 하고, 구하는 것에 밑줄 치기
  새롬이가 하루에 마시는 우유의 양: 0.5 L, 우유를 마시는 날 수: 5 일
- 문제 해결하기
  하루에 마시는 우유의 양에 마시는 날 수를 (더합니다 , 곱합니다).
- 문제 풀기
  (5일 동안 마시는 우유의 양)$=0.5\times5=2.5$(L)
- 답 쓰기
  5일 동안 마시는 우유의 양은 2.5 L입니다.

유형 1+

태호의 몸무게는 34 kg입니다. 현주의 몸무게는 태호의 몸무게의 0.8배입니다. 현주의 몸무게는 몇 kg입니까?

- 주어진 수에 ○표 하고, 구하는 것에 밑줄 치기
  태호의 몸무게: 34 kg, 현주의 몸무게: 태호의 몸무게의 0.8배
- 문제 해결하기
  태호의 몸무게에 0.8을 (더합니다 , 곱합니다).
- 문제 풀기
  (현주의 몸무게)$=34\times0.8=27.2$(kg)
- 답 쓰기
  현주의 몸무게는 27.2 kg입니다.

유형 2

가로가 0.8 m이고, 세로가 0.6 m인 직사각형 모양의 종이가 있습니다. 이 종이의 넓이는 몇 m^2입니까?

- 주어진 수에 ○표 하고, 구하는 것에 밑줄 치기
  종이의 가로: 0.8 m, 종이의 세로: 0.6 m
- 문제 해결하기
  가로의 길이와 세로의 길이를 (더합니다 , 곱합니다).
- 문제 풀기
  (종이의 넓이)$=0.8\times0.6=0.48$(m^2)
- 답 쓰기
  종이의 넓이는 0.48 m^2입니다.

유형 2+

지수는 한 시간에 3.12 km를 걷는다고 합니다. 같은 빠르기로 1.5시간 동안 몇 km를 걸을 수 있습니까?

- 주어진 수에 ○표 하고, 구하는 것에 밑줄 치기
  한 시간에 걸을 수 있는 거리: 3.12 km, 걷는 시간: 1.5 시간
- 문제 해결하기
  한 시간에 걸을 수 있는 거리에 걷는 시간을 (더합니다 , 곱합니다).
- 문제 풀기
  (1.5시간 동안 걸을 수 있는 거리)$=3.12\times1.5=4.68$(km)
- 답 쓰기
  1.5시간 동안 걸을 수 있는 거리는 4.68 km입니다.

● 안에 알맞은 수를 써넣고, 답을 구하시오.

1 Drill 한 권의 무게가 0.3 kg인 동화책이 있습니다. 이 동화책 6권의 무게는 몇 kg입니까?

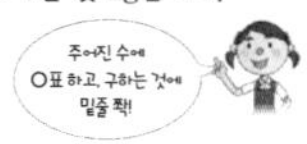

풀이 (동화책 6권의 무게)$=0.3\times6=1.8$(kg)

답 1.8 kg

2 Drill 노란색 끈의 길이는 8 m이고, 파란색 끈의 길이는 노란색 끈의 길이의 1.25배입니다. 파란색 끈의 길이는 몇 m입니까?

풀이 (파란색 끈의 길이)$=8\times1.25=10$(m)

답 10 m

3 Drill 준우는 폐휴지를 0.76 kg 모았고, 아라는 준우가 모은 폐휴지의 0.8배를 모았습니다. 아라가 모은 폐휴지의 무게는 몇 kg입니까?

풀이 (아라가 모은 폐휴지의 무게)$=0.76\times0.8=0.608$(kg)

답 0.608 kg

4 Drill 식용유 1 L의 무게는 1.3 kg입니다. 식용유 2.5 L의 무게는 몇 kg입니까?

풀이 (식용유 2.5 L의 무게)$=1.3\times2.5=3.25$(kg)

답 3.25 kg

● 서술형 문제를 읽고 풀이 과정과 답을 쓰시오.

도전 1 우희는 하루에 1.5시간씩 독서를 했습니다. 우희가 일주일 동안 독서한 시간은 몇 시간입니까?

예 풀이 일주일은 7일입니다.
(우희가 일주일 동안 독서한 시간)
$=1.5\times7=10.5$(시간)

답 10.5 시간

도전 2 수박 한 통의 무게가 12 kg입니다. 멜론 한 통의 무게가 수박 한 통의 무게의 0.53배라면 멜론 한 통의 무게는 몇 kg입니까?

예 풀이 (멜론 한 통의 무게)
$=12\times0.53=6.36$(kg)

답 6.36 kg

도전 3 희철이가 채집한 장수풍뎅이의 몸길이가 3.4 cm이고, 사마귀의 몸길이는 장수풍뎅이의 몸길이의 2.2배입니다. 사마귀의 몸길이는 몇 cm입니까?

예 풀이 (사마귀의 몸길이)
$=3.4\times2.2=7.48$(cm)

답 7.48 cm

도전 4 연우는 한 자루에 30.25 g인 색연필 10자루를, 보라는 한 개에 7.4 g인 사탕 80개를 갖고 있습니다. 연우와 보라 중 누가 갖고 있는 것의 무게가 더 무겁습니까?

예 풀이 (연우가 가진 색연필의 무게)$=30.25\times10=302.5$(g)
(보라가 가진 사탕의 무게)
$=7.4\times80=592$(g)
➡ $302.5\text{g}<592\text{g}$

답 보라

형성평가

정답 32쪽

01 안에 알맞은 수를 써넣으시오.

(1) 4.8=0.1×48

(2) 9=0.1×90

02 안에 알맞은 수를 써넣으시오.

(1) 2.7×3=0.1×27×3
=0.1×81
=8.1

(2) 7×1.8=7×0.1×18
=0.1×126
=12.6

03 빈 곳에 알맞은 수를 써넣으시오.

5.7
8 × 1.2 9.6
6
34.2

04 분수는 소수로, 소수는 분수로 나타내어 보시오.

(1) $\frac{1357}{100}$ =13.57

(2) 7.249 = $\frac{7249}{1000}$

05 소수를 분수로 고쳐서 계산해 보시오.

(1) $6\times3.12=6\times\frac{312}{100}=\frac{1872}{100}=18.72$

(2) $1.08\times2.7=\frac{108}{100}\times\frac{27}{10}=\frac{2916}{1000}=2.916$

06 자연수의 곱셈을 이용하여 계산해 보시오.

8 × 13 = 104
$\frac{1}{10}$배 ⇒ $\frac{1}{10}$배
0.8 × 13 =10.4

07 안에 알맞은 수를 써넣으시오.

(1) 7 × 9 = 63
$\frac{1}{10}$배 $\frac{1}{10}$배 ⇒ $\frac{1}{100}$배
0.7 × 0.9 = 0.63

(2) 15 × 13 = 195
$\frac{1}{10}$배 $\frac{1}{100}$배 ⇒ $\frac{1}{1000}$배
1.5 × 0.13 = 0.195

08 자연수의 곱셈을 이용하여 계산해 보시오.

(1) 27 × 32 = 864
2.7 × 3.2 =8.64

(2) 157 × 64 = 10048
1.57 × 6.4 =10.048

09 안에 알맞은 수를 써넣으시오.

(1) 0.97×10=9.7

(2) 1.54×10=15.4

(3) 6.297×100=629.7

(4) 5.62×100=562

(5) 4.928×1000=4928

10 안에 알맞은 수를 써넣으시오.

(1) 67×0.1=6.7

(2) 2.8×0.1=0.28

(3) 15.7×0.01=0.157

(4) 947×0.01=9.47

(5) 246.8×0.001=0.2468

11 안에 알맞은 수를 써넣고, 계산 결과에 소수점을 바르게 찍어 보시오.

(1) 0.9 × 6 = 5.4
(소수 1 자리 수)×(자연수)→(소수 1 자리 수)

(2) 12 × 1.57 = 18.84
(자연수)×(소수 2 자리 수)→(소수 2 자리 수)

12 계산을 하시오.

(1) 2.47×9=22.23

(2) 4×1.357=5.428

13 안에 알맞은 수를 써넣고, 계산 결과에 소수점을 바르게 찍어 보시오.

4.158 ← 소수 3 자리 수
× 2
8.316 ← 소수 3 자리 수

14 계산을 하시오.

(1) 3.08 × 3 = 9.24

(2) 37 × 0.004 = 0.148

15 안에 알맞은 수를 써넣고, 계산 결과에 소수점을 바르게 찍어 보시오.

(1) 5.7 × 2.6 = 14.82
(소수 1 자리 수)×(소수 1 자리 수)→(소수 2 자리 수)

(2) 1.28 × 5.8 = 7.424
(소수 2 자리 수)×(소수 1 자리 수)→(소수 3 자리 수)

16 계산을 하시오.

(1) 1.56×2.3=3.588

(2) 2.05×1.7=3.485

17 안에 알맞은 수를 써넣고, 계산 결과에 소수점을 바르게 찍어 보시오.

3.72 ← 소수 2 자리 수
×0.54 ← 소수 2 자리 수
2.0088 ← 소수 4 자리 수

18 계산을 하시오.

(1) 3.14 × 0.7 = 2.198

(2) 4.6 × 0.032 = 0.1472

19 빈 곳에 알맞은 수를 써넣으시오.

(1) 8 × 2.9 → 23.2

(2) 1.06 × 3 → 3.18

20 바르게 계산한 식을 찾아 ○표 하고, 틀린 답을 맞게 고쳐 보시오.

(1)
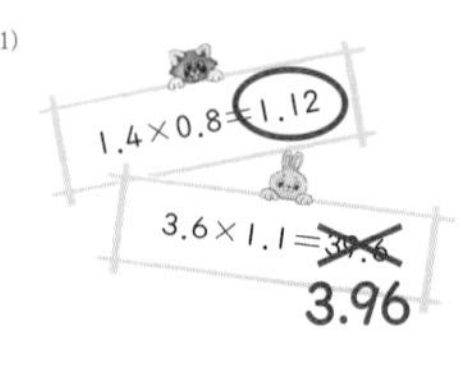

(2)
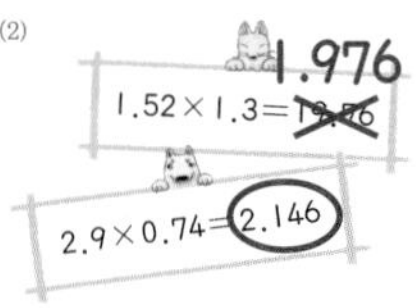

단원 평가 4. 소수의 곱셈

걸린 시간 분 점수 점

정답 33쪽

1 수직선을 보고 □ 안에 알맞은 수를 써넣으시오.

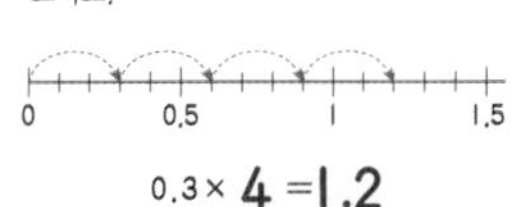

0.3× 4 =1.2

2 □ 안에 알맞은 수를 써넣으시오.

(1) 4 × 12 = 48
$\frac{1}{10}$배 ↓ ↓ $\frac{1}{10}$배
4 × 1.2 = 4.8

(2) 125 × 7 = 875
$\frac{1}{100}$배 ↓ ↓ $\frac{1}{100}$배
1.25 × 7 = 8.75

3 계산 결과가 나머지와 다른 것은 어느 것입니까? (⑤)

① 0.7×3 ② 3×0.7
③ 0.7의 3배 ④ 0.7+0.7+0.7
⑤ 0.7×0.7×0.7

4 빈 곳에 알맞은 수를 써넣으시오.

(1) 4.98 ×10 → 49.8, ×100 → 498, ×1000 → 4980

(2) 927 ×0.1 → 92.7, ×0.01 → 9.27, ×0.001 → 0.927

5 계산이 잘못된 곳을 찾아 바르게 계산해 보시오.

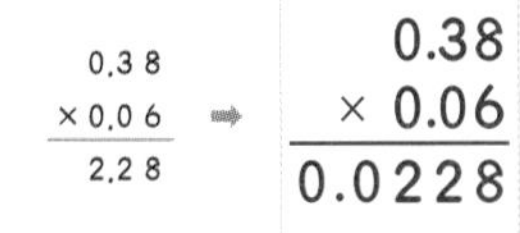

0.3 8 × 0.0 6 = 2.2 8 ➡ 0.38 × 0.06 = 0.0228

6 빈 곳에 알맞은 수를 써넣으시오.

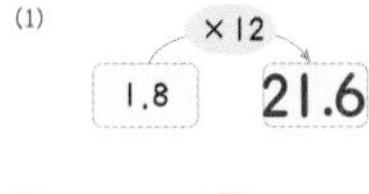

(1) 1.8 ×12 → 21.6

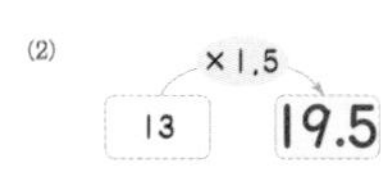

(2) 13 ×1.5 → 19.5

7 빈 곳에 알맞은 수를 써넣으시오.

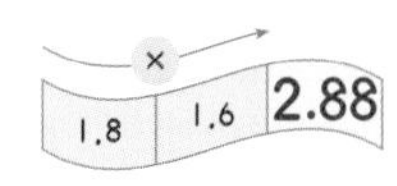

1.8 × 1.6 = 2.88

8 785×23=18055를 이용하여 □ 안에 알맞은 수를 써넣으시오.

(1) 7.85×2.3=18.055

(2) 7.85×0.23=1.8055

9 ㉠과 ㉡의 곱을 구하시오.

㉠ 0.1이 7개인 수
㉡ 0.1이 9개인 수

(0.63)

㉠ 0.7 ㉡ 0.9
➡ 0.7×0.9=0.63

10 평행사변형의 넓이를 구하시오.

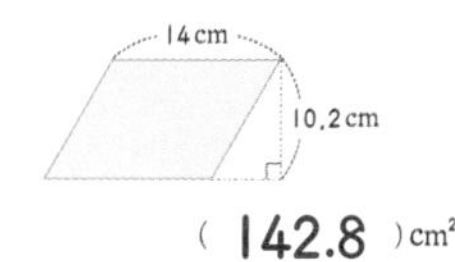

(142.8) cm^2

(평행사변형의 넓이)
=14×10.2=142.8(cm^2)

11 ★이 같은 자연수일 때, 계산 결과가 가장 큰 것부터 차례로 1, 2, 3, 4를 쓰시오.

★×1.74 — 2
★×0.8 — 4
2.7×★ — 1
★×0.92 — 3

곱하는 수 또는 곱해지는 수가 클수록 계산 결과가 큽니다.

12 계산 결과가 더 큰 것을 찾아 ○표 하시오.

2.8×0.71 (=1.988)	0.75×3.1 (=2.325)
( )	(○)

13 소금물 1L에 0.07kg의 소금이 녹아 있습니다. 이 소금물 0.5L에는 몇 kg의 소금이 녹아 있습니까?

(0.035)kg

(소금물 0.5L에 녹아 있는 소금의 양)
=0.07×0.5=0.035(kg)

14 가장 큰 수와 가장 작은 수의 곱을 구하시오.

5.27 4.98 6.2
4.05 6.9 5.8

(27.945)

가장 큰 수: 6.9, 가장 작은 수: 4.05
➡ 6.9×4.05=27.945

15 한 변의 길이가 4.8cm인 정오각형이 있습니다. 이 정오각형의 둘레는 몇 cm입니까?

(24)cm

(정오각형의 둘레)
=4.8×5=24(cm)

16 ㉠에 알맞은 수는 ㉡에 알맞은 수의 몇 배입니까?

67.5×㉠=675
675×㉡=6.75

(1000)배

㉠ 10 ㉡ 0.01($\frac{1}{100}$)

17 전체 길이가 20m인 종이가 있습니다. 색칠한 부분의 길이는 몇 m입니까?

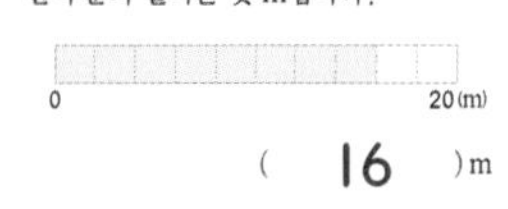

(16)m

색칠한 부분은 전체의 0.8입니다.
(색칠한 부분의 길이)
=20×0.8=16(m)

18 □ 안에 들어갈 수 있는 가장 큰 자연수는 얼마입니까?

5.16×3.5 > □
=18.06

(18)

19 아버지의 키는 정국이의 키의 1.2배입니다. 정국이의 키가 140.5cm일 때, 아버지의 키는 몇 cm인지 풀이 과정을 쓰고 답을 구하시오.

예 풀이 (아버지의 키)
=140.5×1.2
=168.6(cm)

답 168.6cm

20 한 시간 동안 95km를 일정한 빠르기로 달리는 자동차가 있습니다. 이 자동차로 2시간 30분 동안 달린다면 몇 km를 갈 수 있는지 풀이 과정을 쓰고 답을 구하시오.

예 풀이 2시간 30분=2.5시간
(자동차가 갈 수 있는 거리)
=95×2.5=237.5(km)

답 237.5km

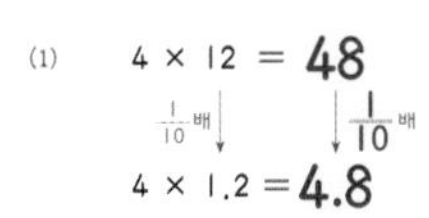

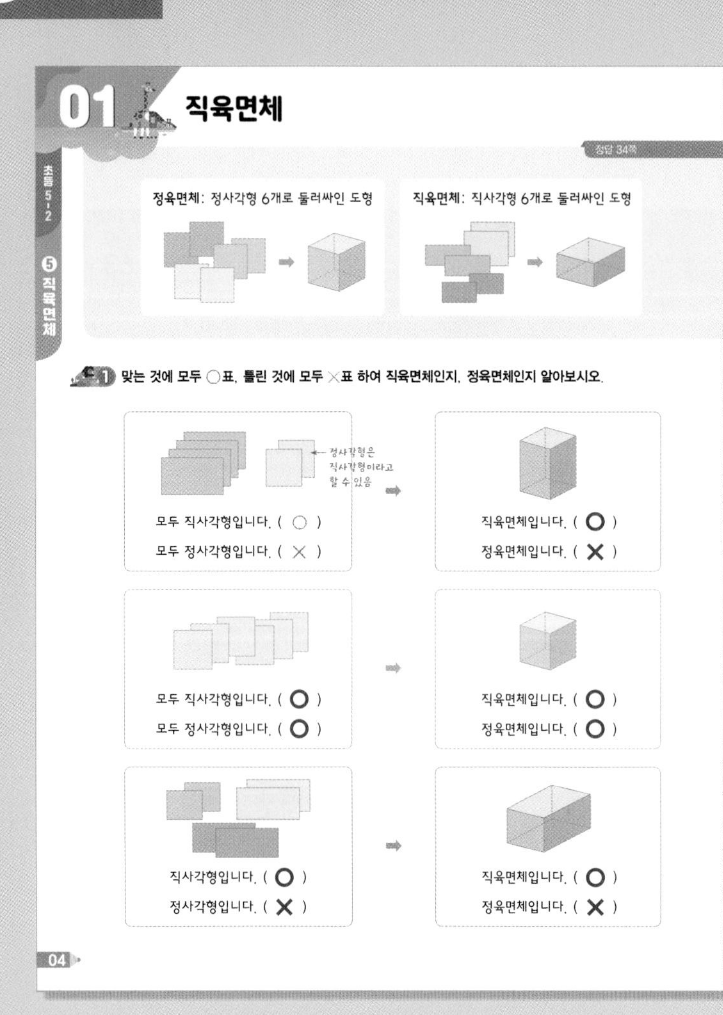

01 직육면체

정답 34쪽

정육면체: 정사각형 6개로 둘러싸인 도형

직육면체: 직사각형 6개로 둘러싸인 도형

1 맞는 것에 모두 ○표, 틀린 것에 모두 ×표 하여 직육면체인지, 정육면체인지 알아보시오.

정사각형은 직사각형이라고 할 수 있음

모두 직사각형입니다. (○)
모두 정사각형입니다. (×)
직육면체입니다. (○)
정육면체입니다. (×)

모두 직사각형입니다. (○)
모두 정사각형입니다. (○)
직육면체입니다. (○)
정육면체입니다. (○)

직사각형입니다. (○)
정사각형입니다. (×)
직육면체입니다. (○)
정육면체입니다. (×)

04

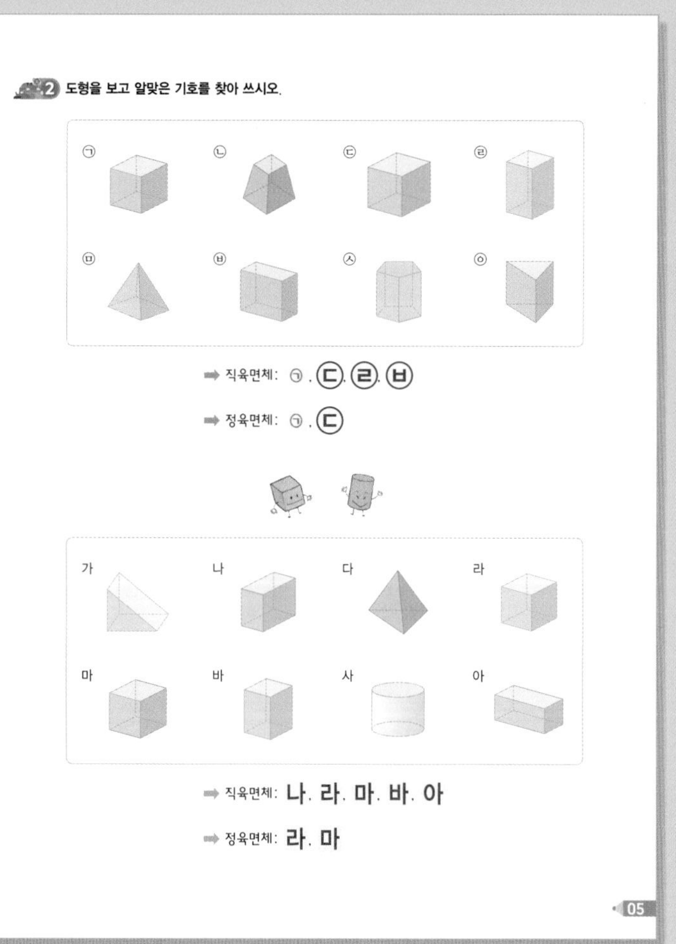

2 도형을 보고 알맞은 기호를 찾아 쓰시오.

➡ 직육면체: ㉠, ㉢, ㉣, ㉥

➡ 정육면체: ㉠, ㉢

➡ 직육면체: 나, 라, 마, 바, 아

➡ 정육면체: 라, 마

05

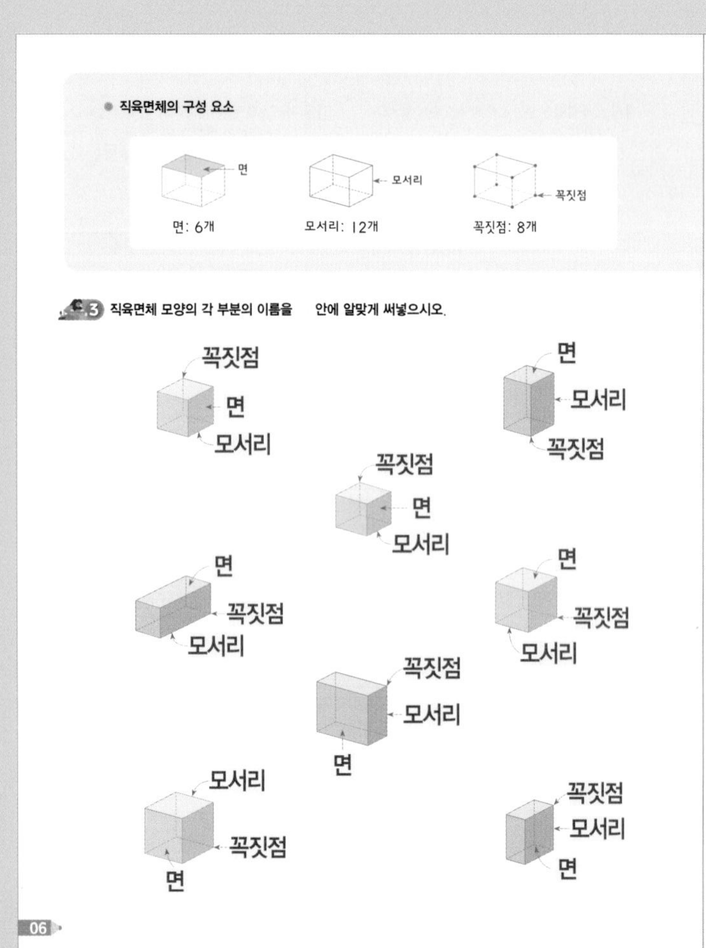

● 직육면체의 구성 요소

면: 6개 모서리: 12개 꼭짓점: 8개

3 직육면체 모양의 각 부분의 이름을 안에 알맞게 써넣으시오.

06

4 직육면체와 정육면체를 비교하여 빈칸에 알맞게 써넣고, 설명이 옳은 것은 ○표, 옳지 않은 것은 ×표 하시오.

	면의 모양	면의 수(개)	모서리의 수(개)	꼭짓점의 수(개)
직육면체	직사각형	6	12	8
정육면체	정사각형	6	12	8

- 직육면체는 6개의 직사각형으로 둘러싸여 있습니다. ○
- 정육면체의 면은 모양과 크기가 모두 다릅니다. ×
- 직육면체의 면은 모두 정사각형입니다. ×
- 정육면체의 모서리의 길이는 모두 같습니다. ○
- 직육면체와 정육면체는 면, 모서리, 꼭짓점의 수가 각각 같습니다. ○
- 정육면체에서 보이는 면은 6개, 보이지 않는 모서리는 3개입니다. ×
- 직육면체는 정육면체라고 할 수 있습니다. ×
- 정육면체는 직육면체라고 할 수 있습니다. ○

07

02 직육면체의 성질

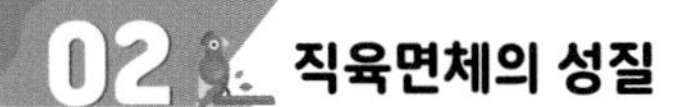

정답 35쪽

밑면: 직육면체에서 서로 평행한 두 면

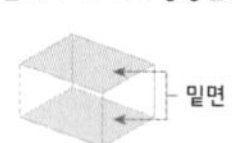

옆면: 직육면체에서 밑면과 수직인 면

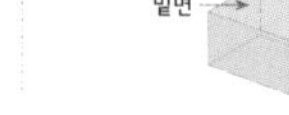

1 그림을 보고 알맞게 답하시오.

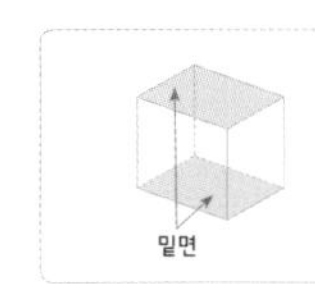
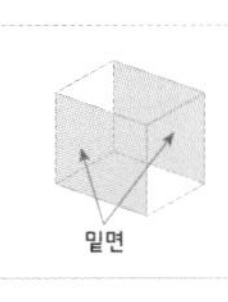
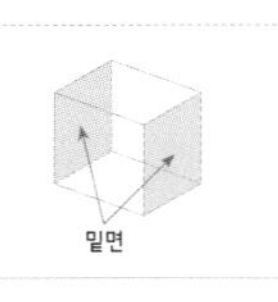

- 마주 보는 면은 서로 만나지 않으므로 (평행 , 수직)합니다. (평행에 ○)
- 평행한 두 면을 (밑면 , 옆면)이라고 합니다. (밑면에 ○)
- 평행한 면이 모두 3 쌍이고, 이 평행한 면은 각각 (밑면 , 옆면)이 될 수 있습니다. (밑면에 ○)

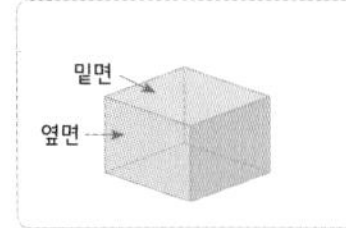
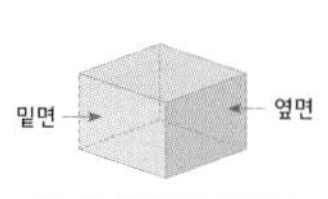
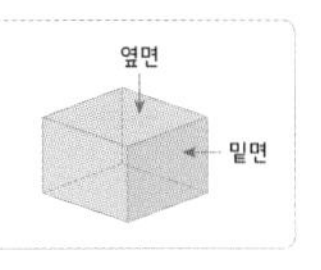

- 연두색 면과 파란색 면은 서로 (평행 , 수직)으로 만납니다. (수직에 ○)
- 연두색 면이 밑면일 때 밑면과 수직인 면을 (밑면 , 옆면)이라고 합니다. (옆면에 ○)
- 밑면과 수직인 면이 4 개이므로 옆면도 4 개입니다.

2 색칠한 면의 이름을 쓰시오.

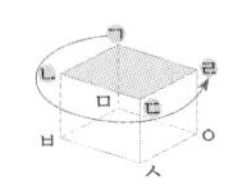
예 면 ㄱㄴㄷㄹ

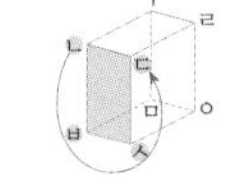
예 면 ㄴㅂㅅㄷ

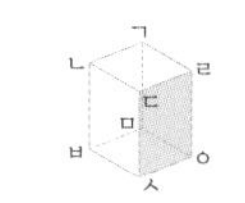
예 면 ㄷㅅㅇㄹ

예 면 ㄱㄴㅂㅁ

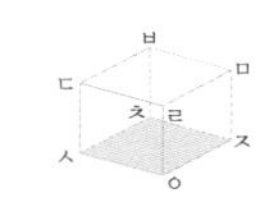
예 면 ㅁㅂㅅㅇ

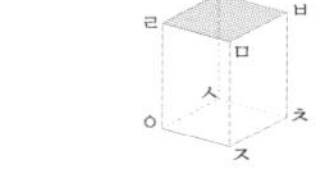
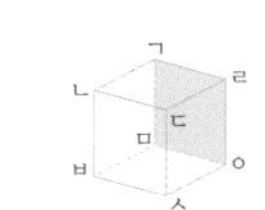
예 면 ㄱㄴㅂㅁ

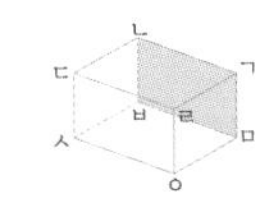
예 면 ㅅㅇㅈㅊ

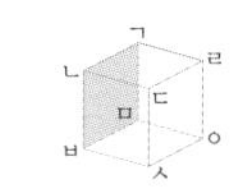
예 면 ㄷㄹㅁㅂ

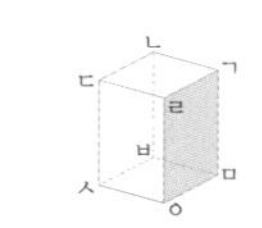
예 면 ㄱㅁㅇㄹ

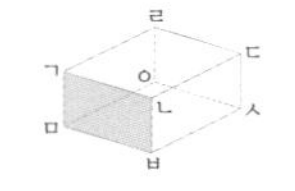
예 면 ㄱㅁㅂㄴ

예 면 ㄷㄹㅇㅅ

예 면 ㄱㄹㅇㅁ

3 직육면체에서 색칠한 면이 한 밑면일 때, 다른 한 밑면을 찾아 이름을 쓰시오. (→ 평행한 면)

예 면 ㄱㄴㅂㅁ

예 면 ㅁㅂㅅㅇ

예 면 ㄷㄹㄱㄴ

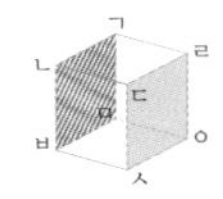
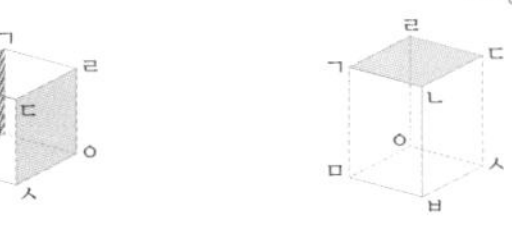
예 면 ㄴㅂㅁㄱ

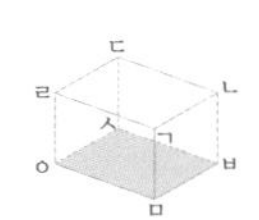
예 면 ㄷㅅㅇㄹ

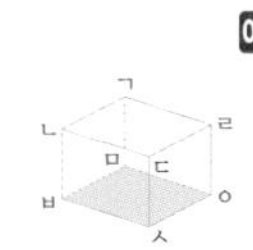
예 면 ㄱㅁㅂㄴ

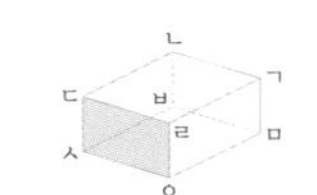
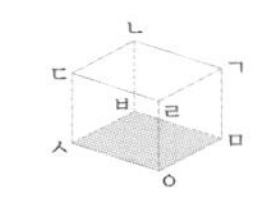
예 면 ㄴㄷㄹㄱ

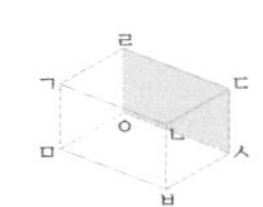
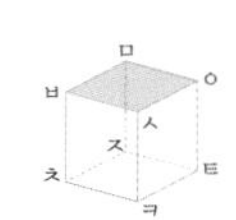
예 면 ㄱㅁㅂㄴ

예 면 ㅈㅊㅋㅌ

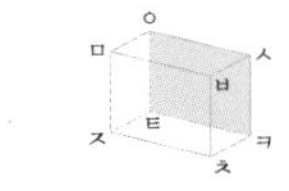
예 면 ㅁㅈㅊㅂ

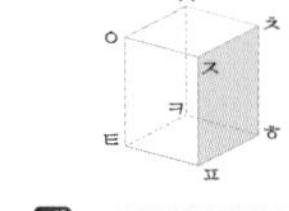
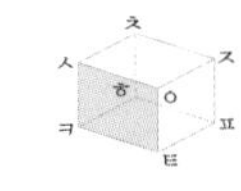
예 면 ㅇㅌㅋㅅ

예 면 ㅊㅎㅍㅈ

4 직육면체에서 색칠한 면이 한 밑면일 때, 옆면을 모두 찾아 이름을 쓰시오. (→ 수직인 면)

예 면 ㄴㅂㅅㄷ, 면 ㄷㅅㅇㄹ, 면 ㄱㅁㅇㄹ, 면 ㄴㅂㅁㄱ

예 면 ㄱㄴㄷㄹ, 면 ㄴㅂㅅㄷ, 면 ㅁㅂㅅㅇ, 면 ㄱㅁㅇㄹ

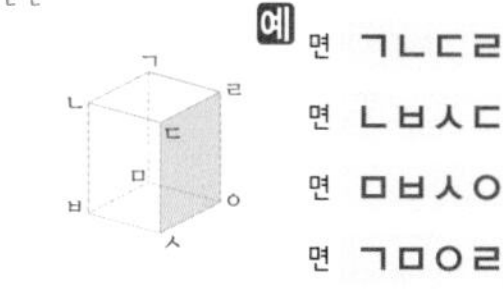
예 면 ㄱㄴㄷㄹ, 면 ㄴㅂㅅㄷ, 면 ㅇㅁㅂㅅ, 면 ㄱㅁㅇㄹ

예 면 ㄴㄷㄹㄱ, 면 ㄷㅅㅂㄴ, 면 ㅂㅅㅇㅁ, 면 ㄹㅇㅁㄱ

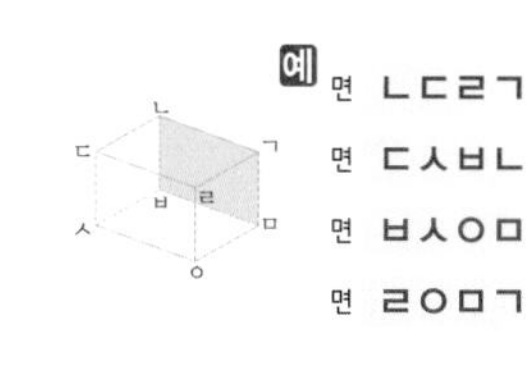
예 면 ㄹㅇㅁㄱ, 면 ㄱㅁㅂㄴ, 면 ㄷㅅㅂㄴ, 면 ㄹㅇㅅㄷ

예 면 ㄷㄹㄱㄴ, 면 ㄹㅇㅁㄱ, 면 ㅅㅇㅁㅂ, 면 ㄷㅅㅂㄴ

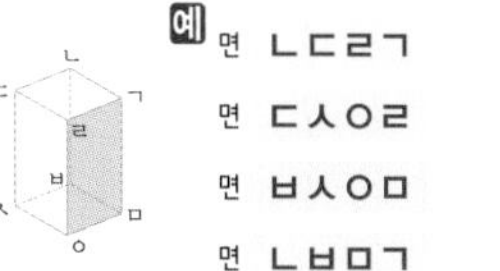
예 면 ㄴㄷㄹㄱ, 면 ㄷㅅㅇㄹ, 면 ㅂㅅㅇㅁ, 면 ㄴㅂㅁㄱ

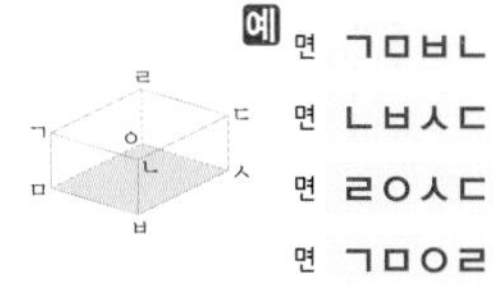
예 면 ㄱㅁㅂㄴ, 면 ㄴㅂㅅㄷ, 면 ㄹㅇㅅㄷ, 면 ㄱㅁㅇㄹ

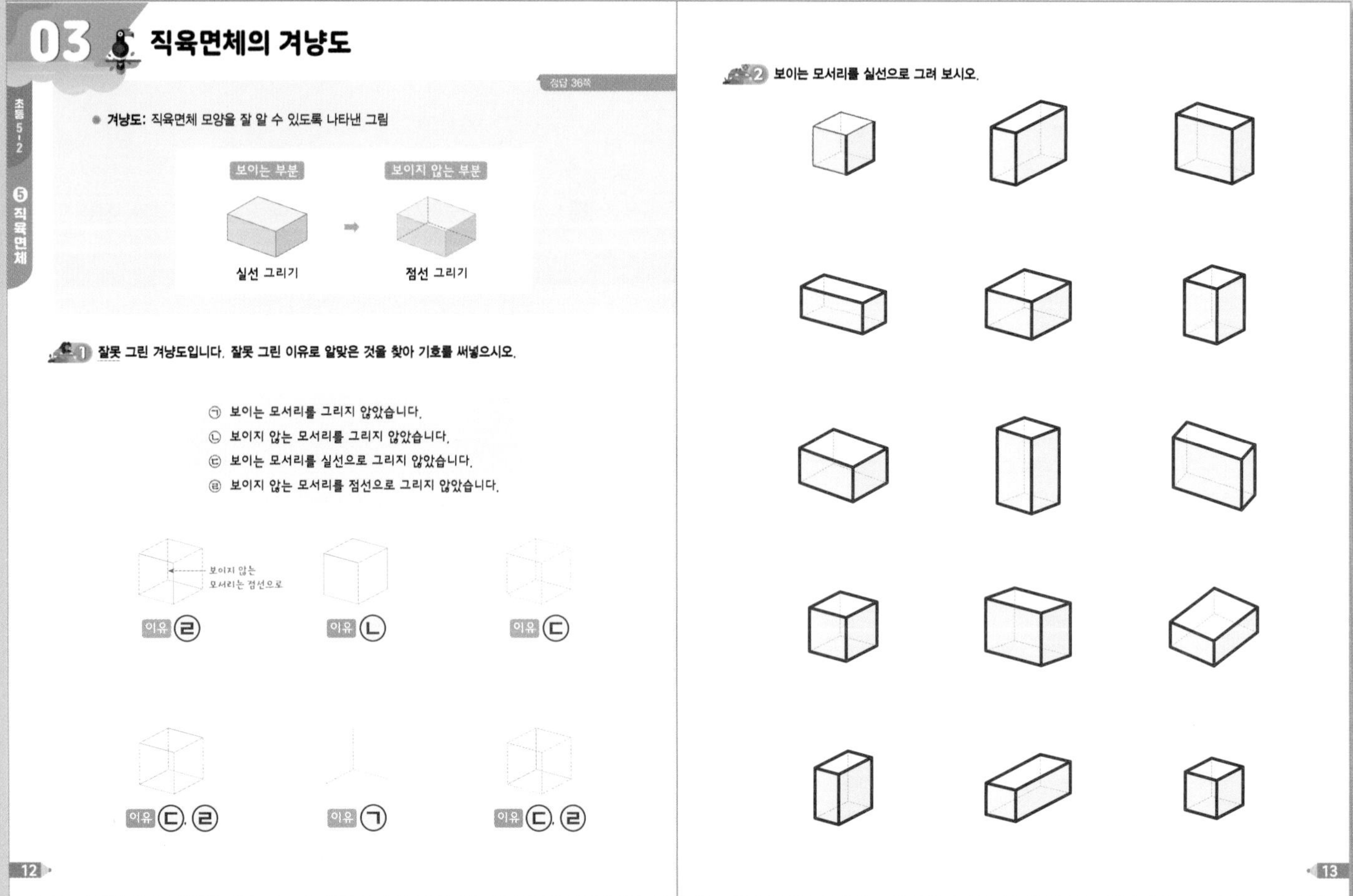
03 직육면체의 겨냥도
정답 36쪽
초등 5-2
5 직육면체
겨냥도: 직육면체 모양을 잘 알 수 있도록 나타낸 그림
보이는 부분
보이지 않는 부분
실선 그리기
점선 그리기
1 잘못 그린 겨냥도입니다. 잘못 그린 이유로 알맞은 것을 찾아 기호를 써넣으시오.
㉠ 보이는 모서리를 그리지 않았습니다.
㉡ 보이지 않는 모서리를 그리지 않았습니다.
㉢ 보이는 모서리를 실선으로 그리지 않았습니다.
㉣ 보이지 않는 모서리를 점선으로 그리지 않았습니다.
보이지 않는 모서리는 점선으로
이유 ㄹ
이유 ㄴ
이유 ㄷ
이유 ㄷ, ㄹ
이유 ㄱ
이유 ㄷ, ㄹ
12
2 보이는 모서리를 실선으로 그려 보시오.
13

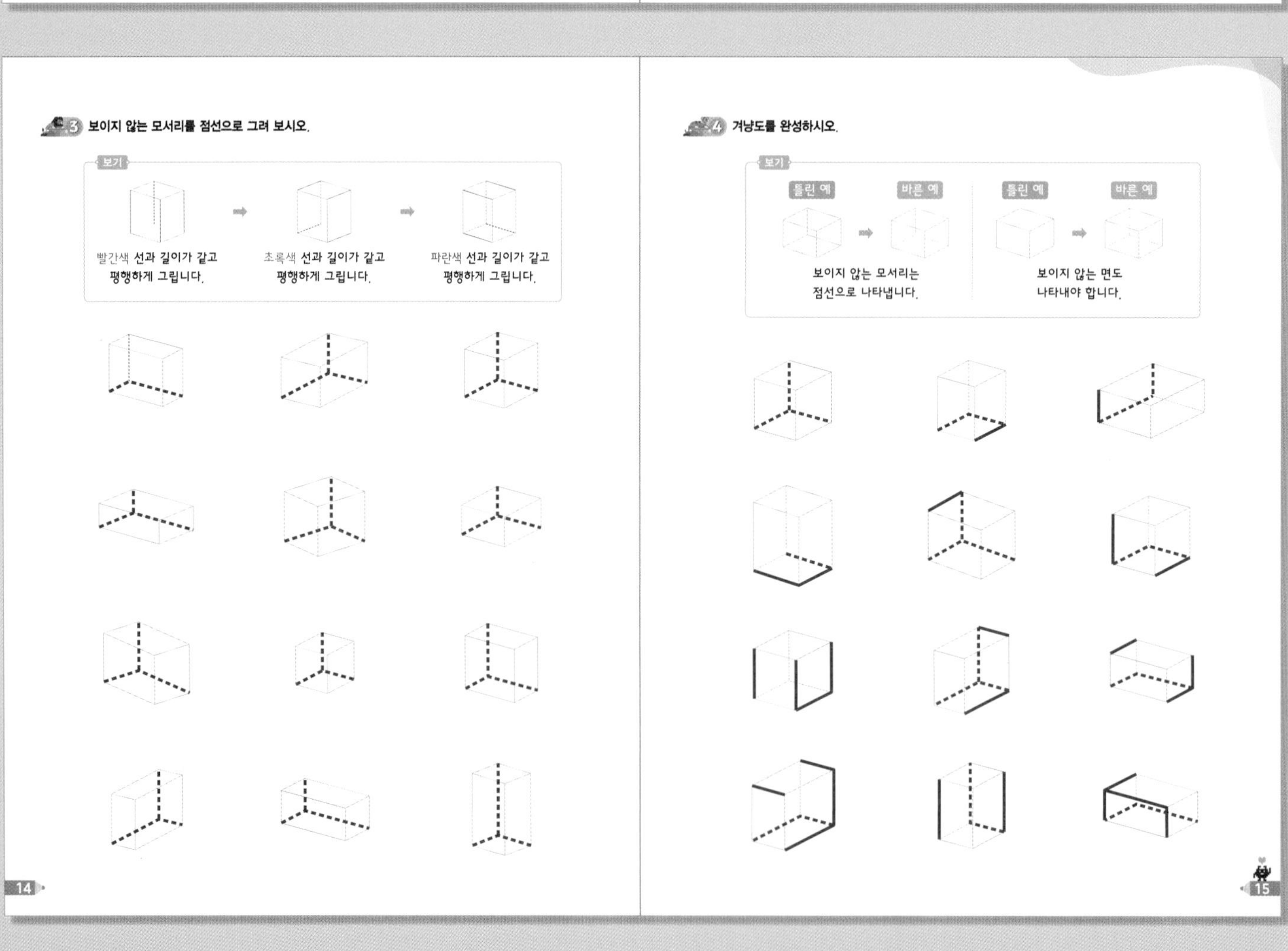
3 보이지 않는 모서리를 점선으로 그려 보시오.
보기
빨간색 선과 길이가 같고 평행하게 그립니다.
초록색 선과 길이가 같고 평행하게 그립니다.
파란색 선과 길이가 같고 평행하게 그립니다.
14
4 겨냥도를 완성하시오.
보기
틀린 예
바른 예
보이지 않는 모서리는 점선으로 나타냅니다.
보이지 않는 면도 나타내야 합니다.
15

04 직육면체의 전개도

정답 37쪽

● **전개도:** 직육면체의 모서리를 잘라서 펼친 그림

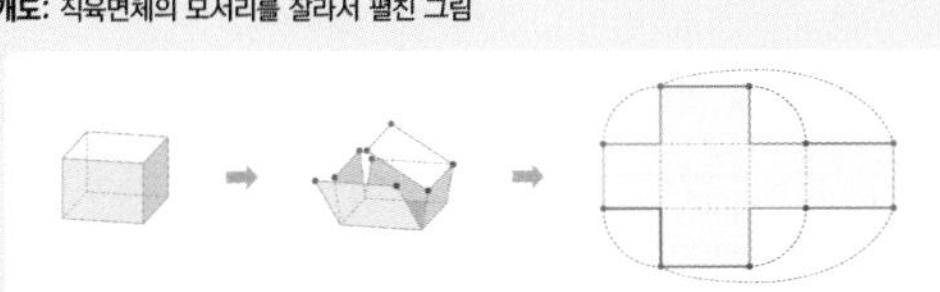

1 전개도를 접었을 때 만나는 꼭짓점을 쓰시오.

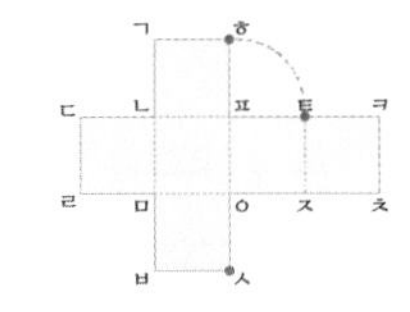

◦ 점 ㅎ과 만나는 점: 점 ㅌ

◦ 점 ㅅ과 만나는 점: 점 ㅈ

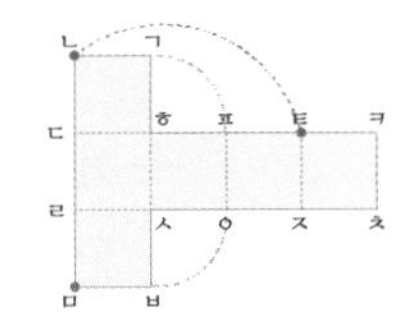

◦ 점 ㄴ과 만나는 점: 점 ㅌ

◦ 점 ㅁ과 만나는 점: 점 ㅈ

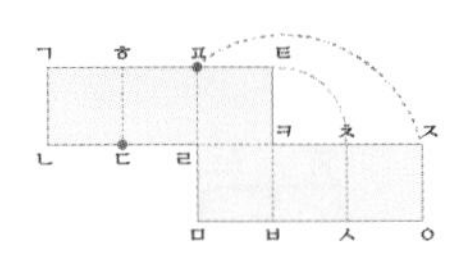

◦ 점 ㅍ과 만나는 점: 점 ㅈ

◦ 점 ㄷ과 만나는 점: 점 ㅁ

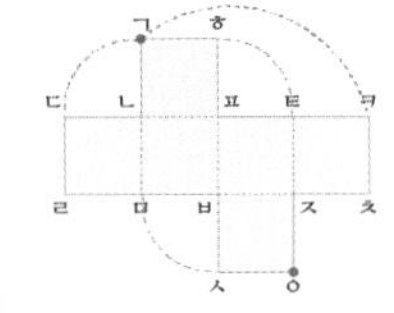

예 ◦ 점 ㄱ과 만나는 점: 점 ㄷ, 점 ㅋ

◦ 점 ㅇ과 만나는 점: 점 ㅊ, 점 ㄹ

2 전개도를 접었을 때 만나는 선분을 쓰시오.

보기

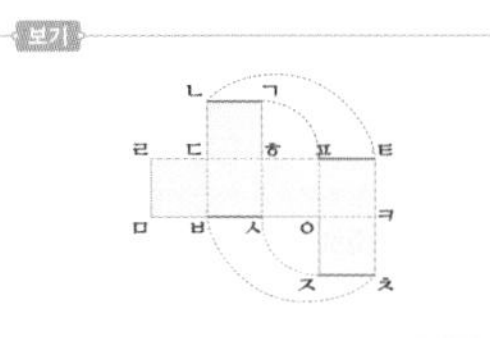

◦ 선분 ㄱㄴ과 만나는 선분: 선분 ㅍㅌ

◦ 선분 ㅈㅊ과 만나는 선분: 선분 ㅅㅂ

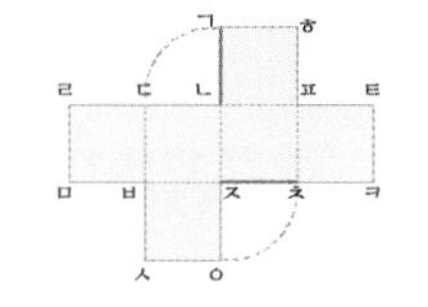

◦ 선분 ㄱㄴ과 만나는 선분: 선분 ㄷㄴ

◦ 선분 ㅈㅊ과 만나는 선분: 선분 ㅈㅇ

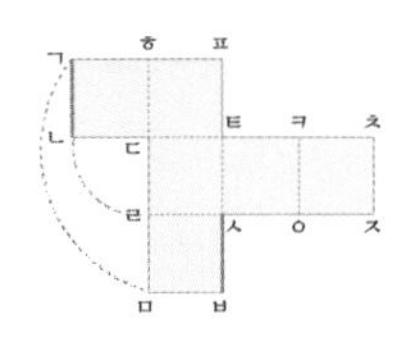

◦ 선분 ㄱㄴ과 만나는 선분: 선분 ㅁㄹ

◦ 선분 ㅂㅅ과 만나는 선분: 선분 ㅇㅅ

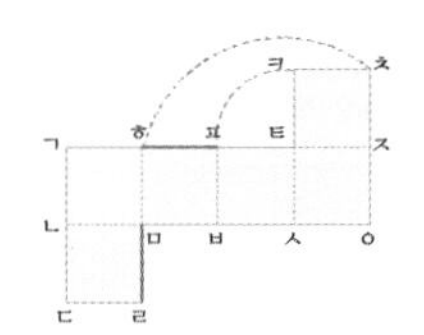

◦ 선분 ㄹㅁ과 만나는 선분: 선분 ㅂㅁ

◦ 선분 ㅎㅍ과 만나는 선분: 선분 ㅊㅋ

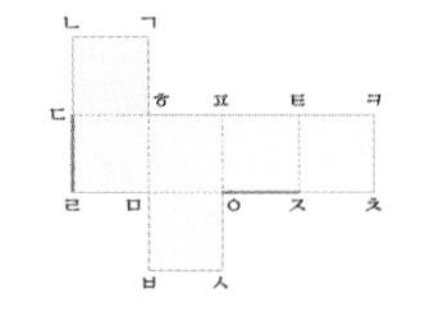

◦ 선분 ㄷㄹ과 만나는 선분: 선분 ㅋㅊ

◦ 선분 ㅇㅈ과 만나는 선분: 선분 ㅇㅅ

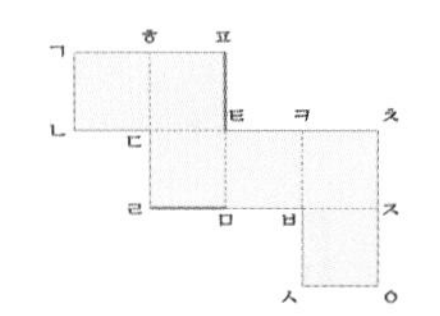

◦ 선분 ㄹㅁ과 만나는 선분: 선분 ㅇㅅ

◦ 선분 ㅍㅌ과 만나는 선분: 선분 ㅋㅌ

3 전개도를 접었을 때 색칠한 밑면과 수직인 면에 '옆', 평행한 면에 '밑' 이라고 쓰시오.

보기

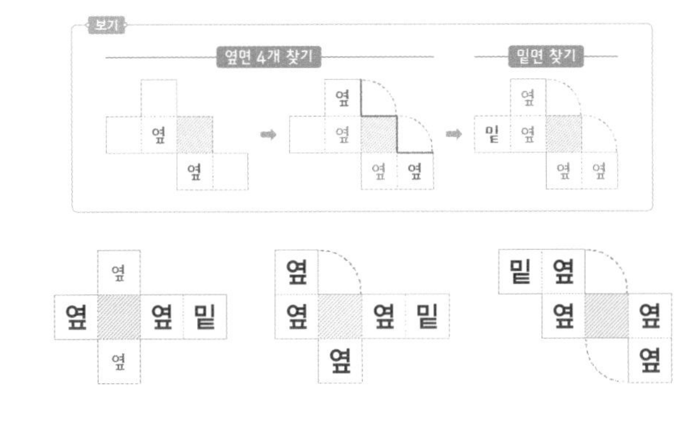

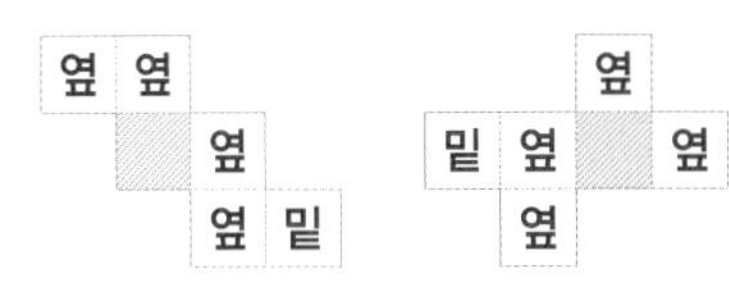

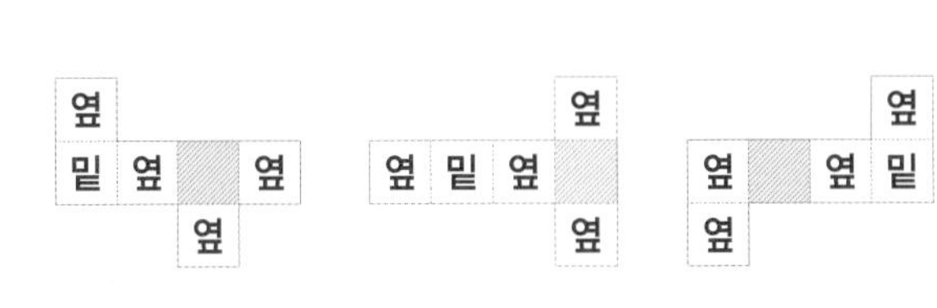

4 전개도를 접었을 때 색칠한 밑면과 평행한 면 또는 수직인 면을 찾아 기호를 쓰시오.

평행한 면

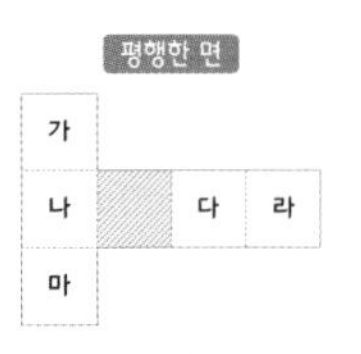

면 라

수직인 면

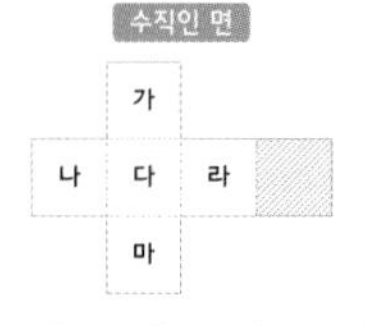

면 가, 면 나, 면 라, 면 마

평행한 면

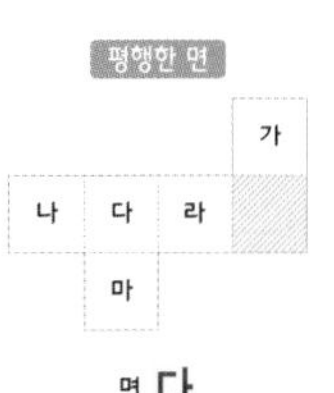

면 다

수직인 면

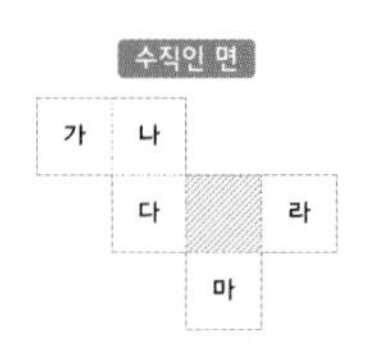

면 나, 면 다, 면 라, 면 마

평행한 면

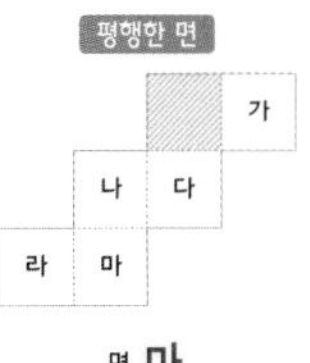

면 마

수직인 면

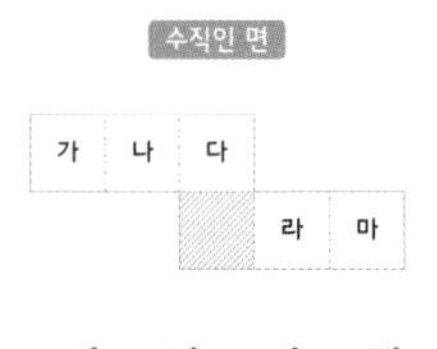

면 가, 면 나, 면 다, 면 라

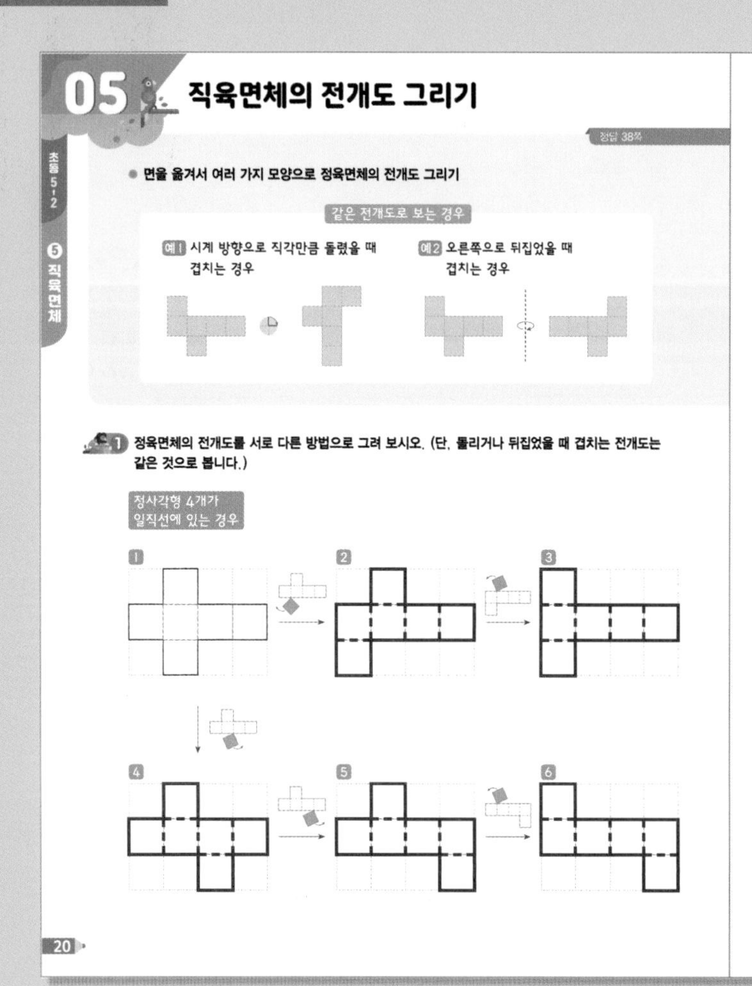

05 직육면체의 전개도 그리기
정답 38쪽
초등 5-2
5 직육면체
면을 옮겨서 여러 가지 모양으로 정육면체의 전개도 그리기
같은 전개도로 보는 경우
예1 시계 방향으로 직각만큼 돌렸을 때 겹치는 경우
예2 오른쪽으로 뒤집었을 때 겹치는 경우
1 정육면체의 전개도를 서로 다른 방법으로 그려 보시오. (단, 돌리거나 뒤집었을 때 겹치는 전개도는 같은 것으로 봅니다.)
정사각형 4개가 일직선에 있는 경우
1
2
3
4
5
6
20

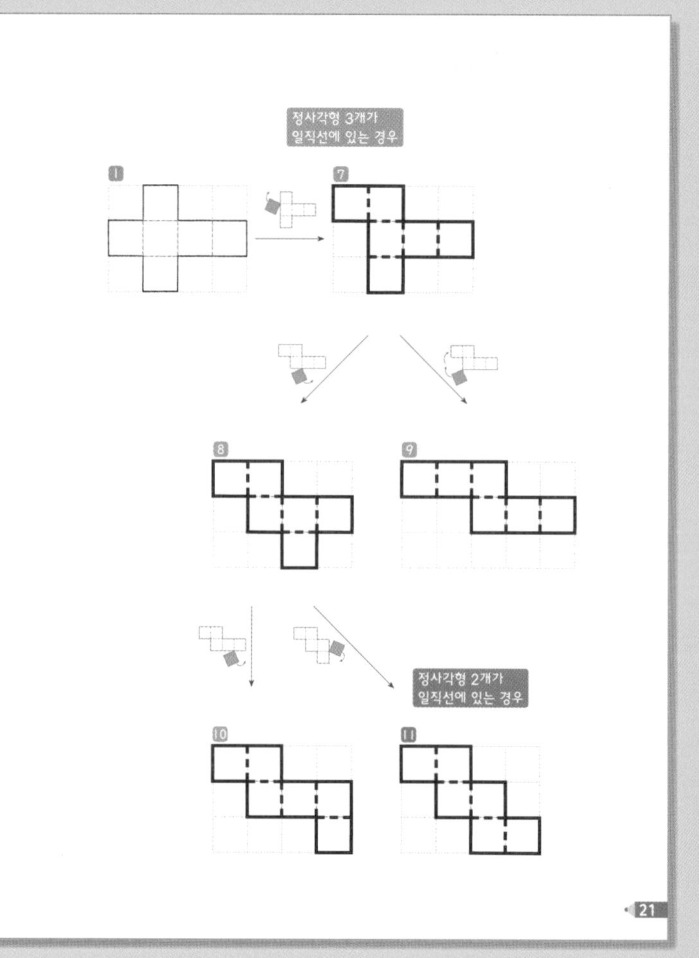

정사각형 3개가 일직선에 있는 경우
1
7
8
9
정사각형 2개가 일직선에 있는 경우
10
11
21

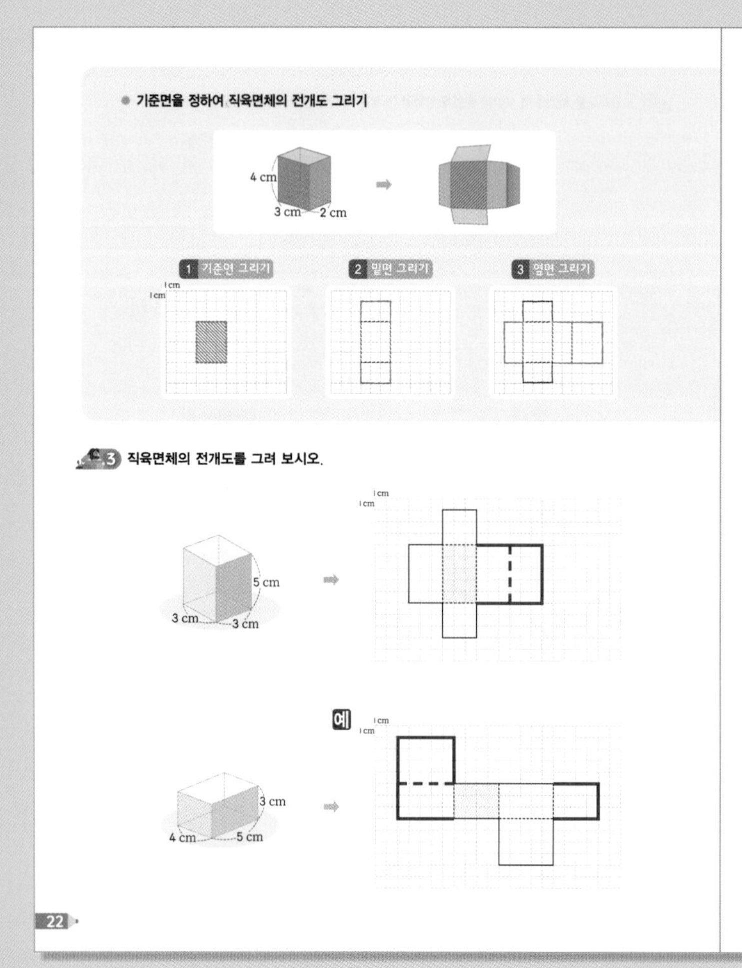

기준면을 정하여 직육면체의 전개도 그리기
4 cm
3 cm
2 cm
1 기준면 그리기
2 밑면 그리기
3 옆면 그리기
3 직육면체의 전개도를 그려 보시오.
5 cm
3 cm
3 cm
예
3 cm
4 cm
5 cm
22

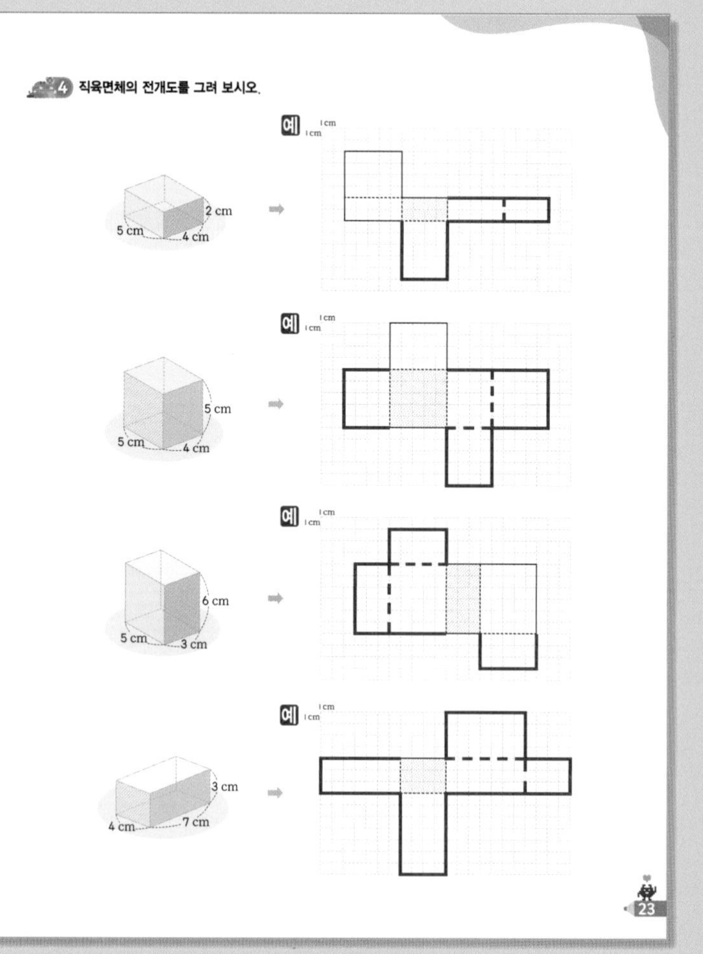

4 직육면체의 전개도를 그려 보시오.
예
2 cm
5 cm
4 cm
예
5 cm
5 cm
4 cm
예
6 cm
5 cm
3 cm
예
3 cm
4 cm
7 cm
23

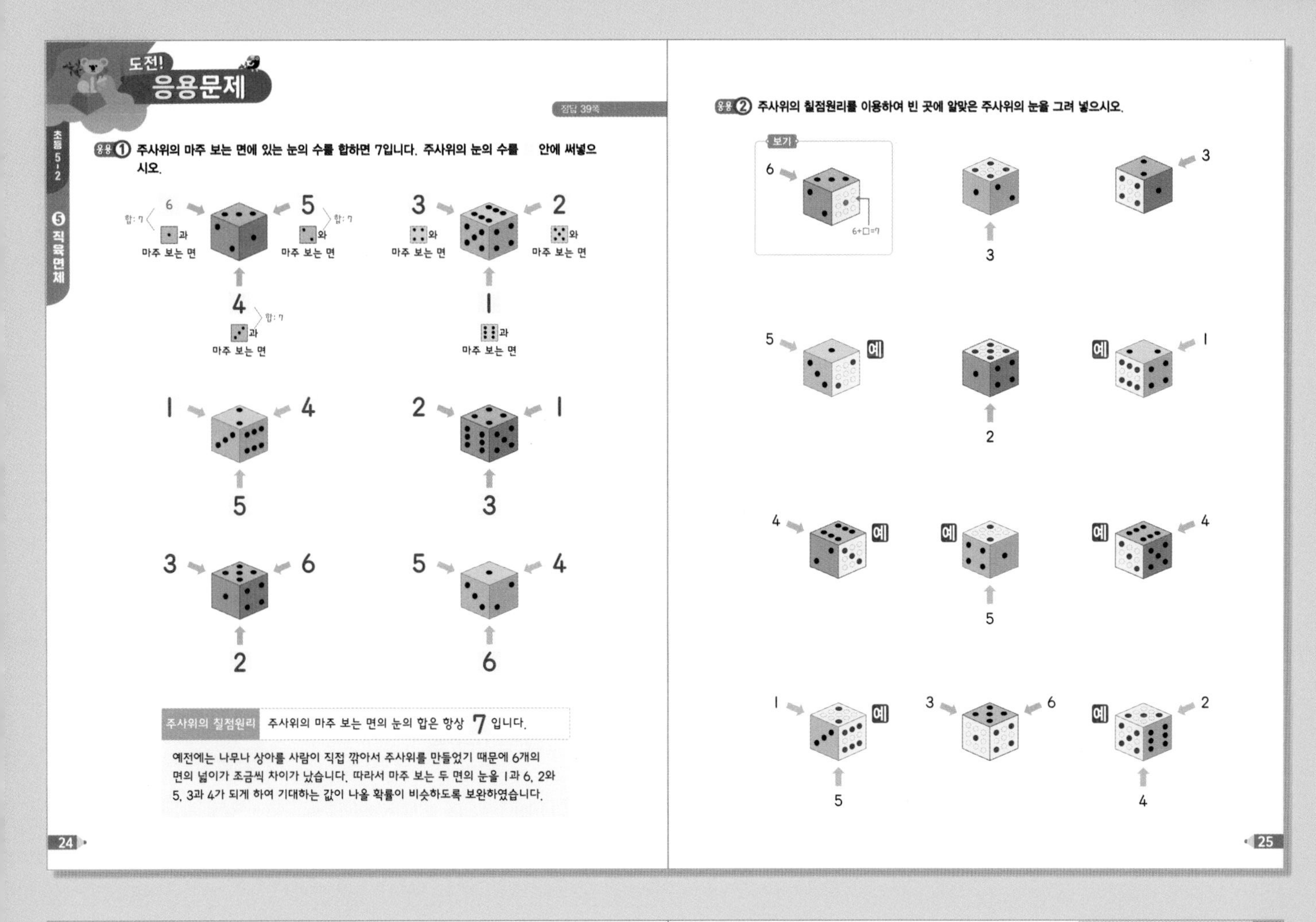
도전! 응용문제

정답 39쪽

초등 5-2 5 직육면체

응용 ① 주사위의 마주 보는 면에 있는 눈의 수를 합하면 7입니다. 주사위의 눈의 수를 □ 안에 써넣으시오.

합: 7 6 □과 마주 보는 면 5 □와 마주 보는 면 합: 7

4 □과 마주 보는 면 합: 7

3 □와 마주 보는 면 2 □와 마주 보는 면

1 □과 마주 보는 면

1 4 5

2 1 3

3 6 2

5 4 6

주사위의 칠점원리 주사위의 마주 보는 면의 눈의 합은 항상 7 입니다.

예전에는 나무나 상아를 사람이 직접 깎아서 주사위를 만들었기 때문에 6개의 면의 넓이가 조금씩 차이가 났습니다. 따라서 마주 보는 두 면의 눈을 1과 6, 2와 5, 3과 4가 되게 하여 기대하는 값이 나올 확률이 비슷하도록 보완하였습니다.

24

응용 ② 주사위의 칠점원리를 이용하여 빈 곳에 알맞은 주사위의 눈을 그려 넣으시오.

보기 6 6+□=7

3 3

5 예 예 2 1

4 예 예 5 예 4

1 예 5 3 6 예 2 4

25

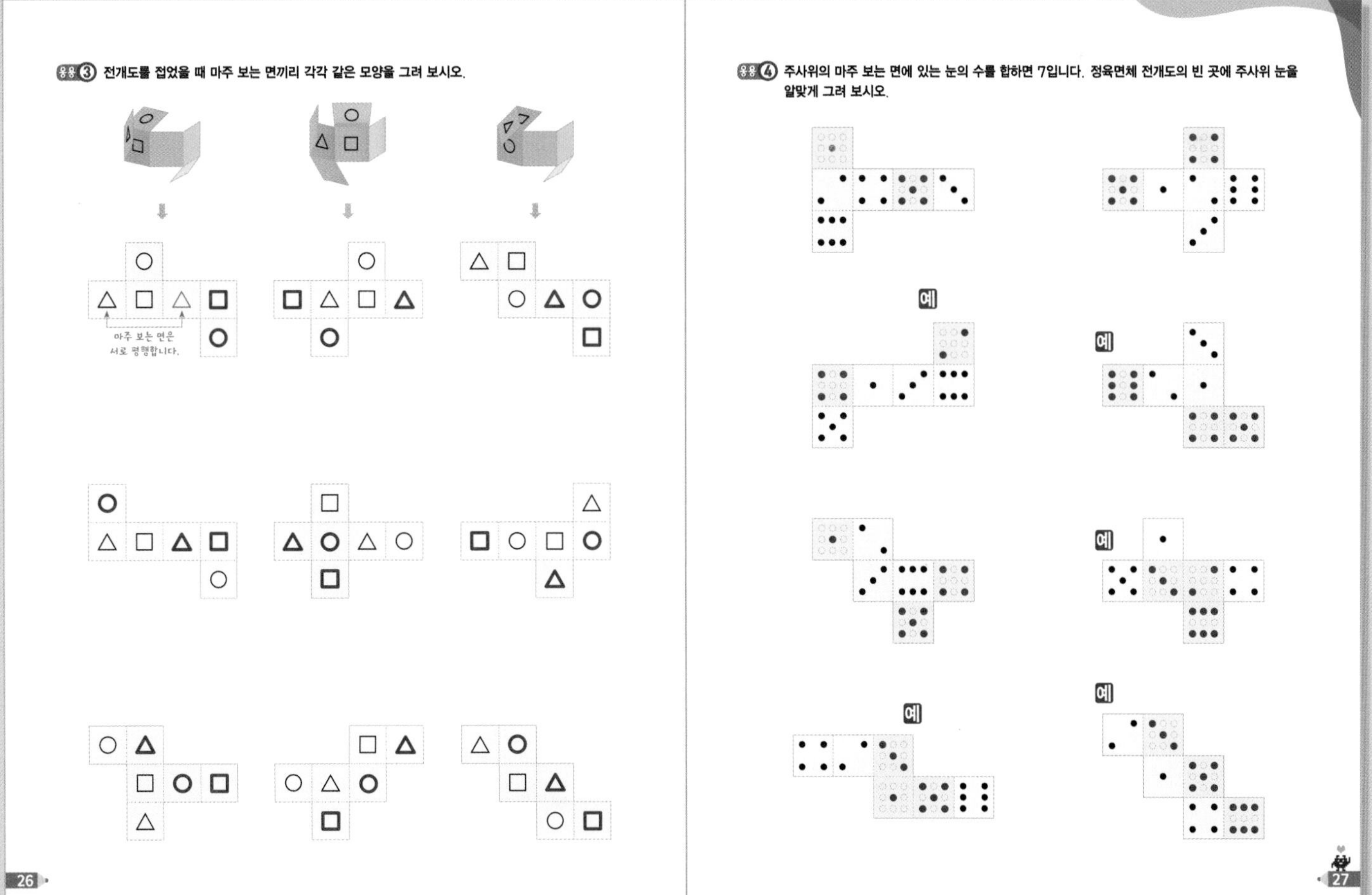
응용 ③ 전개도를 접었을 때 마주 보는 면끼리 각각 같은 모양을 그려 보시오.

마주 보는 면은 서로 평행합니다.

26

응용 ④ 주사위의 마주 보는 면에 있는 눈의 수를 합하면 7입니다. 정육면체 전개도의 빈 곳에 주사위 눈을 알맞게 그려 보시오.

예 예 예 예 예

27

형성평가

초등 5-2 ⑤ 직육면체

01 맞는 것에 모두 ○표, 틀린 것에 ×표 하여 직육면체인지, 정육면체인지 알아보시오.

모두 직사각형입니다. (○)
모두 정사각형입니다. (×)

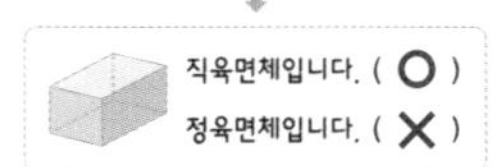

직육면체입니다. (○)
정육면체입니다. (×)

[02~03] 도형을 보고 물음에 답하시오.

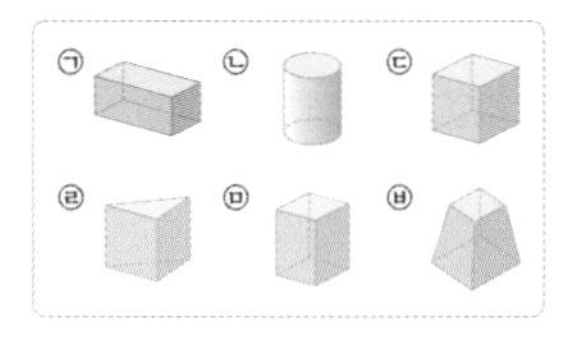

02 직육면체를 찾아 기호를 쓰시오.

03 정육면체를 찾아 기호를 쓰시오.

04 직육면체 모양의 각 부분의 이름을 ☐ 안에 알맞게 써넣으시오.

면
모서리
꼭짓점

05 직육면체와 정육면체에 대한 설명이 옳은 것은 ○표, 옳지 않은 것은 ×표 하시오.

(1) 직육면체의 면은 모양과 크기가 모두 같습니다. ×

(2) 정육면체는 6개의 정사각형으로 둘러싸여 있습니다. ○

(3) 정육면체의 모서리의 길이는 모두 다릅니다. ×

(4) 직육면체와 정육면체는 면의 수가 같습니다. ○

(5) 정육면체에서 보이는 모서리는 9개, 보이지 않는 모서리는 3개입니다. ○

06 그림을 보고 ☐ 안에 알맞게 답하시오.

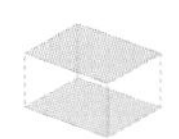

(1) 색칠한 두 면은 서로 평행하므로 밑면이라고 합니다.

(2) 평행한 면이 모두 3 쌍입니다.

07 그림을 보고 ☐ 안에 알맞은 수를 써넣으시오.

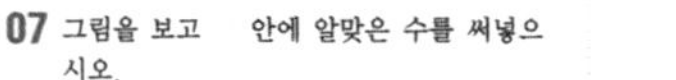

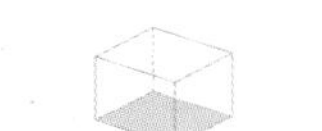

색칠한 면이 밑면일 때 밑면과 수직인 면이 4 개이므로 옆면도 4 개입니다.

08 색칠한 면의 이름을 쓰시오.

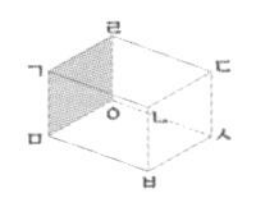

예 면 ㄱㅁㅇㄹ

09 직육면체에서 색칠한 면이 한 밑면일 때, 다른 한 밑면을 찾아 이름을 쓰시오.

(1)

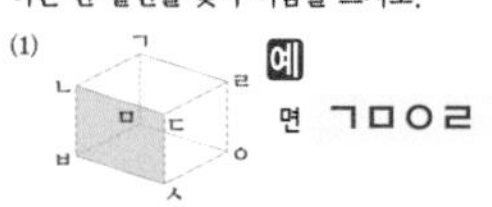

예 면 ㄱㅁㅇㄹ

(2)

예 면 ㅂㅊㅈㅁ

10 직육면체에서 색칠한 면이 한 밑면일 때, 옆면을 찾아 이름을 쓰시오.

(1)

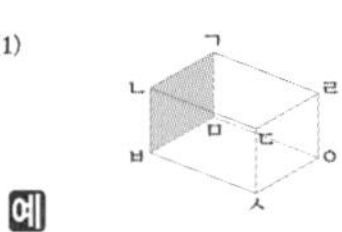

예 면 ㄱㄴㄷㄹ, 면 ㄴㅂㅅㄷ, 면 ㅁㅂㅅㅇ, 면 ㄱㅁㅇㄹ

(2)

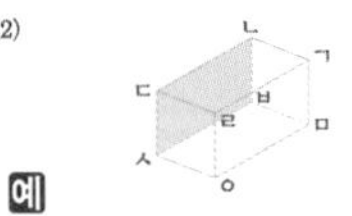

예 면 ㄴㄷㄹㄱ, 면 ㄷㅅㅇㄹ, 면 ㅅㅇㅁㅂ, 면 ㄴㅂㅁㄱ

11 잘못 그린 겨냥도입니다. 잘못 그린 이유로 알맞은 것을 찾아 기호를 써넣으시오.

㉠ 보이는 모서리를 그리지 않았습니다.
㉡ 보이지 않는 모서리를 그리지 않았습니다.
㉢ 보이는 모서리를 실선으로 그리지 않았습니다.
㉣ 보이지 않는 모서리를 점선으로 그리지 않았습니다.

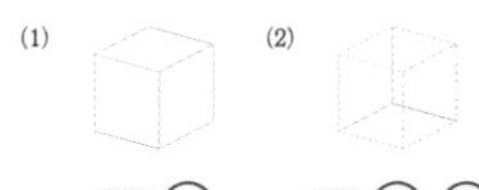

(1) 이유 ㉡ (2) 이유 ㉢, ㉣

12 보이는 모서리를 실선으로 그려 보시오.

(1) (2)

13 보이지 않는 모서리를 점선으로 그려 보시오.

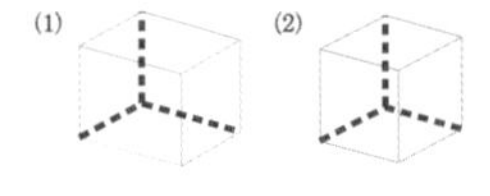

(1) (2)

14 겨냥도를 완성하시오.

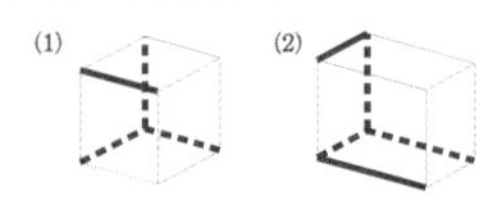

(1) (2)

15 전개도를 접었을 때 만나는 꼭짓점을 쓰시오.

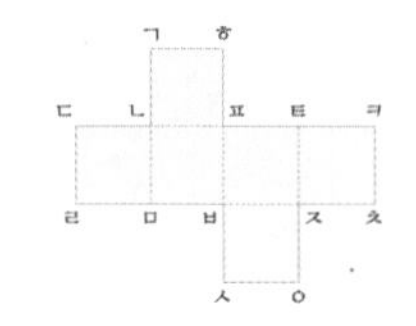

(1) 점 ㅁ과 만나는 점: 점 ㅅ

(2) 점 ㅌ과 만나는 점: 점 ㅎ

16 전개도를 접었을 때 만나는 선분을 쓰시오.

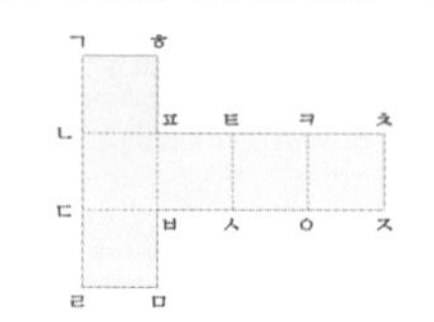

(1) 선분 ㄱㅎ과 만나는 선분: 선분 ㅋㅌ

(2) 선분 ㄴㄷ과 만나는 선분: 선분 ㅊㅈ

17 전개도를 접었을 때 색칠한 밑면과 수직인 면에 '옆', 평행한 면에 '밑'이라고 쓰시오.

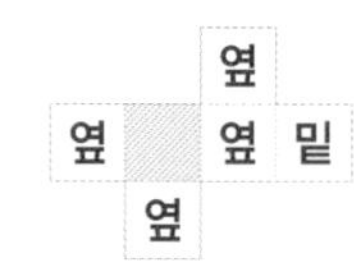

18 전개도를 접었을 때 색칠한 밑면과 평행한 면 또는 수직인 면을 찾아 기호를 쓰시오.

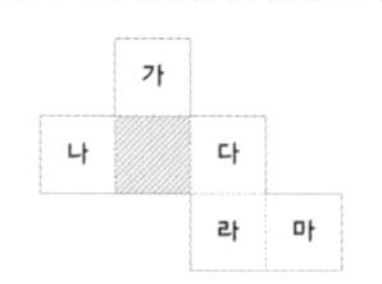

(1) 평행한 면 ➡ 면 마

(2) 수직인 면 ➡ 면 가, 면 나, 면 다, 면 라

[19~20] 직육면체의 전개도를 그려 보시오.

19

예

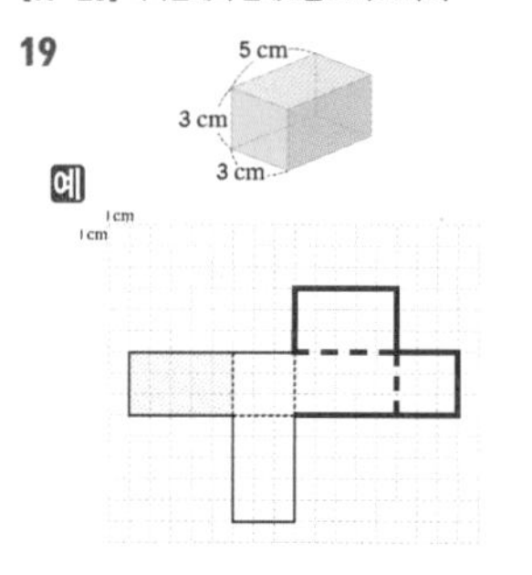

20

예

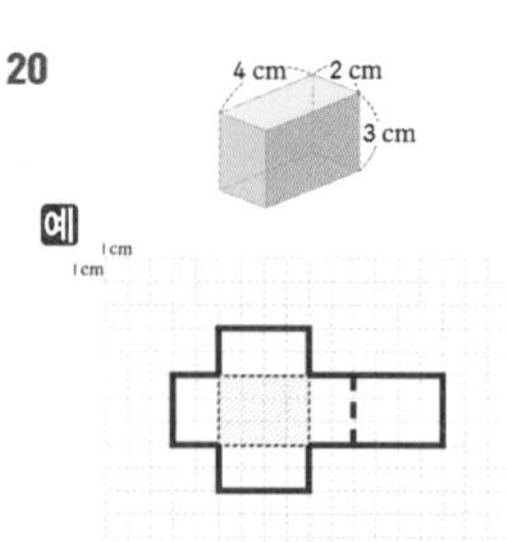

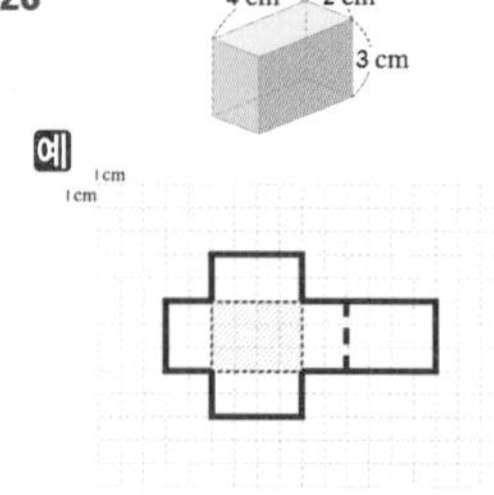

단원 평가

5. 직육면체 걸린 시간 분 점수 점

정답 41쪽

1 안에 알맞은 이름을 써넣으시오.

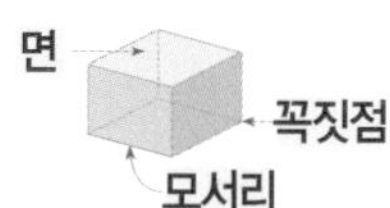

4 직육면체에 대한 설명이 옳지 않은 것을 찾아 기호를 쓰시오.

㉠ 사각형으로 둘러싸인 부분을 면이라고 합니다.
㉡ 면과 면이 만나는 선분을 모서리라고 합니다.
㉢ 모서리와 모서리가 만나는 점을 꼭짓점이라고 합니다.

(㉠)

[2~3] 도형을 보고 물음에 답하시오.

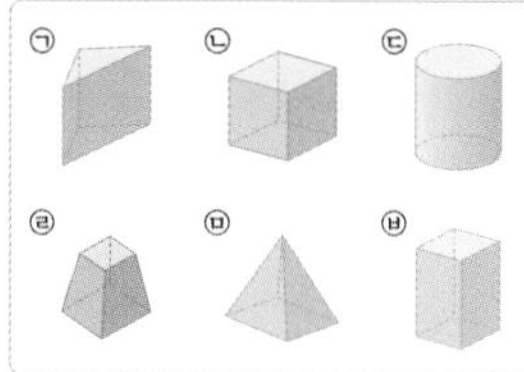

2 직육면체를 모두 찾아 기호를 쓰시오.

(㉡, ㉥)

3 정육면체를 찾아 기호를 쓰시오.

(㉡)

5 직육면체의 겨냥도를 바르게 그린 것은 어느 것입니까? (③)

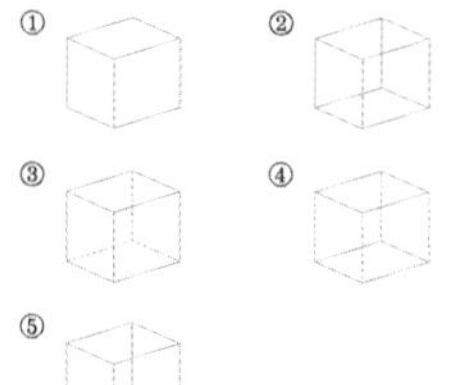

6 정육면체에서 면 ㉮를 본뜬 모양은 어떤 도형입니까?

(정사각형)

7 직육면체와 정육면체의 다른 점을 모두 고르시오. (②, ⑤)

① 면의 수 ② 면의 모양
③ 모서리의 수 ④ 꼭짓점의 수
⑤ 모서리의 길이

8 직육면체에서 안에 알맞은 수를 써넣으시오.

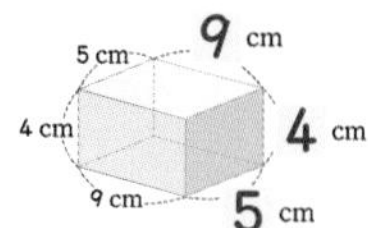

9 정육면체에서 안에 알맞은 수를 써넣으시오.

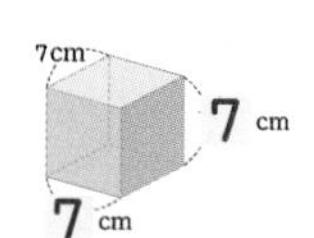

10 한 모서리의 길이가 8 cm인 정육면체가 있습니다. 이 정육면체의 모든 모서리의 길이의 합은 몇 cm입니까?

(96)cm

정육면체의 모서리는 12개이고, 길이가 모두 같습니다.
➡ $8\times12=96$(cm)

11 직육면체에서 색칠한 면과 평행한 면을 찾아 기호를 쓰시오.

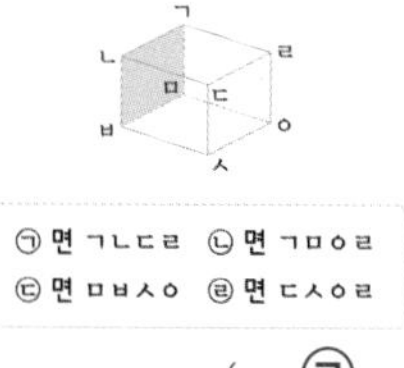

㉠ 면 ㄱㄴㄷㄹ ㉡ 면 ㄱㅁㅇㄹ
㉢ 면 ㅁㅂㅅㅇ ㉣ 면 ㄷㅅㅇㄹ

(㉣)

12 직육면체에서 면 ㄴㅂㅅㄷ과 수직인 면은 모두 몇 개입니까?

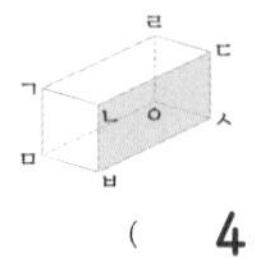

(4)개

13 직육면체의 전개도가 아닌 것을 모두 고르시오. (③, ⑤)

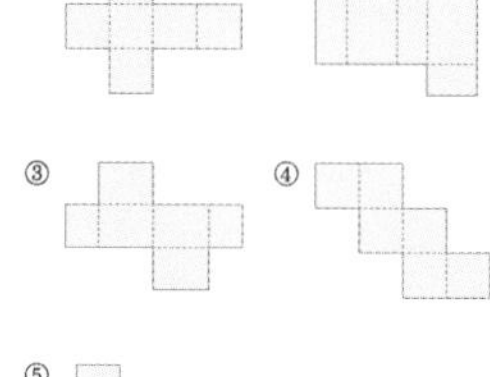

[14~15] 직육면체의 전개도를 보고 물음에 답하시오.

14 전개도를 접었을 때 점 ㅁ과 만나는 점을 모두 찾아 쓰시오.

(점 ㄱ, 점 ㅈ)

15 전개도를 접었을 때 선분 ㄱㅎ과 만나는 선분을 찾아 쓰시오.

(선분 ㅈㅊ)

16 직육면체의 전개도입니다. 안에 알맞은 수를 써넣으시오.

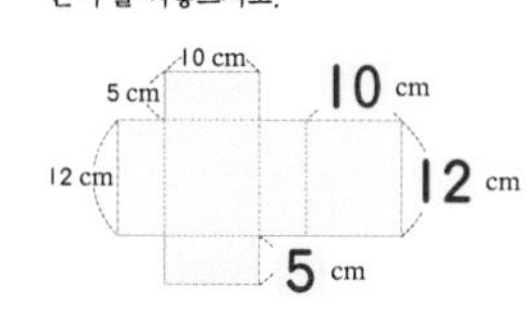

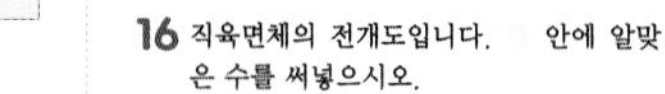

17 직육면체를 위와 앞에서 본 모양을 보고 겨냥도를 그린 것입니다. 안에 알맞은 수를 써넣으시오.

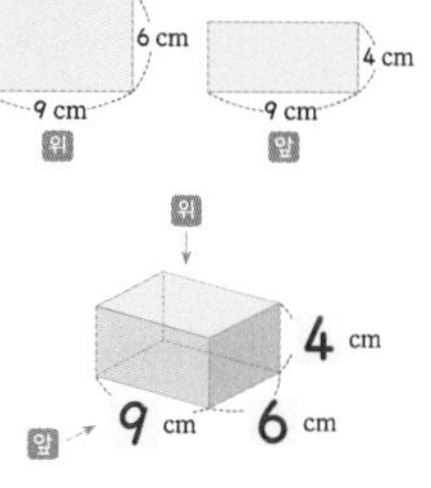

18 한 모서리의 길이가 6 cm인 정육면체의 전개도입니다. 전개도의 둘레의 길이는 몇 cm입니까?

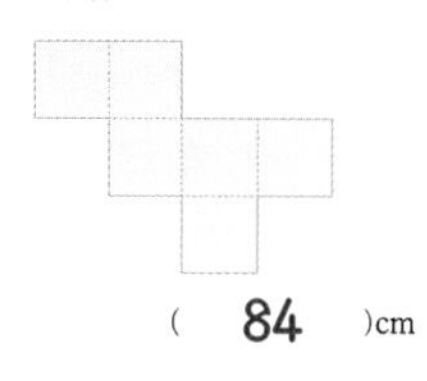

(84)cm

$6\times14=84$(cm)

19 직육면체에서 보이는 모서리의 수는 보이는 꼭짓점의 수보다 몇 개 더 많은지 풀이 과정을 쓰고 답을 구하시오.

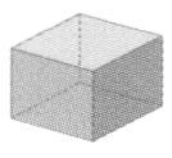

예 풀이 보이는 모서리의 수: 9개
보이는 꼭짓점의 수: 7개
➡ $9-7=2$(개)

답 2개

20 모든 모서리의 길이의 합이 60 cm인 정육면체가 있습니다. 이 정육면체의 한 모서리의 길이는 몇 cm인지 풀이 과정을 쓰고 답을 구하시오.

예 풀이 정육면체의 모서리는 12개이고, 그 길이는 모두 같으므로 한 모서리의 길이는 $60\div12=5$(cm)입니다.

답 5 cm

01 평균 구하기

정답 42쪽

초등 5-2 6 평균과 가능성

● 물의 높이를 고르게 하여 평균 구하기

각 자료의 값을 모두 더해 자료의 수로 나눈 값을 평균이라고 합니다.

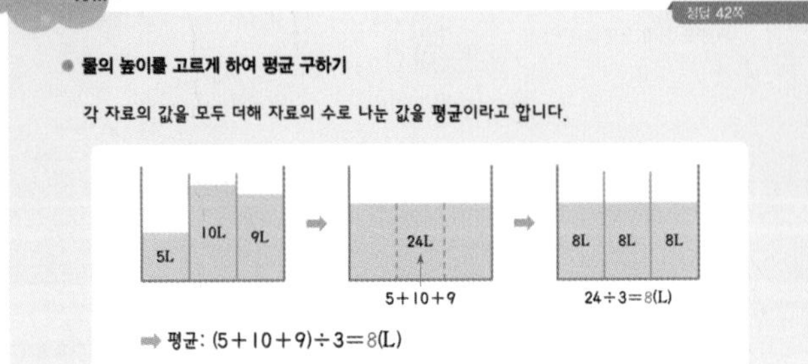

➡ 평균: (5+10+9)÷3=8(L)

1 칸막이가 있는 수조에 담긴 물의 양을 고르게 하여 평균을 구하려고 합니다. 안에 알맞은 수를 써넣으시오.

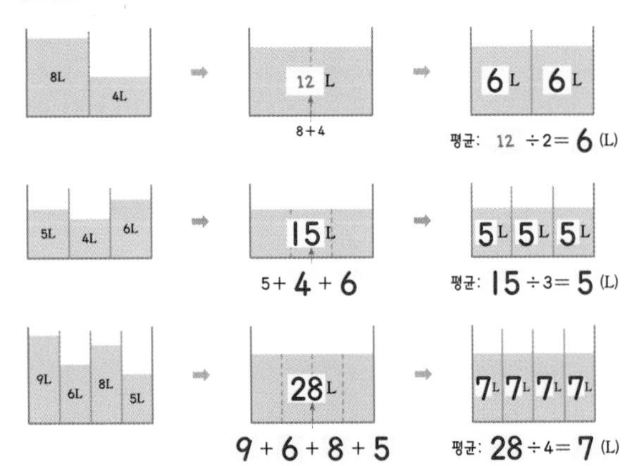

2 표를 보고 평균을 구해 보시오.

지혜네 반 모둠별 학생 수

모둠	1모둠	2모둠	3모둠	4모둠
학생 수(명)	8	7	8	9

➡ 평균: 32 ÷ 4 = 8 (명)
(8+7+8+9, 4모둠)

9월에 읽은 동화책 수

이름	나라	미수	지아	호야
책 수(권)	8	5	6	5

➡ 평균: 24 ÷ 4 = 6 (권)
(8+5+6+5, 4명)

50 m 달리기 기록

이름	준수	선호	소연	미진
기록(초)	9	6	8	7

➡ 평균: 30 ÷ 4 = 7.5 (초)

고리 던지기 기록

회	1회	2회	3회	4회
고리 수(개)	4	5	5	6

➡ 평균: 20 ÷ 4 = 5 (개)

제기차기 기록

회	1회	2회	3회	4회
기록(번)	22	19	25	18

➡ 평균: 84 ÷ 4 = 21 (번)

윗몸 말아 올리기 기록

회	1회	2회	3회	4회
기록(번)	18	20	23	19

➡ 평균: 80 ÷ 4 = 20 (번)

매달리기 기록

회	1회	2회	3회	4회
기록(초)	18	15	19	20

➡ 평균: 72 ÷ 4 = 18 (초)

봉사 동아리 회원의 나이

이름	주연	윤기	은지	지민
나이(살)	12	13	10	13

➡ 평균: 48 ÷ 4 = 12 (살)

● 예상한 평균을 이용하여 평균 구하기

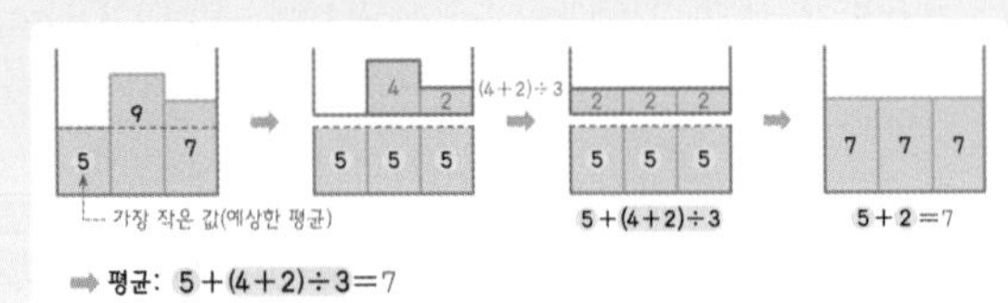

➡ 평균: 5+(4+2)÷3=7

3 예상한 평균을 이용하여 평균을 구하려고 합니다. 안에 알맞은 수를 써넣으시오.

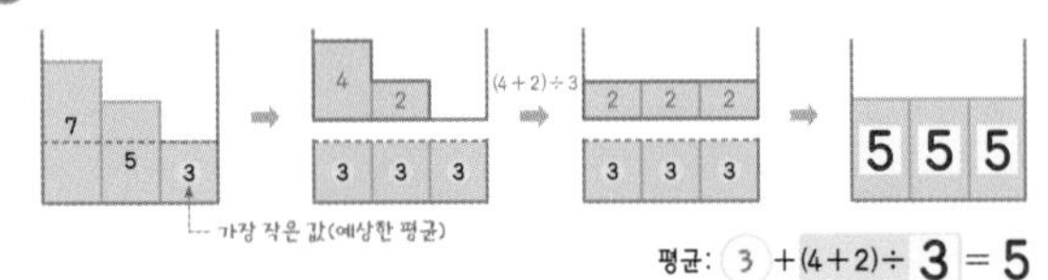

평균: 3 +(4+2)÷ 3 = 5

(4, 6, 5 → 2, (2+1)÷3 → 4 4 4 → 5 5 5)

평균: 4 +(2+1)÷ 3 = 5

(8, 10, 6, 12 → 2, 4, 6 → 6 6 6 6 → 9 9 9 9)

평균: 6 +(2 + 4 + 6)÷ 4 = 9

4 예상한 평균을 이용하여 평균을 구해 보시오.

5학년 반별 학생 수

반	1반	2반	3반	4반
학생 수(명)	30	33	31	34

가장 작은 값(예상한 평균)

➡ $(평균) = 30 + \frac{3+1+4}{4}$ (4개 반(자료의 수))

$= 32$ (명)

수진이의 점수

과목	국어	수학	영어	과학
점수(점)	85	84	91	88

➡ $(평균) = 84 + \frac{1+7+4}{4}$

$= 87$ (점)

줄넘기 기록

회	1회	2회	3회	4회
기록(번)	29	25	31	27

➡ $(평균) = 25 + \frac{4+6+2}{4}$

$= 28$ (번)

친구들의 몸무게

이름	슬기	현정	미란	지혜
몸무게(kg)	39	38	42	37

➡ $(평균) = 37 + \frac{2+1+5}{4}$

$= 39$ (kg)

마을별 초등학생 수

마을	가	나	다	라
학생 수(명)	130	126	121	127

➡ $(평균) = 121 + \frac{9+5+6}{4}$

$= 126$ (명)

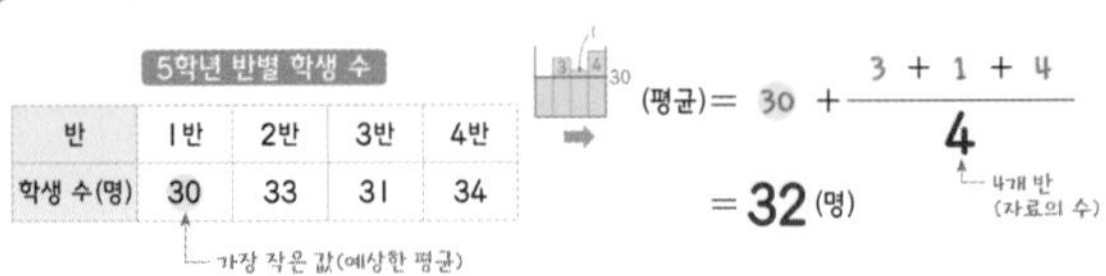

02 평균 활용하기

정답 43쪽

● 자료를 보고 평균 구하기

은서네 모둠 친구들의 수학 점수

65점	75점	35점	85점
45점	85점	80점	90점

➡ 수학 점수의 평균: (65＋75＋35＋85＋45＋85＋80＋90)÷8 ＝70(점)
(수학 점수의 합) (친구 수)

1 자료를 보고 평균을 구해 보시오.

은서의 공 던지기 기록

48m	50m	56m
54m	49m	55m

➡ 평균: 52 m
(48+50+56+54+49+55)÷6

지수가 쓰러뜨린 볼링 핀의 수

4개	2개	6개	8개
9개	10개	8개	9개

➡ 평균: 7 개
(볼링 핀 수의 합)÷(횟수)

친구들이 가지고 있는 연필 수

10자루	3자루	5자루	9자루
9자루	6자루	8자루	6자루

➡ 평균: 7 자루

친구들이 일주일 동안 마신 물의 양

7L	6L	14L
10L	9L	8L

➡ 평균: 9 L

석진이의 윗몸 일으키기 기록

25번	20번	30번	25번
27번	23번	26번	24번

➡ 평균: 25 번

현서의 50m 달리기 기록

9초	10초	12초
10초	9초	10초

➡ 평균: 10 초

● 자료 수가 다른 경우의 평균 비교하기

모둠 친구 수와 제기차기 횟수

모둠	1모둠	2모둠	3모둠	4모둠	5모둠
모둠 친구 수(명)	4	4	5	4	5
제기차기 횟수(번)	24	32	30	36	35
제기차기 횟수의 평균(번)	6	8	6	9	7
	24÷4	32÷4	30÷5	36÷4	35÷5

➡ 제기차기 기록의 평균이 가장 많은 모둠: 4모둠

2 평균을 구하여 표를 완성하고, 안에 알맞게 써넣으시오.

모둠	1모둠	2모둠	3모둠
모둠 친구 수(명)	4	5	3
읽은 도서 수(권)	16	15	18
읽은 도서 수의 평균(권)	4	3	6

16÷4

➡ 평균이 가장 많은 모둠: 3 모둠

친구	지혜	호현	지영
가족 수(명)	3	4	5
마신 우유 양(mL)	1200	2000	1500
마신 우유 양의 평균(mL)	400	500	300

➡ 평균이 가장 많은 친구: 호현

모둠	1모둠	2모둠	3모둠
모둠 친구 수(명)	5	6	4
먹은 사탕 수(개)	30	24	16
먹은 사탕 수의 평균(개)	6	4	4

➡ 평균이 가장 많은 모둠: 1 모둠

모둠	1모둠	2모둠	3모둠
모둠 친구 수(명)	6	4	5
칭찬 도장 수(개)	42	36	40
칭찬 도장 수의 평균(개)	7	9	8

➡ 평균이 가장 많은 모둠: 2 모둠

농장	가	나	다
암탉 수(마리)	15	24	12
낳은 달걀 수(개)	45	48	48
낳은 달걀 수의 평균(개)	3	2	4

➡ 평균이 가장 많은 농장: 다 농장

농장	아침	햇살	신선
사과나무 수(그루)	10	20	15
사과 수확량(kg)	330	700	450
사과 수확량의 평균(kg)	33	35	30

➡ 평균이 가장 많은 농장: 햇살 농장

● 평균을 이용하여 자료 값 구하기 (1)

붙임딱지 수

이름	지혜	호현	미란	혜원	평균
붙임딱지 수(장)		20	18	17	18

➡

이름	지혜	호현	미란	혜원	평균
붙임딱지 수(장)	17	20	18	17	18

❶ 붙임딱지 수의 합
18×4＝72(장)
(평균)(자료 수)

❷ 지혜의 붙임딱지 수
72－(20＋18＋17)＝17(장)

3 평균을 이용하여 자료 값을 구하고, 표를 완성하시오.

조별 학생 수

조	1조	2조	3조	4조	평균
학생 수(명)	8	9	7	8	8

❶ 학생 수의 합: 8 × 4 ＝ 32(명)
(평균) (자료 수)
❷ 4조의 학생 수: 32 － 24 ＝ 8 (명)
(8+9+7)

고리 던지기 기록

회	1회	2회	3회	4회	평균
기록(번)	5	6	6	3	5

❶ 기록의 합: 5 × 4 ＝ 20(번)
❷ 2회의 기록: 20 － 14 ＝ 6 (번)

윗몸 말아 올리기 기록

회	1회	2회	3회	4회	평균
기록(번)	12	10	9	13	11

❶ 기록의 합: 11 × 4 ＝ 44(번)
❷ 3회의 기록: 44 － 35 ＝ 9 (번)

읽은 책의 수

월	1월	2월	3월	4월	평균
책 수(권)	9	7	3	5	6

❶ 책 수의 합: 6 × 4 ＝ 24(권)
❷ 3월의 책 수: 24 － 21 ＝ 3 (권)

● 평균을 이용하여 자료 값 구하기 (2)

줄넘기 기록

회	1회	2회	3회	4회	평균
기록(번)	21		19	23	22

➡

회	1회	2회	3회	4회	평균
기록(번)	21	25	19	23	22

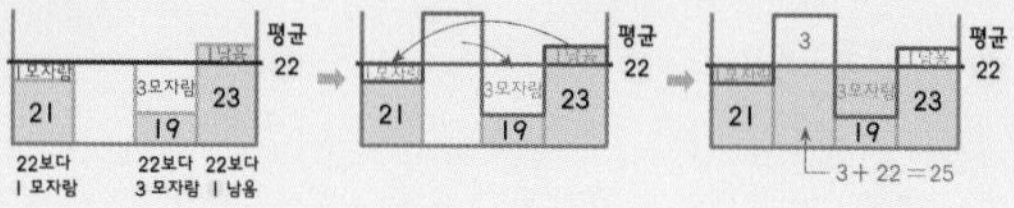

22보다 1 모자람, 22보다 3 모자람, 22보다 1 남음
3＋22＝25

4 평균을 이용하여 자료 값을 구하고, 표를 완성하시오.

유나의 성적

과목	국어	수학	영어	사회	평균
점수(점)	94	86	92	88	90
	90 보다 4 남음	90 보다 4 모자람	90 보다 2 남음	90 보다 2 모자람	

수지네 양궁팀 점수

경기(회)	1회	2회	3회	4회	평균
점수(점)	50	58	60	52	55
	55 보다 5 모자람	55 보다 3 남음	55 보다 5 남음	55 보다 3 모자람	

주별 타자 기록 수

주	첫째	둘째	셋째	넷째	평균
기록(타)	150	140	120	110	130
	130 보다 20 남음	130 보다 10 남음	130 보다 10 모자람	130 보다 20 모자람	

03 일이 일어날 가능성

정답 44쪽

● 가능성 비교하기

어떠한 상황에서 특정한 일이 일어나길 기대할 수 있는 정도를 가능성이라고 합니다.

〈회전판에서 화살이 녹색에 멈출 가능성〉

불가능하다 / ~아닐 것 같다 / 반반이다 / ~일 것 같다 / 확실하다

1 회전판 돌리기에서 화살이 노란색에 멈출 가능성을 비교하는 말을 찾아 알맞게 써넣으시오.

불가능하다 ~아닐 것 같다 반반이다 ~일 것 같다 확실하다

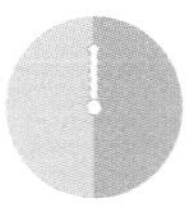
반반이다

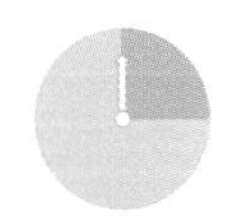
~일 것 같다

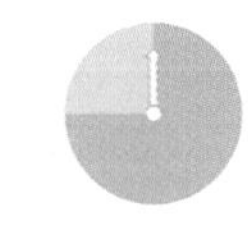
~아닐 것 같다

확실하다

불가능하다

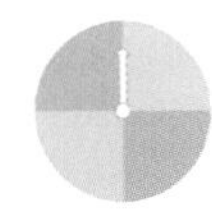
반반이다

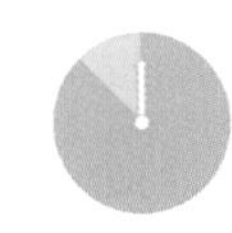
~아닐 것 같다

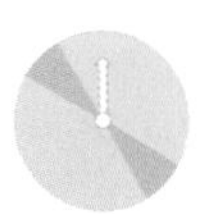
~일 것 같다

2 그림을 보고 안에 알맞게 써넣으시오.

불가능하다 ~아닐 것 같다 반반이다 ~일 것 같다 확실하다

Q1 회전판의 화살이 4보다 큰 수에 멈출 가능성
➡ 4보다 큰 수: 5, 6
➡ 4보다 큰 수에 멈출 가능성: ~아닐 것 같다

Q2 회전판의 화살이 6 이하의 수에 멈출 가능성
➡ 6 이하의 수: 1, 2, 3, 4, 5, 6
➡ 6 이하의 수에 멈출 가능성: 확실하다

Q1 주사위를 굴릴 때 눈의 수가 홀수가 나올 가능성
➡ 홀수: 1, 3, 5
➡ 홀수가 나올 가능성: 반반이다

Q2 주사위를 굴릴 때 눈의 수가 6의 약수가 나올 가능성
➡ 6의 약수: 1, 2, 3, 6
➡ 6의 약수가 나올 가능성: ~일 것 같다

Q3 주사위를 굴릴 때 눈의 수가 7이 나올 가능성
➡ 주사위에는 눈의 수가 7인 면이 (있습니다 , 없습니다).
➡ 7이 나올 가능성: 불가능하다

〈회전판에서 화살이 녹색에 멈출 가능성〉

	불가능하다	반반이다	확실하다
수로 표현	0	$\frac{1}{2}$	1

3 다음을 읽고 맞으면 ○, 틀리면 ×를 ( ) 안에 써넣고, 가능성을 수로 표현해 보시오.

- 토요일 다음 날은 월요일입니다. (×)
  - 토요일 다음 날은 월요일일 가능성: 0 (불가능하다.)
- 4월의 마지막 날은 4월 30일입니다. (○)
  - 4월의 마지막 날은 4월 30일일 가능성: 1

- 계산기에 '2×4='을 누르면 8이 나옵니다. (○)
  - 계산기에 '2×4='을 누르면 8이 나올 가능성: 1
- 계산기에 '8−3='을 누르면 6이 나옵니다. (×)
  - 계산기에 '8−3='을 누르면 6이 나올 가능성: 0

- 주머니에서 구슬을 1개 꺼내면 파란 구슬이 나옵니다. (×)
  - 구슬을 1개 꺼낼 때 파란 구슬일 가능성: 0
- 주머니에서 구슬을 1개 꺼내면 빨간 구슬이 나옵니다. (○)
  - 구슬을 1개 꺼낼 때 빨간 구슬일 가능성: 1

4 일이 일어날 가능성을 수로 표현해 보시오.

확실하다: 1 반반이다: $\frac{1}{2}$ 불가능하다: 0

2월의 마지막 날이 2월 30일일 가능성: 0	빨간 구슬 3개, 파란 구슬 3개가 들어 있는 주머니에서 구슬을 1개 꺼낼 때 파란 구슬일 가능성: $\frac{1}{2}$
계산기에 '5+5='을 누르면 10이 나올 가능성: 1	주사위를 던질 때 짝수가 나올 가능성: $\frac{1}{2}$
노란 구슬 3개가 들어 있는 주머니에서 구슬을 1개 꺼낼 때 노란색일 가능성: 1	화요일 다음 날은 수요일일 가능성: 1
동전을 던질 때 숫자면이 나올 가능성: $\frac{1}{2}$	서울의 12월의 평균 기온이 30℃ 보다 높을 가능성: 0

정답 45쪽

정국이는 기말 시험에서 국어 80점, 영어 89점, 수학 86점을 받았습니다. 세 과목의 평균은 몇 점입니까?

- 주어진 수에 ○표 하고, 구하는 것에 밑줄 치기
국어 점수: 80 점, 영어 점수: 89 점, 수학 점수: 86 점
- 문제 해결하기
세 과목의 점수를 모두 (더하고, 곱하고), 그 값을 과목 수 3으로 (뺍니다, 나눕니다).
- 문제 풀기
(세 과목의 평균)=(세 과목의 점수의 합)÷(과목 수)
$=(80+89+86)\div 3=85$(점)
- 답 쓰기
세 과목의 평균은 85 점입니다.

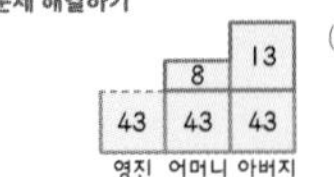

영진이의 몸무게는 43 kg입니다. 어머니의 몸무게는 영진이보다 8 kg 무겁고, 아버지의 몸무게는 영진이보다 13 kg 무겁습니다. 세 사람의 몸무게의 평균은 몇 kg입니까?

- 주어진 수에 ○표 하고, 구하는 것에 밑줄 치기
영진이 몸무게: 43 kg, 어머니 몸무게: (영진이) + 8 kg, 아버지 몸무게: (영진이) + 13 kg
- 문제 해결하기

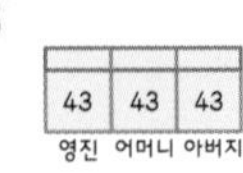

- 문제 풀기
(세 사람의 몸무게의 평균) $=43+\frac{8+13}{3}=50$ (kg)
- 답 쓰기
세 사람의 몸무게의 평균은 50 kg입니다.

지수는 하루에 평균 37쪽씩 책을 읽는다고 합니다. 일주일 동안 모두 몇 쪽을 읽겠습니까?

- 주어진 수에 ○표 하고, 구하는 것에 밑줄 치기
하루에 읽는 평균 쪽수: 37 쪽, 책을 읽는 날수: 7 일
- 문제 해결하기
일주일 동안 읽는 쪽수를 구하려면 하루에 읽는 평균 쪽수에 읽는 날수를 (더합니다, 곱합니다).
- 문제 풀기
(일주일 동안 읽는 쪽수)=(평균 쪽수)×(읽는 날수)
$=37\times 7=259$(쪽)
- 답 쓰기
일주일 동안 모두 259쪽을 읽습니다.

현석이가 줄넘기를 3회 한 평균이 52번이라고 합니다. 1회에는 45번, 2회에는 58번 했다면 3회에는 줄넘기를 몇 번 했습니까?

- 주어진 수에 ○표 하고, 구하는 것에 밑줄 치기
3회 한 줄넘기 평균: 52 번, 줄넘기 기록: 1회 45 번, 2회 58 번
- 문제 해결하기
평균과 횟수를 (더하여, 곱하여) 전체 줄넘기 수를 구한 후
그 값에서 1회, 2회에 한 줄넘기 수를 (뺍니다, 나눕니다).
- 문제 풀기
(3회에 한 줄넘기 수)={(평균)×(횟수)}−{(1회 기록)+(2회 기록)}
$=(52\times 3)-(45+58)=53$(번)
- 답 쓰기
3회에는 줄넘기를 53 번 했습니다.

● □ 안에 알맞은 수를 써넣고, 답을 구하시오.

1 Drill 고리 던지기를 하여 미라는 8개, 지혜는 6개, 정우는 4개 성공했습니다. 세 사람이 성공한 고리 수의 평균은 몇 개입니까?

풀이 (성공한 고리 수의 평균)=(성공한 고리 수의 합)÷(사람 수)
$=(8+6+4)\div 3=6$(개)

답 6 개

2 Drill 윤기는 구슬을 25개 가지고 있습니다. 현주는 윤기보다 6개 더 많고, 우주는 윤기보다 3개 더 많습니다. 세 사람이 가지고 있는 구슬 수의 평균은 몇 개입니까?

풀이 (세 사람이 가진 구슬 수의 평균) $=25+\frac{6+3}{3}=28$(개)

답 28 개

3 Drill 모둠별로 대출한 도서의 평균이 6권일 때, 친구 수가 7명인 모둠이 대출한 도서는 몇 권입니까?

풀이 (7명인 모둠이 대출한 도서 수)=(대출한 도서의 평균)×(친구 수)
$=6\times 7=42$(권)

답 42 권

4 Drill 호석이가 매달리기를 3회 한 평균이 25초라고 합니다. 1회에는 32초, 2회에는 21초 했다면 3회에는 매달리기를 몇 초 했습니까?

풀이 (3회의 매달리기 기록)={(평균)×(횟수)}−{(1회 기록)+(2회 기록)}
$=(25\times 3)-(32+21)=22$(초)

답 22 초

● 서술형 문제를 읽고 풀이 과정과 답을 쓰시오.

도전 1 지난네 학교 5학년 학생은 1반 25명, 2반 26명, 3반 23명, 4반 26명입니다. 각 반 학생 수의 평균은 몇 명입니까?

예 풀이 (각 반 학생 수의 평균)=(각 반 학생 수의 합)÷(반 수)
$=(25+26+23+26)\div 4=25$(명)

답 25명

도전 2 지수는 용돈을 3000원 받았습니다. 형은 지수보다 2000원 더 받고, 누나는 지수보다 4000원 더 받았습니다. 세 사람의 용돈의 평균은 얼마입니까?

예 풀이 (세 사람의 용돈의 평균) $=3000+\frac{2000+4000}{3}$
$=3000+2000$
$=5000$(원)

답 5000원

도전 3 민호는 11월 한 달 동안 윗몸 일으키기를 했습니다. 그 결과 하루에 평균 23번씩 했다는 것을 알았습니다. 민호는 11월 한 달 동안 윗몸 일으키기를 모두 몇 번 했습니까?

예 풀이 (한 달 동안 한 윗몸 일으키기 횟수)=(평균 횟수)×(날수)
$=23\times 30$
$=690$(번)

답 690번

도전 4 노래 동아리 회원 4명의 평균 나이가 12살이라고 합니다. 수지는 10살, 유나는 11살, 진우는 13살이라면 지민이는 몇 살입니까?

예 풀이 (지민이 나이)=(전체 나이의 합)−(수지, 유나, 진우 나이의 합)
$=(12\times 4)-(10+11+13)$
$=14$(살)

답 14살

초등 5-2 6 평균과 가능성

01 칸막이가 있는 수조에 담긴 물의 양을 고르게 하여 평균을 구하려고 합니다. 안에 알맞은 수를 써넣으시오.

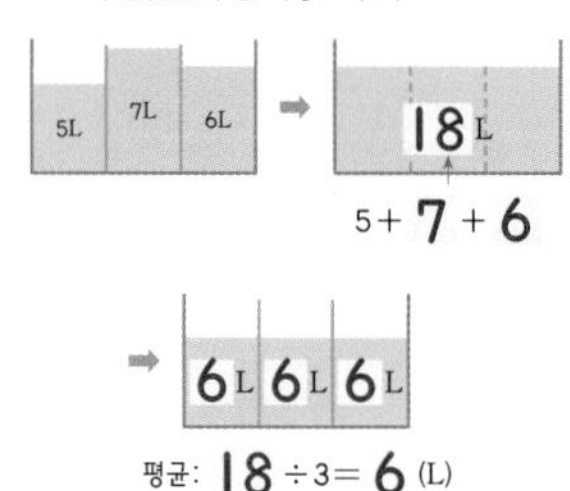

평균: 18 ÷ 3 = 6 (L)

04 예상한 평균을 이용하여 평균을 구하려고 합니다. 안에 알맞은 수를 써넣으시오.

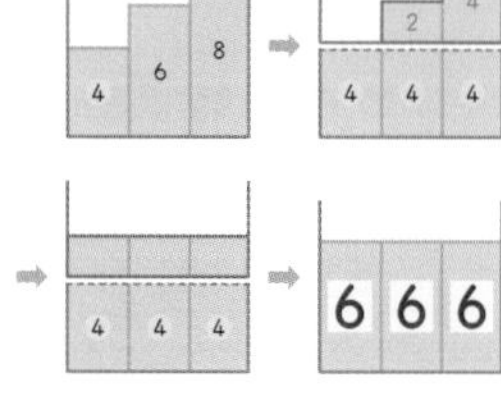

평균: 4 + (2 + 4) ÷ 3 = 6

[02~03] 표를 보고 평균을 구해 보시오.

02

먹은 사탕의 수

이름	영희	재석	성미	영철
사탕(개)	7	5	4	8

➡ 평균: 24 ÷ 4 = 6 (개)

03

반별 학생 수

반	1반	2반	3반	4반
학생 수(명)	20	24	25	23

➡ 평균: 92 ÷ 4 = 23 (명)

05 예상한 평균을 이용하여 평균을 구해 보시오.

영수의 점수

과목	국어	수학	사회	과학
점수(점)	80	84	78	82

예상한 평균(가장 작은 값)

$$(평균) = 78 + \frac{2 + 6 + 4}{4}$$

$= 81$ (점)

06 예상한 평균을 이용하여 평균을 구해 보시오.

학생들의 몸무게

이름	재민	민철	성호	인수
몸무게(kg)	38	36	37	41

$$(평균) = 36 + \frac{2 + 1 + 5}{4}$$

$= 38$ (kg)

[07~08] 자료를 보고 평균을 구해 보시오.

07

고리 던지기 기록

10개 7개 6개
5개 8개 12개

➡ 평균: 8 개

08

줄넘기 기록

40번 44번 56번
45번 40번

➡ 평균: 45 번

09 평균을 구하여 표를 완성하고, 안에 알맞게 써넣으시오.

모둠 학생 수와 읽은 책 수

모둠	1모둠	2모둠	3모둠
모둠 학생 수(명)	5	7	6
읽은 책의 수(권)	30	35	42
읽은 책의 평균(권)	6	5	7

➡ 평균이 가장 많은 모둠: 3 모둠

10 평균을 구하여 표를 완성하고, 안에 알맞게 써넣으시오.

(1) 과수원별 배나무 수와 배 수확량

과수원	싱싱	햇살	달빛
배나무 수(그루)	5	8	10
배 수확량(kg)	125	216	280
배 수확량의 평균(kg)	25	27	28

➡ 평균이 가장 많은 과수원: 달빛 과수원

(2) 농장별 오리 수와 낳은 알 수

농장	풍성	튼튼	건강
오리 수(마리)	13	15	24
낳은 알 수(개)	65	90	96
낳은 알의 평균(개)	5	6	4

➡ 평균이 가장 많은 농장: 튼튼 농장

[11~13] 평균을 이용하여 자료 값을 구하고, 표를 완성하시오.

11

동아리 회원의 나이

이름	미주	성희	나연	영미	평균
나이(살)	15	10	14	13	13

❶ 나이의 합: 13 × 4 = 52 (살)

❷ 성희의 나이: 52 − 42 = 10 (살)

12

오래 매달리기 기록

이름	성환	영태	재민	정수	평균
기록(초)	14	18	19	17	17

❶ 기록의 합: 17 × 4 = 68 (초)

❷ 정수의 기록: 68 − 51 = 17 (초)

13

제기차기 기록

회	1회	2회	3회	4회	평균
기록(번)	23	30	24	27	26

❶ 기록의 합: 26 × 4 = 104 (번)

❷ 3회의 기록: 104 − 80 = 24 (번)

14 평균을 이용하여 자료 값을 구하고, 표를 완성하시오.

가지고 있는 구슬 수

이름	서인	현재	재인	서연	평균
구슬 수(개)	46	50	48	44	47

47 보다 1 모자람 / 47 보다 3 남음 / 47 보다 1 남음 / 47 보다 3 모자람

15 회전판 돌리기에서 화살이 연두색에 멈출 가능성을 비교하는 말을 찾아 알맞게 써넣으시오.

불가능하다 ~아닐 것 같다
반반이다 ~일 것 같다 확실하다

~아닐 것 같다

확실하다

반반이다

~일 것 같다

[16~17] 그림을 보고 안에 알맞게 써넣으시오.

불가능하다 ~아닐 것 같다
반반이다 ~일 것 같다 확실하다

16

회전판의 화살이 짝수에 멈출 가능성

➡ 짝수: 2, 4, 6

➡ 짝수에 멈출 가능성: 반반이다

17

주사위를 굴릴 때 눈의 수가 3의 배수가 나올 가능성

➡ 3의 배수: 3, 6

➡ 3의 배수가 나올 가능성: ~아닐 것 같다

[18~19] 다음을 읽고 맞으면 ○, 틀리면 ×를 ( ) 안에 써넣고, 가능성을 수로 표현해 보시오.

확실하다: 1 반반이다: $\frac{1}{2}$ 불가능하다: 0

18

월요일 다음 날은 화요일입니다. (○)

월요일 다음 날은 화요일일 가능성: 1

19

상자에서 구슬을 1개 꺼내면 빨간 구슬이 나옵니다. (×)

구슬을 1개 꺼낼 때 빨간 구슬일 가능성: 0

20 일이 일어날 가능성을 수로 표현해 보시오.

확실하다: 1 반반이다: $\frac{1}{2}$ 불가능하다: 0

(1) 동전을 던질 때 그림면이 나올 가능성

➡ $\frac{1}{2}$

(2) 12월의 마지막 날이 12월 31일일 가능성

➡ 1

단원 평가

6. 평균과 가능성

걸린 시간 분 점수 점

정답 47쪽

1 사과 4개의 무게를 조사한 것입니다. 사과 한 개의 평균 무게는 몇 g입니까?

185g 175g 179g 181g

(180)g

2 민주의 과목별 시험 점수를 조사하여 나타낸 표입니다. 과목별 점수의 평균은 몇 점입니까?

시험 점수

과목	국어	수학	과학	사회
점수(점)	87	93	79	85

(86)점

3 재석이네 모둠 학생들이 가지고 있는 구슬 수입니다. 재석이네 모둠 학생들이 가지고 있는 구슬 수의 평균은 몇 개입니까?

35개 20개 40개
46개 65개 64개

(45)개

4 영수네 학교와 동호네 학교에서 5일 동안 결석한 학생 수를 요일별로 조사하여 나타낸 표입니다. 하루 평균 결석한 학생 수는 누구네 학교가 더 많습니까?

영수네 학교

요일	월	화	수	목	금
결석생 수(명)	5	6	5	6	3

동호네 학교

요일	월	화	수	목	금
결석생 수(명)	2	4	6	3	5

(영수네)학교

하루 평균 결석한 학생 수
영수네: $25 \div 5 = 5$(명)
동호네: $20 \div 5 = 4$(명)

5 농장별 가축 수를 조사하여 나타낸 표입니다. 가 농장의 가축 수는 평균에 비해 많은 편입니까, 적은 편입니까?

농장별 가축 수

농장	가	나	다	라
가축 수(마리)	246	268	232	254

(적은 편입니다)

가축 수의 평균: 250마리

[6~7] 호원이와 성호가 만든 종이학의 수를 나타낸 것입니다. 물음에 답하시오.

호원: 일주일 동안 종이학을 105개 만들었어.
성호: 12일 동안 종이학을 168개 만들었어.

6 호원이와 성호는 각각 하루에 평균 몇 개의 종이학을 만들었습니까?

호원 (15)개
성호 (14)개

7 호원이와 성호 중 누가 하루에 종이학을 더 많이 만들었습니까?

(호원)

8 지수는 하루에 책을 평균 32쪽 읽는다고 합니다. 15일 동안에는 몇 쪽을 읽겠습니까?

(480)쪽

9 동주네 모둠 학생들의 제기차기 기록을 조사하여 나타낸 표입니다. 기록이 평균보다 많은 학생은 몇 명입니까?

제기차기 기록

이름	기록(번)	이름	기록(번)
동주	22	치범	18
선호	20	정수	20
재국	16	민철	24

(2)명

평균 기록: $120 \div 6 = 20$(번)
동주와 민철이의 기록이 평균보다 많습니다.

10 미주와 선아의 과목별 성적을 나타낸 표입니다. 누구의 성적이 더 좋습니까?

과목별 성적

과목 \ 이름	미주	선아
국어	90점	78점
영어	82점	92점
수학	80점	85점
사회	82점	82점
과학	86점	88점

(선아)

미주의 평균 점수: $420 \div 5 = 84$(점)
선아의 평균 점수: $425 \div 5 = 85$(점)

11 어느 문구점에서는 지우개가 일주일에 644개 팔린다고 합니다. 하루 평균 몇 개가 팔리는 셈입니까?

(92)개

$644 \div 7 = 92$(개)

12 가, 나, 다 세 공장에서 장난감을 만들었습니다. 가 공장은 1000개를 만들고, 나 공장은 가 공장보다 250개 더 많이 만들었습니다. 다 공장은 가 공장보다 500개를 더 많이 만들었다면, 가, 나, 다 세 공장에서 만든 장난감의 평균은 몇 개입니까?

(1250)개

(장난감의 평균)$= 1000 + \frac{250+500}{3}$
$= 1000 + 250$
$= 1250$(개)

13 민희네 모둠 단체 줄넘기 기록입니다. 평균 기록이 30번이 되려면 6회에는 몇 번을 넘어야 합니까?

단체 줄넘기 기록

회	1회	2회	3회	4회	5회	6회
기록(번)	28	30	29	34	26	

(33)번

(6회의 기록)
$= 30 \times 6 - (28+30+29+34+26)$
$= 180 - 147 = 33$(번)

14 일이 일어날 가능성을 찾아 기호를 쓰시오.

㉠ 확실하다 ㉡ ~일 것 같다
㉢ 반반이다 ㉣ ~아닐 것 같다
㉤ 불가능하다

(1) 동전을 던져서 그림면이 나올 가능성

(㉢)

(2) 내일 아침 해가 동쪽에서 뜰 가능성

(㉠)

15 일이 일어날 가능성이 불가능한 것은 어느 것입니까? (④)

① 신생아가 여자 아이일 가능성
② 내일 비가 올 가능성
③ 주사위를 굴렸을 때 홀수의 눈이 나올 가능성
④ 우리 반에 11월 31일이 생일인 학생이 있을 가능성
⑤ 가위바위보를 하여 비길 가능성

16 일이 일어날 가능성을 수로 나타낼 때 안에 알맞은 수를 써넣으시오.

0 $\frac{1}{2}$ 1

17 주사위 한 개를 굴렸을 때 3보다 큰 수의 눈이 나올 가능성을 수로 나타내시오.

($\frac{1}{2}$)

18 일이 일어날 가능성이 큰 것부터 차례로 기호를 쓰시오.

㉠ 8월 10일이 겨울 방학일 가능성
㉡ 검은색 공만 들어 있는 주머니에서 검은색 공을 꺼낼 가능성
㉢ 주사위를 굴릴 때 눈의 수가 홀수가 나올 가능성

(㉡, ㉢, ㉠)

㉠ 0 ㉡ 1 ㉢ $\frac{1}{2}$

19 세찬이의 공 던지기 기록을 나타낸 표입니다. 3회의 기록은 몇 m인지 풀이 과정을 쓰고 답을 구하시오.

공 던지기 기록

회	1회	2회	3회	4회	평균
기록(m)	44	38		40	42

예 풀이 4회까지 기록의 합은 $42 \times 4 = 168$(m)이므로 3회의 기록은 $168 - (44+38+40)$ $= 46$(m)입니다.

답 46m

20 주머니에 빨간색 공 3개, 파란색 공 5개, 노란색 공 2개가 들어 있습니다. 그중에서 1개를 꺼낼 때, 꺼낸 공이 파란색 공일 가능성을 기약분수로 나타내면 얼마인지 풀이 과정을 쓰고 답을 구하시오.

예 풀이 공은 모두 $3+5+2$ $= 10$(개)이고, 그중에서 파란색 공은 5개이므로 꺼낸 공이 파란색 공일 가능성은 $\frac{5}{10} = \frac{1}{2}$입니다.

답 $\frac{1}{2}$

memo